# Das Buch der
# Balladen

# Das Buch der Balladen

Balladen und Romanzen
von den Anfängen bis zur Gegenwart

*Zum Geburtstag 1981 (Mai)*
*von den*
*Yserlohnern*

Herausgegeben von Walter Hansen
Mit Bildern von Alfred Bast

Lizenzausgabe mit Genehmigung der Mosaik Verlag GmbH, München
für die Bertelsmann Reinhard Mohn GmbH, Gütersloh
die Europäische Bildungsgemeinschaft Verlags-GmbH, Stuttgart
die Buchgemeinschaft Donauland Kremayr & Scheriau, Wien
und die Buch- und Schallplattenfreunde GmbH, Zug/Schweiz
Diese Lizenz gilt auch für die Deutsche Buch-Gemeinschaft
C. A. Koch's Verlag Nachf., Berlin – Darmstadt – Wien
© Mosaik Verlag GmbH, München 1978
Gesamtherstellung Mohndruck Reinhard Mohn GmbH, Gütersloh
Printed in Germany · Buch-Nr. 06385 9

# Inhaltsverzeichnis

# Legenden 99

Vom Geiger zu Gmünd,
vom Engel in der Wüste,
vom Ritter St. Georg,
der den Tracken besiegte

# Ritter und Helden 117

Von Schwerterspiel und Gotentreu
von Kaiser Rudolfs letztem Ritt.
Vom fahlen Vatermörder
in des Grafen Burgverlies

# Geschichte 141

Von Feldgeschrei und Kriegestanz,
von Heldentat und Heldentod.
Und vom Kaiser,
der ins Kloster ging

# Schicksal 197

Von Todes-Spiel
und Teufels-Spott,
von Göttergunst
und Götterneid

# Der Tod 183

Wie sie am Krankenbett
des Kaisers weinten.
Wie sie lachten,
als der Gaukler starb

# Das Meer 211

Vom Schiffsjung',
der den Hering stahl.
Von Segel, Sturm
und Störtebecker

# Vorwort

Die Ballade erlebt eine Renaissance. Dichter unserer Tage besinnen sich auf die bewährten Stilmittel vergangener Jahrhunderte, und sie fesseln mit Balladen, Protestsongs und Moritaten das Volk. Um Ursprung und Entwicklung dieser Dichtkunst darzustellen, entstand dieses Buch: Eine Anthologie neuen Stils mit Gelegenheit zur vergleichenden Betrachtung, nicht beschränkt allein auf die Auswahl lyrisch-epischer Gedichte düsterer Grundhaltung, phantastisch, mysteriös und heroisch, die typisch zu sein scheinen für die Balladenliteratur schlechthin – tatsächlich aber nur typisch sind für eine Epoche, für einen bestimmten Stil.

Die Ballade ist lebendig und wandlungsfähig. Sie kommt aus der Vorzeit schriftloser Überlieferung, wurde auf Jahrmärkten fürs Volk und in Schlössern für Fürsten gesungen. Sie hielt sich über Jahrhunderte hinweg bis in die heutige Zeit hinein, weil sie die Vielfalt menschlicher Grunderlebnisse und Probleme schilderte, immer aktuell blieb, immer am Puls der Zeit, ohne die Urform zu verlassen.

Deshalb enthält dieses Buch über 400 Beispiele balladesker Literatur gleichsam ohne Klassenunterschiede: So gut wie alle bekannten, als »typisch« empfundenen Balladen, darüber hinaus aber auch die Werke moderner und unbekannter Dichter und die unbekannten Werke bekannter Dichter: Schillers »Kindsmörderin« etwa oder »Ritter Curds Brautfahrt« von Goethe, zwei Balladen, die bisher fast nie veröffentlicht wurden.

In diesem Buch sind die Balladen nicht entsprechend der Tradition bisheriger Anthologien unter den Namen der nach Lebzeiten geordneten Dichter aneinandergereiht, sondern nach thematischen Gruppen. Dadurch ergeben sich von Werk zu Werk mitunter Sprünge über Jahrhunderte hinweg. Die dabei herausgeforderten Stilbrüche sind erwünscht, weil sie zu Entdeckungen und Vergleichen führen: Sie machen beispielsweise deutlich, wie stark die Volksballade über Danhauser später Heinrich Heines Tannhäuser-Ballade beeinflußt hat oder wie König Ludwig I. von Bayern in einer Ballade auf das ursprünglich vom Volksmund besungene, mit der Geschichte seines Hauses unrühmlich verbundene Schicksal der Agnes Bernauer einging. Sie zeigen, wie vielfältig das Thema »Kindsmörderin« bewältigt wurde: Von einem unbekannten Volksballaden-Dichter, von Schiller, Bürger, Solitaire und Brecht. Am Thema Lorelei läßt sich die Entwicklung der Ballade von verträumter Romantik bis in unsere Tage hinein nachvollziehen. Das soziale Engagement von Heinrich Heine, Chamisso, Christian Morgenstern, Ringelnatz und Zuckmayer wird vergleichbar, wenn einige ihrer Balladen unter dem Stichwort »Armut und Elend« zusammengefaßt sind. Dirnen-Probleme, ein Kapitel für sich, beschäftigten Goethe, Brentano, Heine und Hacks gleichermaßen – nur bedienten sie sich unterschiedlicher Stilmittel.

Über den Stil der Ballade hat Goethe einmal geschrieben: »Es gibt nur drei Urformen der Poesie: die klar erzählende, die enthusiastisch aufgeregte und die persönlich handelnde: Epos, Lyrik, Drama... In dem kleinsten Gedicht findet man sie oft beisammen, und sie bringen eben durch diese Vereinigung im engsten Raum das herrlichste Gebilde hervor, das wir an den schätzenswerten Balladen... gewahr werden«. »Übrigens«, schreibt er an anderer Stelle, »ließe sich an einer Auswahl solcher Gedichte die ganze Poetik gar wohl vortragen, weil hier die Elemente noch nicht getrennt, sondern, wie in einem lebendigen Ur-Ei, zusammen sind...«.

Das Wort »Ballade« läßt sich zurückführen auf das mittelalterliche Tanzliedchen »ballata« in Italien und scheint einen zwingenden, archetypischen, gleichsam magischen Reiz zu haben, da es sich in fast allen europäischen Sprachen durchgesetzt hat, ohne daß sein ursprünglicher Sinn überhaupt auf das Erzählgedicht zutraf. Balladen werden vereinzelt auch Romanzen genannt. Das Wort kommt aus dem Spanischen und Südfranzösischen: »Romanzo« oder »romance« bedeutete dort Volkssprache – im Gegensatz zur lateinischen Schriftsprache.

Die ersten deutschen Erzählgedichte sind in der urwüchsigen Sprache des Volksmundes überliefert, als »epische Volkslieder« unbekannter Herkunft, die erst später von Sammlern aufgeschrieben wurden.

Sie schilderten Geschichten von Liebeslist und Liebeslust, Liebesfreud und Liebesleid, von Rittern und Räubern, von Mord und Schicksalsschlag, von Gespenstern und geschichtlichen Begebenheiten.

Eine besondere Form dieser Volksballade war das Bänkellied. Es wurde im allgemeinen Radau der Jahrmärkte marktschreierisch und unüberhörbar dargeboten von einem Sänger, der auf einer Bank stand, damit ihn alle sehen konnten. Um das Volk anzulocken, versuchte er die vielfältigen Tingeltangel-Reize zu überbieten, indem er für seinen Vortrag nur Volksballaden besonders unheimlichen oder grauenvollen Inhalts auswählte und auch eigene Werke dichtete, die aktuelle Begebenheiten schilderten, meist Verbrechen, bei denen reichlich Blut und Tränen flossen.

Die Bänkelballaden waren gern gehört, galten aber als verrufene Literatur, denn der Sänger wurde dem fahrenden Volk der Gaukler und Taschenspieler, Bärentreiber und Quacksalber zugeordnet, den unehrlichen Zünften mithin. Auf die Idee, ihn als Dichter ernstzunehmen, kam niemand. – Zu Unrecht, denn unter den Jahrmarktsängern befand sich manch verkanntes Genie. – Ihre vom Volksmund weiter überlieferten Werke werden heute von Gelehrten gesammelt und interpretiert. Die Flugblätter mit einigen Texten, damals für ein Trinkgeld verkauft, gehören zu den sorgsam gehüteten Schätzen wissenschaftlicher Bibliotheken. Außerdem beginnt man jetzt zu erkennen, daß die Jahrmarktsänger, besonders im 17. und Anfang des 18. Jahrhunderts, Auswirkungen auf die zeitgenössische Literatur hatten. Sie wurden nachgeahmt, mitunter auch parodiert. Unübersehbar ist der Rhythmus des Bänkelsangs in einigen Werken der vorklassischen und späterer Dichter – doch damals wollten sich die wenigsten dazu bekennen.

Der stärkste Impuls auf die deutsche Balladendichtung kam kurz darauf aus dem Ausland: Aus Frankreich, Spanien, Skandinavien und besonders aus England, wo Thomas Percy im Jahre 1765 eine dreibändige Sammlung mit eigenen Werken und überarbeiteten englischen und schottischen Gedichten früherer Zeit unter dem Titel »Reliques of ancient English Poetry« zusammenfaßte.

Die ersten Übersetzungen dieser unmittelbar-wuchtigen, bildhaften Gedichte begeisterten viele deutsche Dichter, vor allem Goethe, Schiller und Bürger. Begünstigt wurde diese Entwicklung von den Übersetzungen Johann Gottfried von Herders, der ausländische Balladen in seine Sammlung »Stimmen der Völker in Liedern« aufnahm, ohne jedoch selbst ein eigenes Werk vergleichbarer Bedeutung zur Balladendichtung seiner Zeit beigesteuert zu haben.

Die klassische Ballade, beeinflußt von übersetzten Werken fremder Kulturkreise und nach wie vor auch von der deutschen Volksballade, entwickelte sich zu einer sprachlich unerhört disziplinierten, teils ins Pathetische sich steigernden Stilform, die in einigen Fällen strenge Kritiker und Balladenforscher sogar bedenklich stimmte. Der vielleicht bedeutendste unter ihnen in unserem Jahrhundert, Dr. Hans Benzmann, vertrat die im ersten Augenblick schier ketzerisch anmutende Auffassung, daß »im Sinne der naiven und echten Balladenkunst... Schillers Balladen nicht Balladen zu nennen« sind. »Was diesen Dichtungen« – so Benzmann – »an elementarer Poesie und Stimmung fehlt, das wird ihnen nicht ersetzt durch den architektonisch wohlgefügten Aufbau, durch die ruhige, klare, schöne Sprache, durch den Widerstreit edler und tiefer Gedanken, durch schöne moralische Pointen. Gerade diese Momente sind der Ballade feindlich, gerade sie lassen das Wesen der echten Ballade nicht aufkommen«. Soweit Benzmann, der freilich niemand hindern soll, die Werke Schillers in diesem Buch zu lesen.

Schiller, Goethe und Bürger haben die Balladendichtung der folgenden Zeit kräftig geprägt, besonders das Schaffen von Brentano und Arnim, Chamisso und Uhland. Von Uhland wiederum kam eine geradezu suggestive Wirkung auf die Balladendichtung, man sprach von einer »Uhlandschen Schule«, der sich Anastasius Grün beispielsweise, Justinus Kerner und Gustav Schwab verpflichtet fühlten, und darüber hinaus griffen nahezu alle bedeutenden Dichter dieser Zeit und späterer Epochen zur Feder, um, von seinem Beispiel fasziniert, Balladen zu schreiben, selbst wenn ihnen dieser Stil nicht unbedingt lag.

Zum Verständnis der Literaturgeschichte des 19. Jahrhunderts gehören deshalb balladenartige Gedichte einiger zu ihrer Zeit aus spontanem Empfinden heraus gefeierter, heute jedoch als schwach empfundener Epigonen genau so wie die eigenständigen, kraftvollen und zeitlosen Werke der großen Balladen-Dichter: Eichendorff, Droste-Hülshoff, Heine, Mörike, Lenau, Fontane, Keller, Konrad Ferdinand Meyer, um nur einige zu nennen.

Der entscheidende Schritt zur weiteren Entwicklung der Ballade wurde nach der letzten Jahrhundertwende getan, als der Expressionismus viele Dichter bestrickte, besonders Georg Heym, der sich demonstrativ vom Stil einer nicht mehr zeitgemäßen, gewissermaßen klinisch noch am Leben erhaltenen Traditions-Ballade trennte und damit die Brücken hinter sich abbrach, für sich selbst und viele andere.

Der Expressionismus, so deutlich sein Startsignal und seine Schubkraft auch waren, hielt sich nicht lange. Neue Wege zeigten beispielsweise Morgenstern und Ringelnatz, deren bittere Sarkasmen, bizarre Ideen und geistreiche Blödeleien mit den allgemein üblich gewordenen Begriffen Chansonballade und Kabarettballade wohl nicht ganz zutreffend umrissen wurden.

Die jüngste, bedeutendste Entwicklung wird – von Ausnahmen abgesehen – beeinflußt einerseits von der zynischen Aufrichtigkeit des genialen Galgenvogels François Villon, der genußvoll und furchtlos das Frankreich des 15. Jahrhunderts mit seinen Balladen schockierte, andererseits von dem Rhythmus, der krassen Deutlichkeit und grotesken Übertreibung, die wir in der deutschen Volksballade derberen Inhalts finden, in Moritaten und im Bänkelsang besonders des 16. und 17. Jahrhunderts. Die Dichter unserer Zeit freilich bedienen sich dieser modifizierten Stilmittel nicht in der Absicht, beim Publikum die Lust am Grauenhaften und Gruseligen zu befriedigen wie die Jahrmarktsänger, sondern auffällige Denkanstöße zu geben und das menschliche Leben als problematisch, von Gewalt und Widerspruch bestimmt zu zeigen.

Jeder Kunstgriff ist erlaubt, um den Leser von oberflächlichen Reizen abzulenken, ihn aus lascher Teilnahmslosigkeit heraus zu reißen, um ihn wachzurütteln und zu fesseln. Der Zweck heiligt das Stilmittel, vorausgesetzt, in jeder Ballade sind, Goethes Worten entsprechend, die drei Elemente der Poesie wie in einem Ur-Ei zusammen: Epos, Lyrik, Drama.

w. h.

# Unheimliche Balladen

Von des Spielmanns Gesang
um Mitternacht,
vom modernden Leichnam,
der plötzlich erwacht

# Mitternacht

's ist Mitternacht!
Der eine schläft, der andre wacht.
Er schaut beim blauen Mondenlicht
dem Schläfer still ins Angesicht;
drin tut ein böser Traum sich kund,
wie seltsam zuckt er mit dem Mund!
's ist Mitternacht,
der eine schläft, der andre wacht.

's ist Mitternacht!
Der eine schläft, der andre wacht!
»So sah der Freund noch immer aus,
er greift zum Dolch, es macht mir Graus,
er stößt, er lacht – du triffst ja mich!
erwache doch, ich rüttle dich!«
's ist Mitternacht!
Der andre ist nur halb erwacht.

's ist Mitternacht!
Der andre ist nur halb erwacht!
Er stiert, er ruft: »So lebst du noch,
Verruchter, und ich traf dich doch?
So nimm noch den! hei! der war gut!
warm spritzt mir ins Gesicht dein Blut!«
's ist Mitternacht!
Nun schlafen beide, keiner wacht.

's ist Mitternacht!
Sie schlafen beide, keiner wacht!
Du wüste Eul' im Eibenbaum,
du krächztest ihn in diesen Traum,
nun fängt die häm'sche Dohle an,
ob sie ihn nicht erwecken kann.
's ist Mitternacht,
Gott gebe, daß er nie erwacht!

*Von Friedrich Hebbel (1813–1863)*

# Die nächtliche Heerschau

Nachts um die zwölfte Stunde
verläßt der Tambour sein Grab,
macht mit der Trommel die Runde,
geht emsig auf und ab.

Mit seinen entfleischten Armen
rührt er die Schlägel zugleich,
schlägt manchen guten Wirbel,
Reveill' und Zapfenstreich.

Die Trommel klinget seltsam,
hat gar einen starken Ton:
die alten, toten Soldaten
erwachen im Grab davon.

Und die im tiefen Norden
erstarrt in Schnee und Eis,
und die in Welschland liegen,
wo ihnen die Erde zu heiß:

und die der Nilschlamm decket
und der arabische Sand,
sie steigen aus ihren Gräbern,
sie nehmen's Gewehr zur Hand.

Und um die zwölfte Stunde
verläßt der Trompeter sein Grab
und schmettert in die Trompete
und reitet auf und ab.

Da kommen auf lustigen Pferden
die toten Reiter herbei,
die blutigen alten Schwadronen
in Waffen mancherlei.

Es grinsen die weißen Schädel
wohl unter dem Helm hervor,
es halten die Knochenhände
die langen Schwerter empor.

Und um die zwölfte Stunde
verläßt der Feldherr sein Grab,
kommt langsam hergeritten,
umgeben von seinem Stab.

Er trägt ein kleines Hütchen,
er trägt ein einfach Kleid,
und einen kleinen Degen
trägt er an seiner Seit'.

Der Mond mit gelbem Lichte
erhellt den weiten Plan;
der Mann im kleinen Hütchen
sieht sich die Truppen an.

Die Reihen präsentieren
und schultern das Gewehr,
dann zieht mit klingendem Spiele
vorüber das ganze Heer.

Die Marschäll' und Generale
schließen um ihn einen Kreis.
Der Feldherr sagt dem Nächsten
ins Ohr ein Wörtlein leis.

Das Wort geht in die Runde,
klingt wieder fern und nah:
»Frankreich« ist die Parole,
die Losung: »Sankt Helena!«

Dies ist die große Parade
im elysäischen Feld,
die um die zwölfte Stunde
der tote Cäsar hält.

*Von Josef Christian Freiherr von Zedlitz (1790–1862)*

# Und Schrecken bannt der Verfolger Heer

Es reitet ein Ritter durch Nacht und Graus
nach seinem sichern Felsenhaus.

Des Weges ist er kundig gut,
gar manchen Tag er ihn reiten tut.

Übern Gottesacker sein Roß ihn trägt,
und nimmer hat Furcht sein Herz bewegt.

Und wenn er über den Totenhof zieht,
da singt er leis ein frommes Lied:

»Aus der Tiefe ruf ich Herr, zu dir,
gib Frieden allen, die schlummern hier!«

Und einstmals ängstlich der Ritter sprengt
rasch über den Friedhof, vom Feind bedrängt.

»Aus der Tiefe ruf ich Herr, zu dir!
gib Schutz vor meinen Verfolgern mir!«

Da sind die Toten all erwacht,
da steigt's empor aus der Gräber Nacht.

Die Toten schwingen wild die Wehr,
und Schrecken bannt der Verfolger Heer.

Sie sind vom starken Entsetzen stumm,
sie wenden zur schnellsten Flucht sich um.

Die Toten hielten dem Ritter zu,
der oft gebetet für ihre Ruh.

Der fromme Ritter durch Nacht und Graus
kam sicher nach seinem Felsenhaus.

*Von Ludwig Bechstein (1801–1860), berühmt*
*geworden als Sammler und Dichter von Märchen.*

# Eine Mutter und das versunkene Heer

Es gehet und wehet die Kunde durchs Land
es trafen die Heere am Moldaustrand,
sie haben ein Treffen geschlagen,
auf hölzerner Brücke, hoch über dem Fluß,
da trafen die Deutschen die Kinder des Huß,
die Kinder des Kelches erlagen.

Und unter dem Tritte der Pferde zerbrach
die hallende Brücke mit Donnergekrach,
es wichen die Pfeiler im Falle.
Die Reiter, das Fußvolk voll Wunden und Blut,
sie stürzten kopfüber hinab in die Flut,
da sanken, ertranken sie alle.

Die böhmische Mutter, sie höret die Mär,
ihr Sohn ist mit im versunkenen Heer,
ihr letzter geboren, verloren.
Es heulet der Sturmwind, die Nacht ist kalt,
sie flieht durch den sausenden, brausenden Wald,
ihr letzter geboren, verloren!

Durch starrende Felsen, so wüst und so leer,
kommt donnernd und brausend die Moldau daher
um sinkende Trümmer und Tore.
Am Saume des Strands, wo der Weidenbusch rauscht,
da sitzet die Mutter und lauscht und lauscht,
ein zerschossener Vogel im Rohre.

Und wie sie so lauscht mit dem Auge voll Glut,
da hebt sich und regt sich die grollende Flut,
es röten sich seltsam die Wogen.
Ist's Glühen des Morgens, das so sie bestrahlt?
's ist Herzblut der Edlen, das also sie malt —
und jetzt kommen die Leichen gezogen.

Viel Leichen mit bleichem, erstarrtem Gesicht,
sie kommen daher wie zum Totengericht,
den Blutschaum auf offenem Munde.
Gewappnete Krieger, ein gräßlicher Knäul,
rings um sie die Wogen mit Klagegeheul,
aufrauschend vom Grunde, vom Grunde.

Die Leichen der Pferde, sie schleppen so schwer
an Zügeln und Bügeln die Reiter einher;
es grinsen die bleichen Gesichter,
mit gläsernen Augen, mit wallendem Haar;
so treibt auf der Flut die gespenstige Schar,
die Schar, sie wird dichter und dichter.

Die böhmische Mutter erfasset ein Graun:
»O, Herr des Himmels, den Sohn laß mich schaun,
ihn, den ich geboren in Schmerzen.
O Jesus Maria, da nahet er schon,
als blutige Leiche, der herrliche Sohn,
die klaffende Wunde am Herzen.

Was blickst mit metallenen Augen mich an,
du sollst nicht schwimmen zum Ozean,
mein wirst du, du herrliche Leiche.«
Sie kämpft mit den Leichen, sie ringt mit der Flut,
sie trinket der Helden hellrotes Blut;
o, daß sie den Sohn nur erreiche. —

Vergebenes Ringen! nun ist es geschehn,
es weichet die Erde, die Sinne vergehn —
o Herr, und der Leichen kein Ende —
Die böhmische Mutter, der böhmische Sohn,
sie treiben auf jagenden Wellen davon,
im Krampfe verflochten die Hände.

*Von Alfred Meissner (1822–1885)*

# Das Schreckbild

König Erich zog wohl auf und ab,
er traf an ein mächtiges Hünengrab.

»Wer wälzt mir vom Grabe den schweren Stein?«
Drin ruft es, als litt es viel grimmige Pein.

»O Herr, nicht gut ist's, in Gräber zu schaun;
drin wohnet Entsetzen und finstres Graun;

drin sitzen die Geister mit grimmigem Blick
und halten verborgene Schätze zurück.«

»Die Geister zwinget mein Zauberschwert,
den Eingang lassen sie unversehrt.«

Da regt sich der Stein von der Männer Gewalt,
und es öffnet sich langsam ein finsterer Spalt;

und es öffnet sich weiter das finstre Tor,
ein greuliches Schreckbild drängt sich hervor.

Bleich ist es zu schaun wie der bleiche Tod,
von triefendem Blut sind die Wangen rot.

Die Glieder sind zitterndes Totengebein,
und modernde Tücher hüllen sie ein.

Und der König entsetzet sich ob dem Gesicht,
da hebt es die Hände empor und spricht:

»O König, wende dein Auge nicht ab!
Ein Lebender bin ich, doch wohn ich im Grab;

mein Nam' ist dir und den Helden bekannt,
Asvit ward ich einst im Ruhme genannt.«

Da staunt der König, es staunt das Heer:
»Asvit, wie kamst du ins Grab hierher?«

»O König, ich schloß den Freundschaftsbund
auf Tod und Grab mit dem Held Asmund.

Wir trugen zusammen die Freud' und das Leid,
wir fochten zusammen den heißen Streit.

Und als Asmund zu sterben kam,
seine Roß und Hunde er mit sich nahm.

Seine Roß und Hund' und das beste Kleid,
und ich folgt ihm ins Grab nach meinem Eid.

Die erste Nacht und den ersten Tag,
beweinend den Toten, ich trauernd lag;

den zweiten Tag und die zweite Nacht
ergriff mich brennend des Hungers Macht;

am dritten wühlt ich in Roß und Hund,
doch graute vor solcher Speise dem Mund;

am vierten erlag ich der gräßlichen Qual,
ich schwelgt in dem blutigen Leichenmahl.

Das störte den Toten in finsterer Nacht,
und der modernde Leichnam Asmunds erwacht.

Gewendet war seine Lieb in Haß,
seine Stimme war grimmig, sein Blick war graß.

Er stürzt auf mich in entsetzlicher Wut,
er saugt aus Gliedern und Wangen das Blut;

aus Lippen und Mund er den Atem mir saugt
und Grabesluft in die Brust mir haucht.

Allnachts ward grauser das Totengebein
und grimmer sein Blick und wilder sein Schrein.

Allnachts mit dem Toten der Lebende rang
und doch nimmer die morschen Gebeine bezwang.

Drum seht Ihr mich bleich wie den bleichen Tod,
von triefendem Blut nur die Wangen rot.

Drum sind meine Glieder wie Totengebein,
und modernde Lumpen hüllen sie ein.«

Da sprach der König: »Du treuer Mann,
deinem Schwur hast du wahrlich genug getan.

Der Lebend'ge sich nicht zu den Toten gesellt,
dem Toten der Lebende nicht gefällt.

Nun sollst du des Königs Gefährte sein,
und den Toten verschließe des Grabes Stein!«

*Von Johann August Apel (1771–1816)*

# Die kalte, bleiche Hand

Der Mond ging unter – jetzt ist's Zeit.
Der Bräut'gam steigt vom Roß,
er hat so lange schon gefreit –
da tut sich auf das Schloß,
und in der Halle sitzt die Braut
auf diamantnem Sitz,
von ihrem Schmuck tut's durch den Bau
ein'n langen roten Blitz.

Blass' Knaben warten schweigend auf,
still' Gäste stehn herum,
da richt't die Braut sich langsam auf,
so hoch und bleich und stumm.
Sie schlägt zurück ihr Goldgewand,
da schauert ihn vor Lust,
sie langt mit kalter, weißer Hand
das Herz ihm aus der Brust.

*Von Joseph Freiherr von Eichendorff (1788–1857)*

# Der Knabe im Moor

Oh, schaurig ist's, übers Moor zu gehn,
Wenn es wimmelt vom Heiderauche,
Sich wie Phantome die Dünste drehn
Und die Ranke häkelt am Strauche,
Unter jedem Tritte ein Quellchen springt,
Wenn aus der Spalte es zischt und singt –
Oh, schaurig ist's, übers Moor zu gehn,
Wenn das Röhricht knistert im Hauche!

Fest hält die Fibel das zitternde Kind
Und rennt, als ob man es jage;
Hohl über die Fläche sauset der Wind –
Was raschelt drüben am Hage?
Das ist der gespenstische Gräberknecht,
Der dem Meister die besten Torfe verzecht;
Hu, hu, es bricht wie ein irres Rind!
Hinducket das Knäblein zage.

Vom Ufer starret Gestumpf hervor,
Unheimlich nicket die Föhre,
Der Knabe rennt, gespannt das Ohr,
Durch Riesenhalme wie Speere;
Und wie es rieselt und knittert darin!
Das ist die unselige Spinnerin,
Das ist die gebannte Spinnlenor',
Die den Haspel dreht im Geröhre!

Voran, voran, nur immer im Lauf,
Voran, als woll' es ihn holen;
Vor seinem Fuße brodelt es auf,
Es pfeift ihm unter den Sohlen
Wie eine gespenstische Melodei;
Das ist der Geigenmann ungetreu,
Das ist der diebische Fiedler Knauf,
Der den Hochzeitheller gestohlen!

Da birst das Moor, ein Seufzer geht
Hervor aus der klaffenden Höhle;
Weh, weh, da ruft die verdammte Margret:
»Ho, ho, meine arme Seele!«
Der Knabe springt wie ein wundes Reh,
Wär' nicht Schutzengel in seiner Näh',
Seine bleichenden Knöchelchen fände spät
Ein Gräber im Moorgeschwele.

Da mählich gründet der Boden sich,
Und drüben, neben der Weide,
Die Lampe flimmert so heimatlich,
Der Knabe steht an der Scheide.
Tief atmet er auf, zum Moor zurück
Noch immer wirft er den scheuen Blick:
Ja, im Geröhre war's fürchterlich,
Oh, schaurig war's in der Heide!

*Von Annette von Droste-Hülshoff (1797–1848)*

# Ein grauer, riesiger Jägersmann

Der Sturm durchfährt den Föhrenwald,
die Sterne glänzen bleich und kalt,
Großmutter lauscht mit starrem Blick,
die Bäume brechen, die Dohlen schrein,
und des Försters Kind
erzittert im Wind
und schaut in die schwarze Nacht hinein.

»Großmutter, hörst du das ferne Gebell
dort unten im Busche, scharf und hell?
der Vater, der liebe Vater kommt!«
Der Alten zuckt es im starren Gesicht:
»In der zwölften Stund'
bellt mancher Hund.
Die Hunde des Vaters sind es nicht.«

Und wieder beugt sich das Kind zurück:
»Ein Hifthorn hör ich, ein Jägerstück,
sie blasen das Ende, der Vater kommt!«
Da spricht die Alte mit zitterndem Mund:
»Der die Noten blies,
ins Jagdhorn stieß,
keine Tochter hat er im Erdengrund.«

Zum dritten Male die Dirne lauscht:
»Horch, Mutter, ein Fuß im Walde rauscht,
die Blätter rasseln, der Vater kommt.«
Die Alte sinkt in die Kissen hinein:
»So rauscht und tritt
kein Männerschritt:
Gott schütz und rette dich, Töchterlein!«

Da pocht es im Tor, die Meute bellt,
das Haus ein falber Schein erhellt,
und ein grauer, riesiger Jägersmann,
mit Eulenfedern am breiten Hut,
tritt ein geschwind.
Dem Försterkind
erstarrt bei seinem Gruße das Blut.

»Es liegt im Holze beim Erlenquell
ein alter, wunder Jagdgesell,
er ruft die Tochter, sie hört ihn nicht,
der Sturm nur hört ihn im Föhrenwald,
noch einer hört's,
noch einen stört's,
das der Alte ruft und die Fäuste ballt.«

*Von Gustav Freytag (1816–1895)*

# Das Geistergebild

Gekommen war schon der Abendtau,
auf Wiesen und Feldern lag Nebelgrau.

Für jeglichen Wandrer ward es spat,
als noch aus der Hall' ein Fräulein trat.

Da ritt's von den nahen Bergen hernieder,
die Täler klangen vom Hufschlag wider.

Und in des Mondes beginnenden Schein
fuhr Helge vor aus dem nahen Hain.

»Ach, sprach sie, 'wärst du nicht längst gefallen,
wie sollt es hier innen von Liedern schallen:

So aber bist du ein Geistergebild
und siehst auch schauerlich drein und wild.

Ja, ist dir vom Blut der Harnisch rot,
ganz weiß dein Antlitz von Todesnot.

Auch alle, die reiten hinter dir her,
traf schon des Feindes tödlicher Speer.

Es waren zusammen viel wackre Reiter,
nun bleiche, blutige Grabgeleiter.

O Helge, rühmlich erschlagner Held,
was kommst du zurück aufs heimische Feld?

Ist's an der Zeit, daß die Götter beginnen
den letzten der Kriege vor Asgards Zinnen?

Und stehn die Toten fast alle zu Hauf
aus Walhalls Sälen zum Scheidetag auf?«

So fragte das Fräulein. Der neblige Schein,
der duftige Helge schüttelte: »Nein!«

»Oder haben sie dir den Rückweg gewährt,
und kehrst du wieder zum heimischen Herd?

So komm und lenke seitab in das Schloß,
laß nicht vorüberfliegen dein Roß.

Ich meld es Sigrunen; sie trockne die Wangen,
sie eile, dich bräutlich und froh zu empfangen.«

So rief das Fräulein. Der neblige Schein,
der duftige Helge schüttelte: »Nein!«

»Dann ahn ich's, dann weiß ich's. Mit eitler Gestalt
betrügt mich nächtgen Kobolds Gewalt.

Der weiß manch wunderlich Bildnis zu schaffen,
der hüllt sich in mit dir begrabene Waffen.

S'ist Kobold, und sprengt nun im fliegenden Trab
mit all seinem schaurigen Heer in dein Grab.«

So rief das Fräulein. Rückblickte der Schein,
der duftige Helge, und schüttelte: »Nein!«

*Von Friedrich Baron de la Motte Fouqué (1777–1843)*

# Pfalzgräfin Jutta

Pfalzgräfin Jutta fuhr über den Rhein
im leichten Kahn, bei Mondenschein.
Die Zofe rudert, die Gräfin spricht:
»Siehst du die sieben Leichen nicht,
die hinter uns kommen
einhergeschwommen? –
So traurig schwimmen die Toten!

Das waren Ritter voll Jugendlust –
sie sanken zärtlich an meine Brust
und schwuren mir Treue. – Zur Sicherheit,
daß sie nicht brächen ihren Eid,
ließ ich sie ergreifen
sogleich und ersäufen –
so traurig schwimmen die Toten!«

Die Zofe rudert, die Gräfin lacht.
Das hallt so höhnisch durch die Nacht!
Bis an die Küste tauchen hervor
die Leichen und strecken die Finger empor,
wie schwörend – sie nicken
mit gläsernen Blicken –
so traurig schwimmen die Toten!

*Von Heinrich Heine (1797–1856)*

# Der Organist aus dem Grabe

Wenn von dem alten Dome
die Geisterglocke schallt,
der Organist im Grabe
die Faust zusammenballt.

Er reißt den schweren Deckel
von dem bestaubten Sarg,
der viele lange Jahre
den greisen Leichnam barg.

Er eilt im Geisterfluge,
es flattert sein Gewand,
das Tor zur Gotenkirche
sprengt seine Knochenhand.

Er steigt empor zur Orgel,
die er sich einst gebaut;
der Sturmwind treibt die Bälge
und Donner werden laut.

Von acht gewalt'gen Glocken
er nun die Stränge zieht
und läutet längst Verstorbnen
ein Auferstehungslied.

Aus trübem Schattenreiche
kommt düster angeschwebt
die Schar gefallner Geister,
die einst mit ihm gelebt.

Zur grauenvollen Stunde
wird jeder Geist ein Ton
und klagt mit bangem Zagen
ob seinem Sündenlohn.

Der Orgler in die Tasten
greift nun mit Geisterkraft,
laut tönt der Chor der Seelen
nach langer Grabeshaft.

Und von den fernsten Sternen
hallt wider ihr Gesang.
Wie dünkt den armen Sündern
die Ewigkeit so lang!

Er zieht ein manch Register,
er rast auf dem Pedal,
es braust der Baß der Männer
Verzweiflung, Höllenqual.

Der kleinen Kinder Jammern
tönt wider im Diskant;
der Weiber banges Klagen
erbebt im Tremulant.

So tobt der Sang der Geister
bis früh zum Hahnenschrei;
die Messe ist vorüber,
der Sturmwind zieht vorbei.

Die Taster werden Bahren,
drin birgt sich jeder Ton;
der bleiche Orgelmeister
schleicht sich zuletzt davon.

*Von Alexander Graf von Württemberg (1801–1844)*

# Der Schatzgräber

Wenn alle Wälder schliefen,
er an zu graben hub,
rastlos in Berges Tiefen
nach einem Schatz er grub.

Die Engel Gottes sangen
derweil in stiller Nacht,
wie rote Augen drangen
Metalle aus dem Schacht.

»Und wirst doch mein!« und grimmer
wühlt er und wühlt hinab,
da stürzen Steine und Trümmer
über dem Narren herab.

Hohnlachen wild erschallte
aus der verfallnen Kluft,
der Engelgesang verhallte
wehmütig in der Luft.

*Von Joseph Freiherr von Eichendorff*

# Das nächtliche Nebelbild

»Ach Mutter, Mutter! laß mich hinaus,
schon schwirret lustig die Fledermaus;
und sieh, wie des Mondes kindliches Licht
zum Nebelkranze die Berge verflicht,
wie fromm und gut
das wilde, brausende Leben ruht!«

So sprach das Fräulein vom Bodenstein.
Sie sehnte sich stets in die Nacht hinein,
und wie der Sphinx mit dämmernder Nacht
zum Rundflug auf duftigen Blumen erwacht,
erwachen auch
des Fräuleins Geister beim Abendhauch.

Die Mutter wohl sprach: »Des Tages Gold,
mein Töchterlein ist dem Guten hold,
des Mondes Silber ist totenbleich,
und die Nacht an Betrug und Tücke reich;
drum bleib, mein Kind,
daß nicht der Versucher dich einst umspinnt!«

Das Fräulein vergaß die Mahnung schnell;
wie ahnend auch scholl der Hunde Gebell,
wie warnend auch klang der Eulen Schrein,
ging träumend sie doch in die Nacht hinein,
ging sonder Graus
ins matt erleuchtete Totenhaus.

Sie schmähte die Wahrheit am Tageslicht,
die frostig zum frostigen Geiste spricht;
und mit den Schatten, schwankend und bleich,
dem Feuerwurm, der Unk’ im Teich
und dem Nebelgebild,
mit allen koste sie liebend mild.

Sie schaut auf das dunkelsaphirne Meer
und auf der silbernen Wölklein Heer
und dacht und sehnte sich freventlich:
»O trügen der Wolken Flügel mich,
vom Himmelsrand
zu schauen die Erd’ im Nachtgewand!«

Vom Bodenstein hallte die elfte Stund,
da schwebte hervor aus dem düstren Grund
ein Wölklein, dunkel im innern Raum,
ringsum verbrämt mit purpurnem Saum,
und berührte den Fuß,
des staunenden Fräuleins mit purpurnem Kuß.

Es stand ein Jüngling im luftigen Kahn,
wie ein riesiger Knabe fast angetan;
aus Regenbogen war sein Gewand,
das um die Hüften ein Mondstrahl band;
auf dem goldenen Haar
von buntem Gestein die Krone war.

»O Fräulein, Fräulein! was sitzest du hier,
die Armut beschauend für und für?
Komm, steig in meinen flüchtigen Kahn!
Ich führe dich schnell auf der Stürme Bahn
zu dem wonnigen Raum,
wo Traum ist Leben und Leben Traum.«

Es bot ihr der Jüngling die rosige Hand;
das Fräulein dem Locken nicht widerstand;
es trug sie ein Zephir aus Blumenduft
bald hin, bald her durch die silberne Luft,
bis an Bergeshöhn
das Wolkenschifflein blieb stille stehn.

Es legte der Wolke Saum sich rund
um des Blocksbergs Felsen als Purpurbund,
und des Jünglings Regenbogengewand
flugs über die Kuppe war ausgespannt;
und der Steuermann
das Fräulein führte den Berg hinan.

Hier stellt dem schwärmenden Mägdlein sich dar
der eigenen Träume verwirrende Schar;
was wachend und schlummernd die Seel' ihr je
geschaffen hatte zu Lust und zu Weh
mit eignem Sein
erblickt sie's hier in bunten Reihn.

Auch sah sie der Frauen und Mägdlein viel,
gleich ihr ergeben dem träum'rischen Spiel,
und jede, gleich ihr, von der Träume Schar,
die sie selbst geboren, umgeben war;
wie Waldgesang
und Flöten die Rede der Schatten klang.

Nun reihten sich alle beim grünlichen Glanz
der Feuerwürmchen zum schwebenden Tanz,
dann aßen sie Brot von Blumenstaub
und tranken Tau von Zypressenlaub
und sangen zum Mahl,
vergessend des sonnigen Lebens Qual.

Das Fräulein saß wieder beim Morgenschein
wohl auf dem Berg beim Bodenstein,
doch war's dasselbe Fräulein nicht mehr,
denn ach! der Busen war liebeleer;
wie des Tages Licht,
so floh sie der Menschen Angesicht.

Den Geistern und Träumen lebte sie bloß,
sie sagte von Mutter und Schwester sich los,
sie sagte sich los von dem liebenden Mann,
der werbend sie schon zur Braut gewann;
in der Höhle Nacht
begrub sie sich vor der Sonne Pracht.

Sie durchschweifte die Nacht mit tränendem Blick
und sehnte sich heiß nach der Höhe zurück;
die Höhe blieb fern, das Herz war matt,
im Strome fand sie die Ruhestatt.
Sanft ruh ihr Gebein!
der Seele wird Gott ja gnädig sein.

*Von B. S. Ernst Raupach (1784–1852)*

# Das tolle Fräulein von Rodenschild

Sind denn so schwül die Nächt' im April?
Oder ist so siedend jungfräulich Blut?
Sie schließt die Wimper, sie liegt so still
und horcht des Herzens pochender Flut.
»Oh, will es denn nimmer und nimmer tagen?
o, will denn nicht endlich die Stunde schlagen?
ich wache, und selbst der Zeiger ruht!

Doch horch! es summt, eins, zwei und drei –
noch immer fort? – sechs, sieben und acht,
elf, zwölf – o Himmel, war das ein Schrei?
Doch nein, Gesang steigt über der Wacht,
nun wird mir's klar, mit frommem Munde
begrüßt das Hausgesinde die Stunde,
an brach die hochheilige Osternacht.«

Seitab das Fräulein die Kissen stößt
und wie eine Hinde vom Lager setzt,
sie hat des Mieders Schleifen gelöst,
ins Häubchen drängt sie die Locken jetzt,
dann leise das Fenster öffnend, leise,
horcht sie der mählich schwellenden Weise,
vom wimmernden Schrei der Eule durchsetzt.

O dunkel die Nacht! und schaurig der Wind!
die Fahnen wirbeln am knarrenden Tor –
Da tritt aus der Halle das Hausgesind'
mit Blendlaternen und einzeln vor.
Der Pförtner dehnet sich, halb schon träumend,
am Dochte zupfet der Jäger säumend,
und wie ein Oger gähnet der Mohr.

Was ist? – wie das auseinander schnellt!
In Reihen ordnen die Männer sich,
und eine Wacht vor die Dirnen stellt
die graue Zofe sich ehrbarlich –
»Ward ich gesehen an des Vorhangs Lücke?
Doch nein, zum Balkone starren die Blicke,
nun langsam wenden die Häupter sich.

O weh meine Augen! bin ich verrückt?
Was gleitet entlang das Treppengeländ?
hab ich nicht so aus dem Spiegel geblickt?
Das sind meine Glieder – welch ein Geblend!
Nun hebt es die Hände, wie Zwirnes Flocken
das ist mein Strich über Stirn und Locken!
Weh, bin ich toll, oder nahet mein End'?«

Das Fräulein erbleicht und wieder erglüht,
das Fräulein wendet die Blicke nicht,
und leise rührend die Stufen zieht
am Steingeländer das Nebelgesicht,
in seiner Rechten trägt es die Lampe,
ihr Flämmchen zittert über der Rampe,
verdämmernd, blau, wie ein Elfenlicht.

Nun schwebt es unter dem Sternendom,
Nachtwandlern gleich in Traumes Geleit,
nun durch die Reihen zieht das Phantom,
und jeder tritt einen Schritt zur Seit'.
Nun lautlos gleitet's über die Schwelle –
nun wieder drinnen erscheint die Helle,
hinaus sich windend die Stiegen breit.

Das Fräulein hört das Gemurmel nicht,
sieht nicht die Blicke, stier und verscheucht,
fest folgt ihr Auge dem bläulichen Licht,
wie dunstig über die Scheiben es streicht.
– Nun ist's im Saale, nun im Archive –
nun steht es still an der Nische Tiefe –
nun matter, matter – ha! es erbleicht!

»Du sollst mir stehen! ich will dich fahn!«
und wie ein Aal die beherzte Maid
durch Nacht und Krümmen schlüpft ihre Bahn,
hier droht ein Stoß, dort häkelt das Kleid,
leis tritt sie, leise, o Geistersinne
sind scharf! daß nicht das Gesicht entrinne!
ja, mutig ist sie, bei meinem Eid!

Ein dunkler Rahmen, Archives Tor,
– ha, Schloß und Riegel! – sie steht gebannt,
sacht, sacht das Auge und dann das Ohr
drückt zögernd sie an der Spalte Rand,
tiefdunkel drinnen – doch einem Rauschen
der Pergamente glaubt sie zu lauschen
und einem Streichen entlang der Wand.

So niederkämpfend des Herzens Schlag,
hält sie den Odem, sie lauscht, sie neigt –
was dämmert ihr zur Seite gemach?
Ein Glühwurmleuchten – es schwillt, es steigt,
und Arm an Arme, auf Schrittes Weite,
lehnt das Gespenst an der Pforte Breite,
gleich ihr zur Nachbarspalte gebeugt.

Sie fährt zurück – das Gebilde auch –
dann tritt sie näher – so die Gestalt –
nun stehen die beiden, Auge in Aug',
und bohren sich an mit Vampyres Gewalt.
Das gleiche Häubchen decket die Locken,
das gleiche Linnen, wie Schnees Flocken,
gleich ordnungslos um die Glieder wallt.

Langsam das Fräulein die Rechte streckt,
und langsam, wie aus der Spiegelwand,
sich Linie um Linie entgegenreckt
mit gleichem Rubine die gleiche Hand;
nun rührt sich's – die Lebendige spüret,
als ob ein Luftzug schneidend sie rühret,
der Schemen dämmert – zerrinnt – entschwand.

Und wo im Saale der Reihen fliegt,
da siehst ein Mädchen du, schön und wild,
– vor Jahren hat's eine Weile gesiecht –
das stets in den Handschuh die Rechte hüllt.
Man sagt, kalt sei sie wie Eises Flimmer,
doch lustig die Maid, sie hieß ja immer:
»Das tolle Fräulein von Rodenschild.«

*Von Annette von Droste-Hülshof. Oger (in
der vierten Strophe) ist ein dämonischer Menschenfresser
aus der Sagenwelt Frankreichs.*

# Schelm von Bergen

Im Schloß zu Düsseldorf am Rhein
wird Mummenschanz gehalten;
da flimmern die Kerzen, da rauscht die Musik,
da tanzen die bunten Gestalten.

Da tanzt die schöne Herzogin,
sie lacht laut und beständig;
ihr Tänzer ist ein schlanker Fant,
gar höfisch und behendig.

Er trägt eine Maske von schwarzem Samt,
daraus gar freudig blicket
ein Auge wie ein blanker Dolch,
halb aus der Scheide gezücket.

Es jubelt die Fastnachtsgeckenschar,
wenn jene vorüberwalzen.
Der Drickes und die Marizzebill
grüßen mit Schnurren und Schnalzen.

Und die Trompeten schmettern drein,
der närrische Brummbaß brummet,
bis endlich der Tanz ein Ende nimmt
und die Musik verstummet.

»Durchlauchtigste Frau, gebt Urlaub mir,
ich muß nach Hause gehen –«
Die Herzogin lacht: »Ich laß dich nicht fort,
bevor ich dein Antlitz gesehen.«

»Durchlauchtigste Frau, gebt Urlaub mir,
mein Anblick bringt Schrecken und Grauen –«
Die Herzogin lacht: »Ich fürchte mich nicht,
ich will dein Antlitz schauen.«

»Durchlauchtigste Frau, gebt Urlaub mir,
der Nacht und dem Tode gehör ich –«
Die Herzogin lacht: »Ich lasse dich nicht,
dein Antlitz zu schauen begehr ich.«

Wohl sträubt sich der Mann mit finsterm Wort,
das Weib nicht zähmen kunnt er;
sie riß zuletzt ihm mit Gewalt
die Maske vom Antlitz herunter.

»Das ist der Scharfrichter von Bergen!« so schreit
entsetzt die Menge im Saale
und weichet scheusam – die Herzogin
stürzt fort zu ihrem Gemahle.

Der Herzog ist klug, er tilgte die Schmach
der Gattin auf der Stelle.
Er zog sein blankes Schwert und sprach:
»Knie vor mir nieder, Geselle!

Mit diesem Schwertschlag mach ich dich
jetzt ehrlich und ritterzünftig.
Und weil du ein Schelm, so nenne dich
Herr Schelm von Bergen künftig.«

So ward der Henker ein Edelmann
und Ahnherr der Schelme von Bergen.
Ein stolzes Geschlecht! es blühte am Rhein,
jetzt schläft es in steinernen Särgen.

*Von Heinrich Heine*

# Ich kam von meiner Herrin Haus

Ich kam von meiner Herrin Haus,
und wandelt in Wahnsinn und Mitternachtsgraus.
Und wie ich am Kirchhof vorübergehn will,
da winken die Gräber ernst und still.

Da winkts von des Spielmanns Leichenstein,
das war der flimmernde Mondesschein.
Da lispelts: Lieb Bruder, ich komme gleich!
Da steigts aus dem Grabe nebelgleich.

Der Spielmann wars, der entstiegen jetzt,
und hoch auf den Leichenstein sich setzt.
In die Saiten der Zither greift er schnell,
und singt dabei recht hohl und grell:

Ei! kennt ihr noch das alte Lied,
das einst so wild die Brust durchglüht,
ihr Saiten, dumpf und trübe?
Die Engel, die nennen es Himmelsfreud,
die Teufel, die nennen es Höllenleid,
die Menschen, die nennen es – Liebe!

Kaum tönte des letzten Wortes Schall,
da taten sich auf die Gräber all;
viel Luftgestalten dringen hervor,
umschweben den Spielmann und schrillen im Chor:

Liebe! Liebe! deine Macht
hat uns hier zu Bett gebracht,
und die Augen zugemacht,
ei, was rufst du in dieser Nacht?

So heult es verworren, und ächzet und girrt,
und brauset und sauset, und krächzet und klirrt;
und der tolle Schwarm den Spielmann umschweift,
und der Spielmann wild in die Saiten greift:

Bravo! Bravo! immer toll!
Seid willkommen!
Habt vernommen,
daß mein Zauberwort erscholl!
Liegt man doch jahraus, jahrein,
mäuschenstill im Kämmerlein;

laßt uns heute lustig sein!
Mit Vergunst, –
seht erst zu, sind wir allein? –
Narren waren wir im Leben,
und mit toller Wut ergeben
einer tollen Liebesbrunst.
Kurzweil kann uns heut nicht fehlen,
jeder soll hier treu erzählen,
was ihn weiland hergebracht,
wie gehetzt,
wie zerfetzt
ihn die tolle Liebesjagd.

Da hüpft aus dem Kreise, so leicht wie der Wind,
ein mageres Wesen, das summend beginnt:

Ich war ein Schneidergeselle
mit Nadel und mit Scher;
ich war so flink und schnelle
mit Nadel und mit Scher;
da kam die Meisterstochter
mit Nadel und mit Scher;
und hat mir ins Herz gestochen
mit Nadel und mit Scher.

Da lachten die Geister im lustigen Chor;
ein Zweiter trat still und ernst hervor:

Den Rinaldo Rinaldini,
Schinderhanno, Orlandini,
und besonders Carlo Moor
nahm ich mir als Muster vor.

Auch verliebt – mit Ehr zu melden –
hab ich mich wie jene Helden,
und das schönste Frauenbild
spukte mir im Kopfe wild.

Und ich seufzte auch und girrte;
und wenn Liebe mich verwirrte,
steckt ich meine Finger rasch
in des reichen Nachbars Tasch.

Doch der Gassenvogt mir grollte,
daß ich Sehnsuchtstränen wollte
trocknen mit dem Taschentuch,
das mein Nachbar bei sich trug.

Und nach frommer Häschersitte
nahm man still mich in die Mitte,
und das Zuchthaus, heilig groß,
schloß mir auf den Mutterschoß.

Schwelgend süß in Liebessinnen,
saß ich dort beim Wollespinnen,
bis Rinaldos Schatten kam
und die Seele mit sich nahm.

Da lachten die Geister im lustigen Chor;
geschminkt und geputzt trat ein Dritter hervor:

Ich war ein König der Bretter,
und spielte das Liebhaberfach,
ich brüllte manch wildes: Ihr Götter!
Ich seufzte manch zärtliches: Ach!

Den Mortimer spielt ich am besten,
Maria war immer so schön!
Doch trotz der natürlichen Gesten,
sie wollte mich nimmer verstehn. –

Einst, als ich verzweifelnd am Ende:
»Maria, du Heilige!« rief,
da nahm ich den Dolch behende –
und stach mich ein bißchen zu tief.

Da lachten die Geister im lustigen Chor;
im weißen Flausch trat ein Vierter hervor:

Vom Katheder schwatzte herab der Professor,
er schwatzte, und ich schlief gut dabei ein;
doch hätt mirs behagt noch tausendmal besser
bei seinem holdseligen Töchterlein.

Sie hat mir oft zärtlich am Fenster genicket,
die Blume der Blumen, mein Lebenslicht!
Doch die Blume der Blumen ward endlich gepflücket
vom dürren Philister, dem reichen Wicht.

Da flucht ich den Weibern und reichen Halunken,
und mischte mir Teufelskraut in den Wein,
und hab mit dem Tode Schmollis getrunken, –
der sprach: Fiduzit, ich heiße Freund Hein!

Da lachten die Geister im lustigen Chor;
einen Strick um den Hals, trat ein Fünfter hervor:

Es prunkte und prahlte der Graf beim Wein
mit dem Töchterchen sein und dem Edelgestein.
Was schert mich, du Gräflein, dein Edelgestein?
Mir mundet weit besser dein Töchterlein.

Sie lagen wohl beid unter Riegel und Schloß,
und der Graf besold'te viel Dienertroß.
Was scheren mich Diener und Riegel und Schloß? –
Ich stieg getrost auf die Leitersproß.

An Liebchens Fensterlein klettr ich getrost.
Da hör ich es unten fluchen erbost.
»Fein sachte, mein Bübchen, ich muß auch dabei sein,
ich liebe ja auch das Edelgestein.«

So spöttelt der Graf und erfaßt mich gar,
und jauchzend umringt mich die Dienerschar.
»Zum Teufel, Gesindel! ich bin ja kein Dieb;
ich wollte nur stehlen mein trautes Lieb!«

Da half kein Gerede, da half kein Rat,
da machte man hurtig die Stricke parat;
wie die Sonne kam, da wundert sie sich,
am hellen Galgen fand sie mich.

Da lachten die Geister im lustigen Chor;
den Kopf in der Hand, trat ein Sechster hervor:

Zum Weidwerk trieb mich Liebesharm;
ich schlich umher, die Büchs im Arm.
Da schnarrets hohl vom Baum herab,
der Rabe rief: Kopf – ab! Kopf - ab!

Oh, spürt ich doch ein Täubchen aus.
Ich brächt es meinem Lieb nach Haus!
So dacht ich, und in Busch und Strauch
späht ringsumher mein Jägeraug.

Was koset dort? was schnäbelt fein?
Zwei Turteltäubchen mögens sein.
Ich schleich herbei, – den Hahn gespannt, –
sieh da! mein eignes Lieb ich fand.

Das war mein Täubchen, meine Braut,
ein fremder Mann umarmt sie traut, –
nun, alter Schütze, treffe gut!
Da lag der fremde Mann im Blut.

Bald drauf ein Zug mit Henkersfron –
ich selbst dabei als Hauptperson –
den Wald durchzog. Vom Baum herab
der Rabe rief: Kopf – ab! Kopf – ab!

Da lachten die Geister im lustigen Chor;
da trat der Spielmann selber hervor:

Ich hab mal ein Liedchen gesungen,
das schöne Lied ist aus;
wenn das Herz im Leibe zersprungen,
dann gehen die Lieder nach Haus!

Und das tolle Gelächter sich doppelt erhebt,
und die bleiche Schar im Kreise schwebt.
Da scholl vom Kirchturm »Eins« herab,
da stürzten die Geister sich heulend ins Grab.

*Von Heinrich Heine*

# Der Zauberlehrling

Hat der alte Hexenmeister
Sich doch einmal wegbegeben!
Und nun sollen seine Geister
Auch nach meinem Willen leben.
Seine Wort und Werke
Merkt ich und den Brauch,
Und mit Geistesstärke
Tu ich Wunder auch.

Walle! walle
Manche Strecke,
Daß, zum Zwecke,
Wasser fließe
Und mit reichem, vollem Schwalle
Zu dem Bade sich ergieße.

Und nun komm, du alter Besen,
Nimm die schlechten Lumpenhüllen!
Bist schon lange Knecht gewesen:
Nun erfülle meinen Willen!
Auf zwei Beinen stehe,
Oben sei ein Kopf,
Eile nun und gehe
Mit dem Wassertopf!

Walle! walle
Manche Strecke,
Daß, zum Zwecke,
Wasser fließe
Und mit reichem, vollem Schwalle
Zu dem Bade sich ergieße.

Seht, er läuft zum Ufer nieder,
Wahrlich! ist schon an dem Flusse,
Und mit Blitzesschnelle wieder
Ist er hier mit raschem Gusse.
Schon zum zweiten Male!
Wie das Becken schwillt!
Wie sich jede Schale
Voll mit Wasser füllt!

Stehe! stehe!
Denn wir haben
Deiner Gaben
Vollgemessen! –
Ach, ich merk es! Wehe! wehe!
Hab ich doch das Wort vergessen!

Ach, das Wort, worauf am Ende
Er das wird, was er gewesen.
Ach, er läuft und bringt behende!
Wärst du doch der alte Besen!
Immer neue Güsse
Bringt er schnell herein,
Ach, und hundert Flüsse
Stürzen auf mich ein.

Nein, nicht länger
Kann ichs lassen:
Will ihn fassen.
Das ist Tücke!
Ach, nun wird mir immer bänger!
Welche Miene! welche Blicke!

O, du Ausgeburt der Hölle!
Soll das ganze Haus ersaufen?
Seh ich über jede Schwelle
Doch schon Wasserströme laufen.
Ein verruchter Besen,
Der nicht hören will!
Stock, der du gewesen,
Steh doch wieder still!

Willsts am Ende
Gar nicht lassen?
Will dich fassen,
Will dich halten
Und das alte Holz behende
mit dem scharfen Beile spalten.

Seht, da kommt er schleppend wieder!
Wie ich mich nur auf dich werfe,
Gleich, o Kobold, liegst du nieder.
Krachend trifft die glatte Schärfe.
Wahrlich! brav getroffen!
Seht, er ist entzwei!
Und nun kann ich hoffen,
Und ich atme frei!

Wehe! wehe!
Beide Teile
Stehn in Eile
Schon als Knechte
Völlig fertig in die Höhe!
Helft mir, ach! ihr hohen Mächte!

Und sie laufen! Naß und nässer
Wird's im Saal und auf den Stufen;
Welch entsetzliches Gewässer!
Herr und Meister! hör mich
rufen! –
Ach, da kommt der Meister!
Herr, die Not ist groß!
Die ich rief, die Geister
Werd ich nun nicht los.

»In die Ecke,
Besen! Besen!
Seid's gewesen.
Denn als Geister
Ruft euch nur, zu seinem Zwecke
Erst hervor der alte Meister.«

*1797. Von Johann Wolfgang von Goethe (1749–1832)*

# Totengräberhochzeit

Hei, was tönt so eigen?
Klarinett und Geigen
mitten in der Nacht,
wo die Toten ruhen
in den dunklen Truhen,
um das Häuschen an dem Friedhof,
bei der Sterne Wacht?
Lustiges Gefiedel
schallt die ganze Nacht.

Klarinett und Geigen –
hei, wer tanzt den Reigen
bei der Sterne Wacht?
Wie das klingt und sauset,
wie das walzt und brauset,
in dem Häuschen an dem Friedhof
mitten in der Nacht:
Totengräberhochzeit
wird da heut gemacht.

Geigenklang und Flöten,
lustige Trompeten
klingen drein so laut!
Heißa, laßt sie ruhen
draußen in den Truhen
um das Häuschen an dem Friedhof,
mondesglanzumgraut!
Drinnen tanzt im Reigen
Bräutigam und Braut.

Mitternacht! – Die Toten
stehen auf in Rotten,
viele tausend schier!
klappern, schwirren, lärmen,
möchten da sich wärmen.
Bis zum Häuschen an dem Friedhof
treten sie herfür,
gucken durch die Fenster,
tanzen um die Tür.

»Wundersüsses Leben!«
seufzen sie im Schweben,
»wie so frisch, so rot!«
Schwingen sich im Kreise,
singen ihre Weise,
Todes Fackel, Hymens Fackel
ineinanderloht.
Drinnen tollt das Leben,
draußen tanzt der Tod.

Beide sich im Kreise
bald nach einer Weise
schwingen in der Nacht. –
Jetzt die Toten ruhen,
mit durchtanzten Schuhen
aus dem Häuschen an dem
Friedhof
zieht der Reigen sacht.
Auf den Gräbern funkelt
Morgentau voll Pracht.

*Von Robert Hammerling (1830–1889)*

# Der Totentanz

Der Türmer, der schaut zumitten der Nacht
hinab auf die Gräber in Lage:
Der Mond, der hat alles ins Helle gebracht,
Der Kirchhof, er liegt wie am Tage.
Da regt sich ein Grab und ein anderes dann:
Sie kommen hervor, ein Weib da, ein Mann,
In weißen und schleppenden Hemden.

Das reckt nun, es will sich ergötzen sogleich,
Die Knöchel zur Runde, zum Kranze,
So arm und so jung, und so alt und so reich;
Doch hindern die Schleppen am Tanze.
Und weil hier die Scham nun nicht weiter gebeut,
Sie schütteln sich alle, da liegen zerstreut
Die Hemdelein über den Hügeln.

Nun hebt sich der Schenkel, nun wackelt das Bein,
Gebärden da gibt es vertrackte;
Dann klipperts und klapperts mitunter hinein,
Als schlüg man die Hölzlein zum Takte.
Das kommt nun dem Türmer so lächerlich vor;
Da raunt ihm der Schalk, der Versucher, ins Ohr:
Geh! hole dir einen der Laken.

Getan wie gedacht! und er flüchtet sich schnell
Nun hinter geheiligte Türen.
Der Mond, und noch immer er scheinet so hell
Zum Tanz, den sie schauderlich führen.
Doch endlich verlieret sich dieser und der,
Schleicht eins nach dem andern gekleidet einher,
Und husch ist es unter dem Rasen.

Nur einer, der trippelt und stolpert zuletzt
Und tappet und grapst an den Grüften;
Doch hat kein Geselle so schwer ihn verletzt;
Er wittert das Tuch in den Lüften.
Er rüttelt die Turmtür, sie schlägt ihn zurück,
Geziert und gesegnet, dem Türmer zum Glück,
Sie blinkt von metallenen Kreuzen.

Das Hemd muß er haben, da rastet er nicht,
Da gilt auch kein langes Besinnen,
Den gotischen Zierat ergreift nun der Wicht
Und klettert von Zinne zu Zinnen.
Nun ists um den armen, den Türmer getan!
Es ruckt sich von Schnörkel zu Schnörkel hinan,
Langbeinigen Spinnen vergleichbar.

Der Türmer erbleichet, der Türmer erbebt,
Gern gäb er ihn wieder, den Laken.
Da häkelt – jetzt hat er am längsten gelebt –
Den Zipfel ein eiserner Zacken.
Schon trübet der Mond sich verschwindenden Scheins,
Die Glocke, sie donnert ein mächtiges Eins,
Und unten zerschellt das Gerippe.

*1813. Von Johann Wolfgang von Goethe*

# Der Geistertanz

Die bretterne Kammer
der Toten erbebt,
wenn zwölfmal der Hammer
die Mitternacht hebt.

Rasch tanzen um Gräber
und morsches Gebein
wir luftigen Schweber
den sausenden Reihn.

Was winseln die Hunde
beim schlafenden Herrn?

Sie wittern die Runde
der Geister von fern.

Die Raben entflattern
der wüsten Abtei
und fliehn an den Gattern
des Kirchhofs vorbei.

Wir gaukeln, wir scherzen
hinab und empor,
gleich irrenden Kerzen
im dunstigen Moor.

O Herz! dessen Zauber
zur Marter uns ward,
du ruhst nun, in tauber
Verdumpfung, erstarrt.

Tief bargst du im düstern
Gemach unser Weh;
wir Glücklichen flüstern
dir fröhlich: Ade!

*Von Friedrich von Matthisson (1761–1831)*

# Geisterweihnacht

Ein Reiter jagt durchs Feld zu Nacht,
da wird sein Roß ihm scheu,
er treibt und spornt mit aller Macht,
das Roß will nicht vorbei,
und wie er umschaut heiß und wild,
er hält am Kirchhoftor,
da tritt ein hohes Mannesbild
in Rittertracht hervor.

Hebt ihn vom Rosse leicht und schnell,
führt ihn zum Friedhof ein,
da funkt der ganze Garten hell
in wunderbarem Schein,
auf jedem Grabe brennt ein Licht,
als wie ein kleiner Stern.
Der Fremde spricht: Sohn, fürcht dich nicht,
wir loben Gott den Herrn.

Du weißt, daß heute Weihnacht ist,
die benedeite Nacht,
wo uns geboren Jesus Christ,
zu tilgen Satans Macht,
Dies Fest, so hehr und freudenreich,
begehn die Toten auch,
im ganzen weiten Geisterreich
herrscht dieser heil'ge Brauch.

Der Jüngling schaut ihm ins Gesicht,
der Ton klang ihm bekannt:
Herr Gott, bist du mein Vater nicht! –
Und die Gestalt verschwand.
Indem da wird es still und hehr,
dem Jüngling pocht sein Herz,
die Lichter wuchsen mehr und mehr
und brennen himmelwärts.

Und weben wunderlichen Tanz
und wallen ab und auf –
da geht ein morgenroter Glanz
im tiefen Osten auf,
da schwebt sie unter Sternen hin,
die Mutter samt dem Kind,
und um die Himmelskönigin
viel tausend Engel sind.

Und wie des Himmels Herrlichkeit
hoch droben fürder zieht,
der ganze Kirchhof weit und breit
stimmt an ein leises Lied.
Das Lied, das klang so wundersam,
wie keine Zunge spricht;
der Jüngling wohl den Laut vernahm,
doch er verstand ihn nicht.

Bald wird es finster hie und dort,
die Lichter löschen aus,
der schöne Jüngling reitet fort,
kommt leichenblaß nach Haus,
bleibt seit der Zeit in sich gekehrt
und blüht zusehends ab;
Der Weihnachtsabend wiederkehrt,
der Jüngling schläft im Grab.

*Von Karl Friedrich Wetzel (1779–1819)*

# Der Todesbote

Es zog einmal im Mondenschein
ein Jüngling über Land;
er ritt ein braunes Rösselein,
den Zügel in der Hand.
Es äugelten die Sternlein klar,
ein Windchen kräuselte sein Haar,
ihm flossen milde Tränen.

Sein Weg ging durch den wilden
Wald
nach einem festen Schloß;
den hohen Turm erblickt er bald.
Nun spornt er stracks sein Roß
und trapp! trapp! ging's den Wald
hinein,
bald wollt er bei Jorinde sein;
sein Herz vor Liebe wallte.

Nun ging der Wald bald linker
Hand
bei dunklen Buchen hin,
und bei den dunklen Buchen stand
ein Reiter, stolz und kühn.
Der Jüngling stutzt, doch ritt er zu
und schrie so mutig: Wer bist du?
daß Berg und Tal erschallte.

Nun stand der Reiter auf dem Pfad
und drückte los den Pfeil;
er rief: Hier findst du keine Gnad,
dein Schatz wird mir zuteil!
Des Jünglings Brust quoll mildes
Blut,
es wallte fort in roter Flut
auf seine Lenden nieder.

Der Jüngling ächzt die Seele aus,
gestreckt am Wege hin;
sein Roß trabt nach Jorindens
Haus.
Jorinde schaute hin;
sie schaute, ob ihr Liebster käm',
daß sie ihn in die Arme nähm'
und an ihr Herze drückte.

Von weitem hörte sie den Trab
von seinem braunen Roß;
nun flog sie bald den Hof hinab,
allwo ein Bächlein floß.
Nun hörte sie kein Traben mehr,
das Rößlein stand! – der Sattel leer
Der Mond war schwarz am
Himmel.

Sie schrie wild ihrem Jüngling zu,
und sieh, im Mondenschein
rief eine Eule Schuhuhu!
Sie schaut den Wald hinein,
ein Schattenbild wankt zu ihr her,
sie eilt und schwankt, ihr Fuß war
schwer,
und schloß ihn in die Arme.

So kalt wie Eis! – mit hellem Schrei
sank sie zur Erde hin.
Der Reiter ritt nun auch herbei,
der schwarze Valentin;
er hob sie auf sein fahles Pferd
und führte sie nach Ritterswert,
so hieß die Räuberhöhle.

Jorinde flehte Tag und Nacht
um einen sanften Tod,
und endlich ward ihr Wunsch
vollbracht,
Gott sahe ihre Not.
Es trat am sanften Mondenschein
ein Engel in ihr Kämmerlein,
in Sternenlicht gekleidet.

Jorinde komm! im sanften Ton
sprach ihr der Engel zu:
komm, ernte nun der Tugend Lohn,
komm her zur stolzen Ruh!
Nun schloß er ihren sanften Blick
und führte sie zum ew'gen Glück,
wohl auf Elias Wagen.

Drauf kehrt er um und hüllte sich
in falbe Blitze ein
und trat zu Valentin fürchterlich
in seinen Saal hinein:
Er lag und dachte mancherlei
des Nachts ums erste
Hahngeschrei,
für Angst konnt er nicht schlafen.

Erstarrt sah er mit rotem Blick
den Todesboten stehn;
der winkte ihm und trat zurück;
nun war's um ihn geschehn.
Der Geist des wilden Valentin
starrt vor dem Todesengel hin,
er stürzte ihn zur Hölle.

*Von Johann Heinrich Jung. Pseudonym: Stilling (1740–1817).*

# Die Lilie auf dem Grabe

Viel Blumen blühten einst auf einem Grabe,
hießen sich Röslein, Veilchen, Hyazinthe.
Winter erschien, da gingen all die Blumen,
kamen auch nimmer auf den stillen Hügel.

Doch eine Blume, Lilie geheißen,
griff ein mit starker Wurzel in die Erde,
Jahre vergingen, und sie stund noch herrlich.

Kam ein Gärtner auf den Grabeshügel,
sah die Schöne, dacht in einen Lustwald
vom verlaßnen Orte sie zu pflanzen,
riß sie aus, doch wehe! aus dem Grabe
riß ein Herz er, das sie fest umschlungen.

*Von Justinus Kerner (1786–1862)*

# Die Waisen an der Mutter Grabe

Ach Johanna, sagt er, Johanna,
warum singst du nicht mehr?
»Ach! wie könnte ich denn singen:
in drei Tagen leb ich nicht mehr.«

Johanna war kaum in die Erde,
freit Johann ein ander Weib,
die gab den Kindern Schläge
und sagt: warum sucht ihr nichts?

Des Morgens um neun Uhren
sah man die Kinder gehn
nach ihrer lieben Mutter Grabe
und blieben dort stille stehn.

Sie lasen und sie beteten,
auf ihre Knie sie fall'n;
auf ihr Gebet, das sie lasen,
sprang auf das Grab gar bald.

Sie nahm das mittlere Söhnelein
und legt's auf ihren Schoß,
sie nahm das jüngste Söhnelein
und legt's an ihre Brust.

Sie gab ihm erst zu säugen,
wie eine Mutter tut:
»Ach Kinder,« sagt sie, »Kinder,
was tut eur Vater zu Haus?«

»Ach Mutter,« sagten sie, »Mutter,
unser Hunger ist sehr groß.
Steh auf und gehe du mit uns,
wir gehen zusammen nach Brot.«

»Ach Kinder,« sagt sie, »Kinder,
ich kann fürwahr nicht aufstehn:
mein Leichnam liegt unter der Erde,
mein Geist nur tut hier stehn.«

*Volksballade. Dieser Text*
*ist die populär gewordene*
*deutsche Übertragung*
*einer flämischen Fassung.*

# Die Frau aus dem Grabe

Hört Christenleut jetzt ein neues Lied,
was kürzlich zu Cöln ist noch geschehn
von einer Frauen, Richmundis genannt,
von Adocht in vierzig Geschlechtern bekannt.

Sie starb, man legte sie in die Lad,
der Mann aus lauter Trauern sprach:
»Laßt meiner Hausfrau den Trauring an,
mit Treuen da war sie wohlgetan.«

Der Tag verging, es kam die Nacht,
der Glöckner zu seinem Knechte sprach:
»Wir wollen hinein in das Grab wohl gehn
und wolln der Frau den Ring absehn!«

Und als der Knecht das Grab auftät,
der Glöckner schnell die Lad aufhebt;
vor Schrecken liefen sie beide fort
und ließen der Frauen die Leuchte dort.

Sie nahm die Leuchte wohl in die Hand
und ging, bis sie den Neumarkt fand:
»Ach Mann, ach Mann, mach auf die Tür!
dein ehlich Hausfrau steht dafür.«

Die Frau, die rief, die Magd, die lief
wohl zu dem Mann, der oben schlief:
»O Gott, wie kann das möglich sein,
so müßten meine zwei beste Roß bei mir sein.«

Sobald der Mann das Wort aussprach,
zwei Rosse liefen aus dem Stalle jach,
sie sprangen bereits die Treppe hinan
und gingen vor dem Herrn ins Fenster stehn.

Der Herr macht selbsten auf die Tür:
»Ach Gott im Himmel, sei gnädig mir!
Es ist wahrhaft meine Hausfrau gut,
ich hatte sie nächten begraben tot.«

»Ach, liebster Gemahl, sei nicht erschreckt,
ein Engel vom Himmel hat mich geweckt;
der Engel vom Himmel gar hübsch und fein,
wir sollen in Treuen zusammen sein!«

Er faßt sie wohl unter den Arm sogleich
und führt sie herauf gar freudenreich;
sie setzten sich beide zusammen also
und aßen und tranken und sprachen dazu.

Nach diesem Wunder, das ist wahr,
hat sie gelebt noch sieben Jahr,
geboren ihm sieben Söhnelein,
in Aposteln gewirkt ein Meßkleid fein.

Dazwischen hat sie keinmal gelacht,
hat immer gar ernst den Tod betracht';
das ist zu Cöln in der Stadt geschehn
und mag sich begeben so bald nicht mehr.

*Volksballade. Schildert die weit verbreitete
europäische Volkssage von der wiedererweckten
Scheintoten Richmundis von Adocht. Wurde
auch von Bänkelsängern vorgetragen.*

# Der Gattenmörder

Vater und Kind gestorben
ruhten im Grabe tief,
die Mutter hat erworben
seitdem ein ander Lieb.

Da droben auf dem Schlosse
da schallt das Hochzeitsfest,
da lacht's und wiehern die Rosse,
durchs Grün ziehn bunte Gäst'.

Die Braut schaut ins Gefilde
noch einmal vom Altan,
es sah so ernst und milde
sie da der Abend an.

Rings waren schon verdunkelt
die Täler und der Rhein,
in ihrem Brautschmuck funkelt
nur noch der Abendschein.

Sie hörte Glocken gehen
im weiten tiefen Tal,
es bracht der Lüfte Weben
fern übern Wald den Schall.

Sie dacht: »O falscher Abend!
wen das bedeuten mag?
wen läuten sie zu Grabe
an meinem Hochzeitstag?«

Sie hört im Garten rauschen
die Brunnen immerdar
und durch die Wälder Rauschen
ein Singen wunderbar.

Sie sprach: »Wie wirres Klingen
kommt durch die Einsamkeit,
das Lied wohl hört ich singen
in alter, schöner Zeit.«

Es klang, als wollt sie's rufen
und grüßen tausendmal –
so stieg sie von den Stufen,
so kühle rauscht das Tal.

So zwischen Weingehängen
stieg sinnend sie ins Land
hinunter zu den Klängen,
bis sie im Walde stand.

Dort ging sie, wie in Träumen
im weiten, stillen Rund,
das Lied klang in den Bäumen,
von Quellen rauscht der Grund.

Derweil von Mund zu Munde
durchs Haus, erst heimlich sacht,
und lauter geht die Kunde:
die Braut irrt in der Nacht!

Der Bräut'gam tät erbleichen,
er hört im Tal das Lied,
ein dunkelrotes Zeichen
ihm von der Stirne glüht.

Und Tanz und Jubel enden,
er und die Gäst' im Saal,
Windlichter in den Händen,
sich stürzen in das Tal.

Da schweifen rote Scheine,
Schall nun und Rossehuf,
es hallen die Gesteine
rings von verworrnem Ruf.

Doch einsam irrt die Fraue
im Walde schön und bleich,
die Nacht hat tiefes Grauen,
das ist von Sternen so reich.

Und als sie war gelanget
zum allerstillsten Grund,
ein Kind am Felsenhange
dort freundlich lächelnd stund.

Das trug in seinen Locken
einen weißen Rosenkranz,
sie schaut es an erschrocken
beim irren Mondesglanz.

»Solch Augen hat das meine,
ach meines bist du nicht,
das ruht ja unterm Steine,
den niemand mehr zerbricht.

Ich weiß nicht, was mir grauset,
blick nicht so fremd auf mich!
ich wollt, ich wär zu Hause.«
»Nach Hause führ ich dich.«

Sie gehn nun miteinander,
so trübe weht der Wind,
die Fraue sprach im Wandern:
»Ich weiß nicht, wo wir sind.

Wen tragen sie beim Scheine
der Fackeln durch die Schluft?
O Gott, der stürzt vom Steine
sich tot in dieser Kluft!«

Das Kind sagt: »Den sie tragen,
dein Bräut'gam heute war,
er hat meinen Vater erschlagen,
's ist diese Stund ein Jahr.

Wir alle müssen's büßen,
bald wird es besser sein,
der Vater läßt dich grüßen,
mein liebes Mütterlein.«

Ihr schauert's durch die Glieder:
»Du bist mein totes Kind!
Wie funkeln die Sterne nieder,
jetzt weiß ich, wo wir sind.« –

Da löst sie Kranz und Spangen,
und über ihr Angesicht
Perlen und Tränen rannen,
man unterschied sie nicht.

Und über die Schultern nieder
rollten die Locken sacht,
verdunkelnd Augen und Glieder,
wie eine prächtige Nacht.

Ums Kind den Arm geschlagen,
sank sie ins Gras hinein –
Dort hatten sie erschlagen
den Vater im Gestein.

Die Hochzeitsgäste riefen
im Walde auf und ab,
die Gründe alle schliefen,
nur Echo Antwort gab.

Und als sich leis erhoben
der erste Morgenduft,
hörten die Hirten droben
ein Singen in stiller Luft.

*Von Joseph Freiherr von Eichendorff*

# Drei Mörderinnen

Es sitzen drei Schwestern im Schlosse drinnen,
sie können nicht Ruh und Rast gewinnen,
zweihundert Jahr schon müssen sie spinnen,
sie müssen spinnen ihr eisgraues Haar,
bis daß vergangen dreihundert Jahr –
dreihundert Jahr – dreihundert Jahr.

Die erste hat den Vater erschlagen,
die andre hat ihre Mutter erschlagen,
die jüngste, die faßte die Toten bei den Haaren,
bei ihrem schneeweißen Lockenhaar,
und stürzte die Leiber in den Brunnen gar –
in den Brunnen gar – in den Brunnen gar.

In ihrer Hand verblieben die Locken.
Da läuteten traurig alle Glocken;
zwei Schwestern wandten sich um erschrocken,
die jüngste wand mit ihrer Hand
die schneeweißen Locken ums Spindelband –
ums Spindelband – ums Spindelband.

»Laßt sausen die Glocken, wir hausen hier innen!
es soll uns so wenig abgewinnen,
als ich dies schneeweiße Haar werd spinnen.
Sind wirs im Hause itzt nicht die Herrn?
Trutz, wer uns will Hochzeit verwehrn!
Hochzeit verwehrn – Hochzeit verwehrn!«

Sie hielten Hochzeit mit großem Schalle,
es eilten der Gäste viel zur Halle,
zu erlustieren sich nach Gefallen;
Drommeten und Geigen riefen herein,
es ward ein groß Rumor und Schrein –
Rumor und Schrein – Rumor und Schrein.

Drei güldne Kronen trugen die Bräute,
als sie den Weg zur Kirche beschreiten,
alle Glocken huben von selbst an zu läuten:
Da kam ein starker Donnerschlag,
wie Nacht so schwarz ward da der Tag –
ward da der Tag – ward da der Tag.

Das Schloß versank im Erdengrunde,
der Teufel schrie mit feurigem Munde:
»Sollt ruhn und rasten nicht Tag, nicht Stunde,
bis ihr versponnen eur eisgraues Haar,
bis abgelaufen dreihundert Jahr –
dreihundert Jahr – dreihundert Jahr!«

Alljährlich an dem gleichen Tage
die Glocken von selber zusammenschlagen,
der Berg eröffnet seinen Kragen,
man sieht die Schwestern spinnen dar,
bis daß vergangen dreihundert Jahr –
dreihundert Jahr – dreihundert Jahr!…

*Volksballade. Vorliegende Fassung stammt
aus dem Spessart.*

# Der Werwolf

Mein Liebster, wo bist du gewesen die Nacht?
du hast dich so heimlich von dannen gemacht.

Und aus dem Walde rief es so grell,
halb deine Stimme, halb Wolfsgebell.

Nun ist dir verloschen des Auges Glut,
um Lippen und Bart eine Spur von Blut;

wo bist gewesen? was hast du getan?
was gingen die bellenden Wölfe dich an?

O frage nicht, Liebste, o frage mich nicht,
die Nacht ist ja schwarz, und der Wald ist da dicht.

Leicht spült sich die Lippe, leicht spült sich der Bart,
daß niemand die Spuren des Blutes gewahrt.

Erloschen die Augen in Scham und Reu,
bald glänzen in eherner Härte sie neu.

Und lächelnde Lüge verschleiert so klug
die Hölle des Herzens, den Furienfluch.

*Von Artur Fitger (1840–1909). Ein Werwolf
(althochdeutsch: Mann-Wolf) ist nach dem
Volks-Aberglauben ein Mensch, der Wolfsgestalt
annehmen kann.*

# Die Jungfrau schläft in der Kammer

Die Jungfrau schläft in der
Kammer,
der Mond schaut zitternd hinein;
da draußen singt es und klingt es,
wie Walzermelodein.

»Ich will mal schaun aus dem
Fenster,
wer drunten stört meine Ruh.«
Da steht ein Totengerippe
und fiedelt und singt dazu:

Hast einst mir den Tanz
versprochen
und hast gebrochen dein Wort,
und heut ist Ball auf dem
Kirchhof,
komm mit, wir tanzen dort.«

Die Jungfrau ergreift es gewaltig,
es lockt sie hervor aus dem Haus;
sie folgt dem Gerippe, das singend
und fiedelnd schreitet voraus.

Es fiedelt und tänzelt und hüpfet
und klappert mit seinem Gebein
und nickt und nickt mit dem
Schädel
unheimlich im Mondenschein

*Von Heinrich Heine*

# Fortunat

Tauig in des Mondscheins Mantel
liegt die stille Sommernacht,
und ein Ritter reitet singend
Wiesenplan und Wald entlang.

Munter zu, mein gutes Pferdchen!
sagt er, klatscht ihm sanft den Hals;
weißt du nicht, daß wartend Lila
an dem offnen Fenster wacht?

Bist ja kein Turnier- und Streitroß,
wie sein Reiter steif und starr,
das den Stachel an der Stirne,
nur so blindlings rennen mag.

Nein, du trägst auf seinen Zügen
den behenden Fortunat,
schmiegst mit ihm dich still im
Dunkel
über Stege, glatt und schmal.

Bald zu dieser, bald zu jener
ging die heimlich nächt'ge Bahn;
abends hin mit raschem Sehnen,
früh zurück mit trägem Gram.

Wann ich oft von deinem Rücken
mich zur hohen Kammer schwang,
standst du still, bis mich
empfangen
der Geliebten zarter Arm.

Ja ich weiß, wenn eine Spröde
Herz und Tür verschlösse gar,
würdest du mit leisem Hufe
klopfen, bis sie aufgetan.

Wie er noch die Worte redet,
öffnet sich ein heimlich Tal.
Bin ich, sprach er, irr geritten?
ist mir's doch so unbekannt.

Wunderlich durch Sträuch' und
Bäume
schleicht des Mondes blasser Strahl,
und ein Busch mit blühnden Rosen
winkt von drüben voll und schlank.

Busch, ich grüß in dir mein Bildnis,
Rosen trägst du ohne Zahl,
und mir blüht im regen Herzen
so der Liebe süße Wahl.

Manche reif, und Knospen andre,
alle doch verblühn sie bald,
und der Saft, der jene füllte,
wird den jüngern zugewandt.

Denn den Kelch, der sich
entblättert,
schließet keines Willens Kraft,
Lila, Lila! diese Knospen
drohn dir meinen Unbestand.

Aber daß du nicht ihn ahndest,
komm ich mit dem Kranz im Haar,
biet ein schön errötend Sträußchen
deinem weißen Busen dar.

Rosen, Rosen! laßt euch pflücken,
so zu sterben ist kein Harm:
o wie will ich euch zerdrücken
zwischen Brust und Brust so warm!

Und er lenkt das Roß entgegen,
doch es scheut sich, wie es naht,
und er kann von keiner Seite
dicht zur Rosenlaub' hinan.

So gewohnt bei Nacht zu wandern,
töricht Roß, wie kommt dir das?
Fürchtest du die Licht' und
Schatten,
wankend auf dem feuchten Gras?

Doch es tritt zurück und bäumt
sich,
wie er spornt und wie er mahnt;
drauf mit seinen Vorderfüßen
stampft es den Grund und scharrt.

Wühlet weg den lockern Boden,
tief und tiefer sich hinab.
Schätze, glaub ich, willst du
graben;
eben ist's ja Mitternacht.

Unter seinem Huf nun dröhnt es,
das sind Bretter, ist ein Sarg,
und es traf ein Schlag gewaltig,
daß der schwarze Deckel sprang.

Schwingen will er sich vom Sattel,
doch er fühlt sich dran gebannt,
und der Gaul steht jetzo ruhig
vor dem Sarg, im Boden halb.

Und es hebt sich wie vom
Schlummer
eine weibliche Gestalt,
deren Züge blasser Kummer,
aber sanfte Lieb umwallt.

Kommst du, hier mich zu besuchen,
deine Clara, Fortunat?
Diese Linden, diese Buchen
waren Zeugen unsrer Tat.

Wie du Treue mir geschworen,
wie dein Mund so flehend bat,
meine Ros' ich dann verloren
Und die Scham danieder trat.

Doch die Sünde ward mir teuer,
mahnte nun mich früh und spat;
für des Angedenkens Feuer
wußt ich keinen andern Rat,

als mich hier so kühl zu betten,
wie du siehst, daß ich getan.
Ach! ich hofft in Liebesketten
dich noch einmal hier zu fahn.

Von des stillen Tales Schoße
wird geschirmt die bange Scham;
Lieb erzog hier manche Rose
für die eine, die sie nahm.

Sieh dies Lager, traut und enge,
wie ich sorgsam anbefahl,
daß es uns zusammendränge
zu der süßen Wollust Qual.

Durch des Vorhangs grünen
Schleier
bricht kein unwillkommner Strahl,
und uns weckt aus ew'ger Feier
keiner Mond' und Sonnen Zahl.

In den kühlen Arm zu sinken,
beut die heiße Brust mir dar.
Deine Seel' im Kusse trinken
will ich nun und immerdar.

Leise zieht sie ihn hernieder:
schöner Jüngling, so erstarrt?
Kaum gebrochne Augen hebend,
sinkt er zu ihr in den Sarg.

Lila, Lila! wollt er lispeln,
doch es ward ein sterbend Ach,
weil alsbald des Grabes Schauer
seinen Lebenshauch verschlang.

Mit Getöse taumeln wieder
fest die Bretter auf den Sarg,
und ein Sturm verwühlt die Erde,
die der Gaul hat aufgescharrt.

Heftig bricht er alle Rosen,
säuselnd blättern sie sich ab,
streun sich zu des Brautbetts
Weihe
purpurn auf das grüne Gras.

Weit ist schon das Roß
entsprungen,
flüchtig durch Gebirg und Wald,
kommt erst mit des Tages Anbruch
vor der Hütte Lilas an.

Bleibt da stehn, gezäumt, gesattelt,
ledig, mit gesenktem Hals,
bis die arme schlummerlose
seine Botschaft wohl verstand.

Und dann floh es in die Wildnis,
wo kein Aug' es wieder sah,
wollte keinem Ritter dienen
nach dem schlanken Fortunat.

*Von August Wilhelm v. Schlegel (1767–1845)*

# Die Toten reiten schnell

Es stehn die Stern am Himmel,
es scheint der Mond so hell,
die Toten reiten schnell:

»Mach auf, mein Schatz, dein
Fenster!
Laß mich zu dir hinein!
Kann nicht lang bei dir sein!

Der Hahn, der tät schon krähen,
er singt uns an den Tag,
nicht lang mehr bleiben mag.

Weit her bin ich geritten;
zweihundert Meilen weit
muß ich noch reiten heut.

Herzallerliebste meine,
komm setz dich auf mein Pferd,
der Weg ist Reitens wert.

Dort drinnen im Ungarlande
hab ich ein kleines Haus,
da geht mein Weg hinaus.

Auf einer grünen Heide
da ist mein Haus gebaut
für mich und meine Braut.

Laß mich nicht lang mehr warten!
Komm, Schatz zu mir herauf,
weil fortgeht unser Lauf.

Die Sternlein tun uns leuchten,
es scheint der Mond so hell,
die Toten reiten schnell.« –

»Wo willst mich denn hinführen?
ach Gott, was hast gedacht
wohl in der finstren Nacht?

Mit dir kann ich nicht reiten,
dein Bettlein ist nicht breit,
der Weg ist auch zu weit.

Allein leg du dich nieder,
Herzliebste, schlaf
bis an den Jüngsten Tag!«

*Der aus »Des Knaben Wunderhorn« stammende Text geht möglicherweise auf Gottfried August Bürgers*
*»Lenore« zurück:*

# Lenore

Lenore fuhr ums Morgenrot
empor aus schweren Träumen:
»Bist untreu, Wilhelm, oder tot?
Wie lange willst du säumen?« –
Er war mit König Friedrichs
Macht
gezogen in die Prager Schlacht,
und hatte nicht geschrieben,
ob er gesund geblieben.

Der König und die Kaiserin,
des langen Haders müde,
erweichten ihren harten Sinn
und machten endlich Friede;
und jedes Heer, mit Sing und Sang,
mit Paukenschlag und Kling und
Klang,
geschmückt mit grünen Reisern,
zog heim zu seinen Häusern.

Und überall, allüberall,
auf Wegen und auf Stegen,
zog alt und jung dem Jubelschall
der Kommenden entgegen,
Gottlob! rief Kind und Gattin laut,
Willkommen! manche frohe Braut.
Ach! aber für Lenoren
war Gruß und Kuß verloren.

Sie frug den Zug wohl auf und ab
und frug nach allen Namen;
doch keiner war, der Kundschaft
gab,
von allen, so da kamen.
Als nun das Heer vorüber war,
zerraufte sie ihr Rabenhaar
und warf sich hin zur Erde
mit wütiger Gebärde.

Die Mutter lief wohl hin zu ihr:
»Ach, daß sich Gott erbarme!
du trautes Kind, was ist mit dir?«
und schloß sie in die Arme.
»O Mutter, Mutter! hin ist hin!
Nun fahre Welt und alles hin!
Bei Gott ist kein Erbarmen.
O weh, o weh mir Armen!«

»Hilf Gott, hilf! sieh uns gnädig an!
Kind bet ein Vaterunser!
Was Gott tut, das ist wohlgetan.
Gott, Gott erbarmt sich unser!« –
»O Mutter, Mutter! eitler Wahn!
Gott hat an mir nicht wohlgetan!
Was half, was half mein Beten?
Nun ist's nicht mehr vonnöten.«

»Hilf Gott, hilf! Wer den Vater
kennt,
der weiß, er hilft den Kindern.
Das hochgelobte Sakrament
wird deinen Jammer lindern.«
»O Mutter, Mutter! was mich
brennt,
das lindert mir kein Sakrament!
Kein Sakrament mag Leben
den Toten wiedergeben.«

»Hör, Kind! Wie, wenn der falsche
Mann
im fernen Ungarlande
sich seines Glaubens abgetan
zum neuen Ehebande?
Laß fahren, Kind, sein Herz dahin!
Er hat es nimmermehr Gewinn:
wann Seel' und Leib sich trennen,
wird ihn sein Meineid brennen.«

»O Mutter, Mutter! hin ist hin!
verloren ist verloren!
Der Tod, der Tod ist mein Gewinn!
o wär ich nie geboren!
Lisch aus, mein Licht, auf ewig aus!
stirb hin, stirb hin in Macht und
Graus!
Bei Gott ist kein Erbarmen;
o weh, o weh mir Armen!«

»Hilf Gott, hilf! geh nicht ins
Gericht
mit deinem armen Kinde!
Sie weiß nicht, was die Zunge
spricht;
behalt ihr nicht die Sünde!
Ach, Kind, vergiß dein irdisch
Leid
und denk an Gott und Seligkeit,
so wird doch deiner Seelen
der Bräutigam nicht fehlen.«

»O Mutter! was ist Seligkeit?
o Mutter! was ist Hölle?
Bei ihm, bei ihm ist Seligkeit,
und ohne Wilhelm Hölle! –
Lisch aus, mein Licht, auf ewig
aus!
stirb hin, stirb hin in Nacht und
Graus!
Ohn ihn mag ich auf Erden,
mag dort nicht selig werden.«

So wütete Verzweifelung
ihr in Gehirn und Adern,
sie fuhr mit Gottes Vorsehung
vermessen fort zu hadern,
zerschlug den Busen und zerrang
die Hand bis Sonnenuntergang,
bis auf am Himmelsbogen
die goldnen Sterne zogen.

Und außen, horch! ging's trapp
trapp trapp,
als wie von Rossehufen,
und klirrend stieg ein Reiter ab
an des Geländers Stufen.
Und horch! und horch! den
Pfortenring,
ganz lose, leise, klinglingling!
Dann kamen durch die Pforte
vernehmlich diese Worte:

»Holla, holla! tu auf, mein Kind!
Schläfst, Liebchen, oder wachst du?
Wie bist du gegen mich gesinnt?
und weinest oder lachst du?«
»Ach, Wilhelm, du?... so spät bei
Nacht,
Geweinet hab ich und gewacht,
ach, großes Leid erlitten!
Wo kommst du hergeritten?«

»Wir satteln nur um Mitternacht.
Weit ritt ich her von Böhmen.
Ich habe spät mich aufgemacht
und will dich mit mir nehmen.«
»Ach Wilhelm, erst herein
geschwind!
den Hagedorn durchsaust der
Wind,
herein, in meinen Armen,
Herzliebster, zu erwarmen!«

»Laß sausen durch den Hagedorn,
laß sausen, Kind, laß sausen!
der Rappe scharrt; es klirrt der
Sporn,
ich darf allhier nicht hausen.
Komm, schürze, spring und
schwinge dich
auf meinen Rappen hinter mich!
Muß heut noch hundert Meilen
mit dir ins Brautbett eilen.«

»Ach! wolltest hundert Meilen noch
mich heut ins Brautbett tragen?
Und horch! es brummt die Glocke
noch,
die elf schon angeschlagen.«
»Sieh hin, sieh her! der Mond
scheint hell.
Wir und die Toten reiten schnell.
Ich bringe dich, zur Wette,
noch heut ins Hochzeitbette.«

»Sag an, wo ist dein Kämmerlein?
wo? wie dein Hochzeitbettchen?« –
»Weit, weit von hier!... still, kühl
und klein!...
sechs Bretter und zwei Brettchen!«
»Hat's Raum für mich?« – »Für
dich und mich!
Komm, schürze, spring und
schwinge dich!
Die Hochzeitgäste hoffen;
die Kammer steht uns offen.«

Schön Liebchen schürzte, sprang
und schwang
sich auf das Roß behende;
wohl um den trauten Reiter schlang
sie ihre Lilienhände;
und hurre hurre, hopp hopp hopp!
ging's fort in sausendem Galopp,
daß Roß und Reiter schnoben
und Kies und Funken stoben.

Zur rechten und zur linken Hand,
vorbei vor ihren Blicken,
wie flogen Anger, Heid' und Land!
wie donnerten die Brücken! –
»Graut Liebchen auch?... der Mond
scheint hell!
Hurra! die Toten reiten schnell!
Graut Liebchen auch vor Toten?«
»Ach nein!... Doch laß die Toten!« –

Was klang dort für Gesang und
Klang?
Was flatterten die Raben?...
Horch Glockenklang! horch
Totensang:
»Laßt uns den Leib begraben!«
Und näher zog ein Leichenzug,
der Sarg und Totenbahre trug.
Das Lied war zu vergleichen
dem Unkenruf in Teichen.

»Nach Mitternach begrabt den
Leib
mit Klang und Sang und Klage!
Jetzt führ ich heim mein junges
Weib;
mit, mit zum Brautgelage!...
Komm, Küster, hier! komm mit
dem Chor
und gurgle mir das Brautlied vor!
Komm, Pfaff, und sprich den
Segen,
eh wir zu Bett uns legen!«

Still Klang und Sang...
Die Bahre schwand...
Gehorsam seinem Rufen
kam's hurre hurre! nachgerannt
hart hinters Rappen Hufen.
Und immer weiter, hopp
hopp hopp!
ging's fort in sausendem Galopp,
daß Roß und Reiter schnoben
und Kies und Funken stoben.

Wie flogen rechts, wie flogen links
Gebirge, Bäum' und Hecken!
Wie flogen links und rechts und
links
die Dörfer, Städt und Flecken! –
»Graut Liebchen auch?...
der Mond scheint hell!
Hurra! die Toten reiten schnell!
Graut Liebchen auch vor Toten?«
»Ach! laß sie ruhn, die Toten.« –

Sieh da! sieh da! am Hochgericht
tanzt um des Rades Spindel,
halb sichtbarlich bei Mondenlicht,
ein lustiges Gesindel.
»Sasa! Gesindel, hier! komm hier!
Gesindel, komm und folge mir!
tanz uns den Hochzeitreigen,
wann wir zu Bette steigen!« –

Und das Gesindel, husch
husch husch!
kam hinten nachgeprasselt,
wie Wirbelwind am Haselbusch
durch dürre Blätter rasselt.
Und weiter, weiter, hopp
hopp hopp!
ging's fort in sausendem Galopp,
daß Roß und Reiter schnoben
und Kies und Funken stoben.

Wie flog, was rund der Mond
beschien,
wie flog es in die Ferne!
Wie flogen oben überhin
der Himmel und die Sterne! –
»Graut Liebchen auch?...
der Mond scheint hell!
Hurra! die Toten reiten schnell!
Graut Liebchen auch vor Toten?«
»O weh! laß ruhn die Toten!« –

»Rapp'! Rapp'! mich dünkt,
der Hahn schon ruft...
bald wird der Sand verrinnen...
Rapp'! Rapp'! ich wittre
Morgenluft...
Rapp'! tummle dich von hinnen!
Vollbracht, vollbracht ist unser
Lauf!
Das Hochzeitbette tut sich auf!
Die Toten reiten schnelle! –
Wir sind, wir sind zur Stelle.«

Rasch auf ein eisern Gittertor
ging's mit verhängtem Zügel;
mit schwanker Gert ein Schlag
davor
zersprengte Schloß und Riegel.
Die Flügel flogen klirrend auf,
und über Gräber ging der Lauf;
es blinkten Leichensteine
rundum im Mondenscheine.

Ha sieh! ha sieh! im Augenblick,
huhu! ein gräßlich Wunder!
Des Reiters Koller, Stück für Stück,
fiel ab wie mürber Zunder.
Zum Schädel ohne Zopf und
Schopf,
zum nackten Schädel ward sein
Kopf,
sein Körper zum Gerippe,
mit Stundenglas und Hippe.

Hoch bäumte sich, wild schnob
der Rapp'
und sprühte Feuerfunken;
und hui! war's unter ihr hinab
verschwunden und versunken.
Geheul! Geheul aus hoher Luft,
Gewinsel kam aus tiefer Gruft, –
Lenorens Herz mit Beben
rang zwischen Tod und Leben.

Nun tanzten wohl bei
Mondenglanz
rundum herum im Kreise
die Geister einen Kettentanz
und heulten diese Weise:
»Geduld! Geduld! wenn's
Herz auch bricht!
Mit Gott im Himmel hadre nicht!
Des Leibes bist du ledig;
Gott sei der Seele gnädig!«

*1773 von Gottfried August Bürger (1747–1794).*
*Die »Lenore« gilt als erstes, bahnbrechendes*
*Beispiel der deutschen klassischen Ballade,*
*literaturhistorisch von größter Bedeutung. Die*
*folgende Ballade behandelt ebenfalls das Lenore-Motiv:*

# Er grüßt sie so fürchterlich heiter

Hoch über den stillen Höhen
stand in dem Wald ein Haus,
dort wars so einsam zu sehen
weit übern Wald hinaus.

Drin saß ein Mädchen am Rocken
den ganzen Abend lang,
der wurden die Augen nicht
trocken,
sie spann und sann und sang:

»Mein Liebster, der war ein Reiter,
dem schwur ich Treu bis in Tod,
der zog über Land und weiter,
zu Krieges Lust und Not.

Und als ein Jahr war vergangen
und wieder blühte das Land,
da stand ich voller Verlangen
hoch an des Waldes Rand.

Und zwischen den Bergesbogen
wohl über den grünen Plan
kam mancher Reiter gezogen,
der meine kam nicht mit an.

Und zwischen den Bergesbogen
wohl über den grünen Plan
ein Jägersmann kam geflogen,
der sah mich so mutig an.

So lieblich die Sonne schiene,
das Waldhorn scholl weit und
breit,
da führt er mich in das Grüne,
das war eine schöne Zeit!

Der hat so lieblich gelogen
mich aus der Treue heraus,
der Falsche hat mich betrogen,
zog weit in die Welt hinaus.«

Sie konnte nicht weiter singen,
vor bitterem Schmerz und Leid,
die Augen ihr übergingen
in ihrer Einsamkeit.

Die Muhme, die saß beim Feuer
und wärmte sich am Kamin,
es flackert und sprüht das Feuer,
hell über die Stube es schien.

Sie sprach: »Ein Kränzlein in
Haaren,
das stünde dir heut gar schön,
willst drauß auf dem See nicht
fahren?
hohe Blumen am Ufer dort stehn.«

»Ich kann nicht holen die Blumen,
im Hemdlein weiß am Teich
ein Mädchen hütet die Blumen,
die sieht so totenbleich.

Und hoch auf des Sees Weite,
wenn alles finster und still,
da rudern zwei stille Leute, –
der eine dich haben will.

Die schauen wie alte Bekannte,
still, ewig stille sie sind,
doch einmal der eine sich wandte,
da faßt mich ein eiskalter Wind.

Mir ist zu wehe zum Weinen –
die Uhr so gleichförmig pickt,
das Rädlein, das schnurrt so in
einem,
mir ist, als wär ich verrückt.

Ach Gott! wann wird sich doch
röten
die fröhliche Morgenstund!
Ich möchte hinausgehn und beten
und beten aus Herzensgrund!

So bleich schon werden die Sterne,
es rührt sich stärker der Wald,
schon krähen die Hähne von
ferne,
mich friert, es wird so kalt!

Ach, Muhme! was ist Euch
geschehen?
die Nase wird Euch so lang,
die Augen sich seltsam verdrehen
wie wird mir vor Euch so bang!«

Und wie sie so grauenvoll klagte,
klopft's draußen ans Fensterlein,
ein Mann aus der Finsternis ragte,
schaut still in die Stube herein.

Die Haare wild umgehangen,
von blutigen Tropfen naß,
zwei blutige Streifen sich
schlangen
wie Kränzlein ums Antlitz blaß.

Er grüßt sie so fürcherlich heiter,
seine Braut wohl heißet er sie,
da kannt sie mit Schaudern den
Reiter,
fällt nieder auf ihre Knie.

Er zielt mit dem Rohre durchs
Gitter
auf die schneeweiße Brust hin.
»Ach, wie ist das Sterben so bitter,
erbarm dich, weil ich so jung
noch bin!«

Stumm blieb sein steinerner Wille,
es blitzte so rosenrot,
da ward es auf einmal stille
im Walde und Haus und Hof.

Frühmorgens da lag so schaurig
verfallen im Walde das Haus,
ein Waldvöglein sang so traurig,
flog fort über den See hinaus.

*Von Joseph Freiherr von Eichendorff*

# Reiter in der Nacht

Er reitet nachts auf einem braunen Roß,
er reitet vorüber an manchem Schloß;
Schlaf droben, mein Kind, bis der Tag erscheint,
die finstre Nacht ist des Menschen Feind!

Er reitet vorüber an einem Teich,
da stehet ein schönes Mädchen bleich
und singt, ihr Hemdlein flattert im Wind:
Vorüber, vorüber, mir graut vor dem Kind!

Er reitet vorüber an einem Fluß,
da ruft ihm der Wassermann seinen Gruß,
taucht wieder unter dann mit Gesaus,
und stille wird's über dem kühlen Haus.

Wenn Tag und Nacht in verworrenem Streit,
schon Hähne krähen in Dörfern weit,
da schauert sein Roß und wühlet hinab,
scharret ihm schnaubend sein eigenes Grab.

*Von Joseph Freiherr von Eichendorff*

# Märchen und Sagen

Vom Feuerreiter
und vom Wassermann.
Von Ritter Blaubart
und dem bleichen Bettelweib

# Ich fürcht' nit Gespenster

Ich fürcht' nit Gespenster,
keine Hexen und Feen,
und lieb's, in ihre tiefen
Glühaugen zu sehn.

Am Wald in dem grünen
unheimlichen See,
da wohnet ein Nachtweib,
das ist weiß wie der Schnee.

Es haßt meiner Schönheit
unschuldige Zier;
wenn ich spät noch vorbeigeh',
so zankt es mit mir.

Jüngst, als ich im Mondschein
am Waldwasser stand,
fuhr sie auf ohne Schleier,
ohne alles Gewand.

Es schwammen ihre Glieder
in der taghellen Nacht;
der Himmel war trunken
von der höllischen Pracht.

Aber ich hab' entblößet
meine lebendige Brust;
da hat sie mit Schande
versinken gemußt!

*Von Gottfried Keller (1819–1890)*

# Gespenster in der Scheuer

»Ehrt Ihr so die Sabbatsfeier,
heiligt so den Ostertag?
Schallend klappt in Eurer Scheuer
muntrer Drescher Wechselschlag.
Horcht, die Glocke läutet,
ruft ins Gotteshaus;
Weib und Dirne schreitet
mit dem Buch und Strauß.«

»Vater!« Sprach verschämt Frau Änne,
»glaubt so Arges nicht von mir!
Niemand drischt auf meiner Tenne;
schaut es hängt der Schlüssel hier.
Sünd'gen ich – bewahre!
wider Gottes Gebot?
War nicht schon drei Jahre
groß des Armen Not?«

»Was mein eignes Ohr
vernommen,
halt ich Alter auch für wahr.
Wie? Euch zählt ich zu den
Frommen,
und Ihr täuscht dies graue
Haar?« –
»Euer Wort ist teuer,
aber – seht mich an!
Kommt in meine Scheuer,
ob ich lügen kann!«

Hand in Hand gehn sie zur
Tenne,
horchend unterm Lindenbaum.
Wacker dreschen hört Frau Änne,
traut den eignen Sinnen kaum;
hört mit bängerm Lauschen
an der Scheune Tor
reifer Garben Rauschen
und Gesang im Chor.

»Wir verkünden gute Märe« –
tönt es hell wie Silberklang –
»hundertfältig trägt die Ähre
sieben frohe Jahre lang.
Ihres Gottes wegen
gab Frau Änne gern;
drum gibt Gott ihr Segen –
alles kommt vom Herrn!«

Und als sie das Tor zur Banze
bangen Mutes seitwärts drehn,
sehn sie, schlank im Ährenkranze
drei der schönsten Mägde stehn;
die Gewänder blinken
blau wie Himmelsduft,
und sie lächeln, winken
und zergehn in Luft.

*Von Johann Friedrich Kind (1768–1843), dem Textdichter der Oper »Der Freischütz« in Anlehnung an eine alte Sage.*

# Doctor Faust

Hört ihr Christen mit Verlangen
etwas Neues ohne Graus:
Wie die eitle Welt tut prangen
mit Johann, dem Doctor Faust.

Zu Anhalt war er geboren,
er studiert mit allem Fleiß;
In der Hoffart auferzogen,
richtet sich nach alter Weis.

Vierzigtausend Geister er zitierte
mit Gewalt wohl aus der Höll,
Doch es war nicht einer drunter,
der ihm recht konnt tauglich sein.

Nur Mephisto, dem Geschwinden,
gab er seine Seele drein.
Denn sonst keiner in der Höllen,
welcher diesem gleich konnt sein.

Dafür muß er Geld ihm schaffen,
Gold und Silber, was er nur wollt,
Er hat auch zu allen Sachen
viele Geister hergeholt.

Zu Straßburg schoß er nach der
Scheiben,
daß er haben konnt sein Freud;
tät oft nach dem Teufel schießen,
daß er vielmals laut aufschreit.

Kegelschieben auf der Donau
war zu Regensburg sein Freud;
Fisch zu fangen nach Verlangen
war seine Ergetzlichkeit.

Wie er an dem heilgen Karfreitag
nach Jerusalem kam auf die Straß,
allwo Christus am heiligen
Kreuzstamm
hinge ohne Unterlaß.

Mephistophelus geschwinde
mußte gleich ganz eilen fort,
und ihm bringen drei Ellen
Leinwand
von einem gewissen Ort.

»Satan, du sollst mir jetzt abmalen
Christus an dem heiligen Kreuz,
und dazu die fünf Wunden alle
gib nur Acht, daß dirs nicht leid;

daß du nicht fehlst an dem Titel,
an dem heiligen Namen sein!
Wirst du dieses recht abmalen,
sollst du mir nicht mehr dienstbar
sein.«

»Dieses kann ich nicht abmalen,
bitt dich drum, o Doctor Faust!
Ich tat dir schon großen Gefallen.
fordre nunmehr dies nicht auch.

Denn es ist ja ganz unmöglich,
daß ich schreib Herr Jesu Christ.
Weil ja in der ganzen Welt
Nichts heiliger zu finden ist.«

In derselben Viertelstunde
kam ein Engel von Gott gesandt,
der tät ja so fröhlich singen
mit einem englischen Lobgesang.

So lang der Engel dagewesen,
wollt sich bekehren Doctor Faust.
Als er fort, tät er sich abkehren;
sehet an den Höllengraus!

Der Teufel hatte ihn verblendet,
malt ein Venusbild an die Stell:
Die bösen Geister kamen eilends,
führten ihn mit in die Höll.

*Die Sage vom Teufelspakt
des Dr. Faust ist in vielen
Textvarianten auf
Flugblättern anzutreffen.*

# Des Teufels Diamant

Ein fremder Kavalier
stieg ab vom schwarzen Roß,
trat in den Königssaal
mit andern Herren groß.

Derselbe Kavalier
trug einen Edelstein,
wie man noch keinen sah,
von wundersamem Schein.

Ein Stein von hohem Wert
in Königs Krone saß,
doch schien vor diesem er
ein mattgeschliffen Glas.

Der König bot ihm Gold,
er bot ihm Leut und Land,
doch lassen wollt er nicht
den edlen Diamant.

Der König des erbost,
spricht zu dem Hauptmann sein:
bringt mir des Mannes Hand
samt seinem Edelstein.

Der Hauptmann reckt das Schwert,
haut nach des Mannes Hand,
doch statt des Kavaliers
der Teufel vor ihm stand.

Glut strömt aus seinem Ring,
zur Hölle wächst der Stein,
schleußt Burg und König bald
samt allen Dienern ein.

*Von Justinus Kerner*

# Das Höllenpack beim Schmause

Die Diener eilen hin und her,
sie tragen auf zum Feste,
die Tafel prangt von Silber schwer,
wo bleiben nur die Gäste?

»Und eh ich wart in Ewigkeit,«
schreit wild der Herr vom Hause,
»so seien alle Teufel heut
geladen zu dem Schmause!«

Da glänzt im Hofe Fackelschein,
da scharrt es auf dem Gange,
geputzte Herren treten ein
mit hellem Sporenklange.

»Willkomm, ihr Herrn«, so spricht
der Graf,
»lang seit ihr ausgeblieben,
nun aber sei mit Trinken brav
und Schmaus die Zeit vertrieben!«

Die Gäste nicken wunderlich
mit schmunzelndem Gesichte,
sie räuspern sich, verbeugen sich
im Kerzenflimmerlichte.

Des Grafen Knie sein Kind
umflicht,
hängt sich an ihn mit Bangen:
»Ach siehst du denn die Krallen
nicht,
die spitzigen, die langen?«

Der Graf nach ihren Fingern sieht –
»Hilf, Herr im Himmel droben!«
Graf, Gräfin und Gesinde flieht,
wie Spreu im Wind zerstoben.

Im Saal erschallt ein Jubelschrei,
sie setzen sich zum Schmause,
es quakt, es schnarrt: »Juchhei!
Juchhei!
Nun sind wir Herrn im Hause!«

Wie tobt das wilde Höllenpack
mit Springen und mit Singen!
Die Fiedel kreischt, der Dudelsack,
man hört die Gläser klingen.

Sie füllen sich den Höllenbauch,
sie grunzen, bellen, mauen,
man sah sie aus den Fenstern auch
mit langen Rüsseln schauen.

Die Gräfin lauschet in die Höh,
es gellt ihr in die Ohren,
sie sieht umher: »o weh, o weh!
mein Kind, mein Kind verloren!

Vergessen blieb mein armes Kind
dort oben in dem Saale!«
Ein treuer Diener läuft geschwind
hinauf zum Teufelsmahle.

Er höret auf der Treppe schon
ein Rätseln und ein Meckern,
sie treiben mit dem Kinde Hohn,
sie schnäbeln und sie schäkern.

Der eine reichts dem andern dar,
es auf dem Arm zu schaukeln;
sie zupfen es am blonden Haar,
sie tänzeln und sie gaukeln.

Der Diener ohne Furcht und
Schreck
steht mitten in dem Schwarme,
ergreift das Kind und reißt es keck
aus eines Teufels Arme.

»Gib her das Kind«, so schreit
er laut,
»in Jesu Christi Namen!«
Das Kindlein munter um sich
schaut,
und leise sagt es: »Amen!«

Von oben glänzt ein heller Strahl,
die Gäste sind verschwunden,
der Diener steht im leeren Saal,
den Arm ums Kind gewunden.

*Von Friedrich Theodor Vischer (1807–1887)*

# Das verfluchte Dorf

Es geht die trübe Sage
von einem verfluchten Dorfe:
die Häuser stehn verfallen;
gesprungen sind die Glocken;
hochalterige Raben
auf allen Firsten hocken;
es schleichen umher wie Schatten
unheimlich die Bewohner;

die Kinder sehen wie Alte,
sie werden zur Welt geboren
mit großen Augen von Glase,
mit aschenfarbenen Locken;
und sind sie ausgewachsen,
so heiraten sie im Dorfe,
dieweil sie außerhalb
kein Lieb würden bekommen;

und allzeit tragen alle
sie Trauer um einen Toten,
dieweil sie untereinander
verwandt im ganzen Dorfe;
da pfeift kein Knecht im Stalle;
da tönt kein Fiedelbogen;
die Störche und die Schwalben
sind alle weggeflogen.

*Von Karl August Candidus (1817–1872) nach
einer Sage aus Lothringen.*

# Die Tanzwut

Bald nach des schwarzen Todes Zeiten
geschah's, daß eine wilde Lust
zu Tanz und Spiel und Üppigkeiten
durchzuckte vieler Menschen Brust.
Es kam ein Not- und Hungerjahr,
in Lüften starb der Vögel Schar.

Bald sah man Volk, das durch die Städte
am hellen Tag im Jubel zog
und fragte, wo man Geiger hätte,
und tanzend durch die Straßen flog.
Schalmei und Flötenspiel ertönten
im Kirchhof und im Kirchengang.
Die Toten in den Grüften stöhnten:
erweckt uns schon Posaunenklang?
Der Bettler ließ sein Lagerstroh,
vom Kloster kamen Mönch und Nonne,
vom Krankenbett der Sieche floh,
der Säufer von der vollen Tonne.
Und alle sangen: »Frisch und froh
macht euch an die Sonne!
Mußtet lang im Dunkel liegen,
Demut hegen, Wehmut wiegen;
aber heute seid ihr Leute.
Seht ihr wo verlaßne Bräute?

seht ihr wo verlorne Kinder?
nehmt sie mit und schwingt sie so,
so und so,
immer geschwinder, geschwinder.«
So tanzten Arm in Arme schmiegend
in bunten Kleidern Paar an Paar,
den kranken Leib in Sehnsucht wiegend,
voll Anmut, schön und wunderbar.
Das Alter schien sich zu verjüngen,
die Jugend plötzlich früh gereift,
so sprangen sie mit wilden Sprüngen
bis Sock und Sohle durchgeschleift.
Die von der Wut ergriffnen Leiber,
ach, wie sie nach dem Wasser schrien.
Die Männer und die jungen Weiber,
man sah sie bitten, weinen, knien.
Sie tanzten über Flur und Felder,
sie sprangen über Stock und Stein,
sie tanzten in die wilden Wälder
und in den tiefen Rhein hinein.
Sie rasten fort und fort gezogen
und eilten bis ans Meer voll Weh
und stürzten in die wilden Wogen,
die Fische spritzten in die Höh. –

*Von Hermann Lingg (1820–1905)*

# Das Gelübde der Tänzerin

Es fuhr eine Schifferin über den See,
ihr werdet sie freilich nicht kennen;
doch, daß sie nicht namenlos vor euch steh':
so will ich Bionda sie nennen.

Das Schifflein, das fuhr auf den Fluten dahin,
und Mai war's, und alles war heiter;
gestimmt zur Freude war jeder Sinn;
was will unsre Schifferin weiter?

Allein ein Mädchen will immer noch was.
Ein Sturm, meint sie, wäre wohl besser;
da käme doch Leben und lustiger Spaß
und Tanz in das stille Gewässer.

Gesagt, geschehn! Von Süden daher
kam ein Sturm mit gewaltigen Schwingen.
Da tanzten die Wellen; da drohte das Meer,
das taumelnde Schiff zu verschlingen.

Nun blickte sie schreiend zum Himmel auf:
»Nicht tanzen mehr!« ruft sie und weinet;
»wer nimmt denn alles so ernstlich auf?
so war es ja gar nicht gemeinet!

Laß mich, o Himmel, nicht untergehn!
Bei der Sonne gelob ich's da droben:
sie soll mich nimmermehr tanzen sehn!« –
Man kann nichts fester geloben.

Das Schiff gewann nun sanfteren Lauf;
der Himmel fing an, sich zu hellen;
die Sonne ging unter, der Mond ging auf
und blinkt auf den spiegelnden Wellen.

So fuhr das Schifflein nun ein den Port
von einem gar fröhlichen Städtchen;
da tanzten an einem offenen Ort
die Fischerbuben und Mädchen.

Und als Bionda so sinnend dastand,
da konnten die Füße kaum ruhen;
es tanzten, auf ihre eigene Hand,
die Zehen geheim in den Schuhen.

Sie aber bleibt in sich gekehrt und stumm,
als behorchte sie still ihr Gewissen,
und sieht nach dem Meere verdrießlich sich um,
das solch ein Gelübd' ihr entrissen.

So lockend auch tönet der Geige Klang:
sie will in den Tanz sich nicht mischen;
doch endlich währt ihr das Ding zu lang,
sie springet entschlossen dazwischen.

Und flieget hinunter den lustigen Reihn;
es wehn die schmückenden Kränze;
von oben der prächtige Maimondenschein
beleuchtet die schwebenden Tänze.

Da ruft eine Stimme vom Himmel: »O weh!
Bionda, du hast dich verloren!
Gedenk an den fährlichen Tanz auf der See!
Was hast du der Sonne geschworen?

Bionda, du hast dein Gelübde verletzt!« –
»Was«, spricht sie, »was hab ich verbrochen?
Die Sonn' ist in Amerika jetzt,
und dem Mond hab ich gar nichts versprochen.« –

Bionda kam bald in ihr Hüttchen zurück;
sie fand es vom Sturme zerrissen:
da trübt sich im Auge der fröhliche Blick
und innerlich zankt das Gewissen.

»Ach!« ruft sie, »wie schlimm ein Tanz doch lohnt!
Das soll mir nicht wieder geschehen!
Gewiß hat die Sonn' aus der Ferne dem Mond
dort über die Schulter gesehen.«

*Von Christoph August Tiedge (1752–1841)*

# Hochzeitslied

Wir singen und sagen vom Grafen so gern,
Der hier in dem Schlosse gehauset,
Da, wo ihr den Enkel des seligen Herrn,
Den heute vermählten, beschmauset.
Nun hatte sich jener im heiligen Krieg
Zu Ehren gestritten durch mannigen Sieg,
Und als er zu Hause vom Rösselein stieg,
Da fand er sein Schlösselein oben,
Doch Diener und Habe zerstoben.

Da bist du nun, Gräflein, da bist du zu Haus,
Das Heimische findest du schlimmer!
Zum Fenster da ziehen die Winde hinaus,
Sie kommen durch alle die Zimmer.
Was wäre zu tun in der herbstlichen Nacht?
So hab ich doch manche noch schlimmer vollbracht,
Der Morgen hat alles wohl besser gemacht.
Drum rasch bei der mondlichen Helle
Ins Bett, in das Stroh, ins Gestelle!

Und als er im willigen Schlummer so lag,
Bewegt es sich unter dem Bette.
Die Ratte, die raschle, so lange sie mag!
Ja, wenn sie ein Bröselein hätte!
Doch siehe! da stehet ein winziger Wicht,
Ein Zwerglein so zierlich mit Ampelen-Licht,
Mit Redner-Gebärden und Sprecher-Gewicht,
Zum Fuß des ermüdeten Grafen,
Der, schläft er nicht, möcht er doch schlafen.

Wir haben uns Feste hier oben erlaubt,
Seitdem du die Zimmer verlassen,
Und weil wir dich weit in der Ferne geglaubt,
So dachten wir eben zu prassen.
Und wenn du vergönnest und wenn dir nicht graut,
So schmausen die Zwerge behaglich und laut,
Zu Ehren der reichen, der niedlichen Braut.
Der Graf im Behagen des Traumes:
Bedienet euch immer des Raumes!

Da kommen drei Reiter, sie reiten hervor,
Die unter dem Bette gehalten;
Dann folget ein singendes, klingendes Chor
Possierlicher kleiner Gestalten;
Und Wagen auf Wagen mit allem Gerät,
Daß einem so Hören als Sehen vergeht,
Wies nur in den Schlössern der Könige steht;
Zuletzt auf vergoldetem Wagen
Die Braut und die Gäste getragen.

So rennet nun alles in vollem Galopp
Und kürt sich im Saale sein Plätzchen,
Zum Drehen und Walzen und lustigen Hopp
Erkieset sich jeder ein Schätzchen.
Da pfeift es und geigt es und klinget und klirrt,
Da ringels und schleift es und rauschet und wirrt,
Da pispers und knisters und flüsters und schwirrt.
Das Gräflein, es blicket hinüber,
Es dünkt ihn, als läg er im Fieber.

Nun dappels und rappels und klappers im Saal
Von Bänken und Stühlen und Tischen,
Da will nun ein jeder am festlichen Mahl
sich neben dem Liebchen erfrischen;
Sie tragen die Würste, die Schinken so klein
Und Braten und Fisch und Geflügel herein,
Es kreiset beständig der köstliche Wein:
Das toset und koset so lange,
Verschwindet zuletzt mit Gesange.

Und sollen wir singen, was weiter geschehn,
So schweige das Toben und Tosen.
Denn was er so artig im kleinen gesehn,
Erfuhr er, genoß er im großen.
Trompeten und klingender, singender Schall
Und Wagen und Reiter und bräutlicher Schwall,
Sie kommen und zeigen und neigen sich all,
Unzählige, selige Leute.
So ging es und geht es noch heute.

*1797, von Johann Wolfgang von Goethe*

# Prinzessin Rhodopis

Rhodopis im Meere badet,
badet in den blauen Wogen,
kommt ein Vogel spähen Auges:
»Ei, was blitzt so hell im Sand?«

Niederfährt der kühne Vogel,
stößt auf ihre goldnen Schuhe,
faßt den einen mit dem Schnabel
und entträgt ihn in die Luft.

Trägt ihn über Meer und Länder
durch den weiten großen Himmel,
bis er an das Schloß gelanget,
drin ein Herr, der König, wohnet.

Rauschend fliegt er ein durchs
Fenster
mit der schimmerhellen Beute,
läßt den Schuh von oben fallen,
grade auf des Königs Knie.

Dieser hat es kaum begriffen,
was der kluge Vogel brachte,
als er staunend und mit Seufzer
drückte an das Herz den Schuh.

Sprach: »Wo weilt, die du bestohlen
doch nur um der Schuhe einen,
weshalb nahmst du nicht die beiden
und nicht gleich sie selbst dazu?

Sind so herrlich wohlgestaltet
schon die Füße, die sie tragen,
wie muß erst ihr Leib beschaffen
bis zu Hals und Haupte sein?«

Heimlich auf des Königs Schulter
lacht der Vogel, stolz sich wiegend,
und die beiden Flügel spreitend,
spricht er also ihm ins Ohr.

»Fragt Ihr, wo ich sie gelassen
mit dem andern goldnen Schuhe,
kann ich Euch darauf erwidern,
was ich mit dem Blick gesehn.

Just sie badet noch zur Stunde,
badet in den blauen Wogen,
wollt Ihr etwas Euch gedulden,
bring ich Euch den zweiten Schuh.

Doch sie selbst auch zu entführen,
dieses dürfte mir nicht glücken,
Euch den Weg dahin zu weisen,
aber bin ich gern bereit.«

Dies vernehmend, ohne Eile
ließ sein Roß der König satteln,
stürmisch ritt er aus dem Schlosse,
stets den Vogel vor sich her.

Abends ritt davon der König,
kam am andern Tag nicht wieder,
kam auch nicht nach einem Jahre,
kam zurück bis heute nicht.

*Von Martin Greif (1839–1911)*

# Der Glockenguß zu Breslau

War einst ein Glockengießer
zu Breslau in der Stadt,
ein ehrenwerter Meister,
gewandt in Rat und Tat.

Er hatte schon gegossen
viel Glocken, gelb und weiß,
für Kirchen und Kapellen,
zu Gottes Lob und Preis.

Und seine Glocken klangen
so voll, so hell, so rein;
er goß auch Lieb' und Glauben
mit in die Form hinein.

Doch aller Glocken Krone,
die er gegossen hat,
das ist die Sünderglocke
zu Breslau in der Stadt.

Im Magdalenenturme
da hängt das Meisterstück,
rief schon manch starres Herze
zu seinem Gott zurück.

Wie hat der gute Meister
so treu das Werk bedacht!
Wie hat er seine Hände
gerührt bei Tag und Nacht!

Und als die Stunde kommen,
daß alles fertig war,
die Form ist eingemauert,
die Speise gut und gar,

da ruft er seinen Buben
zur Feuerwacht herein:
»Ich laß auf kurze Weile
beim Kessel dich allein,

will mich mit einem Trunke
noch stärken zu dem Guß,
das gibt der zähen Speise
erst einen vollen Fluß;

doch hüte dich und rühre
den Hahn mir nimmer an,
sonst wär es um dein Leben,
Fürwitziger, getan!«

Der Bube steht am Kessel,
schaut in die Glut hinein:
das wogt und wallt und wirbelt
und will entfesselt sein,

und zischt ihm in die Ohren
und zuckt ihm durch den Sinn
und zieht an allen Fingern
ihn nach dem Hahne hin.

Er fühlt ihn in den Händen,
er hat ihn umgedreht;
da wird ihm angst und bange,
er weiß nicht, was er tät.

Und läuft hinaus zum Meister,
die Schuld ihm zu gestehn,
will seine Knie umfassen
und ihn um Gnade flehn;

doch wie der nur vernommen
des Knaben erstes Wort,
da reißt die kluge Rechte
der jähe Zorn ihm fort.

Er stößt sein scharfes Messer
dem Buben in die Brust,
dann stürzt er nach dem Kessel,
sein selber nicht bewußt.

Vielleicht, daß er noch retten,
den Strom noch hemmen kann: –
doch sieh, der Guß ist fertig,
es fehlt kein Tropfen dran.

Da eilt er abzuräumen
und sieht, und wills nicht sehn,
ganz ohne Fleck und Makel
die Glocke vor sich stehn.

Der Knabe liegt am Boden,
er schaut sein Werk nicht mehr:
Ach, Meister, wilder Meister,
du stießest gar zu sehr!

Er stellt sich dem Gerichte,
er klagt sich selber an.
Es tut den Richtern wehe
wohl um den wackern Mann;

doch kann ihn keiner retten,
und Blut will wieder Blut.
Er hört sein Todesurteil
mit ungebeugtem Mut.

Und als der Tag gekommen,
daß man ihn führt hinaus,
da wird ihm angeboten
der letzte Gnadenschmaus.

»Ich dank euch«, spricht der Meister,
»ihr Herren lieb und wert;
doch eine andre Gnade
mein Herz von euch begehrt:

laßt mich nur einmal hören
der neuen Glocke Klang!
Ich hab sie ja bereitet,
möcht wissen, ob's gelang.«

Die Bitte ward gewähret,
sie schien den Herrn gering;
die Glocke ward geläutet,
als er zum Tode ging.

Der Meister hört sie klingen,
so voll, so hell, so rein!
Die Augen gehn ihm über,
es muß vor Freude sein.

Und seine Blicke leuchten,
als wären sie verklärt;
er hat in ihrem Klange
wohl mehr als Klang gehört.

Hat auch geneigt den Nacken
zum Streich voll Zuversicht;
und was der Tod versprochen,
das bricht das Leben nicht.

Das ist der Glocke Krone,
die er gegossen hat,
die Magdalenenglocke
zu Breslau in der Stadt.

Die ward zur Sünderglocke
seit jenem Tag geweiht;
weiß nicht, ob's anders worden
in dieser neuen Zeit.

*Von Wilhelm Müller (1794–1827) nach einer
alten Sage.*

# Der Spielmann

Der Spielmann stimmt seine Geigen
und spricht zu ihr:
du sollst dein Kunststück zeigen,
komm, geh mit mir!
Der Spielmann geht mit ihr vor ein Schloß;
's ist Nacht, der Spielmann fiedelt drauf los.
Der Spielmann sagt: 's ist nicht genug,
ich muß fiedeln noch einen Zug.

Vor dem Schloß ist ein Garten,
mit Bäum' und Pflanzen;
die können die Zeit nicht erwarten, zu tanzen.
Der Spielmann fiedelt vor dem Schloß:
die Bäume tanzen alle drauf los.
Der Spielmann spricht: 's ist nicht genug,
ich muß fiedeln noch einen Zug.

Im Garten ist ein Weiher,
darin sind Fisch';
die hören auch das Geleier
und tanzen frisch.
Der Spielmann fiedelt vor dem Schloß:
die Bäum' und die Fische tanzen drauf los.
Der Spielmann spricht: 's ist noch nicht genug,
ich muß fiedeln noch einen Zug.

Im Schlosse drin sind Mäuse,
der Spielmann spielt auf,
die Mäuse hören leise,
sie wachen auf.
Der Spielmann fiedelt vor dem Schloß:
Bäume, Fisch' und Mäuse tanzen drauf los.
Der Spielmann spricht: 's ist noch nicht genug,
ich muß fiedeln noch einen Zug.

Im Schloß sind Tisch' und Bänke,
die werden wach,
sie kommen aus dem Gelenke
und tanzen nach.
Der Spielmann fiedelt vor dem Schloß:
Bäume, Fische, Mäuse, Bänke tanzen drauf los.
Der Spielmann spricht: 's ist noch nicht genug,
ich muß fiedeln noch einen Zug.

Sind denn keine Menschen vorhanden?
Der Spielmann spricht:
ich spiele mich schier zuschanden,
sie hören nicht.
Bäume, Fische, Mäuse, Bänke tanzen drauf los;
wollen die Menschen nicht aus dem Schloß?
Der Spielmann spricht: 's ist noch nicht genug,
ich muß fiedeln noch einen Zug.

Da wird das Schloß auf einmal ganz
lebendig,
es stellt sich auf die Spitz und tanzt
unbändig.
Der Spielmann spielt, es tanzt das Schloß,
die Menschen schlafen noch immer drauf los.
Der Spielmann spricht: 's ist noch nicht genug,
ich muß fiedeln noch einen Zug.

Da tanzt das Schloß, bis in Stücken es geht
mit Krachen;
nun hören es endlich die Menschen im Bett
und erwachen;
sie hören den Spielmann spielen vorm Schloß
und tanzen nun auch mit dem andern Troß.
Der Spielmann spricht: Nun ist es genug;
doch will ich fiedeln noch einen Zug.

Warum denn noch einen?
Wegen des Männleins in der Gans.
Muß das auch in den Tanz?
Wird gleich erscheinen.

*Von Friedrich Rückert (1788-1866)*

# Des Sängers Fluch

Es stand in alten Zeiten ein Schloß so hoch und hehr,
weit glänzt es über die Lande bis an das blaue Meer,
und rings von duft'gen Gärten ein blütenreicher Kranz,
drin sprangen frische Brunnen in Regenbogenglanz.

Dort saß ein stolzer König, an Land und Siegen reich,
er saß auf seinem Throne so finster und so bleich;
denn was er sinnt, ist Schrecken, und was er blickt, ist
Wut,
und was er spricht, ist Geißel, und was er schreibt, ist
Blut.

Einst zog nach diesem Schlosse ein edles Sängerpaar,
der ein' in goldnen Locken, der andre grau von Haar;
Der Alte mit der Harfe, der saß auf schmuckem Roß,
es schritt ihm frisch zur Seite der blühende Genoß.

Der Alte sprach zum Jungen: »Nun sei bereit, mein
Sohn!
denk unsrer tiefsten Lieder, stimm an den vollsten Ton!
nimm alle Kraft zusammen, die Lust und auch den
Schmerz!
es gilt uns heut, zu rühren des Königs steinern Herz.«

Schon stehn die beiden Sänger im hohen Säulensaal,
und auf dem Throne sitzen der König und sein Gemahl,
der König furchtbar prächtig wie blut'ger Nordlicht-
schein,
die Königin süß und milde, als blickte Vollmond drein.

Da schlug der Greis die Saiten, er schlug sie wundervoll,
daß reicher, immer reicher der Klang zum Ohre schwoll;
dann strömte himmlisch helle des Jünglings Stimme vor,
des Alten Sang dazwischen wie dumpfer Geisterchor.

Sie singen von Lenz und Liebe, von sel'ger goldner Zeit,
von Freiheit, Männerwürde, von Treu und Heiligkeit,
sie singen von allem Süßen, was Menschenbrust durch-
bebt,
sie singen von allem Hohen, was Menschenherz erhebt.

Die Höflingsschar im Kreise verlernet jeden Spott,
des Königs trotz'ge Krieger, sie beugen sich vor Gott;
die Königin, zerflossen in Wehmut und in Lust,
sie wirft den Sängern nieder die Rose von ihrer Brust.

»Ihr habt mein Volk verführet; verlockt ihr nun mein
Weib?«
der König schreit es wütend, er bebt am ganzen Leib;
er wirft sein Schwert, das blitzend des Jünglings Brust
durchdringt,
draus statt der goldnen Lieder ein Blutstrahl hoch aufspringt.

Und wie vom Sturm zerstoben ist all der Hörer
Schwarm.
Der Jüngling hat verröchelt in seines Meisters Arm;
der schlägt um ihn den Mantel und setzt ihn auf das Roß,
er bind't ihn aufrecht feste, verläßt mit ihm das Schloß.

Doch vor dem hohen Tore, da hält der Sängergreis,
da faßt er seine Harfe, sie, aller Harfen Preis,
an einer Marmorsäule, da hat er sie zerschellt;
dann ruft er, daß es schaurig durch Schloß und Gärten
gellt:

»Weh euch, ihr stolzen Hallen! Nie töne süßer Klang
durch eure Räume wieder, nie Saite noch Gesang,

nein, Seufzer nur und Stöhnen und scheuer Sklaven-
schritt,
bis euch zu Schutt und Moder der Rachegeist zertritt!

Weh euch, ihr duft'gen Gärten im holden Maienlicht!
euch zeig ich dieses Toten entstelltes Angesicht,
daß ihr darob verdorret, daß jeder Quell versiegt,
daß ihr in künft'gen Tagen versteint, verödet liegt.

Weh dir, verruchter Mörder! Du Fluch des Sängertums!
umsonst sei all dein Ringen nach Kränzen blut'gen
Ruhms!

Dein Name sei vergessen, in ew'ge Nacht getaucht,
sei wie ein letztes Röcheln in leere Luft verhaucht!«

Der Alte hats gerufen, der Himmel hats gehört,
die Mauern liegen nieder, die Hallen sind zerstört;
noch eine hohe Säule zeugt von verschwundner Pracht;
auch diese, schon geborsten, kann stürzen über Nacht.

Und rings statt duft'ger Gärten ein ödes Heideland,
kein Baum verstreuet Schatten, kein Quell durchdringt
den Sand,
des Königs Namen meldet kein Lied, kein Heldenbuch;
versunken und vergessen! das ist des Sängers Fluch.

*Von Ludwig Uhland (1787–1862)*

# Die Finnenhochzeit

In König Sumblus Hallen erhub sich Freudenspiel,
es saßen da der Recken und edlen Degen viel,
der König in der Krone mit Edelstein geschmückt;
bei ihm die schöne Tochter in Brautschmuck man erblickt.

Zur Hand der Vogt von Sachsen als Bräutigam ihr saß.
Ei, was da nicht von Freuden und Lust ein Übermaß!
Es strömt in goldnen Schalen der purpurrote Wein, –
all Sorg und trübe Schwere, sie müssen vergessen sein.

Da tritt herein ein Harfner, gar wunderseltsam gestaltet,
vermummt, mit grauendem Barte und Rock und Mantel
veraltet:
»Willkomm zu hohen Freuden, willkommen schöne
Maid!
Willkomm, Herr König in Trauer! Willkomm, Herr
Bräut'gam zu Leid!«

»Was, Leid im Freudensaale? Du wunderlicher Gast!
setz dich, und wenn du getrunken und satt gegessen dich
hast,
so freu dich mit den Freudigen und nimm das Wort zurück!
Wo nicht, so eile, du Schlimmer, von hinnen im Augenblick!«

So Sumblus zu dem Gaste. Gar seltsam tritt's ihn an.
Der Gast: »Was ihr euch freuet, das ist nur alles ein
Wahn;
was oft mit Freude begonnen, ist bald in Leid zerstoben.
Man soll, hört ich oft sagen, den Tag vorm Abend nicht
loben!«

»Wie, bist du krank an Sinnen, und doch ein Harfner
gut?
Wie, bannt dir nicht die Harfe der Sorge schweren Mut?
Auf, greife zu den Saiten! laß frisch ein Lied uns hören!
ein neues Lied, ein munteres Lied! so wollen wir baß dich
ehren!«

Rasch schlug er in die Saiten, er sang von einer Braut,
die einem edlen König ein König hätt' getraut
und hätt' sie ihm gesichert fest in die rechte Hand
und dann in falschen Treuen den Sinn schnell abgewandt.

»O wer auf Weibertreue und Männerschwüre baut,
dem Sande und dem Wasser der seinen Fuß vertraut!
Ich mochte nimmer zagen mit flammenheißem Mut
vor Lanzen und vor Pfeilen, vor Schwertern rot von Blut.

Acht übermute Recken warf hin mein Schwert zumal,
neun streckte meine Lanze voll wilden Grimms zu Tal:
und soll jetzt so gehöhnet vor Braut und Rittern stehn
und einem fremden Bräutigam vermählt die meine sehn?

O du viel falscher Vater, o du viel falsche Braut!
O du viel falscher Bräutigam!« so schrie er wild und laut.
Den König kam ein Zagen, die Braut ein Zittern an,
als mit gezücktem Schwerte mit eins den Harfner sie
sahn.

Weg warf er Bart und Larve, enthüllte sein Gesicht:
Gorm war's, der edle König, entflammt von Zornes
Licht;
und alle die Recken im Saale, die fuhren erschrocken auf,
als auf den Vogt von Sachsen er fuhr in grimmigem Lauf.

Und eh sie sich mochten besinnen, lag Heinz schon tot
im Blut.
»Da lieg nun, Ungesunder, und feire die Hochzeit gut!«
Und rasch die Braut aus dem Saale er aufhub löwenstark
und fort vom Finnenfeste sie führte nach Dänemark.

*Von Karl P. Conz (1762–1827)*

# Der Sänger mit dem Schwert

In der hohen Hall saß König Sifrid:
»Ihr Harfner, wer weiß mir das schönste Lied?«
Und ein Jüngling trat aus der Schar behende,
die Harf' in der Hand, das Schwert an der Lende:

»Drei Lieder weiß ich; den ersten Sang,
den hast du ja wohl vergessen schon lang:
Meinen Bruder hast du meuchlings erstochen!
Und aber: Hast ihn meuchlings erstochen!

Das andre Lied, das hab ich erdacht
in einer finstern, stürmischen Nacht:
Mußt mit mir fechten auf Leben und Sterben!
Und aber: Mußt fechten auf Leben und Sterben!«

Da lehnt er die Harfe wohl an den Tisch,
und sie zogen beide die Schwerter frisch
und fochten lange mit wildem Schalle,
bis der König sank in der hohen Halle.

»Nun sing ich das dritte, das schönste Lied,
das werd ich nimmer zu singen müd:
König Sifrid liegt in seim roten Blute!
Und aber: Liegt in seim roten Blute!«

*Von Ludwig Uhland*

# Der blinde König

Was steht der nord'schen Fechter
Schar
hoch auf des Meeres Bord?
Was will in seinem grauen Haar
der blinde König dort?
Er ruft, in bittrem Harme
auf seinen Stab gelehnt,
daß überm Meeresarme
das Eiland wiedertönt:

»Gib, Räuber, aus dem Felsverlies
die Tochter mir zurück!
Ihr Harfenspiel, ihr Lied, so süß
war meines Alters Glück.
Vom Tanz auf grünem Strande
hast du sie weggeraubt;
dir ist es ewig Schande,
mir beugts das graue Haupt.«

Da tritt aus seiner Kluft hervor
der Räuber groß und wild,
er schwingt sein Hünenschwert
empor
und schlägt an seinen Schild:
»Du hast ja viele Wächter,
warum denn litten's die?
Dir dient so mancher Fechter,
und keiner kämpft um sie?«

Noch stehn die Fechter alle stumm,
tritt keiner aus den Reihn,
der blinde König kehrt sich um:
»Bin ich denn ganz allein?«
Da faßt des Vaters Rechte
sein junger Sohn so warm:
»Vergönn mir's, daß ich fechte!
wohl fühl ich Kraft im Arm.«

»O Sohn, der Feind ist riesenstark,
ihm hielt noch keiner stand;
und doch, in dir ist edles Mark,
ich fühl's am Druck der Hand.
Nimm hier die alte Klinge!
sie ist der Skalden Preis.
Und fällst du, so verschlinge
die Flut mich armen Greis!«

Und horch! Es schäumet und es
rauscht
der Nachen übers Meer;
der blinde König steht und lauscht,
und alles schweigt umher,
bis drüben sich erhoben
der Schild' und Schwerter Schall
und Kampfgeschrei und Toben
und dumpfer Widerhall.

Da ruft der Greis so freudig bang:
»Sagt an, was ihr erschaut!
Mein Schwert (ich kenn's am guten Klang),
es gab so scharfen Laut.« –
»Der Räuber ist gefallen,
er hat den blut'gen Lohn.
Heil dir, du Held vor allen,
du starker Königssohn!«

Und wieder wird es still umher,
der König steht und lauscht:
»Was hör ich kommen übers Meer?
es rudert und es rauscht.« –
»Sie kommen angefahren,
dein Sohn mit Schwert und Schild,
in sonnenhellen Haaren
dein Töchterlein Gunild.«

»Willkommen!« ruft vom hohen Stein
der blinde Greis hinab,
»Nun wird mein Alter wonnig sein
und ehrenvoll mein Grab.
Du legst mir, Sohn, zur Seite
das Schwert von gutem Klang;
Gunilde, du Befreite,
singst mir den Grabgesang.«

*Von Ludwig Uhland*

# Der Sänger

Was hör ich draußen vor dem Tor,
Was auf der Brücke schallen?
Laß den Gesang vor unserm Ohr
Im Saale widerhallen!
Der König sprachs, der Page lief;
Der Knabe kam, der König rief:
Laßt mir herein den Alten!

Gegrüßet seid mir, edle Herrn,
Gegrüßt ihr, schöne Damen!
Welch reicher Himmel! Stern bei Stern!
Wer kennet ihre Namen?
Im Saal voll Pracht und Herrlichkeit
Schließt, Augen, euch: hier ist nicht Zeit,
Sich staunend zu ergötzen.

Der Sänger drückt die Augen ein
Und schlug in vollen Tönen;
Die Ritter schauten mutig drein,
Und in den Schoß die Schönen.
Der König, dem das Lied gefiel,
Ließ, ihn zu ehren für sein Spiel,
Eine goldne Kette reichen.

Die goldne Kette gib mir nicht,
Die Kette gib den Rittern,
Vor deren kühnem Angesicht
Der Feinde Lanzen splittern;
Gib sie dem Kanzler, den du hast,
Und laß ihn noch die goldne Last
Zu andern Lasten tragen.

Ich singe, wie der Vogel singt,
Der in den Zweigen wohnet;
Das Lied, das aus der Kehle dringt,
Ist Lohn, der reichlich lohnet.
Doch darf ich bitten, bitt ich eins:
Laß mir den besten Becher Weins
In purem Golde reichen.

Er setzt ihn an, er trank ihn aus:
O Trank voll süßer Labe!
O wohl dem hochbeglückten Haus,
Wo das ist kleine Gabe!
Ergehts euch wohl, so denkt an mich,
Und danket Gott so warm, als ich
Für diesen Trunk euch danke.

*Von Johann Wolfgang von Goethe*

# Zigeunerlied

Die Lisa eine Hexe war,
das wußten alle Leute.
Als Kätzchen ging sie gestern um,
als Käuzchen flog sie heute.

Doch endlich hat man sie gefaßt
im Wald beim Wurzelsuchen
und schleppte sie zum Galgenberg
trotz Wehgeheul und Fluchen.

Doch als sie auf dem Holzstoß war,
da sprach sie zu mir leise:
»Hol mir die alte Fiedel her,
zu spielen letzte Weise!«

Als ich ihr dann die Geige gab,
begann ein schrilles Tönen,
und Klänge wild, gespensterhaft
entlockte sie den Sehnen,

daß alles Volk im Kreise rings
verfiel dem Zauberreigen,
und immer toller noch begann
die Alte da zu geigen,

bis lang und kurz und jung und alt
vor wildem Taumel trunken,
da warf sie mir die Fiedel hin,
verschwand als wie versunken.

Als ich das alte Geigenholz
nun an mich hatt' genommen,
hat eine wilde Wanderlust
mich stürmisch überkommen.

Wohl durch das ganze Ungarland
begann ich froh zu wandern,
von Agram bis nach Debreczin
von einem Nest zum andern.

Wo immer meine Fiedel klingt,
muß Schmerz und Trauer
schwinden.
Sie fliehn vor meinem Zauberspiel
wie Flugsand vor den Winden.

Drei Saiten hat die Fiedel nur,
die halten wohl noch lange,
und jeden fasset wilde Lust
bei ihrem tollen Klange.

Doch wenn die letzte Sehne reißt,
muß sich mein Wandern enden.
Dann ruh ich unterm Rasen aus,
die Fiedel in den Händen.

*Von Hermann Löns (1866–1914)*

# Arion

Arion schifft auf Meereswogen
nach seiner teueren Heimat zu,
er wird von Winden fortgezogen,
die See in stiller, sanfter Ruh.

Die Schiffer stehn von fern und flüstern,
der Dichter sieht ins Morgenrot,
nach seinen goldnen Schätzen lüstern,
beschließen sie des Sängers Tod.

Arion merkt die stille Tücke,
er bietet ihnen all sein Gold,
er klagt und seufzt, daß seinem Glücke
das Schicksal nicht wie vordem hold. –

Sie aber haben es beschlossen,
nur Tod gibt ihnen Sicherheit,
hinab ins Meer wird er gestoßen;
schon sind sie mit dem Schiffe weit.

Er hat die Leier nur gerettet,
sie schwebt in seiner schönen Hand,
in Meeresfluten hingebettet,
ist Freude von ihm abgewandt.

Doch greift er in die goldnen Saiten,
daß laut die Wölbung widerklingt,
statt mit den Wogen wild zu streiten,
er sanft die zarten Töne singt:

»Klinge, Saitenspiel!
In der Flut
wächst mein Mut;
sterb ich gleich, verfehl ich nicht mein Ziel.

Unverdrossen
komm ich, Tod,
dein Gebot
schreckt mich nicht, mein Leben ward genossen.

Welle hebt
mich im Schimmer,
bald den Schwimmer
sie in tiefer, nasser Flut begräbt.«

So klang das Lied durch alle Tiefen,
die Wogen wurden sanft bewegt,
in Abgrunds Schlüften, wo sie schliefen,
bis Seegetiere aufgeregt.

Aus allen Tiefen blaue Wunder,
die hüpfend um den Sänger ziehn,
die Meeresfläche weit hinunter
beschwimmen die Tritonen grün.

Die Wellen tanzen, Fische springen;
seit Venus aus den Fluten kam,
man dieses Jauchzen, Wonneklingen
in Meeresvesten nicht vernahm.

Arion sieht mit trunknen Blicken
laut singend in das Seegewühl,
er fährt auf eines Delphins Rücken,
schlägt lächelnd in sein Saitenspiel.

Der Fisch zu Diensten ihm gezwungen,
naht er mit ihm der Felsenbank,
Arion hat den Fels errungen
und singt dem Fährmann seinen Dank.

Am Ufer kniet er, dankt den Göttern,
daß er entrann dem nassen Tod.
Der Sänger triumphiert in Wettern,
ihn rührt Gefahr nicht an und Tod.

*Von Ludwig Tieck (1773–1853). Arion war*
*ein griechischer Dichter und Sänger, der um*
*620 vor Christus lebte.*

# Der Rattenfänger

Ich bin der wohlbekannte Sänger,
Der vielgereiste Rattenfänger,
Den diese altberühmte Stadt
Gewiß besonders nötig hat;
Und wären's Ratten noch so viele,
Und wären Wiesel mit im Spiele;
Von allen säubr' ich diesen Ort,
Sie müssen miteinander fort.

Dann ist der gutgelaunte Sänger
Mitunter auch ein Kinderfänger,
Der selbst die wildesten bezwingt,
Wenn er die goldnen Märchen
singt.
Und wären Knaben noch so trutzig,
Und wären Mädchen noch so
stutzig,
In meine Saiten greif' ich ein,
Sie müssen alle hinterdrein.

Dann ist der vielgewandte Sänger
Gelegentlich ein Mädchenfänger;
In keinem Städtchen langt er an,
Wo er's nicht mancher angetan.
Und wären Mädchen noch so
blöde,
Und wären Weiber noch so spröde;
Doch allen wird so liebebang
Bei Zaubersaiten und Gesang.

*Von Johann Wolfgang von Goethe. Die Rattenfänger-Sage*
*liegt auch folgender Ballade zugrunde:*

# Der fremde Spielmann

Was rennen die Straßen auf und ab
die Väter, die Mütter so bange?
»Schon sank hinunter der Sonnenschein,
schon grauet die Nacht von den Bergen herein;
wo bleiben die Kinder so lange?«

Als jetzt die Abendglock' erklang
mit dumpf verhallenden Tönen,
der Pförtner die Tore zu schließen begann,
da wuchs bis zur Verzweiflung an
das tief bekümmerte Sehnen.

Ein Spielmann kam gezogen daher,
gar bunt und seltsam geschmücket;
schön weht ihm vom Hute die Feder, ein Band
wallt von der Schulter, in seiner Hand
eine goldene Harf' man erblicket.

Er rührt die Saiten, das klang so süß,
so wunderneu in den Ohren;
es rauschte der Töne bezaubernde Flut,
daß sich in berückender Wollust Glut
die Sinne dem Hörer verloren.

Und als das Städtchen ab und auf
er wandelte spielend und singend,
da sammeln sich all die Kindlein zu Hauf
wohl durch das Städtchen ab und auf,
ihm nach mit Entzücken sich dringend.

Und immer, immer gedrängter die Schar,
und wirbelnder immer die Saiten;
es tanzten, es sangen und sprangen empor
die Knaben und Mädchen in hellem Chor,
ein Wunder vor allen Leuten.

So zog mit dem Trupp er hinab ans Tor;
ob schalten, ob baten die Alten,
was auch die Mutter vom Fenster schrie:
»Geht nicht vors Tor, oh bleibet doch hie!«
Doch keins ließ sich mehr halten.

Und an dem Tor ein grauer Mann
mit wunderbarlichen Falten
dreimal hohl rufend, ein Warner, schrie:
»O Kinder, Kinder bleibt doch hie!«
Doch keines ließ sich mehr halten.

Zu dem Tore sie stürmen all hinaus;
voran mit Singen und Klingen
der Spielmann eilet, sie hinterher;
bald tönen die Saiten so dumpf und schwer,
daß Ängsten ihr Herz durchdringen.

Er führt sie an einen Wald so graus;
jetzt ringen umsonst sie zu fliehen.
Weh! überqualmet von schweflichtem Duft,
weit gähnend eröffnet sich eine Kluft;
hinunter die Klänge sie ziehen.

Und rasch die Kluft jetzt zusammen sich schlang
unter kläglichem Heulen und Weinen.
O weh! wie brach jetzt voll Jammer und Schmerz,
als die Kund erscholl, manch Mutterherz
um die armen verlorenen Kleinen! –

Ein Wanderer, der mit Entsetzen es sah,
erzählt es frühmorgens mit Tränen.
Nichts fanden die Sucher; der Waidmann allein
hört oft im Grauen der Nacht dort ein Schrein
in dumpfen, verlorenen Tönen.

*Von Karl P. Conz*

# Der König in Thule

Es war ein König in Thule,
Gar treu bis an das Grab,
Dem sterbend seine Buhle
Einen goldnen Becher gab.

Es ging ihm nichts darüber,
Er leert ihn jeden Schmaus;
Die Augen gingen ihm über,
So oft er trank daraus.

Und als es kam zu Sterben,
Zählt' er seine Städt und Reich,
Gönnt' alles seinen Erben,
Den Becher nicht zugleich.

Er saß beim Königsmahle,
Die Ritter um ihn her,
Auf hohem Vätersaale
Dort auf dem Schloß am Meer.

Dort stand der alte Zecher,
Trank letzte Lebensglut
Und warf den heilgen Becher
Hinunter in die Flut.

Er sah ihn stürzen, trinken,
Und sinken tief ins Meer.
Die Augen täten ihm sinken,
Trank nie einen Tropfen mehr.

*1774. Von Johann Wolfgang von Goethe*

# Erlkönigs Tochter

Herr Oloff reitet so spät und weit,
zu laden auf seine Hochzeit Leut'.
Da tanzen die Elfen auf grünem Land,
Erlköniges Tochter die reicht ihm die Hand.
»Willkommen, Herr Oloff! Was eilst du von hier?
komm her in die Reihe, und tanze mit mir!«

»Ich darf nicht tanzen, ich tanzen nicht mag,
früh Morgen ist mein Hochzeitstag.«
»Hör an, Herr Oloff, tritt tanzen mit mir,
zwei güldene Sporen schenke ich dir;
ein Hemde von Seide so weiß und fein,
mein Mutter bleicht' es im Mondenschein.«

»Ich darf nicht tanzen, nicht tanzen ich mag,
früh Morgen ist mein Hochzeitstag.«
»Hör' an, Herr Oloff, tritt tanzen mit mir,
einen Haufen Goldes schenke ich dir.«
»Einen Haufen Goldes nehme ich wohl,
doch tanzen mit dir ich nicht darf noch soll.«

»Und wollt Herr Oloff nicht tanzen mit mir,
Soll Seuch' und Krankheit folgen dir!«
Sie tut einen Schlag ihm auf sein Herz;
»O weh, wie wird mir vor Angst und Schmerz!«
Da hob sie ihn bleichend wohl auf sein Pferd:
»Reit' hin und grüße dein Bräutlein wert!«

Und als er kam vor des Hauses Tür,
da stand die harrende Mutter dafür.
»Hör' an, mein Sohn, und sage mir gleich:
Wie ist deine Farbe so blaß und bleich??«
»O Mutter, o Mutter, ich kam in das Reich
Erlkönigs, drum bin ich so blaß und bleich.«

»Hör an, mein Sohn, so lieb und traut,
was soll ich sagen deiner Braut?
»Sagt an, ich sei im Wald zur Stund,
zu proben da mein Pferd und Hund.«
Da ächzt er, da starb er; als Morgen war,
kam singend die Braut mit der Hochzeitsschar.

»Du weinst, o Mutter, was fehlet dir?
Wo ist mein Liebster? er ist nicht hier!«
»O Tochter, er ritt in den Wald zur Stund,
zu proben allda sein Pferd und Hund.«
Drauf hob sie die Decke von Scharlachrot,
da lag ihr Liebster, war bleich und tot.

*Von Johann Gottfried von Herder (1744–1803)*
*aus dem Dänischen. Herder übersetzte den*
*»Elverkonge« (Elfenkönig) aus dem Original*
*irrtümlich als »Erlkönig«. Goethe ließ sich*
*von Herders Übersetzung zu einem eigenen*
*Gedicht anregen:*

# Erlkönig

Wer reitet so spät durch Nacht und Wind?
Es ist der Vater mit seinem Kind;
Er hat den Knaben wohl in dem Arm,
Er faßt ihn sicher, er hält ihn warm.

Mein Sohn, was birgst du so bang dein Gesicht? –
Siehst, Vater, du den Erlkönig nicht?
Den Erlenkönig mit Kron' und Schweif? –
Mein Sohn, es ist ein Nebelstreif. –

»Du liebes Kind, komm geh mit mir!
Gar schöne Spiele spiel' ich mit dir;
Manch' bunte Blumen sind an dem Strand,
Meine Mutter hat manch gülden Gewand.« –

Mein Vater, mein Vater, und hörest du nicht,
Was Erlenkönig mir leise verspricht! –
Sei ruhig, bleibe ruhig, mein Kind;
In dürren Blättern säuselt der Wind. –

»Willst, feiner Knabe, du mit mir gehn?
Meine Töchter sollen dich warten schön;
Meine Töchter führen den nächtlichen Reihn
Und wiegen und tanzen und singen dich ein.« –

Mein Vater, mein Vater, und siehst du nicht dort
Erlkönigs Töchter am düstern Ort? –
Mein Sohn, mein Sohn, ich seh' es genau
Es scheinen die alten Weiden so grau. –

»Ich liebe dich, mich reizt deine schöne Gestalt;
Und bist du nicht willig, so brauch' ich Gewalt.« –
Mein Vater, mein Vater, jetzt faßt er mich an!
Erlkönig hat mir ein Leids getan! –

Dem Vater grauset's, er reitet geschwind,
Er hält in den Armen das ächzende Kind,
Erreicht den Hof mit Müh' und Not;
In seinen Armen das Kind war tot.

*Von Johann Wolfgang von Goethe*

# Das Riesenspielzeug

Burg Niedeck ist im Elsaß der Sage wohlbekannt,
die Höhe, wo vorzeiten die Burg der Riesen stand;
sie selbst ist nun zerfallen, die Stätte wüst und leer,
du fragest nach den Riesen, du findest sie nicht mehr.

Einst kam das Riesenfräulein aus jener Burg hervor,
erging sich sonder Wartung und spielend vor dem Tor
und stieg hinab den Abhang bis in das Tal hinein,
neugierig zu erkunden, wie's unten möchte sein.

Mit wen'gen raschen Schritten durchkreuzte sie den Wald,
erreichte gegen Haslach das Land der Menschen bald,
und Städte dort und Dörfer und das bestellte Feld
erschienen ihren Augen gar eine fremde Welt.

Wo jetzt zu ihren Füßen sie spähend niederschaut,
bemerkt sie einen Bauer, der seinen Acker baut;
es kriecht das kleine Wesen einher so sonderbar,
es glitzert in der Sonne der Pflug so blank und klar.

Ei! artig Spielding! ruft sie, das nehm ich mit nach Haus.
Sie kniet nieder, spreitet behend ihr Tüchlein aus
und feget mit den Händen, was da sich alles regt,
zu Haufen in das Tüchlein, das sie zusammenschlägt;

und eilt mit freud'gen Sprüngen, man weiß, wie Kinder
sind,
zur Burg hinan und suchet den Vater auf geschwind:
Ei Vater, lieber Vater, ein Spielding wunderschön!
so allerliebstes sah ich noch nie auf unsern Höhn.

Der Alte saß am Tische und trank den kühlen Wein,
er schaut sie an behaglich, er fragt das Töchterlein:
Was Zeppeliges bringst du in deinem Tuch herbei?
Du hüpfest ja vor Freuden: laß sehen, was es sei.

Sie spreitet aus das Tüchlein und fängt behutsam an,
den Bauer aufzustellen, den Pflug und das Gespann;
wie alles auf dem Tische so zierlich aufgebaut,
so klatscht sie in die Hände und springt und jubelt laut.

Der Alte wird gar ernsthaft und wiegt sein Haupt und
spricht:
Was hast du angerichtet? das ist kein Spielzeug nicht!
Wo du es hergenommen, da trag es wieder hin,
der Bauer ist kein Spielzeug, was kommt dir in den Sinn?

Sollst gleich und ohne Murren erfüllen mein Gebot;
denn, wäre nicht der Bauer, so hättest du kein Brot;
es sprießt der Stamm der Riesen aus Bauernmark hervor,
der Bauer ist kein Spielzeug, da sei uns Gott davor!

Burg Niedeck ist im Elsaß der Sage wohlbekannt,
die Höhe, wo vorzeiten die Burg der Riesen stand,
sie selbst ist nun verfallen, die Stätte wüst und leer,
und fragst du nach den Riesen, du findest sie nicht mehr.

*Von Adelbert von Chamisso (1781–1838)*

# Die Zwerge in der Mühle

Das Wasser rauscht zum Wald
hinein,
es rauscht im Wald so kühle,
wie mag ich wohl gekommen sein
vor die verlaßne Mühle?
Die Räder stille, morsch, bemoost,
die sonst so fröhlich herumgetost,
Dach, Gäng' und Fenster alle
im drohenden Verfalle.

Allein bei Sonnenuntergang
da knisterten die Äste,
da schlichen sich den Bach entlang
gar sonderbare Gäste,
viel Männlein grau, von
Zwergenart,
mit dickem Kopf und langem Bart,
sie schleppten Müllersäcke
daher aus Busch und Hecke.

Und alsobald im Müllerhaus
beginnt ein reges Leben,
die Räder drehen sich im Saus,
das Glöcklein schellt daneben;
die Männlein laufen ein und aus,

mit Sack hinein und Sack heraus,
und jeder von den Kleinen
scheint nur ein Sack mit Beinen.

Und immer toller schwärmten sie
wie Bienen um die Zellen,
und immer toller lärmten sie
durch das Getos der Wellen;
mit wilder Hast das Glöcklein
scholl
bis alle Säcke waren voll,
und klar am Himmel oben
der Vollmond sich erhoben.

Da öffnet sich ein Fensterlein,
das einzige noch ganze,
ein schönes, bleiches Mägdelein
zeigt sich im Mondesglanze
und ruft vernehmlich durchs
Gebraus
mit süßer Stimme Klang hinaus:
»Nun habt ihr doch, ihr Leute,
genug des Mehls für heute!«

Da neigt das ganze Lumpenpack
sich vor dem holden Bildnis,
und jeder sitzt auf seinem Sack
und reitet in die Wildnis;
Schön Müllerin schließt's
Fenster zu
und alles liegt in alter Ruh,
des Morgens Nebel haben
die Mühle ganz begraben.

Und als ich kam am andern Tag
in trüber Ahnung Schauern,
die Mühle ganz zerfallen lag
bis auf die letzten Mauern;
das Wasser rauschet neben mir
hin,
es weiß wohl was ich fühle,
und nimmermehr will aus dem
Sinn
mir die zerfallne Mühle.

*Von August Schnezler (1809–1853)*

# Die Schlangenkönigin

Der Himmel war umzogen,
es war so trüb und schwül,
heiß kam der Wind geflogen
und trieb sein seltsam Spiel.

Ich schlich in tiefem Sinnen,
von stillem Gram verzehrt.
Was soll ich nun beginnen?
Mein Wunsch blieb unerhört.

Wenn Menschen könnten leben
wie kleine Vögelein,
so wollt ich zu ihr schweben
und fröhlich mit ihr sein.

Wär hier nichts mehr zu finden,
wär Feld und Staude leer,
so flögen gleich den Winden
wir übers dunkle Meer.

Wir blieben bei dem Lenze
und von dem Winter weit,
wir hätten Frücht' und Kränze
und immer gute Zeit.

Die Myrte sproßt im Tritte
der Wohlfahrt leicht hervor,
doch um des Elends Hütte
sprießt Unkraut nur empor.

Mir war so bang zumute,
da sprang ein Kind heran,
schwang fröhlich seine Rute
und sah mich freundlich an:

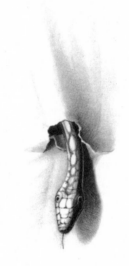

Warum mußt du dich grämen?
o weine doch nicht so,
kannst meine Gerte nehmen,
dann wirst du wieder froh.

Ich nahm sie, und es hüpfte
mit Freuden wieder fort,
und stille Führung knüpfte
sich an des Kindes Wort.

Wie ich so bei mir dachte:
was soll die Rute dir?
schwankt aus den Büschen sachte
ein grüner Glanz zu mir.

Die Königin der Schlangen
schlich durch die Dämmerung;
sie schien gleich goldnen Spangen
in wunderbarem Prunk.

Ihr Krönchen sah ich funkeln
mit bunten Strahlen weit,
und alles war im Dunkeln
mit grünem Gold bestreut.

Ich nahte mich ihr leise
und traf sie mit dem Zweig,
so wunderbarer Weise
ward ich unsäglich reich.

*Von Novalis. Pseudonym für Friedrich von Hardenberg (1772–1801)*

# Des winzigen Volkes Überfahrt

Steh auf, steh auf! Es pocht ans Haus –
»Tipp, tipp!« – Wer mag das sein?
Der alte Fährmann geht hinaus.
»Tipp, tipp!« – Wer mag das sein?
Nichts sieht er, – halb nur scheint der Mond,
die Sache deucht ihm ungewohnt! –
Da flüstert es fein:
»O Fährmann mein,
wir sind ein winzig Völkelein
und haben Weib und Kindelein.
Fahr über uns, die Müh ist klein,
und jedes zahlt sein Hellerlein.
Es lärmt zu sehr im Lande,
wir wollen zum andern Strande.

Unheimlich wird's an diesem Ort,
es gellt hier zu viel Hammerschlag
und schießt und trommelt fort und fort,
die Glocken läuten Tag für Tag!« –
– Der Fährmann steigt in seinen Kahn:
»Ich will euch fahren: kommt heran!
Werft ohne Betrug
das Geld in den Krug! –
O welchen Lärm vernahm er da,
obwohl er nichts am Ufer sah:
er wußte nicht, wie ihm geschah,
es klang wie fern und war doch nah:
zehntausend kleine Stimmchen,
viel feiner als die Immchen.

Der Schiffer ruft dem Knechte sein;
er kommt. Die kleinen Wesen schrein:
»Zertritt uns nicht, wir sind so klein!«
Da mußt er wohl behutsam sein!
Tück, tück! fiel's in den Krug hinab,
wie jeder seinen Heller gab.
Pirr! trippelt's heran
und stapft zum Kahn
und ächzt wie mit Kisten und Kasten schwer,
rückt, drückt und schiebt sich hin und her,
es drängt und zwängt sich immermehr:
»Fahr ab, der Kahn will sinken,
fort! eh wir all ertrinken!«

Der Schiffer stößt vom Ufer los,
und als er jetzo drüben war,
geht an das Schiff mit leichtem Stoß.
Au! schrie die ganze kleine Schar,
in Ohnmacht fiel da manche Frau,
das hörte man am Ton genau.
Nun dappelt's hinaus
mit Katz und Maus,
mit Kind und Kegel und Stuhl und Tisch,
mit Kisten und Kasten und Federwisch.
Es war ein Lärmen und ein Gemisch
von Ruf und Zank und Stillgezisch.
Nichts sieht man, doch am Schalle
hört man, hinaus sind alle. –

Nach holt er wieder neue Schar:
die lärmt hinaus: er fährt zurück.
Als dreißigmal gefahren war,
läßt nach im Krug das tück tück tück. –
Er fährt den letzten Teil zum Strand,
Der Mond geht unter am Himmelrand.
Doch dunkel ist es nicht:
Was glänzt so licht?
Am Strand gehn tausend Lichter klein,
wie von Johanniswürmelein. –
Da rafft der Knecht vom Uferrain
Erdboden in den Hut hinein,
setzt auf und kann nun schauen
die Männlein und die Frauen.

O welche Wunder er nun sah:
der ganze Strand war all bedeckt,
sie liefen mit Laternchen da;
von Gras und Blumen oft versteckt,
und trugen Kindlein wunderhold
und Edelstein und rotes Gold. –
Hei, denket der Knecht:
das kommt mir recht!
und langt begierig aus dem Kahn
am Uferrande weit hinan: –
Da merket ihn ein kleiner Mann,
der fängt ein Zeterschreien an! –
Puh, puh! sind aus die Lichte,
verschwunden alle Wichte!

Drauf flog es her wie Erbsen klein,
es mochten kleine Steinchen sein,
die warfen sie mit großer Pein
und ächzten mühsam hinterdrein! –
»Es sprühet immer mehr wie toll!
Fort, fort von hier, der Kahn wird voll!« –
Sie wenden geschwind
herum wie der Wind
und stoßen eilig ab vom Land
und fahren in Angst sich fest im Sand,
bald rechter Hand, bald linker Hand;
und immer ruft es nach von Strand:
»Das Fliehn war euer Glücke;
sonst kamt ihr nicht zurücke!«

*Von August Kopisch (1799–1853)*

# Die zwölf ermordeten Frauen

Schön-Heinrich der wollte spazieren gehn,
Schön-Ännelein wollte wohl mit ihm gehn.

Als sie eine Weile gegangen war'n,
trafen sie ein schöne grüne Wiese an.

Er breit't seinen Mantel wohl auf das Gras
und bat, daß sie sich niedersaß.

Schön-Heinrich legt sein Haupt auf ihren Schoß,
mit heißen Tränen sie ihn begoß.

»Weinst du um deines Vaters Gut?
oder weinst du um deinen stolzen Mut?
oder bin ich dir nicht gut genug?«

»Ich weine nicht um meins Vaters Gut,
auch nicht um meinen stolzen Mut,
Schön-Heinrich, ihr seid mir schon gut genug.

Ich weine nur um jene elf Jüngferlein,
die dort mit einem gar sondern Schein
in hoher grüner Tanne sein.«

»Ha! siehst du dort elf Jüngferlein,
so wiss', das sind meine Weiberlein,
und du sollst stracks die Zwölfte sein.«

»Ha! soll ich stracks die Zwölfte sein,
so verleihe mir noch drei Schreilein!«

Den ersten Schrei und den sie tat,
da rief sie Gott im Himmel an:

»Ach lieber Gott, komm balde,
sonst bleibt mein Leben im Walde!«

Den zweiten Schrei und den sie tat,
da rief sie ihren Vater an:

»Ach lieber Vater, komm balde,
sonst bleibt mein Leben im Walde!«

Den dritten Schrei und den sie tat,
da rief sie ihren Bruder an:

»Ach lieber Bruder, komm balde,
sonst bleibt mein Leben im Walde!«

Der Bruder saß beim Bier und Wein,
da fuhr der Schrei zum Fenster hinein.

»Ach, Kinderlein, höret, groß und klein!
es ist, als hört' ich meine Schwester schrein!«

Er hatte das Wort kaum ausgesagt,
Schön-Heinrich schon in der Türe stand.

»Schön-Heinrich, wovon sind deine Schuh so rot,
als wären sie gefärbt mit rotem Blut?«

»Ei, sollten meine Schuh nicht blutig sein!
ich habe geschlachtet ein Täubelein.«

»Das Täubelein, das du geschlachtet hast,
das hat meine Mutter zur Welt gebracht!

Sie hat's erzogen mit Milch und Wein:
das ist mein jüngstes Schwesterlein.« –

Schön-Ännelein kriegte ein schönes Grab,
Schön-Heinrich der kam aufs höchste Rad.

Schön-Ännelein klangen die Glocken nach,
Schön-Heinrich schrien die Raben nach.

*Volksballade. Bezieht sich auf die Sage vom
Ritter Blaubart, der mehrere Frauen ermordete.
Den Text hat der Volksliedforscher Ludwig
Erk (1807–1883) nach zwei verschiedenen
Quellen geschrieben.*

# Blaubart

Es lebt ein Ritter viel bekannt
auf seiner Burg im Frankenland,
Raoul der Blaubart wohl genannt:
ja Blaubart – denn sein Bart war blau.
Er nahm sich manche schöne Frau;
doch war sein Herz so wild und rauh,
daß von sechs wunderholden Fraun
jedwede, die sich ihm ließ traun,
bald war nicht lebend mehr zu schaun.

Man sagte sich im ganzen Land,
er morde sie mit eigner Hand
und hing die Leichen an die Wand!
So war es auch; denn jedes Weib
nahm er sich nur zum Zeitvertreib;
bald tötet' er den schönen Leib.
So waren denn sechs Weiber dort
erlegen schon dem schnöden Mord,
verborgen an geheimem Ort.
Die Siebente freit' er nun bald,
und gleich aus Volkes Mund erschallt:
»Nicht lang währt's, ist auch diese kalt!«

Als einstmals er von Hause ritt,
nahm er sein junges Weib nicht mit
und heuchelt' eine süße Bitt:
»Da geb ich einen Schlüssel dir,
der sperrt das Schloß des Zimmers hier;
und nun, lieb Weib, gelobe mir,
daß du die Neugier wohl bezähmst
und dich darob nun gar nicht grämst,
wenn du in dies Gemach nicht kämst.
Betritt es nicht – ich warne dich –
die Strafe wäre fürchterlich!
Nur wahr das Schlüsselchen für mich.
Leb wohl, ich kehre bald zurück;
verscherze nicht dein Lebensglück,
den Schlüssel nicht ins Schlößlein drück!«

So sprach er und bestieg sein Roß
und flog mit seinem Knappentroß
schnell durch das Tor hinaus zum Schloß.
Da stund die Frau nun ganz allein,
in ihrer Hand das Schlüsselein,
und das Verbot ward bald zur Pein.
»Was birgt wohl jene Kammer doch,
in die ich nie gekommen noch?
Ei was, ich guck durchs Schlüsselloch!
Durchs Schlüsselloch? – Ist's denn wohl gut?
mir scheint's fürwahr nicht Übermut,
vielleicht schau ich verborgen Gut!«
Da ward der Kopf etwas geduckt,
ein bißchen durch das Loch geguckt
und endlich auch am Schloß geruckt.

Nun nahm die Neugier immer zu
und ließ der Armen keine Ruh:
Sie dachte spät und dachte fruh
nur an Herrn Blaubarts hart Verbot;
sie nannt es eine grause Not,
da er sogar mit Strafe droht'.
Allmählich hielt sie's nicht mehr aus.
Sie lief umher im ganzen Haus,
als wie die Katz nach einer Maus;
ja endlich eines Tages doch –
es graute kaum der Morgen noch –
steckt sie den Schlüssel in das Loch
und dreht und dreht – o welch Geschick! –
die Tür geht auf, was sieht ihr Blick?
Viel Blut lag auf dem Boden dick,
sechs Weiberleichen an der Wand!!
Da fiel der Schlüssel aus der Hand,
und Ohnmacht ihre Sinne band.
Als sie noch halb betäubet stund,
da weckt sie ganz des Wächters Mund,
der blies vom Turm zu früher Stund!
»O weh, o weh! da kommt mein Mann!
Was fang ich armes Weib nun an?
O Himmel, wie's geschehen kann!«

Den Schlüssel hebt sie schleunigst auf –
es waren Flecken Bluts darauf –
Zum Quell eilt sie im schnellen Lauf,
da wäscht sie ihn, der Fleck bleibt stehn,
wie wird's der armen Frau wohl gehn?
O hätt' sie nie hineingesehn! –
Und wieder tönt des Hörnleins Schall,
man hört der Kettenbrücke Fall,
es klirrt des Blaubarts Sporntrittshall!
»Sei mir gegrüßt, herzliebste Frau;
wie freut's mich doch, daß ich dich schau! –
Doch wie? – dein Willkomm ist ganz lau!
und leichenblaß ist dein Gesicht,
du bist doch wohl erkranket nicht!
Heda, der Arzt tu seine Pflicht!«
»O nein, o nein! ich bin gesund,
die Freude ist wohl nur der Grund,
zu sehn dich in so früher Stund!«
»Den Harnisch, Knappen, lüftet mir,
die Schienen weg, bringt Wein und Bier,
den Imbiß nun kredenzet hier!
Wie schmeckt ein Trunk nach weitem Ritt! –
Komm, liebes Weib, ei trink doch mit! –
Und nun gewähre meine Bitt,
gib mir auch jenen Schlüssel dann,
nicht wahr, es war ein harter Bann,
den ich zur Prüfung wohl ersann?«
»Den Schlüssel, lieber Blaubart mein?
den Schlüssel? ja – den sperrt' ich ein.«

»So hol ihn mir nur gleich herein!«
»Doch nein – ich hab ihn wohl verlegt,
als ich die Stube ausgefegt.« –
»Ei was gefegt, ei was verlegt!
den Schlüssel her! was soll das sein?!«
Und nun sprach Blaubart gar nicht fein:
»Betratst wohl gar das Zimmerlein?
Den Schlüssel her!« – »Hier ist er ja!« –
»Wie? Flecken Blutes seh ich da; –
nun weiß ich alles, was geschah.
So ist gefallen denn dein Los,
gebrochen wirst du, holde Ros'! –
Hinab mit dir ins Erdgeschoß!
da schmachte nun in Kerkersgruft
und atme kalten Moderduft,
nie mehr zu schaun des Himmels Luft!
Drei Tage sein dir noch geschenkt,
auf daß dein Sinn es wohl bedenkt,
wie du durch Neugier mich gekränkt.
Dann bei dem vierten Morgenrot
bereite dich alsbald zum Tod.
Scharf ist mein Schwert, dein Blut ist rot!
Du kommst dann auch in das Gemach,
folgst meinen andern Frauen nach,
von denen jede dir gleich sprach.« –

Bald lag nun Blaubarts holde Frau
im Kerker, sah nicht Himmels Blau,
nur kalter Wände Modergrau.
»Ach! hätt' ich meine Brüder hier;
die hälfen wohl ganz sicher mir!
O Gott, o Gott! ich klag es dir!« –
Da kam ein kleines Vögelein
und setzte sich aufs Fenster fein.
Das war ein Strahl, wie Hoffnungsschein!

»O Vögelein, ich bitte dich,
lieb Vögelein, erhöre mich!
Zu meinen lieben Brüdern flieg,
nimm diesen Ring und bring ihn hin
auf ihre Burg; es wird ihr Sinn
verstehn, daß ich in Nöten bin!«
Da nahm das kleine Vögelein
das goldne Fingerringelein
und flog davon im Sonnenschein.

Am vierten Tag beim Morgenrot
trat Blaubart ein – o welche Not! –
und sprach: »Bereite dich zum Tod!«
Er schleppte sie am schönen Haar,
gleichwie ein Opfer zum Altar,
hinauf, wo jene Kammer war.

Ein breites Schwert hing an der Wand,
das nahm er nun sogleich zur Hand;
die Augen er dem Weib verband. –
»O Blaubart mein, o Blaubart mein,
gewähre nur ein Stündelein,
eh mich durchbohrt der Degen dein!«
»Nicht eine Stunde Gnadenzeit!
Sei nur zum Tode jetzt bereit
und flieg dann in die Ewigkeit!«

»O Brüder mein, wo bleibet ihr?
o sähet ihr die Schwester hier!
eilt, eilet zur Befreiung mir!«
»Was Brüder, laß die Brüder nun!
was sollen diese denn hier tun.
Bald, bald wirst du getötet ruhn!«
»O Vögelein, wo flogst du hin?
Ich hieß dich doch zu ihnen ziehn;
und nun ich ganz verlassen bin!«
»Was – Vögelein? was soll das sein?
denk lieber an die Todespein,
stirb bei der Morgensonne Schein!«

Da zückte Blaubart schon den Stahl; –
horch! welch ein Ton dringt aus dem Tal?
Ein Hifthorn ist es allzumal.
Da knarrt das Tor, die Brücke fallt,
Huftritte hallen und nahen bald,
ein lauter Ruf durchs Schloß erschallt,
die Brüder eilen liebeswarm;
es sank das Schwert aus Blaubarts Arm,
bald endet seines Weibes Harm.

Die Schwerter klirren auf Raouls Schild,
der Wütrich wehrt sich stolz und wild –
die Schläge tönen durchs Gefild.
Doch Blaubart stürzt getroffen gut,
wälzt sich im eignen schwarzen Blut;
es siegt der Brüder Liebesmut! –

Die Brüder ziehn mit Knappentroß
samt ihrer Schwester hoch zu Roß
nun heimwärts in ihr festes Schloß.
Blaubart ist tot, die Burg verbrannt.
Wer hat den Blaubart nicht gekannt?
»Gottlob« ertönt's durchs ganze Land.
Ein Vögelein, lieb Vögelein
fliegt auf in hellem Sonnenschein,
im Schnabel hält's ein Ringelein!

*Von Franz Graf Pocci (1807–1876), Zeremonienmeister des Königs Ludwig I von Bayern. Er wurde »Kasperlgraf« genannt, weil er Märchen und Kinderbücher schrieb und illustrierte. Bedeutender Sammler von Volksliedern seiner Zeit.*

# Der Schatten des meineidigen Weibes

Von Dienern wimmelt's früh vor Tag,
von Lichtern in des Grafen Schloß.
Die Reiter warten sein am Tor,
es wiehert morgendlich sein Roß.

Doch er bei seiner Frauen steht
alleine noch im hohen Saal,
mit Augen gramvoll prüft er sie,
er spricht sie an zum letztenmal:

»Wirst du, derweil ich ferne bin
bei des Erlösers Grab, o Weib,
in Züchten leben und getreu
mir sparen deinen jungen Leib?

Wirst du verschließen Tür und Tor
dem Manne, der uns lang entzweit,
wirst meines Hauses Ehre sein,
wie du nicht warest jederzeit?«

Sie nickt. Da spricht er: »Schwöre denn!«
Und zögernd hebt sie auf die Hand.
Da sieht er bei der Lampe Schein
des Weibes Schatten an der Wand.

Ein Schauer ihn befällt; er sinnt,
er seufzt und wendet sich zumal.
Er winkt ihr einen Scheidegruß
und lässet sie allein im Saal.

Elf Tage war er auf der Fahrt,
ritt krank ins welsche Land hinein:
Frau Hilde gab den Tod ihm mit
in einem giftigen Becher Wein.

Es liegt eine Herberg an der Straß'
im wilden Tal, heißt Mutintal,
da fiel er hin in Todesnot
und seine Seele Gott befahl.

Dieselbe Nacht Frau Hilde lauscht,
Frau Hilde luget vom Altan:
nach ihrem Buhlen schaut sie aus;
das Pförtlein war ihm aufgetan.

Es tut einen Schlag am vordern Tor
und aber einen Schlag, daß es dröhnt und hallt:
im Burghof mitten steht der Graf;
vom Turm der Wächter kennt ihn bald.

Und Vogt und Zofen auf dem Gang
den toten Herrn mit Grausen sehn,
sehn ihn die Stiegen stracks herauf
nach seiner Frauen Kammer gehn.

Man hört sie schreien und stürzen hin,
und eine jähe Stille war.
Das Gesinde, das flieht, auf die Zinnen es flieht:
da scheinen am Himmel die Sterne so klar.

Und als vergangen war die Nacht
und stand am Wald das Morgenrot,
sie fanden das Weib in dem Gemach
am Bettfuß unten liegen tot.

Und als sie treten in den Saal,
o Wunder! steht an weißer Wand
Frau Hildes Schatten, hebet steif
drei Finger an der rechten Hand.

Und da man ihren Leib begrub,
der Schatten blieb am selben Ort
und blieb, bis daß die Burg zerfiel;
wohl stünd' er sonst noch heute dort.

*Von Eduard Mörike (1804–1875)*

# Der Mörderturm

Zu Würzburg steht ein grauer Turm
weit ab vom lust'gen Maine,
in seinen Balken pickt der Wurm,
es nagt das Moos am Steine.

Die hohle Brust durchröchelt schwach
ein rostig Uhrwerk stöhnend,
sein Stundenschlag ist auch noch wach,
doch nur die Zeit verhöhnend.

Denn wenn die Glocken alle ruhn
ein Viertel vor der Stunde,
beginnt er ein verkehrtes Tun
mit eh'rnem Lügenmunde.

Ob seinem frühen Schlage quält
sich, was auf Märkten handelt,
der Kranke, der die Stunden zählt,
der Reisende, der wandelt.

Wie dulden es die Städter nur,
den Trüger stets zu hören?
So wißt: sie mögen seiner Uhr
den alten Fluch nicht stören.

Denn in dem dreißigjähr'gen Sturm,
im langen Jammerkriege,
da ward der falsche Schwedenturm
einst eines Greuels Wiege.

Verschwörer saßen dort versteckt
in seiner Glockenstube;
ein dumpfer Streich ward ausgeheckt
in luft'ger Mördergrube.

Als drauf die Stadt voll Frieden schlief,
die unbewehrte Rechte
in sichrem Schlummer senkten tief
des Reiches treue Knechte,

ein Viertel hub vor Mitternacht
der Turm an irr zu reden:
zwölf Schläge dröhnten da mit Macht,
laut riefen sie dem Schweden.

Und der verstand das Zeichen wohl,
ein Pförtlein fand er offen,
das Blut in allen Kammern quoll,
die Schlummerkissen troffen.

Der Strom empfing, als tiefes Grab,
der Leichen schwer Gerölle;
doch Jubel scholl vom Turm herab,
hoch oben jauchzt die Hölle.

Ihr Sieg war kurz, ihr Stachel ward
geknickt durch schnelle Rache;
dem Turm verräterischer Art
ließ man des Truges Sprache.

Im Räderwerk der Wahnsinn knarrt;
so steht er grau, zerfallen,
muß, bis man ihn als Schutt verscharrt,
von seiner Sünde lallen.

*Von Gustav Schwab (1792–1850)*

# Der Brudermörder

Es war ein König Milesint,
von dem will ich euch sagen:
der meuchelte sein Bruderskind,
wollte selbst die Krone tragen.
Die Krönung ward mit Prangen
auf Liffey-Schloß begangen.
O Irland, Irland! warest du so blind?

Der König sitzt um Mitternacht
im leeren Marmorsaale,
sieht irr in all die neue Pracht,
wie trunken von dem Mahle.
Er spricht zu seinem Sohne:
»Noch einmal bring die Krone!
Doch schau, wer hat die Pforten aufgemacht?«

Da kommt ein seltsam Totenspiel,
ein Zug mit leisen Tritten,
vermummte Gäste groß und viel,
eine Krone schwankt inmitten;
es drängt sich durch die Pforte
mit Flüstern ohne Worte:
Dem Könige, dem wird so geisterschwül.

Und aus der schwarzen Menge blickt
ein Kind mit frischer Wunde,
es lächelt sterbensweh und nickt,
es macht im Saal die Runde,
es trippelt zu dem Throne,
es reichet eine Krone
dem Könige, des Herze tief erschrickt.

Darauf der Zug von dannen strich,
von Morgenluft berauschet.
Die Kerzen flackern wunderlich,
Der Mond am Fenster lauschet.
Der Sohn mit Angst und Schweigen
zum Vater tät sich neigen –
er neiget über eine Leiche sich.

*Von Eduard Mörike nach einer irischen Sage.*

# Der fehlende Schöppe

Zu Ebern hält man Hochgericht
über Leben und Blut;
zwölf Stühle sind zugericht
für die zwölf Schöppen gut.
Elfe sind gekommen,
han ihre Stühl' eingenommen.

Der zwölfte Stuhl bleibt unberührt,
niemand drauf sitzen darf;
denn der Schöppe, dem er gehört,
ist aus Abermannsdorf;
aber Abermannsdorf ist versunken,
sein Schöpp' hält Gericht bei den Unken.

Da reitet von den elfen
ein Bote hinaus zu Roß,
der den fehlenden zwölften
herein laden muß.
Der Bot' b'hält's Roß am Zügel,
den linken Fuß im Bügel.

Mit dem rechten Fuß dreimal
stampft er auf den Grund,
und den Schöppen dreimal
ruft er mit lautem Mund:
»Zu Ebern ist Schöppengericht,
Schöppe, säume dich nicht!«

Da wird es unter der Erde laut
von furchtbarem Getos.
Der Bot' nicht vor- noch rückwärts schaut,
sondern springt auf sein Roß;
und muß schnell fort sich machen,
sonst verschlingt ihn der Erde Rachen.

*Von Friedrich Rückert*

# Gesang der Parze

In der Wiege schlummert ein schönes Römerkind,
die graue Parze sitzt daneben und spinnt.
Sie schweigt und spinnt. Doch ist die Mutter fort,
so singt die Parze murmelnd ein dunkles Wort:

»Jetzt liegst du, Kindlein, noch in der Traumesruh.
Bald, kleine Claudia, spinnest am Rocken du –
du wachsest rasch und entwächst den Kleidlein bald!
du wachsest schlank! du wirst eine Wohlgestalt!

Die Fackel lodert und wirft einen grellen Schein,
sie kleiden dich mit dem Hochzeitsschleier ein!
Die Knaben hüpfen empor am Festgelag
und scherzen ausgelassen zum ernsten Tag.

Eine Herrin wandelt in ihrem eignen Raum,
und ihre Mägd' und die Sklaven atmen kaum.
Ihr ziemt, daß all die Hände geflügelt sind.
Ihr ziemt, daß all die Lippen gezügelt sind.

Die blühenden Horen schwingen im Reigen sich:
»Dir ward ein Knabe, Julier, freue dich!
Doch wann die Freude schwebt und die Flöte schallt,
dann« – singt die Parze – »kommt der Jammer bald.«

Jetzt, kleine Claudia, bist du zu Tode wund –
Das Kindlein lächelt. Es klirrt ein Schlüsselbund.
Die Mutter tritt besorgt in die Kammer ein,
und die Parze bleicht im goldenen Morgenschein.

Der Tiber flutet und überschwemmt den Strand,
das bleiche Fieber steigt empor ans Land,
der Rufer ruft und kündet von Haus zu Haus:
»Vernehmt: den Julier tragen sie heut hinaus!«

Jetzt, kleine Claudia, trägst du unträglich Leid!
In strenge Falten legst du dein Witwenkleid.
Dein Römerknabe springt dir behend vom Schoß
und grüßt dich helmumflattert herab vom Roß...

Die Tuben blasen Schlacht, und sie blasen Sieg...
Da naht's. Da kommt's, was empor die Stufen stieg:
Vier Männer und die Bahre, Claudia, sind's
mit der bekränzten Leiche deines Kinds!

*Von Conrad Ferdinand Meyer (1825–1898).*
*Parzen sind römische Schicksalsgöttinnen.*

# Venedigs erster Tag

Eine glückgefüllte Gondel gleitet auf dem Canal grande,
an Giorgione lehnt die Blonde mit dem roten Samtgewande.
»Giorgio, deiner Laute Saiten hör' ich leise, leise klingen –«
»Julia Vendramin, Erlauchte, was befiehlst du mir zu singen?«

»Nichts von schönen Augen, Giorgio! Solches Thema sollst du lassen!
singe, wie dem Meer entstiegen diese wunderbaren Gassen!
Feßle kränzend keine Locken, die sich ringeln los und ledig!
Giorgio, singe mir von meinem unvergleichlichen Venedig!«

»Meine süße Muse will es! es geschieht!« Er präludierte.
»Weiland, eh' des heil'gen Marcus Flagge dieses Meer regierte,
drüben dort, wo duftverschleiert Istriens schöne Berge blauen,
sank vor ungezählten Jahren eine Dämmrung voller Grauen.

Durch das Dunkel huschen Larven, angstgeschreckte Hunde winseln,
Schreie gellen, Stimmen warnen: ›Löst die Bote! Nach den Inseln!‹
In den Lüften haucht ein Odem, wie es in den Gräbern modert –
Schaurig tagen Meer und Himmel! Aquileja brennt und lodert!

Von der Stätte, wo die stillen, ungezähmten Flammen wogen,
kommt ein dumpfes Menschenbrausen nach dem freien Strand gezogen:
Attila, die Gottesgeißel, jagt auf blutbesprengten Pfaden
Krieger mit zerbrochnen Schwertern, Fraun mit Schätzen schwer beladen.

Wie zu Hades Schatten wandern, ziehn zum Meere die Gescheuchten,
das die purpurrot gefärbten Wolken weit hinaus beleuchten,
Witwen, Waisen schreiten jammernd, schweigend stürzen wunde Männer,
mitten im Gewühle bäumen Wagen sich und scheue Renner.

Kniee wanken, Füße gleiten, Kästchen brechen, draus die hellen
goldnen Reife rollend springen und die weißen Perlen quellen.
Nackte Küstenkinder starren gierig auf das rings zerstreute
Gold, und doch betastet's keines – Etzels ist die ganze Beute!

Schiffer rüsten dunkle Nachen, drüber Wogen schäumend schlagen,
durch die weiße Brandung werden bleiche Fraun an Bord getragen –
mit der Rechten an die phryg'sche Mütze langt der Meerplebejer,
beut zum Sprung ins Boot die Linke dem behelmten Aquilejer.

Schon entflieht ein Schiff mit weh'nden Segeln, flatternden Gewanden,
drin sich weitgetrennte Lose sonder Wahl zusammenfanden,
unbekannte Hände drücken sich in angstbeklommnem Traume,
Aquilejas Überbleibsel schmiegen sich in engem Raume.

Letzte Scheideblicke wendend, sehn sie noch den Himmel bluten,
aber tiefer stets und ferner brennen die gesunknen Gluten.
Still verglimmt der Heimat müde Todesfackel. Auf die Ruder
beugt sich Unglück neben Unglück, Bruder seufzend neben Bruder.

Eine Fürstin küßt ein Knäblein, ein dem Edelblute fremdes,
eine Sklavin wärmt ein fürstlich Kind im Schoß des Wollenhemdes –
unter ihnen eine Tiefe, über ihnen eine Wolke –
Liebe taut vom Himmel, Liebe wächst in diesem neuen Volke.

Über eines Mantels Flattern, sturmverwehten greisen Haaren
will das Schweben einer Glorie einen Heil'gen offenbaren,
dieses ist der heil'ge Marcus, rüstig rudernd wie ein andrer –
nach den nahenden Lagunen lenkt die Fahrt der sel'ge Wandrer.

Neben ihm der Jugendschlanke schlägt die Wellen, daß sie schallen,
wirren Locken sind die Kränze schwelgerischer Lust entfallen.
Der Bacchant wird zum Äneas. Niederbrannte Trojas Feuer.
Mit den rudernden Genossen sucht er edles Abenteuer.

Mählich lichtet sich der Osten. In der ersten Helle schauen
kecke Männer tief ins Antlitz morgenbleicher schöner Frauen –
Lieblich Haupt, das blonde Flechten wie mit lichtem Ring umwinden,
bald an einem tapfern Herzen wirst du deine Heimat finden!

Scharfgezeichnet neigt sich eines Helden narb'ge Stirne denkend,
in das göttliche Geheimnis ew'gen Werdens sich versenkend;
rings in Stücke sprang zerschmettert Romas rost'ge Riesenkette,
neue Weltgeschicke gönnen junger Freiheit eine Stätte...

Wie geworfen aus dem Himmel, heiter spielend, von Auroren,
schwimmt ein lichter Kranz von Inseln in die blaue Flut verloren,
durch die Brandung gehn die Kähne mit beseelten Ruderschlägen,
Fischer stehen, schaumgebadet, und sie rufen sich entgegen:

»Fleh'nde kommen wir, Veneter! Drüben flammt ein weit Verderben!
Unsre Seelen sind entronnen einem ungeheuren Sterben!«
»Freuet euch! ihr lebt und atmet! Hier ist euch Asyl gegeben!
Friede sei mit euren Toten! Freude denen, die da leben!«

Machtvoll, Schwert und Ruder tragend, wallen Genien vor den Böten;
auch ein Schwarm von Liebesgöttern flügelt durch die jungen Röten –
Über das Gestein der Insel geht ein Hauch von Lust und Wonne,
ahnungsvollem Meer entsteigend, prangt Venedigs erste Sonne.

Blonde Julia, deiner Heimat Ursprung hab ich dir verkündet,
Liebe hat die Stadt Venedig, Liebe hat die Welt gegründet –
Deiner Augen strahlend blauer Himmel würde bleichen ohne
Liebesfeuer und verstummen, wie die Laute des Giorgione.«

*Von Conrad Ferdinand Meyer*

# Der Gott und die Bajadere

Mahadöh, der Herr der Erde,
kommt herab zum sechstenmal,
Daß er unsersgleichen werde,
Mit zu fühlen Freud und Qual.
Er bequemt sich, hier zu wohnen,
Läßt sich alles selbst geschehn:
Soll er strafen oder schonen,
Muß er Menschen menschlich sehn.
Und hat er die Stadt sich als Wandrer betrachtet,
Die Großen belauert, auf Kleine geachtet,
Verläßt er sie abends, um weiter zu gehn.

Als er nun hinausgegangen,
Wo die letzten Häuser sind,
Sieht er, mit gemalten Wangen,
Ein verlornes schönes Kind.
Grüß dich, Jungfrau! – Dank der Ehre!
Wart, ich komme gleich hinaus. –
Und wer bist du? – Bajadere,
Und dies ist der Liebe Haus.
Sie rührt sich, die Zimbeln zum Tanze zu schlagen,
Sie weiß sich so lieblich im Kreise zu tragen,
Sie neigt sich und biegt sich und reicht ihm den Strauß.

Schmeichelnd zieht sie ihn zur Schwelle,
Lebhaft ihn ins Haus hinein:
Schöner Fremdling, lampenhelle
Soll sogleich die Hütte sein.
Bist du müd, ich will dich laben,
Lindern deiner Füße Schmerz.
Was du willst, das sollst du haben,
Ruhe, Freuden oder Scherz.
Sie lindert geschäftig geheuchelte Leiden.
Der Göttliche lächelt: er siehet mit Freuden
Durch tiefes Verderben ein menschliches Herz.

Und er fordert Sklavendienste;
Immer heitrer wird sie nur,
Und des Mädchens frühe Künste
Werden nach und nach Natur.
Und so stellet auf die Blüte
Bald und bald die Frucht sich ein:
Ist Gehorsam im Gemüte,
Wird nicht fern die Liebe sein.
Aber, die schärfer und schärfer zu prüfen,
Wählet der Kenner der Höhen und Tiefen
Lust und Entsetzen und grimmige Pein.

Und er küßt die bunten Wangen,
Und sie fühlt der Liebe Qual,
Und das Mädchen steht gefangen,
Und sie weint zum erstenmal,
Sinkt zu seinen Füßen nieder,
Nicht um Wollust noch Gewinst,
Ach! und die gelenken Glieder,
Sie versagen allen Dienst.
Und so zu des Lagers vergnüglicher Feier
Bereiten den dunkeln behaglichen Schleier
Die nächtlichen Stunden, das schöne Gespinst.

Spät entschlummert unter Scherzen,
Früh erwacht nach kurzer Rast,
findet sie an ihrem Herzen
Tot den vielgeliebten Gast.
Schreiend stürzt sie auf ihn nieder,
Aber nicht erweckt sie ihn,
Und man trägt die starren Glieder
Bald zur Flammengrube hin.
Sie höret die Priester, die Totengesänge,
Sie raset und rennet und teilet die Menge.
Wer bist du? was drängt zu der Grube dich hin?

Bei der Bahre stürzt sie nieder,
Ihr Geschrei durchdringt die Luft:
Meinen Gatten will ich wieder!
Und ich such ihn in der Gruft.
Soll zu Asche mir zerfallen
Dieser Glieder Götterpracht?
Mein! er war es, mein vor allen!
Ach, nur eine süße Nacht!
Es singen die Priester: wir tragen die Alten,
Nach langem Ermatten und spätem Erkalten,
Wir tragen die Jugend, noch eh sies gedacht.

Höre deiner Priester Lehre:
Dieser war dein Gatte nicht.
Lebst du doch als Bajadere,
Und so hast du keine Pflicht.
Nur dem Körper folgt der Schatten
In das stille Totenreich;
Nur die Gattin folgt dem Gatten:
Das ist Pflicht und Ruhm zugleich.
Ertöne, Drommete, zu heiliger Klage!
O nehmet, ihr Götter! die Zierde der Tage,
O nehmet den Jüngling in Flammen zu euch!

So das Chor, das ohn Erbarmen
Mehret ihres Herzens Not;
Und mit ausgestreckten Armen
Springt sie in den heißen Tod.
Doch der Götterjüngling hebet
Aus der Flamme sich empor,

Und in seinen Armen schwebet
Die Geliebte mit hervor.
Es freut sich die Gottheit der reuigen Sünder;
Unsterbliche heben verlorene Kinder
Mit feurigen Armen zum Himmel empor.

*1797. Von Johann Wolfgang von Goethe. Bajadere:*
*indische Tänzerin*

# Erntegewitter

Ein jäher Blitz. Der Erntewagen schwankt.
Aus seinen Garben fahren Dirnen auf
und springen schreiend in die Nacht hinab.
Ein Blitz. Auf einer goldnen Garbe thront
noch unvertrieben eine frevle Maid,
der das gelöste Haar den Nacken peitscht.
Sie hebt das volle Glas mit nacktem Arm,
als brächte sie's der Glut, die sie umflammt,
und leerts auf einen Zug. Ins Dunkel wirft
sie's weit und gleitet ihrem Becher nach.
Ein Blitz. Zwei schwarze Rosse bäumten sich.
Die Peitsche knallt. Sie ziehen an. Vorbei.

*Von Conrad Ferdinand Meyer*

# Der gleitende Purpur

»Eia Weihnacht! Eia Weihnacht!«
schallt im Münsterchor der Psalm der Knaben.
Kaiser Otto lauscht der Mette,
Diener hinter sich mit Spend' und Gaben.

Eia Weihnacht! Eia Weihnacht!
Heute da die Himmel niederschweben,
wird dem Elend und der Blöße
Mäntel er und warme Röcke geben.

Hundert Bettler stehn erwartend –
Einer hält des Kaisers Knie umfangen
mit den wundgeriebnen Armen,
dran zerrißner Fesseln Enden hangen.

– »Schalk! was zerrst du mir den Purpur?
harr und bete! kennst du mich als Kargen?«
Doch der Bettler hält den Mantel
fest und jammert: »Kennst du mich, den Argen?

Du Gesalbter und Erlauchter!
kennst du mich?... Du hast mit mir gelegen,
mit dem Siechen, mit dem Wunden,
unter eines Mutterherzens Schlägen.

Aus demselben Wollentuche
schnitt man uns die Kappen und die Kleider!
Aus demselben Psalmenbuche
sang das frische Jugendantlitz beider!

Heinz, wo bist du? Heinz, wo bleibst du?
hast zum Spiele du mich oft gerufen
durch die Säle, durch die Gänge,
auf und ab der Wendeltreppe Stufen...

Wehe mir! da du dich kröntest,
hat des Neides Natter mich gebissen!
Mit dem Lügengeist im Bunde
hab ich dieses deutsche Reich zerissen!

Als den ungetreuen Bruder
und Verräter hast du mich erfunden!
Du ergrimmtest und du warfest
in die Kerkertiefe mich gebunden...

In der Tiefe meines Kerkers
hab ich ohne Mantel heut gefroren...
Eia Weihnacht! Eia Weihnacht!
Heute wird der Welt das Heil geboren!«

»Eia Weihnacht! Eia Weihnacht!«
Hundert Bettler strecken jetzt die Hände:
»Gib uns Mäntel! gib uns Röcke!
sei barmherzig! gib uns deine Spende!«

Eine Spange löst der Kaiser
sacht. Sein Purpur gleitet, gleitet, gleitet
über seinen sünd'gen Bruder,
und der erste Bettler steht bekleidet...

Eia Weihnacht! Eia Weihnacht!
jubelt Erd und Himmelreich mit Schallen.
Glorie! Glorie! Friede! Freude!
und am Menschenkind ein Wohlgefallen!

*Von Conrad Ferdinand Meyer*

# Die grausame Schwester

Es warn einmal zwei Schwestern
zu Hirschberg in der Stadt,
die eine ging rum betteln,
die andre war so reich.

Die Leut, die täten sprechen,
du darfst nicht betteln gehn;
du hast ein reiche Schwester,
die kann dir wohl beistehn.

Die arme Schwester, die wendet sich um
und ging wohl ihren Gang
zu ihrer reichen Schwester,
die sie in Freuden fand.

»Ach Schwester, liebste Schwester,
ich bitt dich um ein Brot
für meine sechs kleinen Kinder,
die leiden Hungersnot!«

»Ach nein, meine liebe Schwester,
ach nein, das tu ich nicht;
ein Brot soll ich anschneiden,
sechs Stücklein davon schneiden?
Ach nein, das tu ich nicht!«

Die arme Schwester, die wendet sich um
und ging wohl ihren Gang
zu ihren sechs kleinen Kindern,
die sie im Schlafe fand.

Und als der Herr aus der Kirche kam,
wollt er aufschneid'n das Brot:
das Brot war wie die Steine,
das Messer von Blut so rot.

»Ach Fraue, liebste Fraue,
wem hast du's Brot versagt?«
»Ach meiner armen Schwester,
die mich so kläglich bat!«

Die reiche Schwest'r die wandt sich um
und ging wohl ihren Gang
zu ihrer armen Schwester,
die sie in Trauren fand.

»Gott grüß dich, liebe Schwester,
hier bring ich dir ein Brot
für deine sechs kleinen Kinder,
daß sie nicht leiden Not.«

»Ach nein, meine liebe Schwester,
ach nein, das nehm ich nicht:
Gott hat uns heut gespeiset,
er speist uns morgen auch!«

*Volksballade aus Schlesien.*
*Schildert die Sage*
*vom versteinerten Brot.*

# Bettlerballade

Prinz Bertarit bewirtet Veronas Bettlerschaft
mit Weizenbrot und Kuchen und edlem Traubensaft.
Gebeten ist ein jeder, der sich mit Lumpen deckt,
der, heischend auf den Brücken der Etsch, die Rechte reckt.

Auf edlen Marmorsesseln im Saale thronen sie,
durch Riss' und Löcher gucken Ellbogen, Zeh' und Knie.
Nicht nach Geburt und Würden, sie sitzen grell gemischt,
jetzt werden noch die Hasen und Hühner aufgetischt.

Der tastet nach dem Becher. Er durstet und ist blind.
Den Krüppel ohne Arme bedient ein frommes Kind.
Ein reizend stumpfes Näschen geckt unter strupp'gem Schopf,
mit wildem Mosesbarte prahlt ein Charakterkopf.

Die Herzen sind gesättigt. Beginne, Musika!
ein Dudelsack, ein Hackbrett und Geig und Harf ist da.
Der Prinz, noch schier ein Knabe, wie Gottes Engel schön,
erhebt den vollen Becher und singt durch das Getön:

»Mit frisch gepflückten Rosen bekrön ich mir das Haupt,
des Reiches ehrne Krone hat mir der Ohm geraubt.
Er ließ mir Tag und Sonne! mein übrig Gut ist klein!
So will ich mit den Armen als Armer fröhlich sein!«

Ein Bettler stürzt ins Zimmer. »Grumell, wo kommst du her?«
Der Schreckensbleiche stammelt: »Ich lauscht von ungefähr,
gebettet an der Hofburg... dein Ohm schickt Mörder aus,
nimm meinen braunen Mantel!« Erzschritt umdröhnt das Haus.

»Drück in die Stirn den Hut dir! er schattet tief! geschwind!
Da hast du meinen Stecken! entspring, geliebtes Kind!«
Die Mörder nahen klirrend. Ein Bettler schleicht davon.
– »Wer bist du? Zeig das Antlitz!« Gehobne Dolche drohn.

– »Laß ihn! Es ist Grumello! ich kenn das Loch im Hut!
ich kenn den Riß im Ärmel! wir opfern edler Blut!«
Sie spähen durch die Hallen und suchen Bertarit,
der unter dunkelm Mantel dem dunkeln Tod entflieht.

Er fuhr in fremde Länder und ward darob zum Mann.
Er kehrte heim gepanzert. Den Ohm erschlug er dann.
Verona nahm er stürmend in rotem Feuerschein.
Am Abend lud der König Veronas Bettler ein.

*Von Conrad Ferdinand Meyer*

# Frau Hitt und die Bettlerin

Wo schroff die Straße und schwindlig jäh
herniederleitet zum Inn,
dort saß auf der mächtigen Bergeshöh
am Weg eine Bettlerin.

Ein nacktes Kindlein lag ihr im Arm
und schlummert in süßer Ruh,
die zärtliche Mutter hüllt es warm
und wiegt es und seufzte dazu:

»Du freundlicher Knabe, du liebliches Kind,
dich zieh ich gewiß nicht groß,
bist ja der Sonne, dem Schnee und dem Wind
und allem Elende bloß.

Zur Speise hast du ein hartes Brot,
das ein anderer nimmer mag,
und wenn dir jemand ein Äpflein bot,
so war es dein bester Tag.

Und blickt doch, du Armer, dein Auge hold,
wie des Junkers Auge so klar,
und ist doch dein Haar so reiches Gold,
wie des reichsten Knaben Haar.«

So klagte sie bitter und weinte sehr,
als Lärmen ans Ohr ihr schlug,
mit Jauchzen trabte die Straße einher
ein glänzender Reiterzug.

Voran auf falbem, schnaubendem Roß
die herrlichste aller Fraun,
im Mantel, der strahlend vom Nacken ihr floß,
wie ein schimmernder Stern zu schaun.

Die strahlende Herrin war Frau Hitt,
die Reichste im ganzen Land,
doch auch die Ärmste an Tugend und Sitt',
die rings im Lande man fand.

Ihr Goldroß hielt die Stolze an
und hob sich mit leuchtendem Blick
und spähte hinunter und spähte hinan
und wandte sich dann zurück.

»Blickt rechts, blickt links hin in die Fern',
blickt vor- und rückwärts herum,
so weit ihr überall schaut, ihr Herrn,
ist all mein Eigentum.

Viel tapfre Vasallen gehorchen mir,
beim ersten Winke bereit,
fürwahr, ich bin eine Fürstin hier,
und fehlt nur das Purpurkleid.«

Die Bettlerin hört's und rafft sich auf
und steht vor der Schimmernden schon
und hält den weinenden Knaben hinauf
und fleht in kläglichem Ton:

»O seht dies Kind, des Jammers Bild!
erbarmet, erbarmet Euch sein
und hüllet das zitternde Würmlein mild
in ein Stückchen Linnen ein!«

»Weib, bist du rasend?« zürnt die Frau,
»Wo nähm' ich Linnen her?
Nur Seid' ist alles, was an mir ich schau,
von funkelndem Golde schwer.«

»Gott hüte, daß ich begehren sollt!
was fremde mein Mund nur nennt,
o, so gebt mir, gebet, was Ihr wollt
und was Ihr entbehren könnt!«

Da zieht Frau Hitt ein hämisch Gesicht
und neigt sich zur Seite hin
und bricht einen Stein aus der Felsenschicht
und reicht ihn der Bettlerin.

Da ergreift die Verachtete wütender Schmerz,
sie schreit, daß die Felswand dröhnt:
»O würdest du selber zu hartem Erz,
die den Jammer des Armen höhnt.«

Den stutzenden Falben spornt Frau Hitt –
»Ei, Wilder, was bist du so faul?«
Sie treibt ihn durch Hiebe und Stöße zum Ritt,
doch fühllos steht der Gaul.

Und plötzlich fühlt sie sich selbst so erschlafft
und gebrochen den kecken Mut;
in jeglicher Sehne stirbt die Kraft,
in den Adern stockt das Blut.

Herunter will sie sich schwingen vom Roß,
doch versagen ihr Fuß und Hand,
entsetzt will sie rufen den Rittertroß,
doch die Zunge ist festgebannt.

Ihr Antlitz wird so finster und bleich,
ihr herrisches Aug' erstarrt;
ihr Leib, so glatt und zart und weich,
wird rauh und grau und hart.

Und unter ihr strecken sich Felsen hervor
und heben vom Boden sie auf
und wachsen und steigen riesig empor
in die schaurige Nacht hinauf.

Und droben sitzt, ein Bild von Stein,
Frau Hitt im Donnergeroll
und schaut, umzuckt von der Blitze Schein,
ins Land so grauenvoll.

*Von Karl Egon Ritter von Ebert (1801–1882) nach einer alten Sage.*

# Das bleiche Weib

Über den Knüppeldamm durchs Knochenfeld
bei der wüsten Kirche fahren vorbei
sieben Bauern nachts mit trunknem Geschrei,
klatschen mit Peitschen und klappern in der Tasche mit
Geld,
kommen vom Markt und rühmen einander die Zeit,
galt doch der Scheffel Roggen drei Taler heut.

An der Mauer des Kirchhofs steht da ein Weib,
bleich von Gesicht, sie trägt ein schimmerndes Hemd,
eine frostige Tracht und hier in den Marken so fremd;
peitscht doch der erste der Bauern ihr höhnend den Leib.
»Nehmt mich lieber ein Stündlein für Gotteslohn mit!«
bittet die Frau den ersten, der fährt noch im Schritt.

»Gott, der schläft jetzt«, spricht der Bauer in Ruh,
»denn wie käm's sonst, Bauern gewinnen so viel:
sind doch gottlos, trunken, ergeben dem Spiel,
und die Armen, die geben das Geld uns dazu,
Gotteslohn machte noch keinen reicher, gib acht,
sieh dein Heil ab, wenn der Teufel erwacht.«

Laut belacht er sein Wort und treibet die Pferd',
fünf der andern folgen im zuckelnden Trab,
nur der letzte noch zögert und schaut auf ein Grab,
das da stehet geöffnet in Kirchhofs Erd';
hört, das Weiblein spricht zu dem langsamen Knecht:
»Nehmet mich auf, denn Gott wird jedem gerecht.«

»Gott ist gnädig«, so spricht er, »steige nur auf,
rede, erzähle, bin nachts nicht gerne allein,
zitterst so, kriech in die leeren Säcke hinein,
Säcke des Korns, das ich heute führte zum Kauf,
glaubst du, die Preise steigen noch höher im Jahr,
so verkauf ich nicht mehr, jetzt sage mir wahr.«

»Tor, der du harrst auf Unglück der andern«, sie spricht,
»stehest du nicht in derselben strafenden Hand?

Wisse: es nahen bald reichere Zeiten dem Land,
wisse: es keimet der Roggen so reichlich und dicht,
aus der Fremde zu Schiff zieht Vorrat hier ein,
anderthalb Taler wird bald der Preis nur sein.«

»Wunderding brauchet der Zeichen«, saget der Mann,
»und Propheten, die wollen geprüfet erst sein;
so zu lügen, das stehet Euch wahrlich nicht fein,
denn ich diente Euch gern, nicht führt' ich Euch an!«
Doch das Weiblein ihm sagt: »Ich gebe ein Zeichen Euch
gern,
fahret nur rasch zu dem ersten Bauer dort fern.

Sicher Ihr denkt, der lebe noch frisch so wie Ihr,
denn er hält noch die Zügel der Pferde so fest,
Gott schläft nimmer! Wir sind auf Erden nur Gäst',
jener schläft und erwachet nimmermehr hier;
sehet nur zu, ich stehe am schmerzlichen Ziel,
hier am Galgen, da hänget mein süßer Gespiel.«

Also das Weiblein entspringt dem Wagen des Manns,
und er jagt, daß die Funken hell stieben vom Huf,
hin zum ersten mit fluchendem, gellendem Ruf:
»Bruder, wach auf, du fährst an den Galgen an, Hans!«
doch den ersten erweckt nicht der Ruf, nicht der Knall,
und sein Wagen erkracht, schwankt über im Fall.

Nicht erwachet der Bauer, was jener auch treibt,
rüttelt ihn, schüttelt ihn, spritzet mit Wasser ihn an,
nicht erwachet der leise noch atmende Mann,
sondern erstarrt und erkaltet, so kräftig er reibt,
und der letzte erzählt nun, was ihm dies Weiblein gesagt,
keiner nach ihr hat umzusehen gewagt.

*Von Achim von Arnim (1781–1831) nach einer*
*alten Sage*

# Der Feuerreiter

Sehet ihr am Fensterlein
dort die rote Mütze wieder?
Nicht geheuer muß es sein,
denn es geht schon auf und nieder.
Und auf einmal welch Gewühle
bei der Brücke, nach dem Feld!
Horch! das Feuerglöcklein gellt:
Hinterm Berg,
hinterm Berg
brennt es in der Mühle!

Schaut! Da sprengt er wütend
schier
durch das Tor, der Feuerreiter,
auf dem rippendürren Tier,
als auf einer Feuerleiter.
Querfeldein! durch Qualm und
Schwüle
rennt er schon und ist am Ort!
Drüben schallt es fort und fort:
Hinterm Berg,
hinterm Berg
brennt es in der Mühle!

Der so oft den roten Hahn
meilenweit von fern gerochen,
mit des heil'gen Kreuzes Span
freventlich die Glut besprochen –
weh! dir grinst vom Dachgestühle
dort der Feind im Höllenschein.
Gnade Gott der Seele dein!
Hinterm Berg,
hinterm Berg
rast er in der Mühle!

Keine Stunde hielt es an,
bis die Mühle borst in Trümmer;
doch den kecken Reitersmann
sah man von der Stunde nimmer.
Volk und Wagen im Gewühle
kehren heim von all dem Graus;
auch das Glöcklein klinget aus:
Hinterm Berg,
hinterm Berg
brennts –

Nach der Zeit ein Müller fand
ein Gerippe samt der Mützen
aufrecht an der Kellerwand
auf der beinern' Mähre sitzen.
Feuerreiter, wie so kühle
reitest du in deinem Grab!
Husch! da fällts in Asche ab.
Ruhe wohl,
ruhe wohl
drunten in der Mühle.

*Von Eduard Mörike*

# Der Wassermann

Es freit einmal ein Wassermann,
der wollte Königs Tochter han.

Er freit wohl länger als sieben Jahr,
bis daß die junge Braut seine war.

Sie ging wohl in den Garten,
und wollt der Blümlein warten.

Da sah sie in den Wolken stehn,
daß sie im Rhein sollt untergehn.

Sie ging wohl in die Kammer,
beweint sich ihren Jammer.

»Ach, Tochter, schweig nur stille,
und tu nach unserm Willen!

Und so du tust, wie's uns gefällt,
so kommst du ja nicht aus der Welt.«

Der Bräut'gam kam geritten
mit vierundvierzig Reitern.

»Guten Tag, guten Tag, liebste Eltern mein,
wo ist denn nun das junge Bräutelein?«

»Da drinnen in der Kammer
schlägt sie die Händ zusammen.«

Der Bräut'gam war ein geschwinder Mann,
er schaut, daß er in die Kammer kam.

»Ach, Bräutlein, liebstes Bräutlein mein,
wie geht dir's denn im Kämmerlein?«

»Mir geht's nicht gut, mir geht's nicht wohl,
und daß ich heut noch sterben soll.

Ei, Mutter, herzliebste Mutter mein,
laß mich dies Jahr noch Jungfer sein!«

»Keine Jungfer darfst du nicht mehr sein,
du mußt ja jetzt schon seine sein!«

»Ei, Mutter, bleib in Gottes Nam'n!
Jetzt seht ihr mich zum letztenmal.«

Und als sie auf den Wagen stieg,
ihrem Vater und Mutter gute Nacht sie gibt.

»Gute Nacht, gute Nacht, mein Töchterlein!
Wir hoffen, es wird dein Glück noch sein.«

»Wie soll denn das mein Glück noch sein?
Seine Mutter ist ein wildes Wasserweib,
das wird mir kosten meinen Leib.«

Und als sie auf Grundheid nauskam'n,
zwei weiße Schwanen ihr entgegenkam'n.

»Fliegt ihr nur hin, wo Freude ist!
Ich fahre hin, wo Elend ist.

Das kann ich an der Sonne sehn,
daß ich heut muß zugrunde gehn.«

Und als sie an die Brücke kam'n,
ihren Tod sie schon vor Augen sah.

»Nun zieht mir aus mein Ehrenkleid,
ich mach mich gleich zum Tod bereit.«

Er ließ die Brücke befahren
mit vierundvierzig Wagen.

Sie fuhren hinüber, fuhren wieder herüber,
die junge junge Braut wollte nicht hinüber.

Er ließ die Brücke bereiten
mit vierundvierzig Reitern.

Sie ritten hinüber, ritten wieder herüber,
die junge junge Braut wollte nicht hinüber.

Und als sie auf die Brücke kam,
ein Stein mit ihr zu Grunde gang.

»Geschwind, geschwind, eine Kette,
damit ich sie errette!«

Sie schwimmt wohl hin, sie schwimmt wohl her,
die Braut, die sah man nimmermehr.

»Soll das die siebente Seele sein,
die ich gefahren hab an diesen Rhein,
so soll mein Mutter die achte sein!«

*Viele ähnliche Volksballaden über die Wassermann-Sage
sind in ganz Deutschland, besonders in den
Gebieten von Seen und Flüssen, verbreitet.*

# Schöne Agnete

Als Herrn Ulrichs Wittib in der Kirche
gekniet,
Da klang vom Kirchhof herüber ein Lied,
Die Orgel droben hörte auf zu gehn,
Die Priester und Knaben, alle blieben
stehn,
Es horchte die Gemeinde, Greis, Kind
und Braut,
Die Stimme draußen sang wie die Nachtigall
so laut:

»Liebste Mutter in der Kirche, wo des
Mesners Glöcklein klingt,
Liebe Mutter, hör, wie draußen deine
Tochter singt.
Denn ich kann ja nicht zu dir in die
Kirche hinein,

Denn ich kann ja nicht mehr knieen
vor Mariens Schrein,
Denn ich hab ja verloren die ewige Seligkeit,
Denn ich hab ja den schlammschwarzen
Wassermann gefreit.

Meine Kinder spielen mit den
Fischen im See,
Meine Kinder haben Flossen zwischen
Finger und Zeh,
Keine Sonne trocknet ihrer Perlenkleidchen
Saum,
Meiner Kinder Augen schließt nicht
Tod noch Traum...
Liebste Mutter, ach ich bitte dich,
Liebste Mutter, ach ich bitte dich flehentlich,
Wolle beten mit deinem Ingesind

Für meine grünhaarigen Nixenkind,
Wolle beten zu den Heiligen und zu
Unserer Lieben Frau
Vor jeder Kirche und vor jedem Kreuz
in Feld und Au!
Liebste Mutter, ach ich bitte dich sehr,
Alle sieben Jahre einmal darf ich Arme
nur hierher.

Sage du dem Priester nun
Er soll weit auf die Kirchentüre tun,
Daß ich sehen kann der Kerzen Glanz,

Daß ich sehen kann die güldene Monstranz,
Daß ich sagen kann meinen Kinderlein,
Wie so sonnengolden strahlt des Kelches
Schein!«

Und die Stimme schwieg.
Da hub die Orgel an,
Da ward die Tür weit aufgetan, –
Und das ganze heilige Hochamt lang
Ein weißes weißes Wasser vor der Kirchentüre
sprang.

*Von Agnes Miegel (1879–1964)*

# Begegnung

Wohl unter der Linde erklingt die Musik,
da tanzen die Burschen und Mädel,
da tanzen zwei, die niemand kennt,
sie schaun so schlank und edel.

Sie schweben auf, sie schweben ab
in seltsam fremder Weise;
sie lachen sich an, sie schütteln das Haupt,
das Fräulein flüstert leise:

»Mein schöner Junker, auf Eurem Hut
schwankt eine Nelkenlilie,
die wächst nur tief im Meeresgrund –
Ihr stammt nicht aus Adams Familie.

Ihr seid der Wassermann, Ihr wollt
verlocken des Dorfes Schönen.
Ich hab Euch erkannt beim ersten Blick
an Euren fischgrätigen Zähnen.«

Sie schweben auf, sie schweben ab
in seltsam fremder Weise,
sie lachen sich an, sie schütteln das Haupt,
der Junker flüstert leise:

»Mein schönes Fräulein, sagt mir, warum
so eiskalt Eure Hand ist?
Sagt mir, warum so naß der Saum
an Eurem weißen Gewand ist?

Ich hab Euch erkannt beim ersten Blick
an Eurem spöttischen Knixe –
du bist kein irdisches Menschenkind,
du bist mein Mühmchen, die Nixe.«

Die Geigen verstummen, der Tanz ist aus,
es trennen sich höflich die beiden,
sie kennen sich leider viel zu gut,
suchen sich jetzt zu vermeiden.

*Von Heinrich Heine*

# Die Geister vom Mummelsee

Vom Berge was kommt dort um Mitternacht spät
mit Fackeln so prächtig herunter?
Ob das wohl zum Tanze, zum Feste noch geht?
Mir klingen die Lieder so munter.
O nein!
So sage, was mag es wohl sein!

Das, was du da siehest, ist Totengeleit,
und was du da hörest, sind Klagen.
Dem König, dem Zauberer, gilt es zu Leid,
sie bringen ihn wieder getragen.
O weh!
so sind es die Geister vom See.

Sie schweben herunter ins Mummelseetal –
sie haben den See schon betreten –
sie rühren und netzen den Fuß nicht einmal –
sie schwirren in leisen Gebeten –
O schau,
am Sarge die glänzende Frau!

Jetzt öffnet der See das grünspiegelnde Tor;
gib acht! nun tauchen sie nieder.
Es schwankt eine lebende Treppe hervor,
und – drunten schon summen die Lieder.
Hörst du?
Sie singen ihn unten zur Ruh.

Die Wasser, wie lieblich sie brennen und glühn!
sie spielen in grünendem Feuer;
es geistern die Nebel am Ufer dahin,
zum Meere verzieht sich der Weiher –
Nur still!
ob dort sich nichts rühren will?

Es zuckt in der Mitten – o Himmel! ach hilf!
nun kommen sie wieder, sie kommen!
Es orgelt im Rohr und es klirret im Schilf;
nur hurtig, die Flucht nur genommen!
Davon!
Sie wittern, sie haschen mich schon.

*Von Eduard Mörike, schildert die Sage vom*
*Mummelsee (im nördlichen Schwarzwald).*

# Vom Mummelsee

Im Mummelsee, im dunklen See
da blühn der Lilien viele,
sie wiegen sich, sie biegen sich,
dem losen Wind zum Spiele;
doch wenn die Nacht
herniedersinkt,
der volle Mond am
Himmel blinkt,
entsteigen sie dem Bade
als Jungfern ans Gestade.

Es braust der Wind, es saust
das Rohr
die Melodie zum Tanze;
die Lilienmädchen schlingen sich
von selbst zu einem Kranze
und schweben leis umher im Kreis,
Gesichter weiß, Gewänder weiß,
bis ihre bleichen Wangen
mit zarter Röte prangen.

Es braust der Sturm, es saust
das Rohr,
es pfeift im Tannenwalde,
die Wolken ziehn am Monde hin,
die Schatten auf der Halde;
und auf und ab durchs
nasse Gras
dreht sich der Reigen ohne Maß,
und immer lauter schwellen
ans Ufer an die Wellen.

Da hebt ein Arm sich aus der Flut,
die Riesenfaust geballet,
ein triefend Haupt dann,
schilfbekränzt,
vom langen Bart umwallet,
und eine Donnerstimme schallt,
daß im Gebirg es widerhallt:
»Zurück in eure Wogen,
ihr Lilien ungezogen!«

Da stockt der Tanz – die Mädchen
schrein
und werden immer blässer.
»Der Vater ruft: puh! Morgenluft!
zurück in das Gewässer!«
Die Nebel steigen aus dem Tal,
es dämmert schön der
Morgenstrahl,
und Lilien schwanken wieder
im Wasser auf und nieder.

*Von August Schnezler*

# Die Hexe Lorelei

Es ist schon spät, es wird schon kalt,
was reitst du einsam durch den Wald?
der Wald ist lang, du bist allein,
du schöne Braut! Ich führ' dich heim!

»Groß ist der Männer Trug und List,
vor Schmerz mein Herz gebrochen ist,
wohl irrt das Waldhorn her und hin,
o flieh! du weißt nicht, wer ich bin.«

So reich geschmückt ist Roß und Weib,
so wunderschön der junge Leib,
jetzt kenn ich dich – Gott steh mir bei!
du bist die Hexe Lorelei.

»Du kennst mich wohl – von hohem Stein
schaut still mein Schloß tief in den Rhein.
Es ist schon spät, es wird schon kalt,
kommst nimmermehr aus diesem Wald!«

*Von Joseph Freiherr von Eichendorff*

# Lore Lay, die Zauberin

Zu Bacharach am Rheine
wohnt eine Zauberin,
die war so schön und feine
und riß viel Herzen hin,

und machte viel zu Schanden
der Männer rings umher,
aus ihren Liebesbanden
war keine Rettung mehr.

Der Bischof ließ sie laden
vor geistliche Gewalt,
und mußte sie begnaden,
so schön war ihr Gestalt!

Er sprach zu ihr gerühret:
»Du arme Lore Lay,
wer hat dich denn verführet
zu böser Zauberei?«

»Herr Bischof, laßt mich sterben,
ich bin des Lebens müd,
weil jeder muß verderben,
der mir ins Auge sieht.

Mein' Augen sind zwei Flammen,
mein Arm ein Zauberstab –
o legt mich in die Flammen,
o brechet mir den Stab!

Ich darf nicht länger leben,
ich liebe keine mehr,
den Tod sollt ihr mir geben,
drum kam ich zu euch her.

Mein Schatz hat mich betrogen,
hat sich von mir gewandt,
ist fort von hier gezogen,
dort in ein fremdes Land.

Die Augen sanft und milde,
die Wangen rot und weiß,
die Worte still und milde,
das ist mein Zauberkreis.

Ich selbst muß drin verderben,
das Herz tut mir so weh,
vor Schmerzen möcht ich sterben,
wenn ich mein Bildnis seh.

Drum laßt mein Recht mich finden,
mich sterben wie ein Christ,
denn alles muß verschwinden,
weil er nicht bei mir ist.«

Drei Ritter läßt er holen:
»Bringt sie ins Kloster hin!
Geh, Lore! Gott befohlen
sei dein berückter Sinn.

Du sollst ein Nönnchen werden,
ein Nönnchen schwarz und weiß,
bereite dich auf Erden
zu deiner Todesreis.« –

Zum Kloster nun sie ritten,
die Ritter alle drei,
und traurig in der Mitten
die schöne Lore Lay.

»O Ritter, laßt mich gehen
auf diesen Felsen groß,
ich will noch einmal sehen
nach meines Liebsten Schloß.«

Der Felsen ist so jähe,
so steil ist seine Wand,
da klimmt sie in die Höhe,
bis daß sie oben stand.

Die Jungfrau sprach: »Da gehet
ein Schifflein auf dem Rhein,
der in dem Schifflein stehet,
der soll mein Liebster sein!

Mein Herz wird mir so munter,
es muß mein Liebster sein!«
Da lehnt sie sich hinunter,
und stürzet in den Rhein.

*Die Sage von der schönen Zauberin, die auf dem Loreley-Felsen im Rhein bei Oberwesel sitzt und vorbeifahrenden Matrosen Unglück bringt, hat Clemens von Brentano (1778–1842) zu diesem Gedicht angeregt.*

# Die Lorelei

Ich weiß nicht, was soll es
bedeuten,
daß ich so traurig bin;
ein Märchen aus uralten Zeiten,
das kommt mir nicht aus dem Sinn.

Die Luft ist kühl und es dunkelt,
und ruhig fließt der Rhein;
der Gipfel des Berges funkelt
im Abendsonnenschein.

Die schönste Jungfrau sitzet
dort oben wunderbar,
ihr goldenes Geschmeide blitzet,
sie kämmt ihr goldenes Haar.

Sie kämmt es mit goldenem
Kamme,
und singt ein Lied dabei;
das hat eine wundersame,
gewaltige Melodei.

Den Schiffer im kleinen Schiffe
ergreift es mit wildem Weh;
er schaut nicht die Felsenriffe,
er schaut nur hinauf in die Höh.

Ich glaube, die Wellen
verschlangen
am Ende Schiffer und Kahn.
Und das hat mit ihrem Singen
die Lorelei getan.

*Von Heinrich Heine. Die beiden folgenden
Balladen zum Lorelei-Thema gehören eigentlich
in andere Kapitel, werden jedoch um des originellen
Zusammenhanges willen hier in Fortsetzung
gebracht.*

# Der Handstand auf der Loreley

Die Loreley, bekannt als Fee und Felsen,
ist jener Fleck am Rhein, nicht weit von Bingen,
wo früher Schiffer mit verdrehten Hälsen,
von blonden Haaren schwärmend, untergingen.

Wir wandeln uns. Die Schiffer inbegriffen.
Der Rhein ist reguliert und eingedämmt.
Die Zeit vergeht. Man stirbt nicht mehr beim Schiffen,
bloß weil ein blondes Weib sich dauernd kämmt.

Nichtsdestotrotz, geschieht auch heutzutage
noch manches, was der Steinzeit ähnlich sieht.
So alt ist keine deutsche Heldensage,
daß sie nicht doch noch Helden nach sich zieht.

Erst neulich machte auf der Loreley
hoch überm Rhein ein Turner einen Handstand!
Von allen Dampfern tönte Angstgeschrei,
als er kopfüber oben auf der Wand stand.

Er stand, als ob er auf dem Barren stünde.
Mit hohlem Kreuz. Und lustbetonten Zügen.
Man fragte nicht: Was hatte er für Gründe?
Er war ein Held. Das dürfte wohl genügen.

Er stand, verkehrt, im Abendsonnenscheine.
Da trübte Wehmut seinen Turnerblick.
Er dachte an die Loreley von Heine.
Und stürzte ab. Und brach sich das Genick.

Er starb als Held. Man muß ihn nicht beweinen.
Sein Handstand war vom Schicksal überstrahlt.
Ein Augenblick mit zwei gehobnen Beinen
ist nicht zu teuer mit dem Tod bezahlt!

P.S. Eins wäre allerdings noch nachzutragen:
Der Turner hinterließ uns Frau und Kind.
Hinwiederum, man soll sie nicht beklagen.
Weil im Bezirk der Helden und der Sagen
die Überlebenden nicht wichtig sind.

*Von Erich Kästner (1899–1974) nach einer
wahren Begebenheit.*

# Die Loreley

Grüß Gott und ich habe die Ehre,
das heißt, ich bin halt so frei,
Sie werden mich alle wohl kennen,
man heißt mich kurz die Loreley.
Was wurd über mich schon gesungen
und offen muß ich es gestehn
und niemand hat mich noch gesehn
und ich bin doch so fabelhaft schön!

Viel tausend Jahr hock ich hier oben
bei Sonnenschein, Regen und Schnee
auf diesem steinigen Felsblock,
mir tut schon mein Rückgebäud weh.
Ich singe und zupfe die Harfe,
ich wüßt ja net, was i sonst tat,
ich weiß nicht, was soll es bedeuten,
das Lied wird mir jetzt schon bald fad!

Wenn morgens vom Schlaf ich erwache,
dann kämm ich mein goldenes Haar,
das ist ja mein einziger Reichtum
denns Gold is gegnwärtig rar.
Ich gäbe zwar Gold her für Eisen,
da mach ich mir schließlich nix draus,
doch eiserne Haar –! 's wär a Blödsinn,
des haltet mei Kampe net aus!

Ich hab keine menschliche Seele,
ich leb nur als Märchen dahin,
drum ist es auch ganz leicht erklärlich,
daß viel tausend Jahr alt ich bin.
Wär ich eine menschliche Jungfrau,
ich sage es offen heraus,
hielt ich es so viel tausend Jahre
allein da heroben net aus!

Ein Schiffer, ein bildschöner Jüngling,
fährt oft mit dem Kahn hier vorbei,
er liebt nur ein einziges Wesen,
er liebt nur mich, die Loreley.
Da kommt er schon wieder gefahren,
was willst denn, du närrischer Tropf,
wenn du dich net glei aus dem Staub machst,
dann wirf i dir d'Musik an Kopf!

Nun haben d' Loreley Sie gesehen,
vergessen Sie nie diese Pracht,
und nun werd ich wieder verschwinden,
es dunkelt schon heimlich die Nacht,
's wird finster und immer finsterer
und langsam geh ich zur Ruh,
und daß wissen, daß aus is,
dreh ma das Mikrophon zu.

*Von Karl Valentin (1882–1948)*

# Die Hexe und der Königssohn

»Gott grüß dich, junge Müllerin!
Heut wehen die Lüfte wohl
schön?« –
»Laßt sie wehen von Morgen und
Abend,
meine leere Mühle zu drehn!«

»Die stangenlangen Flügel,
sie haspeln dir eitel Wind?« –
»Der Herr ist tot, die Frau ist tot:
da feiert das Gesind.« –

»So tröste sich Leid mit Leide!
Wir wären wohl gesellt:
ich irr, ein armer Königssohn,
landflüchtig durch die Welt.

Und drunten an dem Berge
die Hütte dort ist mein;
da liegt auch meine Krone,
Geschmuck und Edelstein.

Willt meine Liebste heißen,
so sage, wie und wann
an Tagen und in Nächten
ich zu dir kommen kann!« –

»Ich bind eine güldne Pfeife
wohl an den Flügel hin,
daß sie sich helle hören läßt,
wann ich daheime bin.

Doch wollt Ihr bei mir wohnen,
sollt mir willkommen sein:
mein Haus ist groß und weit
mein Hof,
da wohn ich ganz allein.« –

Der Königssohn mit Freuden
ihr folget in ihr Haus;
sie tischt ihm auf – kein Edelhof
vermöchte so stattlichen Schmaus –

Schwarzwild und Rebhuhn, Fisch
und Met:
er fragt nicht lang woher.
Sie zeigt so stolze Sitten,
des wundert er sich sehr.

Die erste Nacht, da er kost mir ihr,
in das Ohr ihm sagte sie: »Wißt!
eine Jungfrau muß ich bleiben,
so lieb Euer Leben Euch ist!« –

Einsmals da kam der Königssohn
zu Mittag von der Jagd,
unfrohgemut, doch barg er sich,
sprach lachend zu seiner Magd:

»Die Leute sagten mir neue Mär
von dir und böse dazu;
Sankt Jörgens Drach' war minder
schlimm,
wenn man sie hört, denn du.« –

»Sie sagen, daß ich ein falsches
Ding,
daß ich eine Hexe sei?« –
»Nun ja, mein Schatz, so sprechen
sie:
eine Hexe, meiner Treu!

Ich dachte: wohl, ihr Narren,
ihr lüget nicht daran;
mit den schwarzen Augen
aufs erstemal
hat sie mirs angetan.

Und länger ruh ich keinen Tag,
bis daß ich König bin,
und morgen zieh ich auf die Fahrt:
aufs Jahr bist du Königin.«

Sie blitzt ihn an wie Wetterstrahl,
sie blickt ihn an so schlau:
»Du lügst in deinen Hals hinein,
du willt kein' Hex' zur Frau.

Du willt dich von mir scheiden;
das mag ja wohl geschehn:
sollt aber von der schlimmen Gret
noch erst ein Probstück sehn.« –

»Ach, Liebchen, ach, wie hebet
sich,
wie wallet dein schwarzes Haar!
und rühret sich kein Lüftchen
doch –
o sage, was es war!

Schon wieder, ach, und wieder!
Du lachest, und mir graut,
es singen deine Zöpfe – weh!
du bist die Windesbraut!« –

»Nicht seine Braut, doch ihm
vertraut;

meine Sippschaft ist gar groß.
Komm, küsse mich! ich halte dich
und lasse dich nimmer los.

O pfui, das ist ein schief Gesicht!
du wirst ja kreideweiß.
Frisch, munter, Prinz! ich gebe dir
mein bestes Stücklein preis.«

Rührlöffel in der Küch' sie holt,
Rührlöffel ihrer zwei,
war jeder eine Elle lang,
waren beide nagelneu.

»Was guckst du so erschrocken?
denkst wohl, es gäbe Streich'?
Nicht doch, Herzliebster; warte
nur!
dein Wunder siehst du gleich.«

Auf den obern Boden führt sie ihn.
»Schau, was ein weiter Platz!
wie ausgeblasen, hübsch und rein!
Hie tanzen wir, mein Schatz.

Schau, was ein Nebel zieht am
Berg!
gib acht! ich tu ihn ein.«
Sie beugt sich aus dem Laden weit,
die Geister zu bedräun:

Sie wirbelt übereinander
ihre Löffel so wunderlich,
sie wickelt den Nebel und wickelt
und wirft ihn hinter sich.

Sie langt hervor ein Saitenspiel,
sah wie ein Hackbrett aus,
sie rühret es nur leise:
es zittert das ganze Haus.

»Teil dich, teil dich, du
Wolkendunst!
ihr Geister, geht herfür!
lange Männer, lange Weiber, seid
hurtig zu Dienste mir!«

Da fangt es an zu kreisen,
da wallet es hervor,
lange Arme, lange Schleppen,
und wieget sich im Chor.

»Faßt mir den dummen Jungen da!
geschwinde wickelt ihn ein!
Er hat mein Herz gekränkt,
das soll er mir bereun!«
Den Jüngling von dem Boden
hebt's,

es dreht ihn um und um,
es trägt ihn als ein Wickelkind
dreimal im Saal herum.

Margret ein Wörtlein murmelt,
klatscht in die Hand dazu:
da fegt es wie ein Wirbelwind
durchs Fenster fort im Nu.

Und fähret über die Berge,
den Jüngling mitten inn'.
Und fort, bis wo der Pfeffer wächst –
o Knabe, wie ist dir zu Sinn?

Und als er sich besonnen,
lag er im grünen Gras
hoch oben auf dem Seegestad;
die Liebste bei ihm saß.

Ein Teppich war gebreitet,
köstlich gewirket, bunt,
darauf ein lustig Essen
in blankem Silber stund.

Und als er sich die Augen reibt
und schaut sich um und an,
ist sie wie eine Prinzessin schön,
wie ein Prinz er angetan.

Sie lacht ihn an wie Maienschein,
da sie ihm den Becher beut,
sie legt den Arm um seinen Hals:
vergessen war all sein Leid.

Da ging es an ein Küssen,
er kriegt nicht satt an ihr;
fürwahr ihr güldner Gürtel wär
zu Schaden kommen schier.

»Ach, Liebchen, ach, wie wallet
hoch
dein schwarzes Ringelhaar!
Warum mich so erschrecken jetzt?
Nun ist meine Freude gar.« –

»Rück her, rück her! sei nicht so
bang!
Nun sollt du erst noch sehn,
wie lieblich meine Arme tun,
komm! es ist gleich geschehn.«

Sie drückt ihn an die Brüste,
der Atem wird ihm schwer;
sie heult ein grausiges Totenlied
und wirft ihn in das Meer.

*Von Eduard Mörike.*

# Es waren zwei Königskinder

Es waren zwei Königskinder,
die hatten einander so lieb;
sie konnten zusammen nicht kommen,
das Wasser war viel zu tief.

»Ach Liebster, könntest du schwimmen,
so schwimm doch herüber zu mir!
Drei Kerzen will ich anzünden,
und die sollen leuchten zu dir.«

Das hört ein falsches Nörnchen,
die tät als wenn sie schlief;
sie tät die Kerzlein auslöschen,
der Jüngling ertrank so tief.

Es war an ei'm Sonntagmorgen,
die Leut waren alle so froh;
nicht so die Königstochter,
ihr Augen saßen ihr zu.

»Ach Mutter, herzliebste Mutter,
mein Kopf tut mir so weh!
Ich möcht so gern spazieren
wohl an die grüne See.«

»Ach Tochter, herzliebste Tochter,
allein sollst du nicht gehn,
weck auf dein jüngste Schwester,
und die soll mit dir gehn!«

»Ach Mutter, herzliebste Mutter,
meine Schwester ist noch ein Kind,
sie pflückt ja all die Blümlein,
die auf Grünheide sind.«

»Ach Tochter, herzliebste Tochter,
allein sollst du nicht gehn,
weck auf dein jüngsten Bruder
und der soll mit dir gehn!«

»Ach Mutter, herzliebste Mutter,
mein Bruder ist noch ein Kind,
der schießt ja all die Vöglein,
die auf Grünheide sind.«

Die Mutter ging nach der Kirche,
die Tochter hielt ihren Gang,
sie ging so lang spazieren,
bis sie den Fischer fand.

»Ach Fischer, liebster Fischer,
willst du verdienen groß Lohn,
so wirf dein Netz ins Wasser
und fisch mir den Königssohn!«

*Volksballade, die sich auf die antike
Sage von Hero und Leander bezieht.
In vielfältigen Varianten über den
gesamten deutschsprachigen und
skandinavischen Raum verbreitet.*

Er warf das Netz ins Wasser,
es ging bis auf den Grund;
er fischte und fischte so lange,
bis er den Königssohn fund.

Sie schloß ihn in ihre Arme
und küßt seinen bleichen Mund:
»Ach Mündlein, könntest du
sprechen,
so wär mein jung Herze gesund!«

Was nahm sie von ihrem Haupte?
ein goldne Königskron:
»Sieh da, du wohledler Fischer,
hast dein verdienten Lohn!«

Was zog sie von ihrem Finger?
ein Ringlein von Gold so rot:
»Sieh da, du wohledler Fischer,
kauf deinen Kindern Brot!«

Sie schwang sich um ihren Mantel
und sprang wohl in die See:
»Gut Nacht, mein Vater und Mutter,
ihr seht mich nimmermeh!«

Da hört man Glöcklein läuten,
da hört man Jammer und Not,
hier liegen zwei Königskinder,
die sind alle beide tot!

# ...die hatten sich so lieb

Zwei schöne, liebe Kinder,
die hatten sich so lieb,
daß eines dem andern im Winter
mit Singen die Zeit vertrieb,
diesseit und jenseit dem Wasserfall
höret ihr immer den Doppelschall.

Der Winter bauet Brücken,
sie beide hat vereint,
und jedes mit frohem Entzücken
die Brücke nun ewig meint;
diesseit und jenseit am Wasserfall
wohnten die Eltern getrennt im
Tal.

Der Frühling ist gekommen,
das Eis will nun aufgehn,

da werden sie beide beklommen,
die laulichen Winde wehn;
diesseit und jenseit am Wasserfall
stürzen die Bächlein mit
wildem Schall.

Was hilft der helle Bogen,
womit der Fall entzückt,
von ihnen so liebreich erzogen,
zum erstenmal bunt geschmückt?
diesseit und jenseit am Wasserfall
hört sie klagen getrennt im Tal.

Die Vögel über fliegen,
die Kinder traurig stehn
und müssen sich einsam
begnügen,

einander von ferne zu sehn;
diesseit und jenseit am Wasserfall
kreuzen die Schwalben mit
lautem Schall.

Sie möchten zusammen mit
Singen,
so wie der Vöglein Brut,
den himmlischen Frühling
verbringen,
das Scheiden so wehe tut;
diesseit und jenseit am Wasserfall
sehn sie sich endlich zum
letztenmal.

Der Knabe kriegt zur Freude
ein Röckchen wie ein Mann,
das Mädchen ein Kleidchen
von Seide,
nun gehet die Schule an;
diesseit und jenseit am Wasserfall
gehn sie zum Kloster bei
Glockenschall.

Sie sahn sich lange nicht wieder,
sie kannten sich nicht mehr,
das Mädchen mit vollem Mieder,
der Knabe ein Mönch schon wär';
diesseit und jenseit am Wasserfall
kamen und riefen sie sich im Tal.

Das Mädchen ruft so helle,
der Knabe singt so tief;
verstehn sich endlich doch schnelle,
als alles im Hause schlief;
diesseit und jenseit am Wasserfall
springen im Mondschein die
Fische all.

Froh in der nächt'gen Frische
sie kühlen sich im Fluß,
sie können nicht schwimmen
wie Fische
und suchen sich doch zum Kuß;
diesseit und jenseit am Wasserfall
reißen die Strudel sie fort mit Schall.

Die Eltern hören singen
und schaun aus hohem Haus,
zwei Schwäne im Sternenschein
ringen
zum Dampfe des Falls hinaus;
diesseit und jenseit am Wasserfall
hören sie Echo mit lautem Schall.

Die Schwäne herrlich sangen
ihr letztes schönstes Lied,
und leuchtende Wölkchen
hangen,
manch Engelein niedersieht;
diesseit und jenseit am
Wasserfall
schwebet wie Blüte ein
süßer Schall.

Der Mond sieht aus dem Bette
des glatten Falls empor,
die Nacht mit der Blumenkette
erhebet zu sich dies Chor;
diesseit und jenseit am
Wasserfall
grünt es von Tränen nun
überall.

*Von Achim von Arnim*

# Das versunkene Schloß

Bei Andernach am Rheine
liegt eine tiefe See;
stiller wie die ist keine
unter des Himmels Höh.
Einst lag auf einer Insel
mitten darin ein Schloß,
bis krachend mit Gewinsel
es tief hinunter schoß.

Da find't nicht Grund noch Boden
der Schiffer noch zur Stund,
was Leben hat und Odem,
ziehet hinab der Schlund. –
So schritten zween Wandrer
zu Abend da heran,
zu ihnen trat ein andrer,
bot ihnen Gruß fortan.

»Könnt, wie vor grauen Tagen
das Schloß im See versank,
ihr mir die Kunde sagen,
so habet dessen Dank.
Ich wandre schon seit Jahren
die Lande aus und ein,
manch Wunder zu bewahren
in meines Herzens Schrein.«

Der jüngste von den zween
bereit der Frage war,
er sprach: das soll geschehen,
so wie ichs hörte zwar.
»Als noch die Burgen stunden,
lebt da ein Ritter gut,
in Trauer fest gebunden,
grämt er den stolzen Mut.

Warum er das muß dulden,
hat keiner noch gesagt;
ob alter Väter Schulden
ihm das Gericht gebracht,
ob eigne Missetaten
ihn rissen in den Schlund,
wo keiner ihm mag raten
in offnen Grabes Mund.«

So sprach von jenen Leiden
der jüngste an dem Ort,
der Fremdling dankt den beiden,
als traut er wohl dem Wort.
Der Alte sprach: »Mitnichten,
wie sprichst du falsch, o Sohn!
Es soll der Mensch nicht richten,
find't jeder seinen Lohn.

Wahr ist's, es hausen Geister
da unten wundervoll,
doch nimmer sind sie Meister,
wer wandelt fromm und wohl.
Der Ritter, gut und bieder,
war ehrentreu und recht,
noch rühmen alte Lieder
das edele Geschlecht.

Nur daß so schwere Trauer
das Herz ihm hält umspannt,
drum sucht er öde Schauer,
all Freude weit verbannt,
und des Gesanges Klagen
sind seine einz'ge Lust:
nur diese Wellen schlagen
einsam an seine Brust.

Wohl jene Wasser drunten
sind voller Klag und Schmerz,
stets einsam wohnt dort unten,
wem sie gerührt das Herz.
Denn alles was vergangen,
schwebt lockend vor dem Blick,
es steigt aus dem Gesange
klagend die Welt zurück.

Die Gegenwart verschwindet,
die Zukunft wird uns hell,
und was die Menschen bindet,
geht unter in dem Quell.
Wer in den Schwermutswogen
das Licht im Auge hält,
hat hier schon überflogen
die Banden dieser Welt.

So dünkt mich, daß die Geister
durch Neid in ihrem Grab
ihn, des Gesanges Meister,
zogen den Schlund hinab.
Wir sehn, wie jedes Schöne
des Todes Wurm verdirbt,
schnell fliehen so die Töne,
und der Gesang erstirbt.

Wem alle Zukunft offen,
klar die Vergangenheit,
setzt oben hin sein Hoffen,
flieht aus der starren Zeit.
Und wenn er nicht so dächte,
so haßt das Ird'sche ihn;
wo es den Tod ihm brächte,
lockt es ihn schmeichelnd hin.«

So treten nun die dreie
tiefer in dunkeln Wald;
wie er des Danks sie zeihe,
ersinnt der Fremd' alsbald.
»Und liebt ihr denn Gesänge,
ich bin Gesanges reich,
so sollen Wunderklänge
erfreun euch alsogleich.«

Es hebt von allen Seiten
Gesang zu klingen an,
bald klagend wie von weiten,
bald schwellend himmelan.
Wie Meereswellen brausen,
bricht's überall hervor,
mit Lust und doch mit Grausen,
hört es ihr staunend Ohr.

Der Fremd' ist nicht zu sehen,
doch scheint ein Riesenbild
fern übern See zu gehen,
wie Abendwolken mild;
und wie hinaufgezogen
sehn sie, die ihm nachschaun,
rauschen empor die Wogen,
sehn es mit Lust und Graun.

*Von Friedrich von Schlegel (1772–1829)*

# Die Zauberin im Leuchtturm

Des Zauberers sein Mägdlein saß
in ihrem Saale rund von Glas,
sie spann beim hellen Kerzenschein
und sang so glockenhell darein.
Der Saal, als eine Kugel klar,
in Lüften aufgehangen war
an einem Turm auf Felsenhöh,
bei Nacht hoch ob der wilden See
und hing in Sturm und Wettergraus
an einem langen Arm hinaus.
Wenn nun ein Schiff in Nächten schwer
sah weder Rat noch Rettung mehr,
der Lotse zog die Achsel schief,
der Hauptmann alle Teufel rief,
auch der Matrose wollt verzagen:
»o weh mir armen Schwartenmagen!« –
Auf einmal scheint ein Licht von fern,
als wie ein heller Morgenstern.
Die Mannschaft jauchzet überlaut:

»Heida! jetzt gilt es trockne Haut!«
Aus allen Kräften steuert man
jetzt nach dem teuren Licht hinan:
das wächst und wächst und leuchtet fast
wie einer Zaubersonne Glast,
darin ein Mägdlein sitzt und spinnt,
sich beuget ihr Gesang im Wind.
Die Männer stehen wie verzückt,
ein jeder nach dem Wunder blickt
und horcht und staunet unverwandt,
dem Steuermann entsinkt die Hand,
hat keiner acht mehr auf das Schiff;
das kracht mit eins am Felsenriff,
die Luft zerreißt ein Jammerschrei:
»Herr Gott im Himmel, steh uns bei!«
Da löscht die Zauberin ihr Licht;
noch einmal aus der Tiefe bricht
verhallend Weh aus einem Mund:
Da zuckt das Schiff und sinkt zu Grund.

*Von Eduard Mörike*

# König Hakons letzte Meerfahrt

»Was sitzest du, gelehnt ans Schwert,
mein König, hier auf dem Stein
und neigst das edle Haupt zur Erd'
und schaust so finster drein?

Liegt Erich nicht erschlagen im Tal,
floh nicht Jorund davon,
und sitzt dir jetzt nicht noch einmal
so fest die Königskron'?«

»Liegt Erich gleich im Tal der Schlacht,
floh gleich Jorund davon,
mir sinket doch noch vor der Nacht
vom Haupt die Königskron'!«

»O Hakon, edler König mein,
wie sollte das geschehn?
Schon bricht gemach der Abend ein,
und läßt kein Feind sich sehn.«

»Wohl Abend wird's, wohl naht die Nacht,
reich deinen Mantel mir;
der Kampf hat mir so heiß gemacht,
daß nun ich fast erfrier.«

»Nimm hin, mein König, er ist nicht weich,
doch wärmt er dich zur Not.
Doch weh, o weh! – wie wirst du bleich,
wie wird mein Mantel rot!«

»Mag sein, mag sein, was kümmert's dich,
die Farb' ist echt und gut,
und spottet einer drob, so sprich:
's ist König Hakons Blut!«

»O weh, mein König, wert und lieb,
so bist du todeswund?
Und ich geringer Dienstmann blieb
vom Kopf zum Fuß gesund.«

»Laß gut sein, Alter, trockne schnell
die Träne dir vom Bart;
des Königs Hakon Kriegsgesell
sei nicht so weicher Art.

Hör jetzt in meiner letzten Stund'
mein letzt Gebot noch an
und richt' es treulich aus jetzund,
wie du es stets getan.

Wenn kalt mein Herzschlag nimmer sich
im Panzer regt, so lad'
auf deine treuen Schultern mich
und trag mich ans Gestad!

Bemanne das beste Schiff im Reich
mit jenen Toten der Schlacht
und mitten hinein setz meine Leich'
in schwarzer Eisentracht.

Drauf stecke lustig den Bord in Brand
und hisse die Segel auf
und laß vom teuern Schwedenstrand
dem Kiele freien Lauf.

Gebeut dann über dies Reich Jorund,
den ich im Kampf besiegt:
gebeut er doch nicht über den Grund,
drin König Hakon liegt!«

Und stolz erhebt er noch einmal
das Haupt und zuckt vor Schmerz
und seufzt und sinket schlaff und fahl
an seines Dieners Herz.

Der drückt die Augen, so lind er kann,
ihm zu mit harter Hand
und trägt auf seinen Schultern dann
hinab ihn an den Strand.

Er setzt die Toten steif und blaß
an Bord mit Schild und Speer,
die glotzen da wohl grimmig und graß
hinaus ins dunkle Meer.

Er setzt den König auf dem Verdeck
mit Speer und Schild zu Thron,
als zieh er, wie sonst der Feinde Schreck,
zu Schlacht und Sieg davon.

Er steckt den Bord in hellen Brand,
er hißt die Segel auf
und läßt dann los vom finstern Strand
das lodernde Schiff zum Lauf.

Es schweift hinaus, und strahlt und blinkt
noch her aus weiter Fern',
bis mit dem Helden es untersinkt
wie ein verlöschender Stern.

*Von Karl Gottfried von Leitner (1800–1890)*
*nach einer Sage um den norwegischen König*
*Hakon (1217–1263)*

# Herrn Winfreds Meerfahrt

Herr Winfred fuhr auf schwarzem Schiff,
er wollte fahren nach Islands Riff,
er wollte holen die Braut zur See,
das bracht ihm gräßliches Todesweh;
hoch schlagen die Wogen am Borde.

Herr Winfred hoch am Maste stand,
er trug ein funkelndes Stahlgewand,
das blitzte hinunter und strahlt und glimmt;
die Nixe auf brausender Welle schwimmt;
hoch schlagen die Wogen am Borde.

Herr Winfred, komm in mein Schlößlein blau!
ich will dich letzen mit Perlentau;
du hast einen Helm von Golde klar,
viel goldner flutet dein Lockenhaar;
hoch schlagen die Wogen am Borde.

Herr Winfred sprach: Du falsches Bild!
ich mag nicht tauchen ins Meergefild,
du hast einen Leib, halb Maid, halb Fisch,
und wohnst im kochenden Strudelgezisch;
hoch schlagen die Wogen am Borde.

Da wurde die Fei zur Wog' in Hast
und leckte hinauf am schwarzen Mast,
wollt lecken hinab den Ritter gut;
der stand und lachte im trotzigen Mut;
hoch schlagen die Wogen am Borde.

Da wurde die Fei ein grimmiger Nord,
schlug brüllend an Bug und Steuerbord,
sie schlug den Mast in Stücke drei;
Herr Winfred stand und lachte dabei;
hoch schlagen die Wogen am Borde.

Da wurde zum Fische die schöne Fei
und schwamm an dem Schiffe und war ein Hai,
sie sah wohl hinauf mit dem Aug' voll Wut,
Herrn Winfred gerann sein Herzensblut;
hoch schlagen die Wogen am Borde.

Und er schwang den Speer um das Haupt im Flug
und er schoß ihn im Zorn durch des Tieres Bug,
und als es zuckt' in des Todes Qual,
da sah es hinauf zum letztenmal;
hoch schlagen die Wogen am Borde.

Und als ihn der Blick der Feie fund,
da ward Herr Winfred ein Stein von Stund',
und als sie erfaßte des Auges Bann,
da ward zu Steine so Maus als Mann;
hoch schlagen die Wogen am Borde.

Da ward zu Steine so Mast als Kiel
und stand als Felsen im Wellenspiel.
Noch steht Herr Winfred und schaut vom Bord.
und ewig funkelt das Auge dort;
hoch schlagen die Wogen am Borde.

*Von Moritz Graf von Strachwitz (1822–1847)*
*nach einer Sage*

# Das Schloß am Meere

Hast du das Schloß gesehen,
das hohe Schloß am Meer?
Golden und rosig wehen
die Wolken drüber her.

Es möchte sich niederneigen
in die spiegelklare Flut,
es möchte streben und steigen
in der Abendwolken Glut.

»Wohl hab ich es gesehen,
das hohe Schloß am Meer
und den Mond darüber stehen
und Nebel weit umher.«

Der Wind und des Meeres Wallen
gaben sie frischen Klang?
Vernahmst du aus hohen Hallen
Saiten und Festgesang?

»Die Winde, die Wogen alle
lagen in tiefer Ruh;
einem Klagelied aus der Halle
hört ich mit Tränen zu.«

Sahest du oben gehen
den König und sein Gemahl,
der roten Mäntel Wehen,
der goldnen Kronen Strahl?

Führten sie nicht mit Wonne
eine schöne Jungfrau dar,
herrlich wie eine Sonne,
strahlend im goldnen Haar?

»Wohl sah ich die Eltern beide
ohne der Kronen Licht,
im schwarzen Trauerkleide;
die Jungfrau sah ich nicht.«

*Von Ludwig Uhland*

# Der Stromgott

Morgengraun. Die Karawane windet sich dem Nil zur Seite,
eine Rede dröhnt und murmelt über dunkler Stromesbreite.

Längs dem Ufer nippen durstig silbergraugeperlte Tauben,
trinken Ibisse mit blankem Flügelpaar und schwarzen Hauben

Nil, der segenreiche Vater, sorgt für alle seine Kinder,
speist und tränkt aus seiner Fülle keines mehr und keines minder –

Neben einem braunen Reiter ein gebundner Knabe wandelt,
Joseph ist's, von seinen Brüdern in die Sklaverei verhandelt.

Taub' und Ibis flattern nur um wenig Flügelschläge weiter.
Joseph lauscht des Stromes Worten. Ruhig sitzt der stumme Reiter.

»Knabe, deine Blicke trauern! Jüngling, deine Füße bluten!
Dich verkauften deine Brüder... Sei willkomm an meinen Fluten!

Joseph, fremder Knabe Joseph, du gefesselter, du müder,
bist du einst der Herr der Ernten, speise deine schlimmen Brüder!

Knabe Joseph!« rauscht es dumpfer. Das erstaunte Kind
in Banden
tröstet sich des güt'gen Grußes, bleibt er auch ihm un-
verstanden.

Auf des Niles weiten Wassern ist des Stromgotts Wort
verschollen,
nur ein Antlitz schwimmt und schimmert, dessen Haare
lockig rollen …

Jetzt beleben sich die Pfade. Schiffe blähen ihre Flügel.
Kleebeladene Kamele wandern, sanftbewegte Hügel.

Frauen kommen mit dem schlanken Kruge, die gemessen schreiten
in verhülltem, stillem Zuge, wie die Jahre, wie die
Zeiten …

Aus der ahnungsvollen Ferne ragen Spitzen, hell besonn-
te,
steigen wie beschneite Gipfel weiß am reinen Horizonte –

Joseph schaut empor zum Reiter: »Mit dir meiner Väter
Frieden!
Herr, wie nennst du dort die Berge?« »Kind, du schaust
die Pyramiden!«

*Von Conrad Ferdinand Meyer.*

# Der Seekönig

Ich seh von des Schiffes Rande
tief in die Flut hinein;
Gebirge und grüne Lande
und Trümmer im falben Schein
und zackige Türme im Grunde,
wie ichs oft im Traum mir gedacht,
das dämmert alles da unten
als wie eine prächtige Nacht.

Seekönig auf seiner Warte
sitzt in der Dämmerung tief,
als ob er mit langem Barte
über seiner Harfe schlief;
da kommen und gehen die Schiffe
darüber, er merkt es kaum,
von seinem Korallenriffe
grüßt er sie wie im Traum.

*Von Joseph Freiherr von Eichendorff*

# Der Schmied auf Helgoland

Meister Oluf, der Schmied auf Helgoland,
stand noch vor dem Amboß um Mitternacht;
laut heulte der Wind am Meeresstrand,
da pocht es an seiner Tür mit Macht.

»Heraus, heraus, beschlag mir mein Roß,
ich muß noch weit und der Tag ist nah!«
Meister Oluf öffnet der Türe Schloß,
ein stattlicher Reiter steht vor ihm da.

Schwarz ist sein Panzer, sein Helm und Schild,
an der Hüfte hängt ihm ein breites Schwert,
sein Rappe schüttelt die Mähne gar wild
und stampfet mit Ungeduld die Erd!

Woher so spät? Wohin so schnell?
»Auf Norderney kehrt ich gestern ein,
mein Pferd ist rasch, die Nacht ist hell,
vor der Sonn' muß ich in Norwegen sein.«

Hättet ihr Flügel, so glaubt ich's gern!
»Mein Rappe läuft wohl mit dem Wind!
Doch bleibet schon da und dort ein Stern,
drum her mit dem Eisen und mach geschwind!«

Meister Oluf nimmt das Eisen zur Hand,
es ist zu klein, doch dehnt es sich aus,
und wie es wächst um des Hufes Rand,
da fassen den Meister Angst und Graus.

Der Reiter sitzt auf, es klirrt sein Schwert.
»Nun, Meister Oluf, gute Nacht!
Wohl hast du beschlagen Odins Pferd,
ich eile hinüber zur blutigen Schlacht.«

Der Rappe schießt fort über Land und Meer,
um Odins Haupt erglänzet ein Licht;
zwölf Adler fliegen hinter ihm her,
sie fliegen schnell und erreichen ihn nicht.

*Von Wilhelm A. Schreiber (1761–1841)*

# Danhauser

Nun will ich aber heben an
von dem Danhauser singen,
und was er Wunders hat getan
mit Venus, der edlen Minnen.

Danhauser war ein Ritter gut
er tat der Wunder schauen
er wohnte in Frau Venus Berg
bei Venus der schönen Frauen.

»Euer Minne ist mir worden leid;
zu gehen hab ich im Sinne,
Frau Venus, edle Fraue zart,
Ihr seid eine Teufeline.«

»Herr Danhauser, ihr seind
mir lieb,
daran sollt ihr gedenken!
Ihr habt mir einen Eid geschwor'n
Ihr wöllt von mir nit wenken.«

»Mein Leben das ist worden krank,
ich mag nit länger bleiben.
Nun gebt mir Urlaub, Fräulein
zart,
von eurem stolzen Leibe!«

»Herr Danhauser, nit reden also!
Ihr tut euch nit wohl besinnen.
So gehn wir in ein Kämmerlein.
Und spielen der edlen Minne!«

»Frau Venus, das en will ich nit,
ich mag nit länger bleiben.
Maria Mutter, reine Maid,
nun hilf mir von dem Weibe!«

Do schied er wieder aus dem Berg
in Jammer und in Reuen:
ich will gen Rom wohl in die Stadt
auf eines Papstes Treuen.

Nun fahr ich fröhlich auf die Bahn,
Gott, der tut immer walten!
Zu einem Papst, der heißt Urban,
ob er mich möcht behalten.

»Ach Papste, lieber Herre mein!
Ich klag euch hie mein Sünde,
die ich mein Tag begangen hab,
als ich euchs will verkünden.

Ich bin gewesen auch ein Jahr
bei Venus, einer Frauen.
So wollt ich Buß und Beicht
entpfahn
ob ich möcht Gott anschauen.«

Der Papst hat ein Stäblein
in seiner Hand,
das was sich also dürre:
»So wenig das Stäblein grünen
mag,
kommst du zu Gottes Hulde!«

Da zog er wiedrum aus der Stadt
in Jammer und in Leiden;
»Maria Mutter, reine Magd,
Muß ich mich von dir scheiden!«

Er zog nun wiedrumb in den Berg
und ewiglich ohn Ende:
»Ich will zu meiner Frauen zart,
dort hin will ich mich wenden.«

»Seid gottwillkommen, Danhauser!
Ich hab eur lang entboren;
Seid gottwillkommen, mein lieber
Herr,
zu einem Buhlen auserkoren!«

*Volksballade. Dieser Text ist die*
*Quelle vieler ähnlicher Bänkelballaden*
*und Lieder, die in ganz Deutschland*
*über die Tannhäuser-Sage verbreitet*
*sind. Die folgende Tannhäuser-Ballade*
*von Heinrich Heine (1797–1856)*
*lehnt sich stellenweise an den Text*
*der Volksballade an.*

Das währet an den dritten Tag,
der Stab hub an zu grünen,
Der Papst schickt aus in alle Land:
Wo der Danhauser wär
hinkummen?

Da war er wieder in dem Berg
Und hätt sein Lieb erkoren;
Deswegen muß der Danhauser
Nun ewig sein verloren!

# Der Tannhäuser

I.

Ihr guten Christen, laßt euch nicht
von Satans List umgarnen!
Ich sing' euch das Tannhäuserlied,
um eure Seelen zu warnen.

Der edle Tannhäuser, ein Ritter gut
wollt Lieb und Lust gewinnen,
da zog er in den Venusberg,
blieb sieben Jahre drinnen.

»Frau Venus, meine schöne Frau,
leb wohl, mein holdes Leben!
Ich will nicht länger bleiben bei dir,
du sollst mir Urlaub geben.«

»Tannhäuser, edler Ritter mein,
hast heut mich nicht geküsset;
küß mich geschwind, und sage mir,
was du bei mir vermisset?

Habe ich nicht den süßesten Wein
tagtäglich dir kredenzet?
Und hab' ich nicht mit Rosen dir
tagtäglich das Haupt bekränzet?«

»Frau Venus, meine schöne Frau,
von süßem Wein und Küssen
ist meine Seele worden krank;
ich schmachte nach Bitternissen.

Wir haben zu viel gescherzt und
gelacht,
ich sehne mich nach Tränen,
und statt mit Rosen möcht ich
mein Haupt
mit spitzigen Dornen krönen «

»Tannhäuser, edler Ritter mein,
du willst dich mit mir zanken;
du hast geschworen viel
tausendmal,
niemals von mir zu wanken.

Komm, laß uns in die Kammer
gehn,
zu spielen der heimlichen Minne;
mein schöner lilienweißer Leib
erheitert deine Sinne.«

»Frau Venus, meine schöne Frau,
dein Reiz wird ewig blühen;
wie viele einst für dich geglüht,
so werden noch viele glühen.

Doch denk ich der Götter und
Helden, die einst
sich zärtlich daran geweidet,
dein schöner lilienweißer Leib,
er wird mir schier verleidet.

Dein schöner lilienweißer Leib
erfüllt mich fast mit Entsetzen,
gedenk ich, wie viele werden sich
noch späterhin dran ergötzen!«

»Tannhäuser, edler Ritter mein,
das sollst du mir nicht sagen,
ich wollte lieber, du schlügest mich,
wie du mich oft geschlagen.

Ich wollte lieber, du schlügest mich,
als daß du Beleidigung sprächest,
und mir, undankbar kalter Christ,
den Stolz im Herzen brächest.

Weil ich dich geliebet gar zu sehr,
hör ich nun solche Worte –
Leb wohl, ich gebe Urlaub dir,
ich öffne dir selber die Pforte.«

II.

Zu Rom, zu Rom, in der
heiligen Stadt,
da singt es und klingelt und läutet,
da zieht einer die Prozession,
der Papst in der Mitte schreitet.

Das ist der fromme Papst Urban,
er trägt die dreifache Krone,
er trägt ein rotes Purpurgewand,
die Schleppe tragen Barone.

»O heiliger Vater, Papst Urban,
ich laß dich nicht von der Stelle,
du hörest zuvor meine Beichte an,
du rettest mich von der Hölle!«

Das Volk, es weicht im Kreis
zurück,
es schweigen die geistlichen
Lieder –
Wer ist der Pilger bleich und wüst?
vor dem Papste kniet er nieder.

»O heiliger Vater, Papst Urban,
du kannst ja binden und lösen,
errette mich von der Höllenqual
und von der Macht des Bösen!

Ich bin der edle Tannhäuser
genannt,
wollt Lieb und Lust gewinnen,
da zog ich in den Venusberg,
blieb sieben Jahre drinnen.

Frau Venus ist eine schöne Frau,
liebreizend und anmutreiche;
wie Sonnenschein und Blumenduft
ist ihre Stimme, die weiche.

Wie der Schmetterling flattert
um eine Blum',
am zarten Kelch zu nippen,
so flattert meine Seele stets
um ihre Rosenlippen.

Ihr edles Gesicht umringeln wild
die blühend schwarzen Locken;
schaun dich die großen Augen an,
wird dir der Atem stocken.

Schaun dich die großen Augen an,
so bist du wie angekettet;
ich habe nur mit großer Not
mich aus dem Berg gerettet.

Ich hab' mich gerettet aus
dem Berg,
doch stets verfolgen die Blicke
der schönen Frau mich überall,
sie winken: komm zurücke!

Ein armes Gespenst bin ich
am Tag,
des Nachts mein Leben erwachet,
dann träum ich von meiner
schönen Frau,
sie sitzt bei mir und lachet.

Sie lacht so gesund, so glücklich,
so toll,
und mit so weißen Zähnen!
Wenn ich an dieses Lachen denk,
so weine ich plötzliche Tränen.

Ich liebe sie mit Allgewalt,
nichts kann die Liebe hemmen!
Das ist wie ein wilder Wasserfall,
du kannst seine Fluten nicht
dämmen!

Er springt von Klippe zu Klippe
herab
mit lautem Tosen und Schäumen,
und bräch er tausendmal den Hals,
er wird im Laufe nicht säumen.

Wenn ich den ganzen Himmel
besäß,
Frau Venus schenkt ich ihn gerne;
ich gäb ihr die Sonne, ich gäb
ihr den Mond,
ich gäbe ihr sämtliche Sterne.

Ich liebe sie mit Allgewalt,
mit Flammen, die mich verzehren –
ist das der Hölle Feuer schon,
die Gluten, die ewig währen?

O heiliger Vater, Papst Urban,
du kannst ja binden und lösen,
errette mich von der Höllenqual
und von der Macht des Bösen!«

Der Papst hub jammernd die Händ'
empor,
hub jammernd an zu sprechen:
»Tannhäuser, unglücksel'ger Mann,
der Zauber ist nicht zu brechen.

Der Teufel, den man Venus nennt,
er ist der schlimmste von allen,
erretten kann ich dich nimmermehr
aus seinen schönen Krallen.

Mit deiner Seele mußt du jetzt
des Fleisches Lust bezahlen,
du bist verworfen, du bist
verdammt
zu ewigen Höllenqualen.«

III.

Der Ritter Tannhäuser er wandelt
so rasch,
die Füße die wurden ihm wunde,
er kam zurück in den Venusberg
wohl um die Mitternachtstunde.

Frau Venus erwachte aus dem
Schlaf,
ist schnell aus dem Bette
gesprungen;
sie hat mit ihrem weißen Arm
den geliebten Mann umschlungen.

Aus ihrer Nase rann das Blut,
den Augen die Tränen entflossen!
Sie hat mit Tränen und Blut das
Gesicht
des geliebten Mannes begossen.

Der Ritter legte sich ins Bett,
er hat kein Wort gesprochen.
Frau Venus in die Küche ging,
um ihm eine Suppe zu kochen.

Sie gab ihm Suppe, sie gab ihm
Brot,
sie wusch seine wunden Füße,
sie kämmte ihm das struppige Haar
und lachte dabei so süße.

»Tannhäuser, edler Ritter mein,
bist lange ausgeblieben;
sag an, in welchen Landen du dich
so lange herumgetrieben?«

»Frau Venus, meine schöne Frau,
ich hab in Welschland verweilet;
ich hatte Geschäfte in Rom und
bin
schnell wieder hierher geeilet.

Auf sieben Hügeln ist Rom gebaut,
die Tiber tut dorten fließen;
auch hab' ich in Rom den Papst
gesehn,
der Papst, er läßt dich grüßen.

Auf meinem Rückweg sah ich
Florenz,
bin auch durch Mailand gekommen
und bin alsdann mit raschem Mut
die Schweiz hinaufgeklommen.

Und als ich über die Alpen zog,
da fing es an zu schneien,
die blauen Seen die lachten
mich an,
die Adler krächzen und schreien.

Und als ich auf dem Sankt
Gotthard stand,
da hört ich Deutschland
schnarchen;
es schlief da unten in sanfter Hut
von sechsunddreißig Monarchen.

In Schwaben besah ich die
Dichterschul',
gar liebe Geschöpfchen und
Tröpfchen;
auf kleinen Kackstühlchen
saßen sie dort,
Fallhütchen auf den Köpfchen.

Zu Frankfurt kam ich am
Schabbes an
und aß dort Schalet und Klöße;
ihr habt die beste Religion,
auch lieb ich das Gänsegekröse.

In Dresden sah ich einen Hund,
der einst gehört zu den bessern,
doch fallen ihm jetzt die
Zähne aus,
er kann nur bellen und wässern.

Zu Weimar, dem Musenwitwensitz,
da hört ich viel Klagen erheben,
man weinte und jammerte:
Goethe sei tot,
und Eckermann sei noch am Leben!

Zu Potsdam vernahm ich ein
lautes Geschrei –
was gibt es? rief ich verwundert.
›Das ist der Gans in Berlin,
der liest
dort über das letzte Jahrhundert.‹

Zu Göttingen blüht die
Wissenschaft,
doch bringt sie keine Früchte;
ich kam dort durch in stockfinstrer
Nacht,
sah nirgendswo ein Lichte.

Zu Celle im Zuchthaus sah ich nur
Hannoveraner – O Deutsche!
uns fehlt ein Nationalzuchthaus
und eine gemeinsame Peitsche!

Zu Hamburg frug ich, warum
so sehr
die Straßen stinken täten?
Doch Juden und Christen
versicherten mir,
das käme von den Fleten.

Zu Hamburg, in der guten Stadt,
wohnt mancher schlechte Geselle!
Und als ich auf die Börse kam,
ich glaubte, ich wär noch in Celle.

Zu Hamburg sah ich Altona,
ist auch eine schöne Gegend;
ein andermal erzähl ich dir,
was mir alldort begegnet.«

*Von Heinrich Heine*

# Kaiser Karl im Untersberg

Sehet die ganz eigenen Gestalten,
Die des Unterberges Umriß zeigt,
Und ihr fühlet ein unheimlich Walten
Bey dem Anblick, dem kein and'rer gleicht.

Seyd ihr hingestiegen, um zu lauschen
An des wunderbaren Berges Mund,
Höret ihr es furchtbar unten rauschen
In dem finstern unermess'nen Schlund.

Diese hohen Marmorfelsenwände,
Schimmernd in des Farbenglanzes Pracht,
Brachten Manchem schon sein frühes Ende,
Stürzend in den Schooß der ew'gen Nacht.

Mannichfaltig sind die vielen Sagen
Seiner innern, seiner äußern Welt,
Die aus tiefer Vorzeit zu uns ragen,
Uns ein Grauen immerhin befällt.

Schätze sind in dieses Berges Klüften;
Oefters haben Wand'rer sie geseh'n,
Nicht zu holen sind sie aus den Grüften,
Selbst die Hoffnung muß darnach vergeh'n.

Züge kleiner Männer nächtlich ziehen
Nach dem Kirchlein hin von Unterstein;
Wehe denen, die nicht eilig fliehen!
Denn sie müssen mit in ihre Reih'n,

Müssen mit, und niemals losgelassen
Werden sie, noch Keiner wiederkam,
Unverzüglich müssen sie erblassen,
Die der Untersberger Zug entnahm.

Kaiser Karl der Große muß verweilen
In des zaubervollen Berges Schloß,
Wie vorbey Jahrhunderte auch eilen,
Bleibt Erstarrung doch sein altes Loos.

Bis einst um die große Tafelrunde
Dreymal sich gewunden hat sein Bart,
Dann erst schlägt ihm die Erlösungsstunde.
Wie dem Heere, das um ihn geschaart.

Und es öffnen sich die Marmorwände,
Mit dem Heere auf das Walserfeld
Zieht der Kaiser, und dann ist das Ende
Auch zugleich gekommen dieser Welt.

*Von Ludwig I., bayerischer König von 1825–1848.*

# Legenden

Vom Geiger zu Gmünd,
vom Engel in der Wüste,
vom Ritter St. Georg,
der den Tracken besiegte

# Wittekind

Da kaum den Hügel matt erhellte
der morgenrote, lichte Schein,
wer schleicht sich in die Zelte
des Frankenlagers ein?
Mit Schritten leise, leise,
wie Späherschritte sind,
verfolgt er die geheime Reise.
Das ist der Sachse Wittekind.

Schon focht er wider mut'ge
Franken
durch lange Jahre blut'gen Streit
und grollte sonder Wanken
dem Herrn der Christenheit:
nun schlich er kühn und schnelle
zum Feinde sich bei Nacht,
vertauschend seine Heldenfelle
mit einer feigen Bettlertracht.

Da fühlt er plötzlich sich
umrungen
von Melodien sanft und weich,
gesungen wird, geklungen
wird um ihn her zugleich;
verwundert eilt er weiter,
durchzieht das rüst'ge Heer,
da sieht er Beter statt der Streiter,
das Kreuz als ihre ganze Wehr.

Weihnachten war herangekommen,
der heil'ge Morgen war entglüht,
und innig schwoll des frommen,
des großen Karls Gemüt,
zum hohen Tempelbaue
ließ wölben er sein Zelt,
daß er im Land der Heiden schaue
die Glorie der Christenwelt.

Hoch überm Altar prangt
und raget
ein blauer, golddurchwirkter
Thron,
darauf sitzt die reine Maget,
und ihr im Schoß der Sohn.
Hell schimmert rings das schöne,
das heilige Gerät,
und alle Farben, alle Töne,
begrüßen sich mit Majestät.

Schon kniete brünstig,
stillandächtig
der Kaiser vor dem Hochaltar,
mit Grafenkronen prächtig
um ihn die Heldenschar,
schon fällt vom Spiel der Lichter
ein rosenfarbner Schein
auf ihre klaren Angesichter,
da tritt der Heide keck hinein.

Er staunt, als er die stolzen Paire
mit Karl auf ihren Knien erkennt,
damit sie himmlisch nähre
das ew'ge Sakrament!
Doch staunt er des nicht minder,
da sich kein Priester fand –
und sieh! es kamen Engelskinder
im blütenweißen Lichtgewand.

Sie boten zum Versöhnungsmahle
die Hostie dem Kaiser dar,
die auf smaragdner Schale
sie trugen wunderbar:
und Jubel füllt die Seelen,
empfahend Brot und Wein,
es dringt ein Lied aus
tausend Kehlen
vom göttlichen Zugegensein!

Der Sachse steht betäubt, er faltet
die Hände fromm, sein Aug
ist naß,
das hohe Wunder spaltet
den heidnisch argen Haß;
hin eilt er, wo der Haufe
mit frohem Blick ihn mißt:
Gib, Karl, dem Wittekind
die Taufe,
daß er umarme dich als Christ!

*Von August Graf Platen-Hallermund (1796–1835).*
*Wittekind oder Widukind war Heerführer*
*der Sachsen, unterwarf sich 785 Karl dem*
*Großen und wurde Christ.*

# Der Narr des Grafen von Zimmern

Was rollt so zierlich, klingt so lieb
treppauf und ab im Schloß?
Das ist des Grafen Zeitvertreib
und stündlicher Genoß:
sein Narr, annoch ein halbes Kind
und rosiges Gesellchen,
so leicht und luftig wie der Wind,
und trägt den Kopf voll Schellchen.

Noch ohne Arg, wie ohne Bart,
an Possen reich genug,
ist doch der Fant von guter Art
und in der Torheit klug;
und was vergecken und verdrehn
die zappeligen Hände,
gerät ihm oft wie aus Versehn
zuletzt zum guten Ende.

Der Graf mit seinem Hofgesind
weilt in der Burgkapell',
da ist, wie schon das Amt beginnt,
kein Ministrant zur Stell'.
Rasch nimmt der Pfaff den Narrn
beim Ohr
und zieht ihn zum Altare;
der Knabe sieht sich fleißig vor,
daß er nach Bräuchen fahre.

Und gut, als wär er's längst gewohnt,
bedient er den Kaplan;
doch wann's die Müh am besten lohnt,
bricht oft der Unstern an;
denn als die heil'ge Hostia
vom Priester wird erhoben,
o Schreck! so ist kein Glöcklein da,
den süßen Gott zu loben!

Ein Weilchen bleibt es totenstill,
erbleichend lauscht der Graf,
der gleich ein Unheil ahnen will,
das ihn vom Himmel traf.
Doch schon hat sich der Narr
bedacht,
den Handel zu versöhnen,
die Kappe schüttelt er mit Macht,
daß alle Glöcklein tönen!

Da strahlt von dem Ziborium
ein goldnes Leuchten aus.
Es glänzt und duftet um und um
im kleinen Gotteshaus,
wie wenn des Himmels Majestät
in frischen Veilchen läge:
Der Herr, der durch die
Wandlung geht –
er lächelt auf dem Wege!

*Von Gottfried Keller*

# Der Geiger zu Gmünd

Einst ein Kirchlein sondergleichen,
noch ein Stein von ihm steht da,
baute Gmünd der sangesreichen
heiligen Cäcilia.

Lilien von Silber glänzten
ob der Heil'gen mondenklar,
hell wie Morgenrot bekränzten
goldne Rosen den Altar.

Schuh aus reinem Gold geschlagen
und von Silber hell ein Kleid
hat die Heilige getragen:
denn da wars noch gute Zeit.

Zeit, wo überm fernen Meere,
nicht nur in der Heimat Land,
man der Gmündschen Künstler
Ehre
hell in Gold und Silber fand.

Und der fremden Pilger wallten
zu Cäcilias Kirchlein viel;
ungesehn woher, erschallten
drin Gesang und Orgelspiel.

Einst ein Geiger kam gegangen,
ach, den drückte große Not,
matte Beine, bleiche Wangen,
und im Sack kein Geld, kein Brot,

Vor dem Bild hat er gesungen
und gespielet all sein Leid,
hat der Heil'gen Herz
durchdrungen:
horch! melodisch rauscht ihr Kleid!

Lächelnd bückt das Bild sich nieder
aus der lebenlosen Ruh,
wirft dem armen Sohn der Lieder
hin den rechten goldnen Schuh.

Nach des nächsten Goldschmieds
Hause
eilt er, ganz vom Glück berauscht,
singt und träumt vom besten
Schmause,
wenn der Schuh um Geld vertauscht.

Aber kaum den Schuh ersehen,
führt der Goldschmied rauhen Ton,
und zum Richter wird mit
Schmähen
wild geschleppt des Liedes Sohn.

Bald ist der Prozeß geschlichtet,
allen ist es offenbar,
daß das Wunder nur erdichtet,
er der frechste Räuber war.

Weh! du armer Sohn der Lieder
sangest wohl den letzten Sang!
an dem Galgen auf und nieder
sollst, ein Vogel, fliegen bang.

Hell ein Glöcklein hört man
schallen,
und man sieht den schwarzen Zug
mit dir zu der Stätte wallen,
wo beginnen soll dein Flug.

Bußgesänge hört man singen
Nonnen und der Mönche Chor,
aber hell auch hört man dringen
Geigentöne draus hervor.

Seine Geige mitzuführen,
war des Geigers letzte Bitt.
»Wo so viele musizieren,
musizier ich Geiger mit!«

An Cäcilias Kapelle
jetzt der Zug vorüberkam,
nach des offnen Kirchleins
Schwelle
geigt er recht in tiefem Gram.

Und wer kurz ihn noch gehasset,
seufzt: »Das arme Geigerlein!«
»Eins noch bitt ich,« – singt er,
»lasset
mich zur Heil'gen noch hinein!«

Man gewährt ihm; vor dem Bilde
geigt er abermals sein Leid
und er rührt die Himmlischmilde:
horch! melodisch rauscht ihr
Kleid!

Lächelnd bückt das Bild sich
nieder
aus der lebenlosen Ruh,
wirft dem armen Sohn der Lieder
hin den zweiten goldnen Schuh.

Voll Erstaunen steht die Menge,
und es sieht nun jeder Christ,
wie der Mann der Volksgesänge
selbst der Heil'gen teuer ist.

Schön geschmückt mit Bändern,
Kränzen,
wohl gestärkt mit Geld und Wein,
führen sie zu Sang und Tänzen
in das Rathaus ihn hinein.

Alle Unbill wird vergessen,
schön zum Fest erhellt das Haus,
und der Geiger ist gesessen
obenan beim lust'gen Schmaus.

Aber als sie voll vom Weine,
nimmt er seine Schuh zur Hand,
wandert so im Mondenscheine
lustig in ein andres Land.

Seitdem wird zu Gmünd empfangen
liebreich jedes Geigerlein,
kommt es noch so arm gegangen –
und es muß getanzet sein.

*Von Justinus Kerner
nach einer alten Legende.*

Drum auch hört man geigen,
singen,
tanzen dort ohn Unterlaß,
und wem alle Saiten springen,
klingt noch mit dem leeren Glas.

Und wenn bald ringsum verhallen
Becherklingeln, Tanz und Sang,
wird zu Gmünd noch immer
schallen
selbst aus Trümmern lust'ger
Klang.

# Vater unser

Blitze lauern hinter Wolken,
in den Eichen wühlt der Sturm;
dicker Wald; ein Notgeläute
hallt schon dumpf von manchem Turm.

Ruhig unterm breiten Baume,
seine Pfeife in dem Mund,
liegt der alte Räuberhauptmann;
ihm zu Füßen schläft sein Hund.

Und ein Jüngling, bleich, wie keiner,
streckt sich ihm zur Seite hin.
»Schleif dein Messer!« spricht der Alte;
er gehorcht mit schwerem Sinn.

Rot und zischend zwischen beide
springt ein Blitz, doch trifft er nicht.
»Vater unser!« ruft der Jüngling,
doch der Alte flucht und spricht:

»Vater unser laß ich gelten,
wenn man auf dem Richtstuhl sitzt,
wenn die Schere in den Haaren
und das Beil im Nacken blitzt.

Jetzt verbiet ich dir das Beten,
denn zum Herrn erkorst du mich,
und ich stell den Mord noch heute
dunkel zwischen Gott und dich!

Ja, ich schwör's, du sollst den ersten,
den du hier erblicken wirst,
töten, daß du nicht noch einmal
dich von mir zu Gott verirrst.

Du erschrickst? Ich will's nicht schelten,
mir auch schien das einst gar viel,
und auch du erlebst die Zeiten,
wo du's treibst, wie ich, als Spiel.

Mir ist solch ein Mut gekommen,
seit ich, weil er zornig sprach
vom Gericht und andern Dingen,
meinen Vater niederstach.

Nur als Vatermörder führe
ich den Hauptmannsstab mit Recht:
kommt dereinst ein Muttermörder,
dien ich ihm, wie du, als Knecht.«

Angstgeschüttelt ruft der Jüngling:
»Nimmer, nimmer tatst du das!«
Kräftig schmauchend spricht der Alte:
»Ei, ich tat's, und ist's denn was?«

»Wohl, da muß ich's freilich halten,
was du schwurst, und tu's mit Lust!«
Ruft's und stößt dem grausen Alten
fest sein Messer in die Brust.

Jener ballt die Hand, verröchelnd,
doch er sieht es ohne Graus,
betet, wie nach reinem Opfer,
laut sein Vaterunser aus.

*Von Friedrich Hebbel*

# Die wandelnde Glocke

Es war ein Kind, daß wollte nie
Zur Kirche sich bequemen
Und Sonntags fand es stets ein Wie,
Den Weg ins Feld zu nehmen.

Die Mutter sprach: »Die Glocke tönt,
Und so ist dir's befohlen,
Und hast du dich nicht hingewöhnt,
Sie kommt und wird dich holen.«

Das Kind, es denkt: »Die Glocke hängt
Da droben auf dem Stuhle.«
Schon hat's den Weg ins Feld gelenkt,
Als lief' es aus der Schule.

Die Glocke Glocke tönt nicht mehr,
Die Mutter hat gefackelt.
Doch welch ein Schrecken hinterher!
Die Glocke kommt gewackelt.

Sie wackelt schnell, man glaubt es kaum;
Das arme Kind im Schrecken,
Es lauft, es kommt, als wie im Traum;
Die Glocke wird es decken.

Doch nimmt es richtig seinen Husch
Und mit gewandter Schnelle
Eilt es durch Anger, Feld und Busch
Zur Kirche, zur Kapelle.

Und jeden Sonn- und Feiertag
Gedenkt es an den Schaden,
Läßt durch den ersten Glockenschlag,
Nicht in Person, sich laden.

*Von Johann Wolfgang von Goethe.*

# Der heilige Wein

Es schlichen zwei schlimme Gesellen
sich in die Kapelle hinein;
in Kannen, in goldnen, geweihten,
stand dort der heilige Wein.

Da spricht der eine mit Lachen
zum andern in sündigem Mut:
»Komm, willst du dich mit mir berauschen
in Christi eigenem Blut?«

Der andere greift nach der Kanne
und setzt sie flugs an den Mund;
sie trinken und trinken und trinken,
doch kommen sie nicht auf den Grund.

Sie trinken und trinken und trinken
und treiben viel frostigen Scherz,
doch steigt keine Glut auf die Wangen,
doch flammt keine Lust durch das Herz.

Sie trinken und trinken und trinken,
die Kanne bleibt voll, wie sie war,
da packt sie ein innerstes Grausen,
sie stürzen hin zum Altar.

Sie rufen: »Er blutet aufs neue,
wer stillt des Blutes Lauf!
Er zeigt uns die offenen Wunden,
o weh uns, wir rissen sie auf!«

Nun schaun sie ewig den Heiland,
ein blasses, blutendes Bild;
er blickt sie an, nicht finster,
ach, so unendlich mild!

*Von Friedrich Hebbel*

# Belsazer

Die Mitternacht zog näher schon;
in stiller Ruh lag Babylon.

Nur oben in des Königs Schloß,
da flackert's, da lärmt des Königs Troß.

Dort oben in dem Königssaal,
Belsazer hielt sein Königsmahl.

Die Knechte saßen in schimmernden Reihn
und leerten die Becher mit funkelndem Wein.

Es klirrten die Becher, es jauchzten die Knecht';
so klang es dem störrigen Könige recht.

Des Königs Wangen leuchten Glut;
im Wein erwuchs ihm kecker Mut.

Und blindlings reißt der Mut ihn fort,
und er lästert die Gottheit mit sündigem Wort.

Und er brüstet sich frech und lästert wild!
die Knechtenschar ihm Beifall brüllt.

Der König rief mit stolzem Blick;
der Diener eilt und kehrt zurück.

Er trug viel gülden Gerät auf dem Haupt;
das war aus dem Tempel Jehovas geraubt.

Und der König ergriff mit frevler Hand
einen heiligen Becher, gefüllt bis zum Rand.

Und er leert ihn hastig bis auf den Grund
und rufet laut mit schäumendem Mund:

»Jehova! dir künd ich auf ewig Hohn, –
ich bin der König von Babylon!«

Doch kaum das grause Wort verklang,
dem König ward's heimlich im Busen bang,

das gellende Lachen verstummte zumal;
es wurde leichenstill im Saal.

Und sieh! und sieh! an weißer Wand,
da kam's hervor, wie Menschenhand,

und schrieb und schrieb an weißer Wand
Buchstaben von Feuer und schrieb und schwand.

Der König stieren Blicks da saß,
mit schlotternden Knien und totenblaß.

Die Knechtenschar saß kalt durchgraut
und saß gar still, gab keinen Laut.

Die Magier kamen, doch keiner verstand
zu deuten die Flammenschrift an der Wand.

Belsazer ward aber in selbiger Nacht
von seinen Knechten umgebracht.

*Von Heinrich Heine. Diese Ballade bezieht
sich auf die im Alten Testament – Buch Daniel,
5 – geschilderte Geschichte um Belsazer, letzter
König von Babylon in den Jahren 551–539
v. Chr., der von einer Geisterschrift vor dem
drohenden Untergang seines Reiches gewarnt
wurde.*

# Bischof Kletus

Der Kaiser sitzt auf goldnem Thron,
im Purpurkleid mit goldner Kron'.
Auf seidnen Kissen funkelnd ruht
des Golds und der Kleinodien Glut.

Es letzt sein Blick sich an dem Licht,
das blitzend aus den Schätzen bricht;
es tönt ihm süßer als Gesang
der goldnen Stücke heller Klang.

»Ihr Diener alle um mich her:
wann werden meine Kisten leer?«
»Ausschöpfen läßt das Meer sich nicht,
nicht wägen deines Golds Gewicht!«

»Ihr Diener, nennt mit einemal
mir meiner Edelsteine Zahl!«
»Wer zählt der Sterne zahllos Heer?
der Edelsteine hast du mehr!«

»Wo blitzt etwan ein hellrer Schein
als der aus meines Geschmeides Schrein?«
»Die Sonne hat wohl funkelnd Licht,
wie dein Geschmeide glänzt es nicht!«

So prahlt des Kaisers stolzes Wort;
es schmeicheln so die Knechte fort.
Da schreitet aus der Söldner Chor
mit finstrer Stirn Sankt Kletus vor.

Der Bischof tritt zum Kaiser hin:
»Mein Herr! nicht bringt dir das Gewinn!
Laß ab! laß ab von Trug und List,
vernimm, was an der Wahrheit ist!

Wohl funkelt hell der Schätze Glut.
Doch weh! dran klebt manch schuldlos Blut!
doch weh! dran klebet brennendheiß
der armen Untertanen Schweiß!

Doch weh! dran haften Seufzer bang,
die schallen das ganze Land entlang,
und Wais- und Witwentränen viel
träufeln von deinem Augenspiel!

So rot und hell die Schätze sprühn,
so heiß soll dein Gewissen glühn!
soll schelten in dein sündig Tun
und nimmer mit seinem Schelten ruhn!«

Der Kaiser flammt von Zorneswut,
er zückt sein Schwert in wilder Glut:
»Ihr Knechte, was haut sogleich ihr nicht
zu Stücken den kecken, frevlen Wicht!«

Der Knechte Schwerter blitzten hell,
sie zückten nach dem Bischof schnell.
Der stehet furchtlos und ruhig doch:
»Herr Kaiser, vergönn ein Wörtlein noch!

Reich mir aus deiner Schätze Zahl
ein Goldstück her nach eigner Wahl;
reich einen Edelstein mir klar
und prüf, ob ich geredet wahr!«

Der Kaiser willigt das Begehr,
reicht Edelstein und Goldstück her.
Der Bischof bricht entzwei den Stein –
es quollen draus viel Tränen rein.

Er bricht entzwei das Goldstück schnell,
draus träufeln viel Blutstropfen hell…
Den Kaiser greifet Angst und Graus;
die Knechte stürzen zum Saal hinaus.

Es sitzt ein Bild auf güldnem Thron,
im Purpurkleid mit goldner Kron'.
Die Schätze funkeln hell – und bleich
starret herab die Kaiserleich'.

*Von August Stöber (1808–1884)*

# Der Mönch von Heisterbach

Ein junger Mönch im Kloster Heisterbach
lustwandelt an des Gartens fernstem Ort,
der Ewigkeit sinnt still und tief er nach
und forscht dabei in Gottes heil'gem Wort.

Er liest, was Petrus der Apostel sprach:
Dem Herren ist ein Tag wie tausend Jahr,
und tausend Jahre sind ihm wie ein Tag.
Doch wie er sinnt, es wird ihm nimmer klar,

und er verliert sich zweifelnd in den Wald;
was um ihn vorgeht, hört und sieht er nicht.
Erst wie die fromme Vesperglocke schallt,
gemahnt es ihn der ernsten Klosterpflicht.

Im Laufe erreicht er den Garten schnell,
ein Unbekannter öffnet ihm das Tor,
er stutzt – doch sieh! schon glänzt die Kirche hell,
und draus ertönt der Brüder heil'ger Chor.

Nach seinem Stuhle gehend, tritt er ein –
doch wunderbar – ein andrer sitzet dort!
Er überblickt der Mönche lange Reihn,
nur Unbekannte findet er am Ort.

Der Staunende wird angestaunt ringsum,
man fragt nach Namen, fragt nach dem Begehr.
Er sagt's – da murmelt man durchs Heiligtum:
Dreihundert Jahre hieß so niemand mehr.

Der letzte dieses Namens, tönt es dann,
er war ein Zweifler und verschwand im Wald;
man gab den Namen keinem mehr fortan! –
Er hört das Wort, es überläuft ihn kalt.

Er nennet nun den Abt und nennt das Jahr,
man nimmt das alte Klosterbuch zur Hand;
da wird ein großes Gotteswunder klar:
er ist's, der drei Jahrhunderte verschwand.

Ha, welche Lösung! Plötzlich graut sein Haar,
er sinkt dahin und ist dem Tod geweiht,
und sterbend mahnt er seiner Brüder Schar:
Gott ist erhaben über Ort und Zeit.

Was er verhüllt, macht nur ein Wunder klar!
Drum grübelt nicht, denkt meinem Schicksal nach!
Ich weiß, ihm ist ein Tag wie tausend Jahr,
und tausend Jahre sind ihm wie ein Tag!

*Von Wolfgang Müller von Königswinter (1816–1873)*

# An den Engel in der Wüste

Ich bin durch die Wüste gezogen,
des Sandes glühende Wogen
verbrannten mir den Fuß;
es haben die Wolken gelogen,
es kam kein Regenguß.

Die Sonne trank wie im Zorne
das Wasser aus jeglichem Borne,
an dem die Reise geruht;
ich dürste, es leckten die Dorne
meiner brennenden Wunden Blut.

Ich nahm den erschlagnen Kamelen
das Wasser, das Blut aus den
Kehlen,
zu retten mein Weib und Kind;
die Schätze an Gold und Juwelen
begrub im Sande der Wind.

Dann wühlt ich mit glühendem
Schwerte
den Kindern manch Grab
in die Erde,
erwühlte doch keinen Quell:
ob Gott sie wohl finden werde?
Die Hyäne heulte so grell.

Ein Kind unterm Mutterherzen
brach mit ihm, in schreienden
Schmerzen
gebar sie es sterbend dem Tod;
es goß gleich glühenden Erzen
die Sonne mir Licht in die Not.

Gern hätte ich Tränen getrunken,
die Augen weinten nur Funken,
ich wühlt noch ein Grab in
den Sand
ich bin in Verzweiflung gesunken,
ach, weil ich kein Wasser fand.

Da werd ich zur wandelnden Leiche,
auf daß ich den Brunnen erreiche,
den letzten auf glühender Bahn,
und wie ich so lechzend hinschleiche,
da brüllen die Tiger mich an.

Es brannte die glühende Schwelle
des Tages, da kam ich zur Stelle,
der Brunnen war trocken und tot,
es glühte zur Mitternacht helle
der Mond wie Kupfer so rot.

Der Tod flog auf aus der Wüste
und schauderte, da ich ihn grüßte,
und floh, da rief ich ihm zu:
daß einer hier sterben müßte!
er schrie mir: »Erst lebe du!

Denn sterben heißt Ruhe erwerben,
drum kannst du nicht leben, nicht sterben,
der Durst ist unendlich in dir.
Dein Erbteil, das will ich nicht erben!«
So schrie er und eilte von mir.

Und heulend flog der Geselle
wüsteinwärts mit Pfeilesschnelle,
der Sand schlug rasselnd um ihn,
da traf mich die glühende Welle,
ach, daß ich erblindet bin.

O, Nacht ohn' Anfang und Ende,
kein Stern, wohin ich mich wende,
kein Bogen, kein Pfeil, kein Ziel!
Da rang ich betend die Hände,
bis die Decke mir niederfiel.

Da fühlt ich das Ziel mir gekommen,
die glühende Leiter erklommen
und schrie zu dem bitteren Stern:
»Der Herr hat gegeben, genommen,
gelobt sei der Wille des Herrn!«

Da hört ich ein Flügelpaar klingen,
da hört ich ein Schwanenlied singen,
da fühlt ich ein kühlendes Wehn,
da sah ich mit tauschweren Schwingen
den Engel der Wüste gehn.

Und als ich ihn fragend begrüßte:
»Sag an, du Engel der Wüste,
wo find ich den Wasserquell?«
Da sprach er: »Wer treulich büßte,
der steht an der Brunnenschwell.«

»Sag an, du Engel der Wüste,
wo find ich den Quell, da ich büßte,
wo find ich Jerusalem?«
Da sprach er: »Wer das nicht wüßte,
kam nie von Bethlehem.

So folge nun streng meinem Gleise,
du wandeltest blind nur im Kreise,
nach Jerusalem wolltest du?
Reich mir die Hand auf der Reise,
du zogst nach Babylon zu.

Der Herr trieb tausend Meilen
mich her, um dich zu heilen,
zu brechen mein Brot mit dir,
den Becher auch mit dir zu teilen,
wohl auf, wir bleiben nicht hier!«

Da kniete ich still vor ihm nieder,
da legt er sein tauig Gefieder
mir kühl um das glühende Haupt
und sang mir die Pilgerlieder:
da hab ich geliebt und geglaubt.

Da sah ich den Himmel wohl offen,
ach Gott! kühl niedergetroffen
kam Gnade, kam Segensflut;
da konnte ich endlich auch hoffen
auf meines Erlösers Blut.

Da sang ich: »Reich treulich die Hände,
nun nimmer, nimmermehr wende,
o Engel der Wüste, von mir
die Augen vor meinem Ende,
dein Kreuz ist mein Kreuz auch mir.«

So haben wir da wohl gesungen
und Hand in Hand da geschlungen
und Flügel in Flügelpaar
uns über die Wüste geschwungen,
die ein Garten voll Segen war.

Dies war wohl ein innerlich Sehen,
ein innerlich Auferstehen,
in mir selber erwachte der Geist;
die Wüste, das waren die Wehen,
in denen mein Leben gekreißt.

All, was ich verloren, begraben,
all, was ich, allein zu haben,
in der heißen Wüste gesucht,
das soll mich im Geiste nun laben
in unverbotener Frucht.

O Schimmer, o Lichter, o Farben,
o alle ihr goldenen Garben
in Duft, in Sonne, in Tau!
ich schwelge, ich kann nicht mehr darben,
Gott grüß dich, mein geistlicher Pfau!

Ach, alles, was ich je gewesen,
kann dir in der Seele ich lesen,
kann vor dir in Tränen vergehn,
kann vor dir in Reue genesen,
kann mit dir dann auferstehn.

Und will dieser Abend verglimmen,
laß höher und höher uns klimmen,
auf Golgatha sinkt keine Nacht,
es singen da ewige Stimmen:
»Am Kreuze, nun hab ich vollbracht!«

*Von Clemens von Brentano*

# Der Weg nach Jericho

Der Herr, als er auf Erden noch einherging,
kam mit Sankt Peter einst an einen Scheideweg,
und fragte, unbekannt des Landes,
das er durchstreifte, einen Bauersknecht,
der faul, da, wo der Rain sich spaltete, gestreckt
in eines Birnbaums Schatten lag:
Was für ein Weg nach Jericho ihn führe?
Der Kerl, die Männer nicht beachtend,
verdrießlich, sich zu regen, hob ein Bein,
zeigt auf ein Haus im Feld und gähnt und sprach: da unten!
zerrt sich die Mütze übers Ohr zurecht,
kehrt sich und schnarcht schon wieder ein.
Die Männer drauf, wohin das Bein gewiesen,
gehn die Straße fort; jedoch nicht lange währt's,
von Menschen leer, wie sie das Haus befinden,
sind sie im Land schon wieder irr.
Da steht, im heißen Strahl der Mittagssonne,
bedeckt von Ähren, eine Magd,
die schneidet, frisch und wacker, Korn,
der Schweiß rollt ihr vom Angesicht herab.
Der Herr, nachdem er sich gefällig drob ergangen,
kehrt also sich mit Freundlichkeit zu ihr:
»Mein Töchterchen, gehn wir auch recht,
so wie wir stehn, den Weg nach Jericho?«
Die Magd antwortet flink: »Ei, Herr!
da seid ihr weit vom Wege irr gegangen;
dort hinterm Walde liegt der Turm von Jericho,
kommt her, ich will den Weg euch zeigen.«
Und legt die Sichel weg und führt, geschickt und emsig,
durch Äcker, die der Rain durchschneidet,
die Männer auf die rechte Straße hin,
zeigt noch, wo schon der Turm von Jericho erglänzet,

grüßt sie und eilt zurücke wieder,
auf daß sie schneid', in Rüstigkeit, und raffe,
von Schweiß betrieft, im Weizenfelde,
so nach wie vor.
Sankt Peter spricht: »O Meister mein!
ich bitte dich, um deiner Güte willen,
du wollest dieser Maid die Tat der Liebe lohnen,
und, flink und wacker, wie sie ist,
ihr einen Mann, flink auch und wacker, schenken.«
»Die Maid, versetzt der Herr voll Ernst,
die soll den faulen Schelmen nehmen,
den wir am Scheideweg im Birnbaumschatten trafen;

Also beschloß ich's gleich im Herzen,
als ich im Weizenfeld sie sah.«
Sankt Peter spricht: »Nein, Herr, das wolle Gott verhü-
ten
Das wäre ewig Schad' um sie,
müßt' all ihr Schweiß und Müh verloren gehn.
Laß einen Mann, ihr ähnlicher, sie finden,
auf daß sich, wie sie wünscht, hoch bis zum Giebel ihr
der Reichtum in der Tenne fülle.«
Der Herr antwortet, mild den Sanktus strafend:
»O Peter, das verstehst du nicht.
Der Schelm, der kann doch nicht zur Höllen fahren;
Die Maid auch, frischen Lebens voll,
die könnte leicht zu stolz und üppig werden.
Drum, wo die Schwinge sich ihr allzuflüchtig regt
häng' ich ihr ein Gewichtlein an,
auf daß sie's beide im Maße treffen
und fröhlich, wenn es ruft, hinkommen, er wie sie,
wo ich sie alle gern versammeln möchte.«

*Von Heinrich von Kleist (1777–1811)*

# Heiligenlegende

Und als man ihren Leib im Blutgericht
Gefoltert und dem Henker übergeben,
Erschien auf ihrem mageren Gesicht
Ein Glanz wie Kraft aus einem andren Leben.

Der Henker stürzt zu Boden taub und blind.
Ein Priester warf sich vor ihr in den Staub,
Und ihre Seele flog als Wolke lind
Aus ihrem Leib, der fiel wie welkes Laub.

Doch weiß der Dichter, daß sie in der Gruft
Wie eine Wurzel ruht und daß in vieler Zeit
Ihr süßer Leib aus Rauch und Gräberduft
Aufsteht und wandelt hochgebenedeit.

*Von Carl Zuckmayer (1896–1977)*

# Die Flucht der heiligen Familie

Länger fallen schon die Schatten
durch die kühle Abendluft,
waldwärts über stille Matten
schreitet Joseph von der Kluft,
führt den Esel treu am Zügel;
linde Lüfte fächeln kaum,
's sind der Engel leise Flügel,
die das Kindlein sieht im Traum,
und Maria schauet nieder
auf das Kind voll Lust und Leid,
singt im Herzen Wiegenlieder
in der stillen Einsamkeit.
Die Johanniswürmchen kreisen
emsig leuchtend übern Weg,
wollen der Mutter Gottes weisen
durch die Wildnis jeden Steg,
und durchs Gras geht süßes Schaudern,
streift es ihres Mantels Saum;
Bächlein auch läßt jetzt sein Plaudern,
und die Wälder flüstern kaum,
daß sie nicht die Flucht verraten.
Und das Kindlein hob die Hand,
da sie ihm so Liebes taten,
segnete das stille Land,
daß die Erd mit Blumen, Bäumen
fernerhin in Ewigkeit
nächtlich muß vom Himmel träumen —
o gebenedeite Zeit!

*Von Joseph Freiherr von Eichendorff*

# Maria und der Dornbusch

Auf grünen Wiesen ging Marie,
kein Blümchen leuchtend süß wie sie,
auch wollten alle Blümelein
dem holden Kinde freundlich sein.
Vergißmeinnicht sprach: pflückst mich nicht?
bin doch wie deiner Augen Licht!
Und Goldblum sprach: dein golden Haar
und ich, wie leuchten wir so klar!
Und Veilchen sprach: wie süßen Duft
ich hauchen mag in ferne Luft,
doch will kein Duft so lieblich sein
als deine Demut mild und rein!
Und Quelle sprach: wär ich so klar
wie deine Seele immerdar!
So freuten hold und inniglich
die Blümlein und die Quellen sich.
Nur Dornbusch seufzt und spricht: wie mag
ich nur so freudlos stehn am Hag;
was liebend auch mein Arm erfaßt,
das schilt mich doch nur rauhen Gast,
mich schmückt nicht Farbe, Tau noch Licht,
du süßes Kind! mein denkst du nicht!
Ei sprach Marie, da sie's vernahm,
was soll dir doch der heiße Gram?
Meinst du, daß ich für schlecht dich halt,
weil ernst und schmucklos die Gestalt?
O nein! wer weiß, was dir gewährt!
manch dunkles Los wird süß verklärt!
Und nun mit kindisch regem Sinn
neigt sich Marie zur Quelle hin
und nimmt den Busenschleier fein
und taucht ihn in die Perlen ein
und legt ihn flink aufs grüne Gras,
wie freut der süßen Last sich das!
Und wie nun sinnend ruht das Kind,
da hebet sich ein Wirbelwind,
der hascht zum Spiel das Busentuch
und trägt es fort im schnellen Flug,
der Dornbusch regt die Zweig' behend
und faßt im Nu des Schleiers End'
und hält es fest mit starker Hand,
daß es Maria wiederfand.
Da sieht Marie den treuen Sinn
und blickt zum Dornbusch freundlich hin,
und von der Blicke Glanz berührt,
im Dorn sich Leben quillend rührt
und purpurn, goldig sprießt's und weht:
der Dornbusch voller Rosen steht.
Die leuchten wie die Wangen klar,
die duften wie das goldne Haar...
Noch heut trägt er den Purpurschein,
das muß Marienröslein sein!

*Von Helmina von Chezy (1783–1856)*

# Maria hät ein Pfännelein

Als Jesus Christ geboren ward,
da war es kalt.
In ein kleines Krippelein
gelegt er ward.
Da stund ein Esel und ein Rind,
die atmitzten über das heilige Kind
gar unverborgen.
Der ein reines Herze hat,
der darf nit sorgen.

Joseph, der nahm sein Eselein
wohl bei dem Zaum,
er führet es unter
ein Dattelbaum.
»Eselein, du sollt stille stan,
Maria, die will geruhet han,
sie ist gar müde.«
Da neiget sich der Dattelbaum
zu Gottes Güte.

Maria brach die Datteln
in ihren Schoß,
Joseph derselben Weil
doch nit verdroß.
»Eselein, du sollt fürbaß gan:
wir haben noch dreißig Meil zu gan,
es wird zu spate.«
Da neiget sich der Dattelbaum
zu Gottes Gnade.

Da zugen sie fürhin baß
wohl in ein Stadt;
Joseph gar treulich umb
ein Herberg bat.
Der selbig Wirt lebt in dem Haus,
er trieb die Gäste wiedrumb aüs.
Maria spann das reine Garn
mit ihren Händen.

Sie gingen wenig fürhin baß
wohl in ein Dorf,
Joseph gar treulich umb
ein Herberg warb.
»Wirtin, liebe Wirtin mein,
behaltet mir das Kindelein
und auch die Fraue!«
Sie sprach: »Ich will es gerne tun.
wollt ihr ein Straue?«

Wohlhin, wohlhin gen Abend spat,
do ward es kalt.
Alsbald sie in die Scheuren ging,
ins Stadel trat.
Maria, die nahm ihr Kindelein,
Joseph, der nahm sein Eselein,
sie lagen gesunder
Do schauet Wirt und Wirtin zu
dem großen Wunder.

Wohlhin, wohlhin gen Mitternacht,
do was es kalt.
Der Wirt zu seiner Frauen do
gar treulich sprach:
»Fraue, liebste Fraue mein,
steh auf und mach ein Feuerlein
durch Gottes Willen.
Das Kindlein heint kein Ruh
gewann,
es möcht erfrieren.«

Die Frau stund auf gar balde,
was man sie hieß;
wie bald sie in die Küchen lief,
ein Feur aufblies.
»Fräulein, liebstes Fräulein,
trag herein dein Kindelein
wohl zu dem Feure!
Dein Kindlein heint kein Ruh
nit hat,
es möcht erfrieren.«

Maria hät ein Pfännelein
und das war klein,
da kocht sie ihrem Kind ein Müesl,
was lauter und rein.
Und es verzehrt das Müeselein,
Maria sang ihrm Kindelein
gar schon und taugen:
»So bist du mir ein Spiegel klar
in meinen Augen.«

Maria, die kund spinnen,
des freut sie sich.
Joseph, der kund zimmern,
des nährten sie sich;
Jesus, der kunnt haspen Garn.
Der reiche Wirt, der ward do arm,
der arm ward reiche.
So bitt wir Gott von Himmel,
daß er uns
helf in sein Reiche.

*Text nach der Kloster Neuburger
Handschrift, Anfang des 16. Jahrhunderts.*

# Erlöst aus höllischen Flammen

Odilia die war blind geborn,
ihr Vater war ein gar zorniger Mann:
er ließ ein Fäßlein binden, ja binden.

Er schlug dem Fäßchen einen Boden ein
und setzte die heilige Odilia drein,
er setzt sie auf das Wasser, ja Wasser.

Sie schwamm wohl fort drei Tag und Nacht,
sie trieb dem Müller vor das Rad:
das Rad und das blieb stehen, ja stehen.

Der Müller aus der Mühle sprang:
»Ach Gott, was ist vor meinem Rad,
daß mir das Rad steht stille, ja stille?«

Er schlug dem Fäßchen einen Boden aus
und zog die heilige Odilia draus
und zog sie aus dem Wasser, ja Wasser.

Er zog sie auf bis ins zwanzigste Jahr,
bis daß Odilia ein wackres Mädchen war:
da ging sie über die Straße, ja Straße.

Da sagten all die Bürgersleut,
Odilia wär ein gefundenes Kind,
gefunden in dem Wasser, ja Wasser.

»Und eh ich will heißen ein gefundenes Kind,
viel lieber will ich suchen meinen Vater geschwind,
meine Mutter will ich beweinen!«

Sie kniet auf einen Marmelstein,
sie kniet sich Löcher in ihre Bein
und betet für ihren Vater, ja Vater.

Sie betet drei Tage und auch drei Nacht,
bis daß der höllische Satan kam
und bracht ihren Vater auf dem Rücken, ja Rücken.

Das wird nicht geschehn mehr meins Lebens Tag,
daß ein Kind seinen Vater erlöset hat
wohl aus den höllischen Flammen, ja Flammen.

*Legendenballade, die sich vom Elsaß aus über
den ganzen deutschsprachigen Raum verbreitete.*

# St. Katharina

Die heilig Rein und auch die Fein,
die heilig Jungfrau Katharein,

St. Katharina war ein reine Magd,
das war dem Heiden gar bald gesagt.

Der Heid schickt aus in alle Land,
bis daß er St. Katharina fand.

Der Heid sprach St. Katharina an,
sie sollt nach seinem Willen tun.

»Ich gib dir Burg und alle Land,
mach dich ein Kaiserin zuhand.«

St. Katharina schrie aber laut:
»Dafür behüt mich meins Herzens Traut!

Dafür behüt mich mein heiliger Mann,
Herr Jesus Christ, mein Bräutigam!«

Die Red die tut dem Heiden Zorn,
daß je St. Katharina hätt verschworn.

Er ließ sie legen in ein'n tiefen Turm,
darin lag mancher arger Wurm.

Sie lag bis an den elften Tag,
daß sie keiner Speise nie enpflag.

Wohl an dem zwölften Morgen fruh,
da trat der Heid dem Turme zu

Er stieß die Tür auf mit Gewalt
und ruft Sankt Katharina bald.

Er sah hinab auf den Grund:
St. Katharina war frisch und gsund.

»O Katharina, wer hat dich ernährt,
daß dich meine Wurm nicht haben verzehrt?«

»Das hat getan ein heiliger Mann,
Herr Jesus Christ, mein Bräutigam.«

Er führt St. Katharina wiederum ein:
ob sie nach seinem Willen wollt sein?

St. Katharina sprach: »Das tu ich nicht,
kein heidnischen Mann den will ich nicht!«

Er ließ zurichten ein scharfes Rad,
das war mit Eisen wohl bewahrt.

Er ließ das Rädlein umher treibn,
daß es sollt St. Katharina zerschneidn.

Da kam ein großer Donnerschlag
und schlug das Rädlein zu Hauf und brach.

Er schlug wohl auf derselben Fahrt
vierhunderttausend Heiden tot.

Er führt St. Katharina wiederum ein,
ob sie noch wollt seins Willen sein?

St. Katharina wiederum spricht:
»Ein heidnischen Mann den mag ich nicht!«

Er ließ ein scharfes Schwert hertragen,
ließ St. Katharina ihr Haupt abschlagn.

Und wo ihr heiliges Haupt hinsprang,
da saß ein Engelein und sang.

Und wo ihr heiliges Blut hinrann,
da steckt ein helles Licht und brann.

Da leuchtet also wunderleich
wohl in das ewige Himmelreich.

*Nach einem Bauern-Kalender, gedruckt zu
Straubing, im Jahre 1590*

# Sankt Martin

Als Kaiser Theodosius
regierte mit Arkadius,
einem Reiter aus Pannonia,
mit Namen Martin, dies geschah:

Er kam in Sturm und Schnee einst mitten
zu einem Ort hineingeritten;
da fleht alsbald ein armer Mann
um eine kleine Gab ihn an.
Der Mann war elend, nackt und bloß,
der Wind ging auf die Haut ihm los.
Herr Martin hätt' ihm für sein Leben
gern Koller, Rock und Wams gegeben;
allein ihr wißt wohl, ein Soldat
sehr wenig zu verschenken hat.
Doch hielt er an auf hohem Roß,
worauf der Regen niederfloß,
und sprach: »Der Mann ist nackt und bloß;
es muß ja grad auch Geld nicht sein,
ich will ihm dennoch was verleihn.«
Sein Schwert drauf mit der Faust gefaßt,
haut er von seinem Mantel fast
des einen Zipfels Hälft' herab,
die er dem armen Manne gab.

Der Arme nimmt das Stück sogleich
und wünscht dafür das Himmelreich
dem guten, frommen Reitersmann,
der sich nicht lange drauf besann.

Wie der gesagt sein Gratias,
so reitet dieser auch fürbaß

zu einer armen Witwe Tür
und legt daselbst sich ins Quartier,
nimmt Speis und Trank ein wenig ein –
es wird nicht viel gewesen sein.
Nachdem er also 'trunken, 'gessen
und das Gebet auch nicht vergessen,
legt er sich nieder auf die Streu,
ob's eins gewesen oder zwei, –
das hat die Chronik nicht gemeld't;
drum laß ich's auch dahingestellt.

Alsbald begibt sich's in der Nacht,
daß er von einem Schein erwacht;
der zwingt das Aug ihn aufzuschließen.
Da steht ein Mann zu seinen Füßen,
sein Haupt trägt eine Dornenkron:
Er ist's, Er ist's, des Menschen Sohn!

Mit tausend Engeln, die ihm dienen,
ist plötzlich unser Herr erschienen
in aller seiner Herrlichkeit;
und mit dem Mantel, welchen heut
der Martin von Pannonia,
der dessen gar sich nicht versah,
geschenkt dem armen Bettelmann,
ist unser Heiland angetan.

Und so der Herr zu Petrus spricht:
»Siehst du den neuen Mantel nicht,
den ich hier auf den Schultern trage?«
Auf des Apostels weitere Frage,
wer ihm den Mantel denn geschenkt,

das Aug auf Martin hingesenkt,
mit einem sanften Himmelston
führt also fort des Menschen Sohn:
»Der Martin hier, der ist es eben,
der diesen Mantel mir gegeben.
Ermuntre dich! steh auf, mein Knecht,
den ich erwählt, du bist gerecht!
Du warst bisher ein blinder Heide;
das Schwert, das steck nun in die Scheide!
Ein Streiter Gottes soll auf Erden
mein frommer Bischof Martin werden.«

Als dieses Wort der Herr gesagt,
so kräht der Hahn, der Morgen tagt.
Ein Engel küßt des Mantels Saum,
und Martin ist erwacht vom Traum,
denkt nach, klopft an ein Kloster an
und ist getreu nach Christi Worten,
aus einem wilden Reitersmann
ein großer, frommer Bischof worden.

*Von Johann Daniel Falk (1770–1826) Pseudonym:*
*Johannes von der Ostsee*

# Sankt Martin

St. Martin mit viel Rittersleut
wohl übers Feld zum Jagen reit't,
und als sie kamen an einen Hag,
ein nackter Mann an der Straße lag.
Dem klapperten vor Frost die Zähne,
und an der Wimper fror ihm die Träne.
Er rang die Hände und bat mit Beben:
Sie möchten ihm ein Almosen geben. –
Und all die Ritter zogen fürbaß,
dem nackten Armen gab keiner was;
sie wendeten von ihm das Angesicht,
die Jammergestalt zu schauen nicht.
Der Martin aber sein Roß hielt an:
»Von mir, du Armer, sollst was han!«
Er nimmt sein Schwert und alsogleich
haut er seinen Mantel, gesticket reich
mit Gold und Silber, entzwei in Eil
und gibt dem Nackten den einen Teil,
die andre Hälfte er selber behalt't,
und reitet den andern nach in den Wald.
Und wie den Martinus erblicket die Rott,
überhäufen sie ihn mit Hohn und Spott:
»Da seht nur einmal den Narren an,
teilt sein Kleid mit dem Bettelmann;
der halbe Mantel steht ihm gar schön,
er kann damit zum Bankette gehn,
damit ihn künftig mag jeder kennen,
so woll'n wir den halben Ritter ihn nennen.«
Sie lachten und witzelten noch gar viel,
Martinus war all ihres Spottes Ziel. –
Doch wie der Abend zu dämmern beginnt,

so wehet ein kalter schneidiger Wind;
die Ritter hüllen sich alle fein
in ihre großen Mäntel ein
und wollen reiten sogleich von hinnen,
doch konnten sie keinen Ausweg gewinnen,
nur immer tiefer kamen's in den Wald,
und pfiff der Wind noch einmal so kalt;
sie jammerten sehr und vermeinten schier,
sie müßten vor Kälte heut sterben hier.
Martinus nur mit dem halben Kleid,
empfindet's nicht, daß der Wind so schneid't,
er lachet über ihr Schnappern und Bangen
und sitzt auf dem Roß mit glühenden Wangen.
Und jetzo ein rosenfarbiges Licht
hervor aus der dunkelen Wildnis bricht,
und unter die Starrenden tritt heran
Herr Christ, mit dem halben Kleid angetan,
das jenem Armen Martinus gegeben,
und um ihn herum seine Engelein schweben.
Und Jesus sich zu Martino wendet:
»Ja wahrlich, was Ihr den Armen spendet,
das habet Ihr mir selber gegeben,
und Früchte trägt's Euch im Tod und Leben,
jedwede Wohltat noch so klein,
wird Euch erwärmen und lohnend sein!«

Sie fielen all auf ihr Angesicht,
und Jesus verschwand; doch des Glaubens Licht,
es leuchtete über dem heidnischen Haufen,
sie ließen sich alle zu Christen taufen.

*Von Ignaz Franz Castelli (1781–1862)*

# Der heilige Felix

Vor den Feinden floh der heil'ge Felix;
doch sie folgten seinen flücht'gen Schritten.
Nah bei ihm schon waren die Verfolger,
aber nirgends bot sich eine Zuflucht,
als des Felsen leicht entdeckte Höhle.
»Herr« – sprach Felix betend – ist's dein Wille,
daß ich fürder hier dein Reich verkünde
und des Werks mich freue, das dich preiset,
leicht ja werden dann der Höhle Schatten
mir zur sichern undurchdrungnen Hülle!
Aber hast du deinen Knecht geheiligt,
daß er Zeuge sei für deine Wahrheit,
dann, o Heil'ger, nimm mein Blut zum Opfer,
auch für diese Blinden, die mich töten.
Und die Höhle, wo dein Zeuge blutet,
werd alsbald ein Tempel deiner Ehre,
der die Feinde deinem Reich versammelt.«
So trat er hinein voll hohen Glaubens.
Bald aus allen Felsenritzen drängten

haufenweis sich Spinnen zu der Öffnung
und sie webten emsig vor dem Eingang.
Dichte Netze mehr und mehr erschienen,
und die Höhle schien seit grauen Zeiten
nur des schwarzen Giftgewürms Behausung.

Schnell vorüber war der Feind geeilet,
weit in fernem Land den Heil'gen suchend.
Und alsbald, gleich seidnem Prachtgewande,
glänzt der Spinnen giftiges Gewebe,
und es strahlt, wie Licht des reinen Demants,
jeder Spinne Rücken und die Füße
schlingen sich zur schön gewundnen Fassung.
Da vernahm Sankt Felix durch das Zeichen,
daß die heil'gen Engel ihn behütet
vor dem Zorn der wildergrimmten Feinde.
Und er trat anbetend aus der Höhle,
lehrte viel und mehrte Christi Kirche.

*Von Johann August Apel*

# Der Ritter St. Georg

So hebn wir auch zu loben an – Kyrieleison!
den Ritter Sankt Jörgen,
den heilgn Mann – Ave, Maria!

Gott hat ihn selber hochbegnadt,
mit Tugend un Stärk gar hochbegabt.

Zu Libien bei einer Stadt
ein Trackn er umgebracht hat.

In einem See gar groß und tief
ein grausam Track sich sehen ließ.

Ein ganze Gegend er beschwert,
viel Menschen und viel Vieh ermördt,

mit seinem schädlichen bösen Gift
verwüst er Wasser und die Lüft.

Zwei Schaf mußt man ihm geben all Tag,
darmit abzuwenden solche Plag.

Und da die Schaf all warn dahin,
mußten sie geben ein Menschen ihm.

Auf welchen das Los war getroffen,
der ward dem Tracken fürgeworfen.

Das Los aufs Königs Tochter fiel:
die sollt dem Tracken werden zuteil.

Der König sprach zum Burgern gleich:
»Ich gib euch mein halbes Königreich,

ich gib euch Silber und rotes Gold
und alles, was ihr haben wollt:

daß meine Tochter, der einig Erb,
mög leben und nit so schändlich sterb.«

Das Volk ein großes Geschrei erhieb:
»Ein andern ist sein Kind auch lieb.

Hältst du denn das Gesetz selber nicht,
das du hast selber aufgericht,

so verderben und brennen wir jetzund
dein ganzes Reich bis auf den Grund.«

Da nun der König den Ernst ersach,
sprach er: »Gebt mir nur Frist acht Tag.«

Da nun die Zeit erschienen war,
liefs Volk mit Haufen zum König dar.

»Willst du von deiner Tochter wegn
dein ganzes Volk dem Tode gebn?«

Da gab der König die Tochter sein,
weil es doch anderst nit konnt sein.

Er sprach: »Ach weh mir armen Mann,
was muß ich dann nun heben an?«

Er bekleidt sein Tochter in königlich Wat,
mit Wei'n und Klagen er sie umfaht.

»Ich hab dich wölln vermählen schon,
in Freuden wöllen Hochzeit han.

So muß ich mich dein gar verwegn
und dich dem wilden Tracken gebn.«

Mit Weinen gab er ihr den Kuß,
da fiel sein Tochter ihm zu Fuß.

Man führt sie zu des See Gestädt,
in großen Traurn sie sitzen tät.

Da ritt der Ritter Sankt Jörg daher;
er fragt die Jungfrau, was das wär.

Er sprach: »Jungfrau, gebt mir Bescheid,
daß Ihr so trauert habt, habt großes Leid.«

Da sagt die Jungfrau ihm bald her,
wie es alles ergangen wär.

Da sprach der edle Ritter gut:
»Seid getröst und habt ein frohen Mut!

Ich will Euch durch Hilf Gottes Sohn
ein treuen ritterlichen Beistand tun!«

Die Jungfrau sprach: »Das kann nit sein,
ich will lieber sterben allein.

Sollt ich schuld haben an Eurem Tod,
viel lieber leid ich solche Not.

Drum fliehet bald, rett Euer junges Lebn,
Ihr müßt sonst Euren Leib drum gebn.«

Als sie das redt in Schrecken schwer,
da kam der grausam Track daher.

Der Ritter setzt sich geschwind zu Roß
und eilet zu dem Tracken groß.

Das heilig Kreuz macht er für sich
und stritt mit ihm gar ritterlich.

Rennt auf den Tracken mit seinem Spieß,
den er tief in den Tracken stieß,

daß er gähling zur Erden sank:
drum sagt er Gott dem Herren Dank.

Da zog der Ritter aus sein Schwert
und schlug den Tracken tot zur Erd.

Der König bot dem heilgn Mann
viel Silber und Gold zu Ehren an.

Das schlug der Ritter alles aus,
man sollts den Armen teilen aus.

Als er nun schier wollt ziehen ab,
viel schöne Lehr er dem König gab:

»Die Kirch Gottes, des Herren dein,
laß dir allzeit befohlen sein!

Zum andern gib auch fleißig acht,
daß du hoch ehrst die Priesterschaft!

Zum dritten sagt er ihm in Treu:
dem Gottesdienst wohn fleißig bei!

Zum vierten sollst im Leben dein
der Witwen und Waisen Vater sein!«

Der König kam nach dieser Lehr,
er baut ein Kirch zu Gottes Ehr.

Daraus da rinnt ein kleiner Brunn,
der machet alle Krankheit gesund.

Wir bitten dich, o lieber Herr,
daß wir nachfolgen des Ritters Lehr;

und mach uns all zu Rittern stark,
daß uns nicht schad der höllisch Track,

auf daß wir empfahn die unsterblich Kron
und kommen in des Himmels Thron.

*Text nach Nicolaus Beuttners Katholischem
Gesangsbuch von 1602.*

# Ritter und Helden

Von Schwerterspiel und Gotentreu
von Kaiser Rudolfs letztem Ritt.
Vom fahlen Vatermörder
in des Grafen Burgverlies

# Der Kampf mit dem Drachen

Was rennt das Volk, was wälzt sich dort
Die langen Gassen brausend fort?
Stützt Rhodus unter Feuers Flammen?
Es rottet sich im Sturm zusammen,
Und einen Ritter, hoch zu Roß,
Gewahr' ich aus dem Menschentroß,
Und hinter ihm, welch' Abenteuer!
Bringt man geschleppt ein Ungeheuer,
Ein Drache scheint es von Gestalt,
Mit weitem Krokodilesrachen,
Und alles blickt verwundert bald
Den Ritter an und bald den Drachen.

Und tausend Stimmen werden laut:
»Das ist der Lindwurm, kommt und schaut,
Der Hirt und Herden uns verschlungen!
Das ist der Held, der ihn bezwungen!
Viel andre zogen vor ihm aus,
Zu wagen den gewalt'gen Strauß,
Doch keinen sah man wiederkehren;
Den kühnen Ritter soll man ehren!«
Und nach dem Kloster geht der Zug,
Wo Sankt Johann's des Täufers Orden,
Die Ritter des Spitals, im Flug
Zu Rate sind versammelt worden.

Und vor den edlen Meister tritt
Der Jüngling mit bescheidnem Schritt;
Nachdrängt das Volk, mit wildem Rufen
Erfüllend des Geländers Stufen,
Und jener nimmt das Wort und spricht:
»Ich hab' erfüllt die Ritterpflicht.
Der Drache, der das Land verödet,
Er liegt von meiner Hand getötet;
Frei ist dem Wanderer der Weg,
Der Hirte treibe in's Gefilde,
Froh walle auf dem Felsensteg
Der Pilger zu dem Gnadenbilde.«

Doch strenge blickt der Fürst ihn an
Und spricht: »Du hast als Held getan;
Der Mut ist's, der den Ritter ehret,
Du hast den kühnen Geist bewähret;
Doch sprich! Was ist die erste Pflicht
Des Ritters, der für Christum ficht,
Sich schmücket mit des Kreuzes Zeichen?«
Und alle ringsherum erbleichen.
Doch er, mit edlem Anstand, spricht,
Indem er sich errötend neiget:
»Gehorsam ist die erste Pflicht,
Die ihn des Schmuckes würdig zeiget.«

»Und diese Pflicht, mein Sohn«, versetzt
Der Meister, »hast du frech verletzt.
Den Kampf, den das Gesetz versaget,
hast du mit frevlem Mut gewaget!« –
»Herr, richte, wenn du alles weißt,«
Spricht jener mit gesetztem Geist,
»Denn des Gesetzes Sinn und Willen
Vermeint' ich treulich zu erfüllen.
Nicht unbedachtsam zog ich hin,
Das Ungeheuer zu bekriegen;
Durch List und kluggewandten Sinn
Versucht ich's, in dem Kampf zu siegen.

Fünf unsers Ordens waren schon,
Die Zierden der Religion,
Des kühnen Mutes Opfer worden:
Da wehrtest du den Kampf dem Orden.
Doch an dem Herzen nagten mir
Der Unmut und die Streitbegier,
Ja, selbst im Traum der stillen Nächte
Fand ich mich keuchend im Gefechte,
Und wenn der Morgen dämmernd kam,
Und Kunde gab von neuen Plagen,
Da faßte mich ein wilder Gram,
Und ich beschloß, es frisch zu wagen.

Und zu mir selber sprach ich dann:
Was schmückt den Jüngling, ehrt den Mann?
Was leisteten die tapfern Helden,
Von denen uns die Lieder melden,
Die zu der Götter Glanz und Ruhm
Erhub das blinde Heidentum?
Sie reinigten von Ungeheuern
Die Welt in kühnen Abenteuern,
Begegneten im Kampf den Leu'n
Und rangen mit den Minotauren,
Die armen Opfer zu befrein,
Und ließen sich das Blut nicht dauern.

Ist nur der Sarazen' es wert,
Daß ihn bekämpft des Christen Schwert?
Bekriegt er nur die falschen Götter?
Gesandt ist er der Welt zum Retter,
Von jeder Not und jedem Harm
Befreien muß sein starker Arm;
Doch seinen Mut muß Weisheit leiten
Und List muß mit der Stärke streiten.
So sprach ich oft und zog allein,
Des Raubtiers Fährte zu erkunden.
Da flößte mir der Geist es ein;
Froh rief ich aus: ich hab's gefunden.

Und trat zu dir und sprach das Wort:
Mich zieht es nach der Heimat fort.
Du, Herr, willfahrtest meinen Bitten
Und glücklich war das Meer durchschnitten.
Kaum stieg ich aus am heim'schen Strand,
Gleich ließ ich durch des Künstlers Hand
Getreu den wohlgemerkten Zügen
Ein Drachenbild zusammenfügen.
Auf kurzen Füßen wird die Last
Des langen Leibes aufgetürmet;
Ein schuppicht Panzerhemd umfaßt
Den Rücken, den es furchtbar schirmet.

Lang strecket sich der Hals hervor,
Und gräßlich, wie ein Höllentor,
Als schnappt' es gierig nach der Beute,
Eröffnet sich des Rachens Weite,
Und aus dem schwarzen Schlunde dräun
Der Zähne stachelichte Reihn;
Die Zunge gleicht des Schwertes Spitze,
Die kleinen Augen sprühen Blitze,
In eine Schlange endigt sich
Des Rückens ungeheure Länge,
Rollt um sich selber fürchterlich,
Daß es um Mann und Roß sich schlänge.

Und alles bild' ich nach genau,
Und kleid' es in ein scheußlich Grau;
Halb Wurm erschien's, halb Molch und Drache,
Gezeuget in der gift'gen Lache;
Und als das Bild vollendet war,
Erwähl' ich mir ein Doggenpaar,
Gewaltig, schnell, von flinken Läufen,
Gewohnt, den wilden Ur zu greifen;
Die hetz' ich auf den Lindwurm an,
Erhitze sie zu wildem Grimme,
Zu fassen ihn mit scharfem Zahn,
Und lenke sie mit meiner Stimme.

Und wo des Bauches weiches Vließ
Den scharfen Bissen Blöße ließ,
Da reiz' ich sie, den Wurm zu packen,
Die spitzen Zähne einzuhacken.
Ich selbst, bewaffnet mit Geschoß,
Besteige mein arabisch Roß,
Von adeliger Zucht entstammet,
Und als ich seinen Zorn entflammet
Rasch auf den Drachen spreng ich's los
Und stachl' es mit den scharfen Sporen,
Und werfe zielend mein Geschoß,
Als wollt' ich die Gestalt durchbohren.

Ob auch das Roß sich grauend bäumt,
Und knirscht und in den Zügel schäumt,
Und meine Doggen ängstlich stöhnen,
Nicht rast' ich, bis sie sich gewöhnen.
So üb' ich's aus mit Emsigkeit,

Bis dreimal sich der Mond erneut,
Und als sie jedes recht begriffen,
Führ' ich sie her auf schnellen Schiffen.
Der dritte Morgen ist es nun,
Daß mir's gelungen hier zu landen;
Den Gliedern gönnt' ich kaum zu ruhn,
Bis ich das große Werk bestanden.

Denn heiß erregte mir das Herz
Des Landes frisch erneuter Schmerz:
Zerrissen fand man jüngst die Hirten,
Die nach dem Sumpfe sich verirrten;
Und ich beschließe rasch die Tat,
Nur von dem Herzen nehm' ich Rat.
Flugs unterricht' ich meine Knappen,
Besteige den versuchten Rappen,
Und von dem edeln Doggenpaar
Begleitet, auf geheimen Wegen,
Wo meiner Tat kein Zeuge war,
Reit' ich dem Feinde frisch entgegen.

Das Kirchlein kennst du, Herr, das hoch
Auf eines Felsenberges Joch,
Der weit die Insel überschauet,
Des Meisters kühner Geist erbauet.
Verächtlich scheint es, arm und klein,
Doch ein Mirakel schließt es ein:
Die Mutter mit dem Jesusknaben,
Den die drei Könige begaben.
Auf dreimal dreißig Stufen steigt
Der Pilger nach der steilen Höhe;
Doch hat er schwindelnd sie erreicht,
Erquickt ihn seines Heilands Nähe.

Tief in den Fels, auf dem es hängt,
Ist eine Grotte eingesprengt,
Vom Tau des nahen Moors befeuchtet,
Wohin des Himmels Strahl nicht leuchtet.
Hier hausete der Wurm und lag,
Den Raub erspähend, Nacht und Tag.
So hielt er, wie der Höllendrache,
Am Fuß des Gotteshauses Wache,
Und kam der Pilger hergewallt,
Und lenkte in die Unglücksstraße,
Hervorbrach aus dem Hinterhalt
Der Feind und trug ihn fort zum Fraße.

Den Felsen stieg ich jetzt hinan,
Eh' ich den schweren Strauß begann;
Hin kniet' ich vor dem Christuskinde,
Und reinigte mein Herz von Sünde.
Drauf gürt' ich mir im Heiligtum
Den blanken Schmuck der Waffen um,
Bewehre mit dem Spieß die Rechte,
Und nieder steig' ich zum Gefechte.
Zurücke bleibt der Knappen Troß;
Ich gebe scheidend die Befehle,

Und schwinge mich behend auf's Roß,
Und Gott empfehl' ich meine Seele.

Kaum seh' ich mich im ebnen Plan,
Flugs schlagen meine Doggen an,
Und bang beginnt das Roß zu keuchen
Und bäumet sich und will nicht weichen;
Denn nahe liegt, zum Knäul geballt,
Des Feindes scheußliche Gestalt,
Und sonnet sich auf warmem Grunde.
Auf jagen ihn die flinken Hunde;
Doch wenden sie sich pfeilgeschwind,
Als es den Rachen gähnend teilet
Und von sich haucht den gift'gen Wind,
Und winselnd wie der Schakal heulet.

Doch schnell erfrisch' ich ihren Mut,
Sie fassen ihren Feind mit Wut,
Indem ich nach des Tieres Lende
Aus starker Faust den Speer versende;
Doch machtlos, wie ein dünner Stab,
Prallt er vom Schuppenpanzer ab,
Und eh' ich meinen Wurf erneuet,
Da bäumet sich mein Roß und scheuet
An seinem Basiliskenblick
Und seines Atems gift'gem Wehen,
Und mit Entsetzen springt's zurück,
Und jetzo war's um mich geschehen –

Da schwing' ich mich behend vom Roß,
Schnell ist des Schwertes Schneide bloß,
Doch alle Streiche sind verloren,
Den Felsenharnisch zu durchbohren,
Und wütend mit des Schweifes Kraft
Hat es zur Erde mich gerafft;
Schon seh' ich seinen Rachen gähnen,
Es haut nach mir mit grimmen Zähnen,
Als meine Hunde, wutentbrannt,
An seinem Bauch mit grimm'gen Bissen
Sich warfen, daß es heulend stand,
Von ungeheurem Schmerz zerrissen.

Und eh' es ihren Bissen sich
Entwindet, rasch erheb' ich mich,
Erspähe mir des Feindes Blöße,
Und stoße tief ihm in's Gekröse,
Nachbohrend bis ans Heft den Stahl,
Schwarzquellend springt des Blutes Strahl.
Hin sinkt es und begräbt im Falle
Mich mit des Leibes Riesenballe,
Daß schnell die Sinne mir vergehn;
Und als ich neugestärkt erwache,
Seh' ich die Knappen um mich stehn,
Und tot im Blute liegt der Drache.«

Des Beifalls lang gehemmte Luft
Befreit jetzt aller Hörer Brust,
Sowie der Ritter dies gesprochen,
Und zehnfach am Gewölb' gebrochen
Wälzt der vermischten Stimmen Schall
Sich brausend fort im Widerhall.
Laut fordern selbst des Ordens Söhne,
Daß man die Heldenstirne kröne,
Und dankbar im Triumphgepräng
Will ihn das Volk dem Volke zeigen;
Da faltet seine Stirne streng
Der Meister und gebietet Schweigen.

Und spricht: »Den Drachen, der dies Land
Verheert, schlugst du mit tapfrer Hand;
Ein Gott bist du dem Volke worden,
Ein Feind kommst du zurück dem Orden,
Und einen schlimmern Wurm gebar
Dein Herz, als dieser Drache war.
Die Schlange, die das Herz vergiftet,
Die Zwietracht und Verderben stiftet,
Das ist der widerspenst'ge Geist,
Der gegen Zucht sich frech empöret,
Der Ordnung heilig Band zerreißt,
Denn er ist's, der die Welt zerstöret.

Mut zeiget auch der Mameluck,
Gehorsam ist des Christen Schmuck;
Denn wo der Herr in seiner Größe
Gewandelt hat in Knechtesblöße,
Da stifteten, auf heil'gem Grund,
Die Väter dieses Ordens Bund,
Der Pflichten schwerste zu erfüllen,
Zu bändigen den eignen Willen!
Dich hat der eitle Ruhm bewegt;
Drum wende dich aus meinen Blicken!
Denn wer des Herren Joch nicht trägt,
Darf sich mit seinem Kreuz nicht schmücken.

Da bricht die Menge tobend aus,
Gewalt'ger Sturm bewegt das Haus,
Um Gnade flehen alle Brüder;
Doch schweigend blickt der Jüngling nieder.
Still legt er von sich das Gewand
Und küßt des Meisters strenge Hand
Und geht. Der folgt ihm mit dem Blicke,
Dann ruft er liebend ihn zurücke
Und spricht: »Umarme mich, mein Sohn!
Dir ist der härt're Kampf gelungen;
Nimm dieses Kreuz. Es ist der Lohn
Der Demut, die sich selbst bezwungen.«

*Von Friedrich von Schiller (1759–1805)*

# Das ältere Hildebrandslied

Ich hörte das sagen,
Daß sich als Kämpfer einzeln trafen
Hildebrand und Hadubrand zwischen Heeren zwein,
Sohn und Vater. Sie sahn nach der Rüstung,
Schnallten ihr Schlachtgewand, gürteten sich ihre
Schwerter an,
Die Recken über die Panzerringe, da sie zum Kampfe rit-
ten.
Hildebrand erhob das Wort, er war der hehrere Mann,
Erfahrner und weiser, zu fragen begann er
Mit wenigen Worten, wer sein Vater wäre
Der Helden im Volke, – »oder welcher Herkunft du seist
Sagst du mir einen, ich mir die andern weiß,
Kind, im Königreiche kund ist mir alles Volk.«
Hadubrand erhob das Wort, Hildebrands Sohn:
»Das sagten mir unsere Leute,
Alte und weise, die einstmals lebten,
Daß Hildebrand hieße mein Vater, ich heiße Hadu-
brand.
Früh nach Osten gewandt, floh er Otachers Zorn
Hin mit Dietrich und seiner Degen viel.
Er ließ im Lande die Kleine sitzen,
Das Weib in der Wohnung, den Sohn unerwachsen,
Des Erbes beraubt, er ritt ostwärts hin.
Seitdem mußte Dietrich darben
Nach meinem Vater, das war ein freundloser Mann.
Er war Otacher unmäßig zornig,
Der Degen liebster dem Dietrich.
Er war immer an Volkes Spitze, ihm war stets Fechten zu
lieb.
Kund war er kühnen Mannen.
Nicht glaub ich, daß er noch lebt.«
(Hildebrand erhob das Wort, Heribrands Sohn:)
»Wisse beim großen Gott, oben im Himmel,
Daß du nie mehr als jetzt mit so gesipptem Mann
Verhandlung führtest! –«
Wand er da vom Arme gewundene Ringe,
Aus Kaisermünzen, wie ihm sie der König gab,
Der Hunnen Herrscher: »Daß ich mit Huld dir's gebe!«
Hadubrand erhob das Wort, Hildebrands Sohn:
»Mit dem Gere soll man Gabe empfangen,
Spitze wider Spitze.
Du bist ein alter Hunne, viel zu schlau,
Lockst mich mit deinen Worten, willst mich mit deinem
Speere werfen,
Bist so gealterter Mann, daß du immer trogst.
Das sagten mir Seefahrer
Von Westen über die Wendelsee, daß ihn Krieg weg-
nahm:
Tot ist Hildebrand, Heribrands Sohn.«
Hildebrand erhob das Wort, Heribrands Sohn:
»Wohl sehe ich an deiner Rüstung,
Daß du habest daheim einen guten Herrn,
Mußtest nicht entrinnen als Recke aus dem Reiche.

Weh nun, waltender Gott, Wehgeschick erfüllt sich:
Ich wallte der Sommer und Winter sechzig außer Lan-
des,
Wo man stets mich scharte zu der Schützen Volk;
Vor keiner der Städte doch kam ich zu sterben.
Nun soll mich das eigene Kind mit dem Schwerte er-
schlagen,
Treffen mit seiner Waffe, oder ich sein Töter werden.
Doch kannst du nun leicht, wenn dir langt die Kraft,
Von so hehrem Mann die Rüstung gewinnen,
Den Raub erbeuten, hast du irgend Recht dazu.
Der sei doch der Ärgste der Ostleute
Der dir Kampf weigre, nun dich es so wohl lüstet,
Gemeinsamen Zweikampf. Entscheide die Begegnung,
Wer von uns heute den Harnisch räumen muß
Oder diesen Brünnen beider walten.«
Da ließen sie zum ersten die Eschenschäfte schmettern
In scharfen Schauern, daß sie in den Schilden standen.
Dann stapften zusammen die starken Kämpfer,
Hieben harmlich die weißen Schilde,
Bis ihnen ihr Lindenholz kleiner wurde,
Zermalmt mit den Waffen...

*Das ältere Hildebrandslied haben zwei Mönche*
*in Fulda etwa um 830 von dem inzwischen*
*verschollenen Original abgeschrieben. Es handelte*
*sich um eine Stabreim-Dichtung, in der althochdeutsche*
*und niederdeutsche Mundartbestandteile gemischt*
*sind. Die hier abgedruckte Übertragung ins*
*Deutsche unserer Zeit stammt von Karl Simrock.*
*Hildebrand war der treue Waffenmeister von*
*Dietrich von Bern (Theodorich dem Großen,*
*456–526), der nach dreißigjähriger Verbannung*
*mit Hilfe verbündeter Hunnen wieder nach*
*Ravenna zurückkehrte und dort auf einen von*
*Hadubrand angeführten Rittertrupp des Königs*
*Odoaker stieß. Hadubrand, der Sohn Hildebrands,*
*erkannte aber den eigenen Vater nicht, hielt*
*ihn für einen »schlauen Hunnen« und forderte*
*ihn nach einem dramatischen Dialog zum Zweikampf*
*heraus. Der Schluß des Hildebrandsliedes ist*
*nicht erhalten, jedoch läßt sich aus den altnordischen*
*Bruchstücken eines späteren, aus dem 12. Jahrhundert*
*stammenden Liedes schließen, daß Hadubrand*
*den Kampf nicht überlebt hat. Das vermutlich*
*im 13. Jahrhundert von einem Unbekannten*
*gedichtete jüngere Hildebrandslied indessen*
*endet versöhnlich: Hadubrand führt seinen*
*Vater zur Mutter, Frau Ute, die ihn nach*
*dreißigjähriger Trennung willkommen heißt.*
*Das folgende jüngere Hildebrandslied stammt*
*von einem Nürnberger Flugblatt aus dem 16.*
*Jahrhundert:*

# Das jüngere Hildebrandslied

›Ich will zu Land ausreiten‹
Sprach sich Meister Hildebrand.
›Der mich die Weg thät weisen
Gen Bern wol in die Land?
Die sind mir unkund gewesen
Viel manchen lieben Tag,
In zwei und dreißig Jahren
Frau Uten ich nie gesach.‹

»Willt du zu Land ausreiten,«
Sprach sich Herzog Amelung,
»Was begegnet Dir auf der
Heiden?
Ein schneller Degen jung;
Was begegnet dir auf der Marke?
Der junge Herr Alebrand;
Da reitest du selb zwölfte
Von ihm würdest angerannt.«

›Ja rennet er mich ane
In seinem Uebermuth,
Ich zerhau ihm seinen
grünen Schild,
Es thut ihm nimmer gut;
Ich zerhau ihm seine Brünne
Mit einem Schirmenschlag,
Und daß er seiner Mutter
Ein Jahr zu klagen hab.‹

»Das sollt du nicht en-thune!
Sprach sich (von Bern)
Herr Dietrich,
Dann der junge Herr Alebrand
Ist mir von Herzen lieb;
Du sollst ihm freundlich
zusprechen
Wol durch den Willen mein:
Daß er dich wöll lassen reiten
Als lieb ich ihm mag sein.«

Do er zum Rosengarten ausreit
Wol in des Berners Mark,
Da kam er in große Arebeit
Von einem Helden stark,
Von einem Helden junge
Ward er da angerannt:
»Nun sag an, du viel Alter!
Was suchst in meins Vaters Land?

Du führst dein Harnisch
lauter u. rein,
Recht seist ein Königskind,
Du machst mich jungen Helden
Mit g'sehenden Augen blind;
Du solltest daheime bleiben
Und haben gut Hausgemach
Ob meiner heißen Gluthe.« –
Der Alte lacht u. sprach:

›Sollt ich daheime bleiben
Und haben gut Hausgemach?
Mir ist bei all meinen Tagen
Zu reisen aufgesatzt,
Zu reisen u. zu fechten
Bis auf mein Hinnefahrt,
Das sag ich dir, viel Junger,
Drumb grauet mir mein Bart.‹

»Dein' Bart will ich dir ausraufen,
Sag dir, viel alter Mann,
Daß dir dein rosenfarbes Blut
Ueber die Wangen muß abgan;
Dein Harnisch u. dein
grünen Schild
Mußt du mir hie aufgeben,
Darzu auch mein Gefangner sein,
Willst du behalten dein Leben.«

›Mein Harnisch u. mein
grünen Schild
Die thäten mich dick ernähren;
Ich traue Christ von Himmel wol,
Ich wöll mich dein erwehren.‹–
Sie ließen von den Worten
Und zuckten scharfe Schwert,
Was die zween Helden begehrten,
Des wurden sie gewährt.

Ich weiß nicht wie der Junge
Dem Alten gab ein Schlag,
Daß sich der alte Hildebrand
Vom Herzen sehr erschrack;
Er sprang hinter
sich zurucke
Wol sieben Klafter weit:
›Nun sage, du viel Junger.
Den Streich lehrt dich ein Weib.‹

»Sollt ich von Weibern lernen,
Das wär mir immer ein Schand,
Ich habe viel Ritter und Knechte
In meines Vaters Land,
Ich hab viel Ritter und Grafen
An meines Vaters Hof,
Und was ich nicht gelernet hab,
Das lern ich aber noch.«

Er erwischt ihn bei der Mitte,
Da er am schwächsten was,
Er schwang ihn hinter sich zurucke
Wol in das grüne Gras:
›Nun sag mir, du viel Junger!
Dein Beichtvater will ich wesen:
Bist du ein Wölfinger
Vor mir magst du genesen.

›Wer sich an alte Kessel reibt,
Der emphahet gerne Ram:
Also geschicht dir Jungen
Wol von mir alten Mann.
Dein Bart sollt du hier aufgeben
Auf dieser Heide grün,
Das sag ich dir viel eben,
Du junger Helde kühn!‹

»Du sagst mir viel von Wölfen,
Die laufen in dem Holz;
Ich bin ein edler Degen
Aus Griechenlanden stolz,
Mein Mutter die heißt Ute,
Ein gewaltige Herzogin,
So ist Hildebrand der alte,
Der liebste Vater mein.«

›Heißt deine Mutter Frau Ute,
Ein gewaltige Herzogin,
So bin ich Hildebrand der alte,
Der liebste Vater dein.‹
Er schloß ihm auf sein'n
guldin Helm
Und küßt ihn an sein Mund:
›Nun muß es Gott gelobet sein,
Wir sind noch beide gesund.‹

»Ach Vater, liebster Vater!
Die Wunden, die ich dir
hab gschlagen,
Die wollt ich dreimal lieber
In meinem Haupte tragen.«
›Nun schweig, du lieber Suhne!
Der Wunden wird gut Rath,
Seit daß uns Gott beide
Zusammen gefüget hat.‹

Das währet von der None
Bis zu der Vesperzeit,
Bis daß der junge Herr Alebrand
Gen Berne einhin reit;
Was führt er an seinem Helme?
Von Gold ein Kränzelein;
Was führt er an seiner Seiten?
Den liebsten Vater sein.

Er führt ihn mit ihm in sein' Saal
Und setzt ihn oben an'n Tisch,
Er bot ihm Essen und Trinken
Das däucht der Mutter unbillig:
»Ach Suhne, lieber Suhne!
Ist der Ehren nicht zu viel,
Daß du mir ein' gefangen Mann
Setzt oben an den Tisch?«

»Nun schweige, liebe Mutter!
Ich will dir neue Mär sagen:
Er kam mir auf der Heide
Und hätt mich nahet erschlagen,
Und höre, liebe Mutter!
Kein Gefangner soll er sein:
Es ist – Hildebrand der alte,
Der liebste Vater mein.

Ach Mutter, liebe Mutter!
Nun beut ihm Zucht und Ehr!«
Do hub sie an und schenket ein
Und trugs ihm selber her.
Was hätt' er in seinem Munde?
Von Gold ein Fingerlein,
Das ließ er in'n Becher sinken
Der lieben Frauen sein.

*Worterklärungen: Degen = Held.*
*Alebrand = Hadubrand. Brünne*
*= Panzer. Schirmenschlag = Fechtmei-*
*sterschlag. En-thunne = nicht tun.*
*Zu reisen aufgesatzt = zum Kriegs-*
*dienst verpflichtet. Wölfinger =*
*Geschlecht Hildebrands. Genesen*
*= am Leben bleiben. Ram = Ruß.*
*None = die neunte Stunde nach*
*Tagesanbruch, also 15 Uhr (alte*
*Zeitrechnung entsprechend dem*
*katholischen Stundengebet). Fingerlein:*
*Fingerring.*

# Siegfrieds Jugend

In frühen Kindestagen,
aus Trutz und frevlem Mut,
entlief der Burg zu Santen
Siegfried, ein Recke gut.

Er kam nach vielem Irren
in einen fernen Wald,
sah da die große Schmiede,
ein trat der Knabe bald.

Hier wohnt mit seinen Künsten
Mimer, ein Held bekannt,
der mit vielen Gehilfen
schmiedete schön Gewand.

Er wirkte edle Schwerter,
Panzer und Schilde breit,
die kauften werte Recken
und Kön'ge hocherfreut.

Er war ein Held gewaltig,
zu ihm trat Siegfried ein,
und wollt im grünen Walde
Mimers Gehilfe sein.

Als größer ward der Knabe
zeigt er viel bösen Sinn,
er droht und plagte alle,
der Meister furchte ihn:

Er stellt ihn an die Arbeit
an einem Sommertag,
da nahm Siegfried den Hammer
und tat so kräft'gen Schlag,

daß er den Ambos spaltete
und schlug ihn in den Grund,
darob sie all erschraken
und wünschten zu der Stund,

er wäre nie gekommen,
sie hatten sein nicht not,
sie furchten, daß der Große
sie alle schlüge tot.

Ein giftiger Linddrache
dort in dem Walde was,
vor dessen grimmen Rachen
der Kühnste nicht genas.

Mimer in seinen Listen
dachte mit klugem Sinn:
der Knab' wird sich nicht fristen;
sandt ihn zum Wurme hin.

Da folgt der Jüngling kühne
dem anbefohlnen Werke,
ohn' Waffen in der Grüne,
nur in selbsteigner Stärke.

Der Drache schoß im Grimme
aus seiner Höhle wild,
den jungen Ritter schirmten
Baumzweige wie ein Schild.

Damit kämpft er so kräftig
und schlug das Ungeheuer,
dann aß er in dem Walde
und zündete ein Feuer.

Im Drachenblut er badete,
hürnen ward seine Haut,
kein Waffen ihm nun schadete,
wie scharf es auf ihn haut.

In sehr grimmigem Mute
riß er vom Wurm das Haupt,
und rennt durch Waldesdunkel,
als schon der Meister glaubt,

er sei im Wald erstorben.
Da schreien die Gesellen:
Wir sehen Siegfried kommen,
der wird uns alle fällen.

Er trägt das Wurmhaupt blutig
wie einen Schildesrand!
Siegfried trat ein wildmutig,
sie flohn zur Steineswand.

Mimer ging ihm entgegen,
er sah des Jünglings Wut,
um Gnade bat der Degen,
Harnisch und Schwerter gut

versprach er fleh'nd dem Werten:
Siegfried nichts sagte wieder,
das Haupt warf er zur Erden
und schlug den Meister nieder.

Auf saß er dann zu Rosse
und nahm ein Sturmgewand,
nicht sucht er die Genossen,
weit fuhr er durch das Land.

*Von Ludwig Tieck*

# Die Nibelungen

In der dunkelnden Halle saßen sie,
Sie saßen geschart um die Flammen,
      Hagen Tronje zur Linken, sein Schwert
auf dem Knie,
Die Könige saßen zusammen.

Schön Kriemhild kauerte nah der Glut.
Von ihren schmalen Händen
Zuckte der Schein wie Gold und Blut
Und sprang hinauf an den Wänden.

      König Gunter sprach: »Mein Herz geht
schwer,
Hör ich den Ostwind klagen!
Spielmann, lang deine Fiedel her,
Sing uns von den frohen Tagen!«

Aufflog ein jubelnder Bogenstrich
Und flatterte an den Balken,
Herr Volker sang: »Einst zähmte ich
Einen edelen Falken...«

Die blonde Kriemhild blickte auf
Und sprach mit Tränen und leise:
»Spielmann, hör mit dem Liede auf,
Sing eine andere Weise!«

Die braune Fiedel raunte alsbald
Träumend und ganz versonnen,
Herr Volker sang: »Im Odenwald
Da fließt ein kühler Bronnen...«

Die blonde Kriemhild wandte sich
Und sprach mit Tränen und bange:
      »Mein Herz schlägt laut und fürchtet
sich
Und bebt bei deinem Sange...«

Anhub die Fiedel zum drittenmal
Aufweinend in Gram und Leide,
Herrn Volkers Stimme sang im Saal,
Wie ein Vogel auf nächtiger Heide:

»Es glimmt empor aus ewiger Nacht
Heißer als alle Feuersglut,
Gelb wie das Aug der Zwergenbrut,
Das gierig seinen Glanz bewacht, –
O weh der Lust, die mich gezeugt!

Wie Brunft nach Brunft im Forste schreit,
Wie nach der Lohe lechzt die Glut,
So treibt die Gier nach Menschenblut
      Ans Licht den Hort der Dunkelheit,
–
O weh dem Schoß, der mich gebar!

Es ruft den Neid, es weckt den Mord,
Stört auf die Drachen Trug und List,
      Hetzt Rachsucht, die die Rache frißt,
–
Und immer röter glüht der Hort, –
O weh der Brust, die mich gesäugt!

Es treibt und schwimmt die Purpurquell,
      Es trinkt den Quell und lechzt nach
mehr,
      Es braust und schäumet, die Flut steigt
schnell,
Breit wie die Donau strömt es her, –
O weh der Lieb, die lieb mir war!

Es schäumt und braust, atmet und steigt,
Schon brandets draußen an die Tür,
Es klopft und pocht, der Riegel weicht,
Nun flutets heiß und rot hierfür, –
Weh über mich, weh über euch!«

Jäh bei dem letzten Bogenstrich
Sprangen die Saiten und schrieen,
Hagen von Tronje neigte sich
Und wiegte sein Schwert auf den Knieen.

Die Könige saßen bleich und verstört,
Doch die schöne Kriemhild lachte,
Sie sprach: »Nie hab ich ein Lied gehört,
Das mich lustiger machte!«

Sie kniete nieder und schürte die Glut.
Von ihren schmalen Händen
Zuckte der Schein wie Gold und Blut
Und sprang hinauf an den Wänden.

*Von Agnes Miegel*

# Der Zweikampf

In der Väter Hallen ruhte
Ritter Rudolfs Heldenarm,
Rudolfs, den die Schlacht erfreute,
Rudolfs, welchen Frankreich
scheute
und der Sarazenen Schwarm.

Er, der letzte seines Stammes,
weinte seiner Söhne Fall,
zwischen moosbewachsnen Mauern
tönte seiner Klage Trauern
in der Zellen Widerhall.

Agnes mit den goldnen Locken
war des Greises Trost und Stab;
sanft wie Tauben, weiß wie
Schwäne,
küßte sie des Vaters Träne
von den grauen Wimpern ab.

Ach! sie weinte selbst im stillen,
wenn der Mond ins Fenster schien.
Albrecht mit der offnen Stirne
brannte für die edle Dirne,
und die Dirne liebte ihn!

Aber Horst, der hundert Krieger
unterhielt in eignem Sold,
rühmte seines Stammes Ahnen,
prangte mit erfochtnen Fahnen,
und der Vater war ihm hold.

Einst beim freien Mahle küßte
Albrecht ihre weiche Hand,
ihre sanften Augen strebten
ihn zu strafen, ach! da bebten
Tränen auf das Busenband.

Horst entbrannte, blickte seitwärts
auf sein schweres Mordgewehr;
auf des Ritters Wange glühte
Zorn und Liebe; Feuer sprühte
aus den Augen wild umher.

Drohend warf er seinen Handschuh
in der Agnes keuschen Schoß:
»Albrecht nimm! zu dieser Stunde
harr ich dein im Mühlengrunde!«
Kaum gesagt, schon flog sein Roß.

Albrecht nahm das Fehdezeichen
ruhig und bestieg sein Roß;
freute sich des Mädchens Zähre,
die der Lieb und ihm zur Ehre
aus dem blauen Augen floß.

Rötlich schimmerte die Rüstung
in der Abendsonne Strahl;
von den Hufen ihrer Pferde
tönte weit umher die Erde
und die Hirsche flohn ins Tal.

Auf des Söllers Gitter lehnte
die betäubte Agnes sich,
sah die blanken Speere blinken,
sah – den edlen Albrecht sinken,
sank wie Albrecht und erblich.

Bang von leiser Ahnung spornet
Horst sein schaumbedecktes Pferd;
höret nun des Hauses Jammer,
eilet in des Fräuleins Kammer,
starrt und stürzt sich in sein
Schwert.

Rudolf nahm die kalte Tochter
in den väterlichen Arm,
hielt sie so zwei lange Tage,
tränenlos und ohne Klage,
und verschied im stummen Harm.

*Von Friedrich Leopold Graf zu Stolberg (1750–1819)*
*Mitglied des Göttinger Dichterbundes.*

# Der Haunstein

Sehet dort auf jenen Höhen,
An des Klausners Zell' vorbei,
Trümmerndes Gemäuer stehen,
Ragen in die Lüfte frey.

Gräßlich thut's dort oben hausen,
Dumpfes Stöhnen wird gehört,
Schauervoll vernimmt man's
sausen,
Wo das Bergschloß liegt zerstört.

Lang in dieses Schlosses Mitte,
Hohen Muthes, ungeschwächt,
Treu der alten biedern Sitte,
War ein ritterlich Geschlecht;

Lebte froh und lebte bieder,
Bis, von Habsucht arg gefaßt,
Die zwei letzten, welche Brüder,
Mordbegierig sich gehaßt.

Unfern von den grünen Wiesen,
Die hindurch ein Bach sich
schmiegt,
Sich die Brüder niederstießen,
Wo die schmale Stelle liegt.

Drum verweilet tiefe Trauer,
Wehet immer grausend da
In den Lüften Geisterschauer,
Wo die blut'ge That geschah.

Jährlich an demselben Tage
Flammen werden zwei gesehn;
Mit dem mitternächt'gen Schlage
Gräulich hört man dort es gehn.

Und die Flammen kommen
wieder,
Wo geschah der Brüdermord,
Bis sich gegenseitig Brüder
Einst das Leben retten dort.

*Von Ludwig I,*
*bayerischer König von 1825–1848*

# Ritter Curt's Brautfahrt

Mit des Bräutigams Behagen
Schwingt sich Ritter Curt aufs Roß;
Zu der Trauung soll's ihn tragen,
Auf der edlen Liebsten Schloß;
Als am öden Felsenorte
Drohend sich ein Gegner naht;
Ohne Zögern, ohne Worte
Schreiten sie zu rascher That.

Lange schwankt des Kampfes Welle,
Bis sich Curt im Siege freut;
Er entfernt sich von der Stelle,
Überwinder und gebläut.
Aber was er bald gewahret
In des Busches Zitterschein!
Mit dem Säugling still gepaaret
Schleicht ein Liebchen durch den Hain.

Und sie winkt ihn auf das Plätzchen:
»Lieber Herr, nicht so geschwind!
Habt ihr nichts an euer Schätzchen,
Habt ihr nichts für euer Kind?«
Ihn durchglühet süße Flamme,
Daß er nicht vorbei begehrt,
Und er findet nun die Amme,
Wie die Jungfrau, liebenswert.

Doch er hört die Diener blasen,
Denket nun der hohen Braut,
Und nun wird auf seinen Straßen
Jahresfest und Markt so laut,
Und er wählet in den Buden
Manches Pfand zu Lieb' und Huld;
Aber ach! da kommen Juden
Mit dem Schein vertagter Schuld.

Und nun halten die Gerichte
Den behenden Ritter auf.
»O verteufelte Geschichte!
Heldenhafter Lebenslauf!
Soll ich heute mich gedulden?
Die Verlegenheit ist groß.
Widersacher, Weiber, Schulden,
Ach! kein Ritter wird sie los.«

*Von Johann Wolfgang von Goethe*

# Der fahle Vatermörder

Graf Eulenfels war reich an Gold,
doch arm an Lebensfreuden,
so wie der Uhu einsam grollt,
sah man ihn Menschen meiden.
Ihn nagt ein Wurm, der nimmer wich
und doppelt hart ihn quälte,
als seine Tochter Anna sich
mit Junker Horst vermählte.

Sein düstrer Blick verscheuchte ganz
die Fröhlichkeit vom Feste,
und seiner hundert Kerzen Glanz
bestrahlte stumme Gäste.
Ein fremder Ritter, Karl von Sturm,
befand sich unter diesen.
Ihm ward ein Zimmer noch am Turm
des Schlosses angewiesen.

Um Mitternacht entschlief er kaum
im weichen Schwanenbette,
da weckt ihn aus dem ersten Traum
das Klirren einer Kette.
Erschrocken rafft er sich empor,
denkt, seine Sinne trügen;
doch klirrt es stärker als zuvor
und kommt herauf die Stiegen.

Es tappt im Vorsaal her und hin,
schleicht jetzt herein und rasselt
am Bett vorüber zum Kamin,
wo noch die Flamme prasselt.
Hier bleibt's und stöhnet schauerlich
wie Ruf aus einem Grabe:
»Huhu! wie lange, seit ich mich
nicht mehr gewärmet habe!«

Karl zog sich grausend an die Wand;
dann schob er die Gardine
des Betts zurück mit leiser Hand
und blickte zum Kamine.
Hier saß, des Todes Bild, ein Greis,
mit Lumpen nur behangen;
sein langer Bart floß silberweiß
von leichenfahlen Wangen.

Bald sah er irr und wirr umher,
bald starr hin nach den Dielen;
es schien, als wogt in ihm ein Meer
von marternden Gefühlen.
Denn wie zerrüttet im Gehirn
rang er die Knochenhände
und stieß verzweifelnd seine Stirn
ans Mauerwerk der Wände.

»Halt ein!« rief Karl, »wer du auch bist!
halt ein! was ist dein Jammer,
Lebst du noch wirklich, oder ist
das Beinhaus deine Kammer?« –
Der Greis schrak auf und schwankte hin
ans Bette: »Fremdling, bebe
nicht vor mir armen Mann! ich bin
kein böser Geist, ich lebe!«

»Nun denn, Nachtwandler, beichte frei!
Was drücken dich für Leiden?
Ich helfe dir, bei Rittertreu!
so du's verdienst, mit Freuden.« –
»Ja, Rittersmann ich will mein Leid
Euch offenherzig klagen;
doch sagt mir erst, was rollten heut
durchs Schloß so viele Wagen?

Ich konnt in meinem Felsennest
vor dem Getös nicht schlafen;
was gab's?« – »Je nun, das Hochzeitsfest
der Tochter von dem Grafen.« –
»Des Grafen? meiner Enkelin?
O Gott! sei ihr Berater!
Ihr glaubt, ich rase. Nein ich bin,
ich bin – des Grafen Vater.

Ja, Herr, ich sag es noch einmal:
mein Sohn ist der verruchte
Graf Eulenfels, den ich zur Qual
des Abgrunds oft verfluchte.
Es hat, der seltne Bösewicht,
mit Ketten mich beladen,
denn seiner Habsucht fraßen nicht
mich früh genug die Maden.

Der Unmensch! ach, er zeiget klar,
da noch die Kinderstube
der Schauplatz seiner Taten war,
sich schon als böser Bube.
Mit seinem Wuchs stieg Tritt auf Tritt
die Bosheit. Jener machte
zum Gipfel kaum den letzten Schritt,
als sie ihn auch vollbrachte.

Und diese schwarze Tat begann
in seiner Brust zu kochen,
als er einst einen Edelmann,
des Vater seit vier Wochen
begraben war, umgeben fand
von Reichtum und Vasallen.
Da fiel er von der Menschheit Rand
dem Teufel in die Krallen.

Er kam zurück, ging wie ein Bär
herum und pries mit Brummen
des Edelmanns Vasallenheer
und die ererbten Summen.
Dann warf er scheele Blick' auf mich,
worin ich hell geschrieben
den großen Wunsch las: wenn wir dich
doch heute schon begrüben!

So trieb er's einen Monat lang,
daß jedermann ihn scheute.
Nun wird sein Plan zur Tat: es drang
ein Trupp vermummter Leute
bei Nacht in meinem Zimmer ein,
riß nackt mich aus dem Bette
und legte, taub bei meinem Schrein,
im Turm mich an die Kette.

Drei Tage saß ich schwermutsvoll;
dann hört ich Glocken läuten
und Totengsang. Das mochte wohl
auf mein Begräbnis deuten.
Vollführt war nun die Scheidewand,
die von der Welt mich trennte.
O daß ich Euch, was ich empfand,
recht klar beschreiben könnte!

Ich flehte hundertmal: laßt doch,
eh meine Augen brechen,
mich nur zwei Augenblicke noch
mein Kind, den Grafen, sprechen!
Doch ganz umsonst. Allmorgens bringt
ein Stallknecht des Tyrannen
mir Brot und Wasser, pfeift und singt
und gehet kalt von dannen.

Schon zwanzig Jahre hab ich hier
im Burgverlies durchjammert.
Mein Wärter hatte heut die Tür
nicht fest genug verklammert;
drum hab ich Euch in Angst gebracht.
Der Hahn fängt an zu krähen.
Schlaft ruhig, Ritter! Ich will sacht
zurück nun wieder gehen.«

Bewegt rief Karl: »Ihr armer Mann!
wie schrecklich was ich hörte!
Für Euch zu tun, was ich nur kann
schwör ich bei meinem Schwerte!
Kommt, eh die Ungeheuer hier
vom Schlummer noch erwachen!
kommt eilend fort, dann wollen wir
das übrige schon machen.« –

»Mein Ritter! Mir ist Einsamkeit,
fern von den wilden Horden
der Menschen, wie ein Alltagskleid
nun lieb und wert geworden.
Die Stille meines Kerkers mag
ich nicht um Lärm vertauschen;
drum laßt mich gehn! Schon graut der Tag;
man möcht uns hier belauschen!« –

»Mag lauschen Mordlust und Verrat,
Euch darf davor nicht grauen.
Mein Schwert soll Euch gebahnten Pfad
durch Eure Feinde hauen!
Wollt Ihr in ew'ger Tränenflut
hier Euer Leben enden?
Nein, geht mit mir, und Gut und Blut
will ich für Euch verspenden.

Welch Zaudern, Graf! Verlanget Ihr,
daß ich zur Hauptstadt jage
und Euren Sohn, das Tigertier,
beim Fürsten dort verklage?« –
»Nein, braver Mann! Gewissensnot
ist drückender als Ketten,
und ach! von dieser kann kein Gott,
geschweig' ein Fürst, mich retten.

Seht Ihr das Blut dort an der Wand?
dies Blut hier wo wir stehen?
Und flöh ich an des Meeres Strand,
so würd ich's dort auch sehen!
Dies Blut ist meines Vaters Blut,
wird mich bei Gott verklagen.
Hier hab ich, um sein Geld und Gut
zu erben, ihn erschlagen!

Die Stelle brennt wie Höllenglut –
lebt wohl! – mögt für mich beten!
O schaut Ihr dort den Mann voll Blut,
der mir den Weg vertreten?« –
»Hinab, hinab, erzürnter Geist,
hinab in deine Höhle!«
»Ich folge – Gott! mein Herz zerreißt –
erbarm dich meiner Seele! – «

Der Vatermörder fiel, um sich
nie wieder zu erheben;
denn um ihn stritten fürchterlich
im Staube Tod und Leben.
Entsetzen, kalt wie Eis ergoß
sich durch des Ritters Glieder;
er floh das grauenvolle Schloß
sofort und sah's nie wieder.

*Von August Friedrich Langbein (1757–1835)*

# Die Füße im Feuer

Wild zuckt der Blitz. Im fahlen Lichte steht ein Turm.
Der Donner rollt. Ein Reiter kämpft mit seinem Roß,
springt ab und pocht ans Tor und lärmt. Sein Mantel
saust
im Wind. Er hält den scheuen Fuchs am Zügel fest.
Ein schmales Gitterfenster schimmert goldenhell,
und knarrend öffnet jetzt das Tor ein Edelmann...

– »Ich bin ein Knecht des Königs, als Kurier geschickt
nach Nimes. Herbergt mich! Ihr kennt des Königs
Rock!«
– »Es stürmt. Mein Gast bist du. Dein Kleid, was kümmert's mich?
Tritt ein und wärme dich! Ich sorge für dein Tier.«
Der Reiter tritt in einen dunkeln Ahnensaal,
von eines weiten Herdes Feuer schwach erhellt,
und je nach seines Flackerns launenhaftem Licht
droht hier ein Hugenott im Harnisch, dort ein Weib,
ein stolzes Edelweib aus braunem Ahnenbild...
Der Reiter wirft sich in den Sessel vor dem Herd
und starrt in den lebend'gen Brand. Er brütet, gafft...
leis sträubt sich ihm das Haar. Er kennt den Herd, den
Saal...
Die Flamme zischt. Zwei Füße zucken in der Glut.

Den Abendtisch bestellt die greise Schaffnerin
mit Linnen blendend weiß. Das Edelmägdlein hilft.
Ein Knabe trug den Krug mit Wein. Der Kinder Blick
hangt schreckenstarr am Gast und hangt am Herd entsetzt...
die Flamme zischt. Zwei Füße zucken in der Glut.

– »Verdammt! Dasselbe Wappen! Dieser selbe Saal!
Drei Jahre sind's... Auf einer Hugenottenjagd...
ein fein, halsstarrig Weib... »Wo steckt der Junker?
sprich!«
Sie schweigt. »Bekenn'!« Sie schweigt. »Gib ihn heraus!«
Sie schweigt.
Ich werde wild. Der Stolz! Ich zerre das Geschöpf...
die nackten Füße pack' ich ihr und strecke sie
tief mitten in die Glut... »Gib ihn heraus!«... Sie
schweigt...
Sie windet sich... Sahst du das Wappen nicht am Tor?
Wer hieß dich hier zu Gaste gehen, dummer Narr?
Hat er nur einen Tropfen Bluts, erwürgt er dich.«
Ein tritt der Edelmann. »Du träumst! Zu Tische,
Gast...«

Da sitzen sie. Die drei in ihrer schwarzen Tracht
und er. Doch keins der Kinder spricht das Tischgebet.
Ihn starren sie mit aufgerißnen Augen an –
den Becher füllt und übergießt er, stürzt den Trunk,
springt auf: »Herr, gebet jetzt mir meine Lagerstatt!
müd' bin ich wie ein Hund!« – Ein Diener leuchtet ihm,
doch auf der Schwelle wirft er einen Blick zurück
und sieht den Knaben flüstern in des Vaters Ohr...
Dem Diener folgt er taumelnd in das Turmgemach.

Fest riegelt er die Tür. Er prüft Pistol und Schwert.
Gell pfeift der Sturm. Die Diele bebt. Die Decke stöhnt.
Die Treppe kracht... Dröhnt hier ein Tritt?... Schleicht
dort ein Schritt?...
Ihn täuscht das Ohr. Vorüber wandelt Mitternacht.
Auf seinen Lidern lastet Blei, und schlummernd sinkt
er auf das Lager. Draußen plätschert Regenflut.

Er träumt. »Gesteh!« Sie schweigt. »Gib ihn heraus!« Sie
schweigt.
Er zerrt das Weib. Zwei Füße zucken in der Glut.
Auf sprüht und zischt ein Feuermeer, das ihn verschlingt...
– »Erwach! Du solltest längst von hinnen sein! Es tagt!«
Durch die Tapetentür in das Gemach gelangt,
vor seinem Lager steht des Schlosses Herr – ergraut
dem gestern dunkelbraun sich noch gekraust das Haar.

Sie reiten durch den Wald. Kein Lüftchen regt sich heut.
Zersplittert liegen Ästetrümmer quer im Pfad.
Die frühsten Vöglein zwitschern, halb im Traume noch.
Friedsel'ge Wolken schwimmen durch die klare Luft,
als kehrten Engel heim von einer nächt'gen Wacht.
Die dunkeln Schollen atmen kräft'gen Erdgeruch.
Die Ebne öffnet sich. Im Felde geht ein Pflug.
Der Reiter lauert aus den Augenwinkeln: »Herr,
Ihr seid ein kluger Mann und voll Besonnenheit
und wißt, daß ich dem größten König eigen bin.
Lebt wohl. Auf Nimmerwiedersehn!« Der andre spricht:
»Du sagst's! Dem größten König eigen! Heute ward
sein Dienst mir schwer... Gemordet hast du teuflisch
mir
mein Weib! Und lebst!... Mein ist die Rache, redet
Gott.«

*Von Conrad Ferdinand Meyer*

# Ritter Olaf

## I.

Vor dem Dome stehn zwei Männer,
tragen beide rote Röcke,
und der eine ist der König,
und der Henker ist der andre.

Und zum Henker spricht der König:
»Am Gesang der Pfaffen merk ich,
daß vollendet schon die Trauung, –
halt bereit dein gutes Richtbeil.«

Glockenklang und Orgelrauschen,
und das Volk strömt aus der Kirche;
bunter Festzug, in der Mitte
die geschmückten Neuvermählten.

Leichenblaß und bang und traurig
schaut die schöne Königstochter;
keck und heiter schaut Herr Olaf,
und sein roter Mund, der lächelt.

Und mit lächelnd rotem Munde
spricht er zu dem finstern König:
»Guten Morgen, Schwiegervater,
heut ist dir mein Haupt verfallen.

Sterben soll ich heut – o, laß mich
nur bis Mitternacht noch leben,
daß ich meine Hochzeit feire
mit Bankett und Fackeltänzen.

Laß mich leben, laß mich leben,
bis geleert der letzte Becher,
bis der letzte Tanz getanzt ist –
laß bis Mitternacht mich leben!«

Und zum Henker spricht der König:
»Unserm Eidam sei gefristet
bis um Mitternacht sein Leben –
halt bereit dein gutes Richtbeil.«

## II.

Herr Olaf sitzt beim Hochzeitschmaus,
er trinkt den letzten Becher aus.
An seine Schulter lehnt
sein Weib und stöhnt –
Der Henker steht vor der Türe.

Der Reigen beginnt, und Herr Olaf erfaßt
sein junges Weib, mit wilder Hast
sie tanzen bei Fackelglanz
den letzten Tanz –
Der Henker steht vor der Türe.

Die Geigen geben so lustigen Klang,
die Flöten seufzen so traurig und bang!
Wer die beiden tanzen sieht,
dem erbebt das Gemüt –
Der Henker steht vor der Türe.

Und wie sie tanzen im dröhnenden Saal,
Herr Olaf flüstert zu seinem Gemahl:
»Du weißt nicht, wie lieb ich dich hab' –
so kalt ist das Grab« –
Der Henker steht vor der Türe.

## III.

Herr Olaf, es ist Mitternacht,
dein Leben ist verflossen!
Du hattest eines Fürstenkinds
in freier Lust genossen.

Die Mönche murmeln das Totengebet,
der Mann im roten Rocke,
er steht mit seinem blanken Beil
schon vor dem schwarzen Blocke.

Herr Olaf steigt in den Hof hinab,
da blinken viel Schwerter und Lichter.
Es lächelt des Ritters roter Mund,
mit lächelndem Munde spricht er:

»Ich segne die Sonne, ich segne den Mond
und die Stern', die am Himmel schweifen;
ich segne auch die Vögelein,
die in den Lüften pfeifen.

Ich segne das Meer, ich segne das Land
und die Blumen auf der Aue;
ich segne die Veilchen, sie sind so sanft
wie die Augen meiner Fraue.

Ihr Veilchenaugen meiner Frau,
durch euch verlier ich mein Leben!
Ich segne auch den Holunderbaum,
wo du dich mir ergeben.«

*Von Heinrich Heine*

# Gotentreue

Erschlagen war mit dem halben Heer
der König der Goten, Theodemer.
Die Hunnen jauchzten auf blutiger Wal,
die Geier stießen herab zu Tal.
Der Mond schien hell, der Wind pfiff kalt
die Wölfe heulten im Föhrenwald.
Drei Männer ritten durchs Heidegefild,
den Helm zerschroten, zerhackt den Schild.
Der erste über den Sattel quer
trug seines Königs zerbrochenen Speer.
Der zweite des Königs Kronhelm trug,
den mittendurch ein Schlachtbeil schlug.
Der dritte barg im treuen Arm
ein verhüllt Geheimnis im Mantel warm.
So kamen sie an den Ister tief;

und der erste hielt mit dem Roß und rief:
»Ein zerhau'ner Helm, ein zerhackter Speer,
von dem Reich der Goten blieb nicht mehr.«
Und der zweite sprach: »In die Welle dort
versenkt den traurigen Gotenhort.
Dann springen wir nach dem Uferrand –
was säumest du – Meister Hildebrand?« –
»Und tragt ihr des Königs Helm und Speer,
ihr treuen Gesellen; ich trage mehr!«
Auf schlug er seinen Mantel weich:
»Ich trage der Goten Hort und Reich!
Und habt ihr gerettet Speer und Kron -
ich habe gerettet – des Königs Sohn!
Erwache, mein Knabe! Ich grüße dich:
du König der Goten – Jung Dieterich.«

*Von Felix Dahn (1834–1912)*

# Roland, der Ries'

Roland, der Ries', am
Rathaus zu Bremen,
steht er ein Standbild
standhaft und wacht.

Roland, der Ries', am
Rathaus zu Bremen,
wollten ihn Welsche
werfen in Nacht.

Roland, der Ries', am
Rathaus zu Bremen,
Kämpfer einst Kaiser
Karls in der Schlacht.

Roland, der Ries', am
Rathaus zu Bremen,
lehnet an langer
Lanz' er und lacht.

Roland, der Ries', am
Rathaus zu Bremen,
männlich die Mark einst
hütend die Macht.

Roland, der Ries', am
Rathaus zu Bremen,
Ende ward welschem
Wesen gemacht.

Roland, der Ries', am
Rathaus zu Bremen,
wollten ihm Welsche
nehmen die Macht.

Roland, der Ries', am
Rathaus zu Bremen,
wieder wie weiland
wacht er und wacht!

*Von Friedrich Rückert. Roland: sagenumwobener*
*Neffe von Kaiser Karl dem Großen. Starb*
*778 im Kampf bei Roncesvalles.*

# Karl I.

Im Wald, in der Köhlerhütte sitzt
trübsinnig allein der König;
er sitzt an der Wiege des Köhlerkinds
und wiegt und singt eintönig:

»Eiapopeia, was raschelt im Stroh?
es blöken im Stalle die Schafe –
du trägst das Zeichen an der Stirn
und lächelst so furchtbar im Schlafe.

Eiapopeia, das Kätzchen ist tot –
du trägst auf der Stirne das Zeichen –
du wirst ein Mann und schwingst das Beil,
schon zittern im Walde die Eichen.

Der alte Köhlerglaube verschwand,
es glauben die Köhlerkinder –
Eiapopeia – nicht mehr an Gott,
und an den König noch minder.

Das Kätzchen ist tot, die Mäuschen sind froh –
wir müssen zuschanden werden –
Eiapopeia – im Himmel der Gott
und ich, der König auf Erden.

Mein Mut erlischt, mein Herz ist krank,
und täglich wird es kränker –
Eiapopeia, du Köhlerkind,
ich weiß es, du bist mein Henker.

Mein Todesgesang ist dein Wiegenlied –
Eiapopeia – die greisen
Haarlocken schneidest du ab zuvor –
im Nacken klirrt mir das Eisen.

Eiapopeia, was raschelt im Stroh –
du hast das Reich erworben
und schlägst mir das Haupt vom Rumpf herab –
das Kätzchen ist gestorben.

Eiapopeia, was raschelt im Stroh?
es blöken im Stalle die Schafe.
Das Kätzchen ist tot, die Mäuschen sind froh –
schlafe, mein Henkerchen, schlafe!«

*Von Heinrich Heine*

# König Karls Meerfahrt

Der König Karl fuhr über Meer
mit seinen zwölf Genossen,
zum heil'gen Lande steuert er
und ward vom Sturm verstoßen.

Da sprach der kühne Held Roland:
»Ich kann wohl fechten und schirmen;
doch hält mir diese Kunst nicht stand
vor Wellen und vor Stürmen.«

Dann sprach Herr Holger aus Dänemark:
»Ich kann die Harfe schlagen;
was hilft mir das, wenn also stark
die Wind' und Wellen jagen?«

Herr Oliver war auch nicht froh;
er sah auf seine Wehre:
»Es ist mir um mich selbst nicht so,
wie um die Altekläre.«

Dann sprach der schlimme Ganelon
(er sprach es nur verstohlen):
»Wär ich mit guter Art davon,
möcht euch der Teufel holen!«

Erzbischof Turpin seufzte sehr:
»Wir sind die Gottesstreiter;
komm, liebster Heiland, über das Meer
und führ uns gnädig weiter!«

Graf Richard Ohnefurcht hub an:
»Ihr Geister aus der Hölle,
ich hab euch manchen Dienst getan;
jetzt helft mir von der Stelle!«

Herr Naimes diesen Ausspruch tat:
»Schon vielen riet ich heuer,
doch süßes Wasser und guter Rat
sind oft zu Schiffe teuer.«

Da sprach der graue Herr Riol:
»Ich bin ein alter Degen
und möchte meinen Leichnam wohl
dereinst ins Trockne legen.«

Es war Herr Gui, ein Ritter fein,
der fing wohl an zu singen:
»Ich wollt, ich währ ein Vögelein:
wollt mich zu Liebchen schwingen.«

Da sprach der edle Graf Garein:
»Gott helf uns aus der Schwere!
Ich trink viel lieber den roten Wein,
als Wasser in dem Meere.«

Herr Lambert sprach, ein Jüngling frisch:
»Gott woll uns nicht vergessen!
Aß lieber selbst 'nen guten Fisch,
statt daß mich Fische fressen.«

Da sprach Herr Gottfried lobesan:
»Ich laß mir's halt gefallen;
man richtet mir nicht anders an,
als meinen Brüder allen.«

Der König Karl am Steuer saß;
der hat kein Wort gesprochen,
er lenkt das Schiff mit festem Maß,
bis sich der Sturm gebrochen.

*Von Ludwig Uhland*

# Der wackere Schwabe

Als Kaiser Rotbart lobesam
zum heil'gen Land gezogen kam,
da mußt er mit dem frommen Heer
durch ein Gebirge wüst und leer.
Daselbst erhub sich große Not,
viel Steine gab's und wenig Brot,
und mancher deutsche Reitersmann
hat dort den Trunk sich abgetan;
den Pferden war's so schwer im Magen,
fast mußt der Reiter die Mähre tragen.
Nun war ein Herr aus Schwabenland,
von hohem Wuchs und starker Hand,
des Rößlein war so krank und schwach,
er zog es nur am Zaume nach;
er hätt' es nimmer aufgegeben,
und kostet's ihn das eigne Leben.
So blieb er bald ein gutes Stück
hinter dem Heereszug zurück;
da sprengten plötzlich in die Quer
fünfzig türkische Ritter daher.
Die huben an auf ihn zu schießen,
nach ihm zu werfen mit den Spießen.
Der wackre Schwabe forcht sich nit,
ging seines Weges Schritt vor Schritt,
ließ sich den Schild mit Pfeilen spicken
und tät nur spöttisch um sich blicken,
bis einer, dem die Zeit zu lang,
auf ihn den krummen Säbel schwang.
Da wallt dem Deutschen auch sein Blut,
er trifft des Türken Pferd so gut,
er haut ihm ab mit einem Streich
die beiden Vorderfüß' zugleich.
Als er das Tier zu Fall gebracht,
da faßt er erst sein Schwert mit Macht,

er schwingt es auf des Reiters Kopf,
haut durch bis auf den Sattelknopf,
haut auch den Sattel noch zu Stücken
und tief noch in des Pferdes Rücken;
zur Rechten sieht man wie zur Linken
einen halben Türken heruntersinken.
Da packt die andern kalter Graus;
sie fliehen in alle Welt hinaus,
und jedem ist's, als würd ihm mitten
durch Kopf und Leib hindurchgeschnitten.
Drauf kam des Wegs 'ne Christenschar,
die auch zurückgeblieben war;
die sahen nun mit gutem Bedacht,
was Arbeit unser Held gemacht.
Von denen hat's der Kaiser vernommen.
Der ließ den Schwaben vor sich kommen;
er sprach: „Sag an, mein Ritter wert!
Wer hat dich solche Streich' gelehrt?«
Der Held bedacht sich nicht zu lang:
»Die Streiche sind bei uns im Schwang;
sie sind bekannt im ganzen Reiche,
man nennt sie halt nur Schwabenstreiche.«

*Von Ludwig Uhland. Diese Ballade schildert
eine (sagenhafte oder wahre?) Episode aus
dem von Kaiser Friedrich Barbarossa (Rotbart)
angeführten dritten Kreuzzug (1189–1192).
Nach dem Tode des Kaisers (1190) übernahm
dessen Sohn, Herzog Friedrich von Schwaben,
den Befehl über die Kreuzritter. Er starb ein
Jahr später vor Akkon. Möglicherweise ist
mit dem »wackeren Schwaben« dieser Herzog
gemeint.*

# Der Handschuh

Vor seinem Löwengarten,
Das Kampfspiel zu erwarten,
Saß König Franz,
Und um ihn die Großen der Krone,
Und rings auf hohem Balkone
Die Damen in schönem Kranz.

Und wie er winkt mit dem Finger,
Auftut sich der zweite Zwinger,
Und hinein mit bedächtigem Schritt
Ein Löwe tritt,
Und sieht sich stumm
Rings um,
Mit langem Gähnen,
Und schüttelt die Mähnen
Und streckt die Glieder
Und legt sich nieder.

Und der König winkt wieder,
Da öffnet sich behend,
Ein zweites Tor,
Daraus rennt
Mit wildem Sprunge
Ein Tiger hervor.
Wie er den Löwen erschaut,
Brüllt er laut,
Schlägt mit dem Schweif
Einen furchtbaren Reif
Und recket die Zunge,
Und im Kreise scheu
Umgeht er den Leu
Grimmig schnurrend,
Drauf streckt er sich murrend
Zur Seite nieder.

Und der König winkt wieder,
Da speit das doppelt geöffnete Haus

Zwei Leoparden auf einmal aus,
Die stürzen mit mutiger Kampfbegier
Auf das Tigertier;
Das packt sie mit seinen grimmigen Tatzen,
Und der Leu mit Gebrüll
Richtet sich auf – da wirds still,
Und herum im Kreis,
Von Mordsucht heiß,
Lagern sich die greulichen Katzen.

Da fällt von des Altans Rand
Ein Handschuh von schöner Hand
Zwischen den Tiger und den Leun
Mitten hinein.

Und zu Ritter Delorges spottender Weis'
Wendet sich Fräulein Kunigund':
»Herr Ritter, ist Eure Lieb' so heiß,
Wie Ihr mir's schwört zu jeder Stund',
Ei, so hebt mir den Handschuh auf!«

Und der Ritter in schnellem Lauf
Steigt hinab in den furchtbaren Zwinger
Mit festem Schritte,
Und aus der Ungeheuer Mitte
Nimmt er den Handschuh mit keckem Finger.

Und mit Erstaunen und mit Grauen
Sehen's die Ritter und Edelfrauen,
Und gelassen bringt er den Handschuh zurück.
Da schallt ihm sein Lob aus jedem Munde,
Aber mit zärtlichem Liebesblick –
Er verheißt ihm sein nahes Glück –
Empfängt ihn Fräulein Kunigunde.
Und er wirft ihr den Handschuh ins Gesicht:
»Den Dank, Dame, begehr ich nicht!«
Und verläßt sie zur selben Stunde.

*Von Friedrich von Schiller*

# Der Graf von Habsburg

Zu Aachen in seiner Kaiserpracht,
Im altertümlichen Saale,
Saß König Rudolfs heilige Macht
Beim festlichen Krönungsmahle.
Die Speisen trug der Pfalzgraf des Rheins,
Es schenkte der Böhme des perlenden Weins,
Und alle die Wähler, die sieben,
Wie der Sterne Chor um die Sonne sich stellt,
Umstanden geschäftig den Herrscher der Welt,
Die Würde des Amtes zu üben.

Und rings erfüllte den hohen Balkon
Das Volk in freud'gem Gedränge;
Laut mischte sich in der Posaunen Ton
Das jauchzende Rufen der Menge.
Denn geendigt nach langem verderblichen Streit
War die kaiserlose, die schreckliche Zeit,
Und ein Richter war wieder auf Erden.
Nicht blind mehr waltet der eiserne Speer,
Nicht fürchtet der Schwache, der Friedliche mehr,
Des Mächtigen Beute zu werden.

Und der Kaiser ergreift den goldnen Pokal
Und spricht mit zufriedenen Blicken:
»Wohl glänzet das Fest, wohl pranget das Mahl,
Mein königlich Herz zu entzücken;
Doch den Sänger vermiss' ich, den Bringer der Lust,
Der mit süßem Klang mir bewege die Brust
Und mit göttlich erhabenen Lehren.
So hab ich's gehalten von Jugend an,
Und was ich als Ritter gepflegt und getan,
Nicht will ich's als Kaiser entbehren.«

Und sieh! in der Fürsten umgebenden Kreis
Trat der Sänger im langen Talare,
Ihm glänzte die Locke silberweiß,
Gebleicht von der Fülle der Jahre.
«Süßer Wohllaut schläft in der Saiten Gold,
Der Sänger singt von der Minne Gold,
Er preiset das Höchste, das Beste,
Was das Herz sich wünscht, was der Sinn begehrt;
Doch sage, was ist des Kaisers wert
An seinem herrlichsten Feste?« –

»Nicht gebieten werd ich dem Sänger,« spricht
Der Herrscher mit lächelndem Munde,
»Er steht in des größeren Herren Pflicht,
Er gehorcht der gebietenden Stunde.
Wie in den Lüften der Sturmwind saust,
Man weiß nicht, von wannen er kommt und braust,
Wie der Quell aus verborgenen Tiefen,
So des Sängers Lied aus dem Innern schallt
Und wecket der dunkeln Gefühle Gewalt,
Die im Herzen wunderbar schliefen.«

Und der Sänger rasch in die Saiten fällt
Und beginnt sie mächtig zu schlagen:
»Aufs Weidwerk hinaus ritt ein edler Held,
den flüchtigen Gemsbock zu jagen.
Ihm folgte der Knapp mit dem Jägergeschoß,
Und als er auf seinem stattlichen Roß
In eine Au kommt geritten,
Ein Glöcklein hört er erklingen fern,
Ein Priester war's mit dem Leib des Herrn,
Voran kam der Mesner geschritten.

Und der Graf sich neiget zur Erde hin,
Das Haupt sich mit Demut entblößet,
Zu verehren mit gläubigem Christensinn,
Was alle Menschen erlöset.
Ein Bächlein aber rauschte durchs Feld,
Von des Gießbachs reißenden Fluten geschwellt,
Das hemmte der Wanderer Tritte;
Und beiseit legt jener das Sakrament,
Von den Füßen zieht er die Schuhe behend,
Damit er das Bächlein durchschritte.

Was schaffst du? redet der Graf ihn an,
Der ihn verwundert betrachtet.
Herr, ich walle zu einem sterbenden Mann,
Der nach der Himmelskost schmachet;
Und da ich mich nahe des Baches Steg,
Da hat ihn der strömende Gießbach hinweg
Im Strudel der Wellen gerissen,
Drum daß dem Lechzenden werde sein Heil,
So will ich das Wässerlein jetzt in Eil'
Durchwaten mit nackenden Füßen.

Da setzt ihn der Graf auf sein ritterlich Pferd
Und reicht ihm die prächtigen Zäume,
Daß er labe den Kranken, der sein begehrt,
Und die heilige Pflicht nicht versäume.
Und er selber auf seines Knappen Tier
Vergnüget noch weiter des Jagens Begier;
Der andre die Reise vollführet;
Und am nächsten Morgen, mit dankendem Blick,
Da bringt er dem Grafen sein Roß zurück,
Bescheiden am Zügel geführet.

Nicht wolle das Gott, rief mit Demutsinn
Der Graf, daß zum Streiten und Jagen
Das Roß ich beschritte fürderhin,
Das meinen Schöpfer getragen!
Und magst du's nicht haben zu eignem Gewinst,
So bleib es gewidmet dem göttlichen Dienst;
Denn ich hab es dem ja gegeben,
Von dem ich Ehre und irdisches Gut
Zu Lehen trage und Leib und Blut
Und Seele und Atem und Leben.

So mög Euch Gott, der allmächtige Hort,
Der das Flehen der Schwachen erhöret,
Zu Ehren Euch bringen hier und dort,
So wie Ihr jetzt ihn geehret.
Ihr seid ein mächtiger Graf, bekannt
Durch ritterlich Walten im Schweizerland,
Euch blühn sechs liebliche Töchter.
So mögen sie, rief er begeistert aus,
Sechs Kronen Euch bringen in Euer Haus,
Und glänzen die spätsten Geschlechter!«

Und mit sinnendem Haupt saß der Kaiser da,
Als dächt er vergangener Zeiten; –
Jetzt, da er dem Sänger ins Auge sah,
Da ergreift ihn der Worte Bedeuten.
Die Züge des Priesters erkennt er schnell
Und verbirgt der Tränen stürzenden Quell
In des Mantels purpurnen Falten.
Und alles blickte den Kaiser an
Und erkannte den Grafen, der das getan,
Und verehrte das göttliche Walten.

*1803. Von Friedrich von Schiller.*

# Die Stimme aus dem Grab

Zwei Königssöhne standen zu Nacht,
gelehnt an hohen Lanzenstab,
und hielten vor einem Berg die Wacht,
der Berg war ihres Vaters Grab.
Von Wolken oft umsponnen,
sah Mondlicht wechselnd drein;
da ward Gespräch begonnen
also von diesen zwein:

»O Bruder mein, was denkst du wohl,
bracht uns der Hirt wahrhafte Mär,
daß dort in Vaters Berggrab hohl
ein lust'ges Singen zu hören wär?
Mich dünkt, es kann nicht hausen
bei Toten heller Klang;
er fänd im kalten Grausen
wohl schlechten Liebesdank.«

»O Bruder mein, wie du's gedacht,
so denk ich's auch in meiner Brust.
Wo keines Lichtes Goldblick lacht,
hat niemand ja zum Singen Lust,
und helle Leuchten taugen
in Totenklausen nicht;
man sagt, gestorbnen Augen
sei herbe Pein das Licht,«

»O Bruder mein  du redest gut,
o Bruder mein, wie lebt sich's schön!
Im Leben nur wohnt freud'ger Mut,
und alles, was Herzen kann erhöhn.
Schlimm machten es die Götter,
daß man ins dunkle Grab,
gar sonder allen Retter,
so sicher muß hinab.«

Und kaum noch war das Wort heraus,
das lebenshold der Jüngling rief,
da regte sich's im Grabeshaus,
da täten sich auf die Kammern tief,
und draus hervor sah fröhlich
das alte Königshaupt;
man hätte kaum so selig
'nen Herrn der Welt geglaubt.

Er saß im Grab, das Schild sein Tisch,
vier Lichter brannten in Ecken klar,
und Mond strich ab die Wolken risch
und nahm liebvoll des Alten wahr.
Da in die goldnen Schimmer
sang froh hinein der Held,
er sang so freudig nimmer
ehmals auf dieser Welt.

So war sein Spruch, so war sein Lied,
er schlug mit dem Schwert dazu das Maß:
»Weh dem, der wankt, weh dem, der flieht,
weh dem, der zitternd im Sattel saß!
Ein Vater zweier Söhne
hielt immer fröhlich stand
und hat nun Licht und Töne
mit sich im dunklen Land.«

Und zu ging wieder das Grabeshaus,
und drin ward's wieder still und stumm,
der Kerzen Lichtstrom löschte aus,
Mond nahm den Wolkenmantel um.
Die Brüder sahn zur Stunde
den Bildern staunend nach,
bis, wie aus einem Munde,
jedweder also sprach:

»O Bruder mein, o Bruder gut,
wir woll'n dran denken, was wir sahn,
wo's gilt in Schlachten Kriegesmut
und durch Heerscharen brechen die Bahn.
Hell mag das Leben gleißen
in kühner Jünglingsbrust,
doch auch, was Tod wir heißen,
hegt schön geheime Lust!« –

Sie gingen heim, die Brüder zwei,
gar kecklich in erneuter Kraft;
doch sangen sie und schwangen frei
das blanke Schild und den Lanzenschaft.
Sie haben viel errungen
des Ruhms am Norderstrand,
seit ihnen ward gesungen
das Lied vom dunklen Land.

*Von Friedrich Baron de la Motte Fouqué*

# Der treue Totenwächter

Im Dom zu Braunschweig ruhet
der alte Welfe aus,
Heinrich der Löwe ruhet
nach manchem harten Strauß.

Es liegt auf Heinrichs Grabe,
gleichwie auf einem Schild,
ein treuer Totenwächter –
des Löwen ehrnes Bild.

Der Löwe konnt nicht weichen
von seines Herzogs Seit',
von ihm, der aus den Krallen
des Lindwurms ihn befreit.

Sie zogen miteinander
durch Syriens öden Sand,
sie zogen miteinander
nach Braunschweig in das Land.

Wo auch der Welfe wandelt,
der Löwe ziehet mit,
zieht mit ihm wie sein Schatten
auf jedem Tritt und Schritt.

Doch als des Herzogs Auge
in Todesnöten brach,
der Löwe still und traurig
bei seinem Freunde lag.

Vergebens fing den Löwen
man in den Käfig ein;
er brach die Eisenstäbe,
beim Herren mußt er sein.

Beim Herzog ruht der Löwe,
hält jeden andern fern,
doch nach drei Tagen fand man
tot ihn beim toten Herrn.

Drum mit des Herzogs Namen
geht stolz jahrhundertlang
der Löwe wie beim Leben
noch immer seinen Gang.

*Von Julius Mosen (1803–1867) nach einer
Sage, die sich um Herzog Heinrich den Löwen
(1142–1180) rankt.*

# Ritterlichkeit

Sohn, da hast du meinen Speer;
meinem Arm wird er zu schwer!
Nimm den Schild und dies Geschoß;
tummle du forthin mein Roß!

Siehe, dies nun weiße Haar
deckt der Helm schon fünfzig Jahr;
jedes Jahr hat eine Schlacht
Schwert und Streitaxt stumpf gemacht!

Herzog Rudolf hat dies Schwert,
Axt und Kolbe mir verehrt,
denn ich blieb dem Herzog hold
und verschmähte Heinrichs Sold!

Für die Freiheit floß das Blut
seiner Rechten! Rudolfs Mut
tat mit seiner linken Hand
noch den Franken Widerstand!

Nimm die Wehr und wappne dich!
Kaiser Konrad rüstet sich!
Sohn, entlasse mich des Harms
ob der Schwäche meines Arms!

Zücke nie umsonst dies Schwert
für der Väter freien Herd!

Sei behutsam auf der Wacht!
Sei ein Wetter in der Schlacht!

Immer sei zum Kampf bereit!
Suche stets den wärmsten Streit!
Schone des, der wehrlos fleht!
Haue den, der widersteht!

Wenn dein Haufe wankend steht,
ihm umsonst das Fähnlein weht,
trotze dann, ein fester Turm,
der vereinten Feinde Sturm!

Deine Brüder fraß das Schwert,
sieben Knaben, Deutschlands wert!
Deine Mutter härmte sich
stumm und starrend, und verblich.

Einsam bin ich nun und schwach;
aber, Knabe, deine Schmach
wär mir herber siebenmal
denn der sieben andern Fall.

Drum so scheue nicht den Tod
und vertraue deinem Gott!
So du kämpfest ritterlich,
freut dein alter Vater sich!

*Von Friedrich Leopold Graf zu Stolberg*

# Kaiser Rudolfs letzter Ritt

Auf der Burg zu Germersheim,
stark am Geist, am Leibe schwach,
sitzt der greise Kaiser Rudolf,
spielend das gewohnte Schach.

Und er spricht: »Ihr guten Meister!
Ärzte sagt mir ohne Zagen:
wann aus dem zerbrochnen Leib
wird der Geist zu Gott getragen?«

Und die Meister sprechen: »Herr,
wohl noch heut erscheint die Stunde.«
Freundlich lächelnd spricht der Greis:
»Meister! Dank für diese Kunde!«

»Auf nach Speier! auf nach Speier!«
ruft er, als das Spiel geendet;
»wo so mancher deutsche Held
liegt begraben, sei's vollendet!

Blast die Hörner! bringt das Roß,
das mich oft zur Schlacht getragen!«
Zaudernd stehn die Diener all,
doch er ruft: »Folgt ohne Zagen!«

Und das Schlachtroß wird gebracht.
»Nicht zum Kampf, zum ew'gen Frieden,«
spricht er, »trage, treuer Freund,
jetzt den Herrn, den Lebensmüden!«

Weinend steht der Diener Schar,
als der Greis auf hohem Rosse,
rechts und links ein Kapellan,
zieht, halb Leich', aus seinem Schlosse.

Trauernd neigt des Schlosses Lind'
vor ihm ihre Äste nieder,
Vögel, die in ihrer Hut,
singen wehmutsvolle Lieder.

Mancher eilt des Wegs daher,
der gehört die bange Sage,
sieht des Helden sterbend Bild
und bricht aus in laute Klage.

Aber nur von Himmelslust
spricht der Greis mit jenen zweien,
lächelnd blickt sein Angesicht,
als ritt er zur Lust im Maien.

Von dem hohen Dom zu Speier
hört man dumpf die Glocken schallen.
Ritter, Bürger, zarte Fraun
weinend ihm entgegenwallen.

In den hohen Kaisersaal
ist er rasch noch eingetreten;
sitzend dort auf goldnem Stuhl,
hört man für das Volk ihn beten.

»Reichet mir den heilgen Leib!«
spricht er dann mit bleichem Munde,
drauf verjüngt sich sein Gesicht
um die mitternächt'ge Stunde.

Da auf einmal wird der Saal
hell von überird'schem Lichte,
und entschlummert sitzt der Held,
Himmelsruh im Angesichte.

Glocken dürfen's nicht verkünden,
Boten nicht zur Leiche bieten,
alle Herzen längs des Rheins
fühlen, daß der Held verschieden.

Nach dem Dome strömt das Volk
schwarz unzähligen Gewimmels.
Der empfing des Helden Leib,
seinen Geist der Dom des Himmels.

*Von Justinus Kerner*

# Geschichte

Von Feldgeschrei und Kriegestanz,
von Heldentat und Heldentod.
Und vom Kaiser,
der ins Kloster ging

# Leben Neros

Er saß, ein fetter Klumpen,
Auf Caesars Marmorthron.
Ich sah schon kleinre Lumpen
Und sah auch größre schon.

Die Kriegszüge, die teuern,
Machte er nie zu lang.
Er nahm auch nicht viel Steuern
Was er tat, war: er sang.

Er sang von früh geschäftig,
Bis daß der Abend graut.
Er sang nicht gut, doch kräftig.
Er sang nicht schön, doch laut.

Er sang, als Rom verbrannte,
In einem roten Licht.
Tot sang er seine Tante.
Fein war das alles nicht.

Es barsten die Figuren
Am Kolosseumdach,
Es gingen alle Uhren
In Rom vor Grausen nach.

Es hörten auf zu springen
Die Brunnen im Lateran.
Das hat mit seinem Singen
der Kaiser Roms getan.

Einst trat er zur Mansarde.
Zum Tiber floh die Sonn.
Zehn Hauptleut von der Garde,
Sie rannten auch davon.

Doch er rief: Dageblieben,
Und jeder Mann ins Glied.
Ich will euch singen, ihr Lieben,
Mein allerschönstes Lied.

Er sang nur siebzig Strophen.
Dann fragt er, wie er säng.
Da sagten sie: Abscheulich.
Das war gerecht, doch streng.

Da rief er: Höll und Sterne,
Mißfällt euch mein Gesang,
So ist nun nicht mehr ferne
Mein und Roms Untergang.

Mit einem letzten Triller
Durchstieß er sich den Bauch.
Dann war es endlich stiller.
Und ich, ich schweige auch.

*Von Peter Hacks, geboren 1928. Nero: römischer*
*Kaiser von 54–68, ließ die Christen zu Unrecht*
*als Brandstifter nach dem Brand von Rom*
*(64) verfolgen, ermordete seine Mutter, seine*
*Frau und viele Senatoren und beging Selbstmord.*

# Bänkelballade vom Kaiser Nero

Der Kaiser Nero saß an voller Tafel,
Doch ohne Appetit und sorgenvoll.
Er klingelte nach seiner Leibschutzstaffel
Und sprach: »Ich weiß nicht, was das werden soll!
Gefährlich agitieren diese Christen.
Doch jetzt ist Schluß mit diesen Kommunisten!
In dieser Nacht wird Rom in Brand gesteckt.
Nun, was versprecht ihr euch von dem Effekt?«
    Da brüllten die Soldaten:
    »Die wolln wir lustig braten!
Wo ist der Kien? Wo ist Benzin?
Wir kriechen gleich durch den Kamin.
O triumphator saeculorum!
Um 9 Uhr 15 brennt das Forum!
Und morgens ist es jedem klar,
Daß das die Untermenschheit war.«

Um 9 Uhr 15, als das Forum brannte,
War Kaiser Nero schon am Ort der Tat.
Als ein Subjekt ihm in die Arme rannte.
»Was treibst du hier?« – »Ich treibe Hochverrat!«
»Ach, du bist einer aus den Katakomben!
Du fabrizierst hier illegale Bomben!«
Und er rief an beim Römischen Kurier:
»Der Täter ist ein Christ! Den haben wir.«
    Da liefen die Soldaten,
    Mit Fackeln und Plakaten:
»Ihr Römer, hört in Stadt und Land!
Die Christen steckten Rom in Brand!
Hebt eure Hand zum Schwur der Rache!
Jetzt heißt die Losung: Rom erwache!
Schon heute ist es jedem klar,
Daß das ein Werk der Christen war.«

Und Nero redigierte ein Gesetzblatt:
Das Christentum kommt hinter Stacheldraht!
Fünf Jahre Zuchthaus gibt's für jedes Hetzblatt!
Wie funktionierte da der Apparat!
Damit sie keine Spuren hinterließen,
Ließ er sie meistens auf der Flucht erschießen,
Auch warf er sie den wilden Bestien vor.
Doch einmal drang ein Spottlied an sein Ohr.
   Da sangen die Soldaten:
   »Das Ding war schlecht beraten.
   O Nero, das geht nicht gut aus,
   Denn schließlich kommt es doch mal raus!
   Trotz Schutzhaft und Zensurbehörden
   Kann's doch nicht mehr verheimlicht werden.
   Man flüstert schon in jeder Bar:
   Ob das nicht Nero selber war?«

Die Spatzen pfiffen es von allen Sträuchern.
Vieltausend Christen wurden arretiert.
Doch diese Bande war nicht auszuräuchern.
Ach, Nero hatte sich verspekuliert.
Denn selbst der Bürger roch die faule Sache.
Verstummt war die Parole: Rom erwache!
Das war erwacht, doch nicht wie er gedacht.
Und nächste Nacht ward Nero umgebracht.
   Da sangen die Soldaten:
   »Da haben wir nun den Braten!
   Die ganze Welt hat's festgestellt,
   Wie sich die Sache hier verhält.
   Die Christen gingen nicht zunichte.
   Doch nun steht in der Weltgeschichte,
   Daß Nero weiter gar nichts war,
   Als ein Sadist und ein Barbar!«

*Von Erich Weinert (1890–1953)*

# Das Grab im Busento

Nächtlich am Busento lispeln, bei Cosenza, dumpfe Lieder,
auf den Wassern schallt es Antwort und in Wirbeln klingt es wieder!

Und den Fluß hinauf, hinunter ziehn die Schatten tapfrer Goten,
die den Alarich beweinen, ihres Volkes besten Toten.

Allzufrüh und fern der Heimat mußten hier sie ihn begraben,
während noch die Jugendlocken seine Schulter blond umgaben.

Und am Ufer des Busento reihten sie sich um die Wette,
um die Strömung abzuleiten, gruben sie ein frisches Bette.

In der wogenleeren Höhlung wühlten sie empor die Erde,

senkten tief hinein den Leichnam, mit der Rüstung auf dem Pferde.

Deckten dann mit Erde wieder ihn und seine stolze Habe,
daß die hohen Stromgewächse wüchsen aus dem Heldengrabe.

Abgelenkt zum zweitenmale, ward der Fluß herbeigezogen:
mächtig in ihr altes Bette schäumten die Busentowogen.

Und es sang ein Chor von Männern: »Schlaf in deinen Heldenehren;
keines Römers schnöde Habsucht soll dir je das Grab versehren!«

Sangens, und die Lobgesänge tönten fort im Gotenheere;
wälze sie, Busentowelle, wälze sie von Meer zu Meere!

*Von August Graf von Platen-Hallermund.*
*Alarich, König der Westgoten, Eroberer Roms,*
*starb 410 in Unteritalien und wurde im Busento*
*– Kalabrien – begraben.*

# Das Lügenfeld

Bei Thann da grünen Triften voll reicher Wiesenflur,
und lustig rauscht dazwischen die himmelblaue Thur;
doch öde liegt inmitten der blütenreichen Welt,
in meilenweiter Strecke, das brache Lügenfeld.

Da sprießen keine Saaten, da schallt kein Vogellied,
nur Farrenkräuter wuchern hervor aus schwarzem Ried,
der Bauersmann sich kreuzet und flüchtet schnell vorbei,
ein Fluch hat längst getroffen die lange Wüstenei.

Einst hatte sich da drüben ein Wandersmann verirrt,
da dröhnt es durch die Wildnis, ein Eisenharnisch klirrt,
und aus den dichten Sträuchern und aus dem tiefen
Moor
da rasselt wilden Schrittes ein Kriegesmann hervor.

»Was rief dich, Unglücksel'ger, in diese Wildnis her?
Was trieb dich, uns zu wecken aus Träumen tief und
schwer?
Da drunten in den Höhlen, in weitverschlungnem Gang,
da schlafen ganze Heere vielhundert Jahre lang!

Verruchter Söhne Frevel, geschworner Treue Bruch,
hat längst auf uns geladen des Himmels Rachespruch.
Vernimm die grause Kunde, du stehst an selber Statt,
wo Ludewig den Frommen sein Heer verraten hat.

Wir schlossen dichte Reihen bis an die Berge fern,
gerüstet, ihn zu schirmen, den kaiserlichen Herrn;
da zog in blanken Waffen der Söhne Schar heran,
von dumpfem Rasseln dröhnte der weite Rasenplan.

So stürmten sie herüber, die freveln Brüder vorn,
in ihren Fäusten Schwerter, in ihren Blicken Zorn;
durch unser Lager schlüpfte der tückische Lothar
und bot uns blanke Münze und glatte Worte dar.

Der heil'ge Vater selber hat uns den Sinn betört:
es gelte keine Treue, die man dem Sünder schwört!
So schlich er durch die Reihen und streute schlimme
Saat –
bis alle wir verblendet uns fügten dem Verrat.

Drauf schlugen die Verruchten des alten Vaters Hand –
er bot sie schon zum Frieden – in schweres Eisenband,
sie rissen ihm die Krone vom Haupte silberweiß
und führten ihn von hinnen, den weltverlaßnen Greis.

Und Ludewig der Fromme das Aug gen Himmel schlug:
Ist denn geschworne Treue und Kindesliebe Trug?
Weh, falsche Söldnerscharen, so feil und so verrucht!
Weh dir, du Lügenstätte, – ihr seid fortan verflucht!

Der Himmel hat vollzogen des Greises Rachewort,
die Bäche sind vertrocknet, der Anger liegt verdorrt,
und keine Saaten sprießen, es schallt kein Vogellied;
nur Farrenkräuter schießen hervor aus schwarzem Ried.

Und in den Höhlen drunten, in weitverschlungnem
Gang,
da schlafen unsre Scharen vielhundert Jahre lang;
da schlafen auch die Brüder, die frevlen Söhne drei;
verrostet sind die Schwerter, verstummt das Siegsgeschrei.

»Fleuch, Wandersmann, von hinnen und sag es aller
Welt,
wes Fluch in diesen Gauen uns tief in Schlummer hält!« –
Der Wandersmann sich kreuzet und tut zur selben
Stund'
im Thanner Münster drüben die Märe beichtend kund.

*Von Ludwig Adolf Stöber (1810–1892). Auf
dem Lügenfeld bei Colmar (Oberelsass) unterlag
Kaiser Ludwig der Fromme (814–840) im
Jahre 833 einer Empörung seiner Söhne: Lothar
I., Ludwig der Deutsche, Karl der Kahle.*

# Heinrich der Vogler

Herr Heinrich sitzt am Vogelherd
recht froh und wohlgemut;
aus tausend Perlen blinkt und blitzt
der Morgenröte Glut.

In Wies' und Feld und Au –
horch, welch ein süßer Schall!
der Lerche Sang, der Wachtel Schlag,
die süße Nachtigall!

Herr Heinrich schaut so fröhlich drein:
»Wie schön ist heut die Welt!
Was gilt's? heut gibt's 'nen guten Fang!«
Er lugt zum Himmelszelt.

Er lauscht und streicht sich von der Stirn
das blondgelockte Haar:
»Ei doch! was sprengt denn dort herauf
für eine Reiterschar?«

Der Staub wallt auf, der Hufschlag dröhnt,
es naht der Waffen Klang.
»Daß Gott! die Herrn verderben mir
den ganzen Vogelfang!«

»Ei nun! was gibt's?« – Es hält der Troß
vorm Herzog plötzlich an;
Herr Heinrich tritt hervor und spricht:
»Wen sucht ihr da? sagt an!«

Da schwenken sie die Fähnlein bunt
und jauchzen: »Unsern Herrn! –
Hoch lebe Kaiser Heinrich! – Hoch
des Sachsenlandes Stern!« –

Dies rufend, knien sie vor ihn hin
und huldigen ihm still
und rufen, als er staunend fragt:
»'s ist deutschen Reiches Will'!«

Da blickt Herr Heinrich tiefbewegt
hinauf zum Himmelszelt:
»Du gabst mir einen guten Fang –
Herr Gott, wie dir's gefällt.« –

*Von Johann Nepomuk Vogl (1802–1866).*
*Heinrich der Vogler = Kaiser Heinrich I*
*(919–936). Die folgende Ballade befaßt sich*
*mit der selben historischen Gestalt:*

# Heinrich der Vogler

Der Feind ist da. Die Schlacht beginnt.
Wohlauf, zum Sieg herbei!
Es führet uns der beste Mann
im ganzen Vaterland.

Heut fühlet er die Krankheit nicht,
dort tragen sie ihn her,
Heil, Heinrich, Heil dir, Held und Mann
im eisernen Gefild!

Sein Antlitz glüht vor Ehrbegier
und herrscht den Sieg herbei.
Schon ist um ihn der Edeln Helm
mit Feindesblut bespritzt.

Streu furchtbar Strahlen um dich her,
Schwert in des Kaisers Hand,
daß alles tödliche Geschoß
den Weg vorüber geh!

Willkommen. Tod fürs Vaterland!
Wenn unser sinkend Haupt
schön Blut bedeckt, dann sterben wir
mit Ruhm fürs Vaterland!

Wenn vor uns wird ein offnes Feld
und wir nur Tote sehn
weit um uns her, dann siegen wir
mit Ruhm fürs Vaterland.

Dann treten wir mit hohem Schritt
auf Leichnamen daher!
dann jauchzen wir im Siegsgeschrei!
das geht durch Mark und Bein!

Uns preist mit frohem Ungestüm
der Bräutgam und die Braut:
Er sieht die hohen Fahnen wehn
und drückt ihr sanft die Hand.

Und spricht zu ihr: »Da kommen sie,
die Kriegesgötter, her!
Sie stritten in der heißen Schlacht
auch für uns beide mit!«

Uns preist, der Freudentränen voll,
die Mutter und ihr Kind.
Sie drückt den Knaben an ihr Herz
und sieht dem Kaiser nach.

Uns folgt ein Ruhm, der ewig bleibt,
wenn wir gestorben sind,
gestorben für das Vaterland
den ehrenvollen Tod!

*1748. Von Friedrich Gottlieb Klopstock (1724–1803)*

# Bey der Veroneser Clause

Deine Asche selber ist zerstaubet,
Die Jahrhunderte entflohen hin,
Deines Ruhmes doch die Zeit nichts raubet,
Glänzend wird derselbe stets verziehn.

Du, mein Otto, großer Wittelsbacher!
Diese Alpenhöhen zeugen dein,
Für der Teutschen Würde muthig Wacher,
Ew'ges Denkmal dir ist dieß Gestein.

Damals galt es ihres Kaisers Ehre:
Ob erkaufen er den Durchgang soll,
Oder mit des Reiches ganzem Heere
Schmählich fliehen, ew'ger Schande voll.

Denn der Engpaß war vom Feind genommen,
Ueber dessen Berge stand er hin;
Auf der steilern Klippen Höh' zu kommen,
Dem Verwegensten unmöglich schien.

Fragend trat der Kaiser zu dem Kreise:
Ob kein Fürst denn unter allen da,

Der zu helfen wüßt' auf eine Weise? –
Nach dem Kaiser jeder schweigend sah.

Edlen Zorns erglühten Otto's Wangen,
Schnell er mit der Treuen kleiner Schaar,
Der zu retten dringendes Verlangen,
Auf die Höhn der Ehre und Gefahr.

Und er hat die höchsten kühn erstiegen
Und von Schande er gerettet hat,
Alle Feinde mußten unterliegen,
Groß belohnet ward die große That.

Freudig blick' ich auf zu diesen Felsen,
Wo du Bayern muthig dir errangst,
Unaufhaltbar wie des Bergstroms Wälzen
Auf den Feind zerschmetternd stürzend drangst.

Bleibe deinen Enkeln Beyspiel immer:
Teutschlands Ehre zu erhalten treu,
Daß sie lassen von derselben nimmer,
Daß die alten Zeiten werden neu.

*Von Ludwig I., bayerischer König. Die »Veroneser
Klause« ist ein von der Etsch durchflossener
Engpass, wo Friedrich Barbarossa im Jahre
1155 auf der Rückkehr von der Kaiserkrönung
in Rom von Räubern eingeschlossen wurde.
Der kaiserliche Bannerträger, Pfalzgraf Otto
von Wittelsbach, rettete Friedrich Barbarossa,
indem er mit gebirgserfahrenen bayerischen
Rittern über eine steile Felswand kletterte,
den ahnungslosen Räubern in den Rücken fiel
und den weiteren Reiseweg freikämpfte.*

# Die Weiber von Weinsberg

Wer sagt mir an, wo Weinsberg liegt?
Soll sein ein wackres Städtchen,
soll haben, fromm und klug, gewiegt,
viel Weiberchen und Mädchen.
Kommt mir einmal das Freien ein,
so werd ich eins aus Weinsberg frein.

Einstmals der Kaiser Konrad war
dem guten Städtlein böse
und rückt heran mit Kriegesschar
und Reisigengetöse,
umlagert es mit Roß und Mann
und schoß und rannte drauf und dran.

Und als das Städtlein widerstand
trotz allen seinen Nöten,
da ließ er, hoch vom Grimm entbrannt,
den Herold 'neintrompeten:
»Ihr Schurken, komm ich 'nein, so wißt,
soll hängen was die Wand bepißt.«

Drob, als er den Avis also
hineintrompeten lassen,
gab's lautes Zetermordio
zu Haus und auf den Gassen.
Das Brot war teuer in der Stadt;
doch teurer noch war guter Rat.

Ein junges Weiblein lobesan,
seit gestern erst getrauet,
gibt einen klugen Einfall an,
der alles Volk erbauet;
den ihr, sofern ihr anders wollt,
belachen und beklatschen sollt.

Zur Zeit der stillen Mitternacht
die schönste Ambassade
von Weibern sich ins Lager macht
und bettelt dort um Gnade.
Sie bettelt sanft, sie bettelt süß,
erhält doch aber nichts als dies:

»Die Weiber sollten Abzug han,
mit ihren besten Schätzen,
was übrig bliebe, wollte man
zerhauen und zerfetzen.«
Mit der Kapitulation
schleicht die Gesandtschaft trüb davon.

Drauf als der Morgen bricht hervor,
gebt Achtung! was geschiehet?
Es öffnet sich das nächste Tor,
und jedes Weibchen ziehet
mit ihrem Männchen schwer im Sack,
so wahr ich lebe! huckepack.

Manch Hofschranz suchte zwar sofort
das Kniffchen zu vereiteln;
doch Konrad sprach: »Ein Kaiserwort
soll man nicht drehn noch deuteln.
Ha bravo!« rief er, »bravo so!
meint' unsre Frau es auch nur so!«

Er gab Pardon und ein Bankett,
den Schönen zu Gefallen.
Da ward gegeigt, da ward trompet't
und durchgetanzt mit allen,
wie mit der Burgemeisterin,
so mit der Besenbinderin.

Ei! sagt mir doch, wo Weinsberg liegt?
Ist gar ein wackres Städtchen,
hat, treu und fromm und klug, gewiegt,
viel Weiberchen und Mädchen.
Ich muß, kommt mir das Freien ein,
fürwahr! muß eins aus Weinsberg frein.

*1775. Von Gottfried August Bürger Dieser*
*Ballade liegt eine Geschichte zugrunde, von*
*der man nicht weiß, ob sie Sage oder Wirklichkeit*
*ist: Kaiser Konrad III eroberte die Stadt Weinsberg*
*(bei Heilbronn) und gestattete, üblicher Gepflogenheit*
*entsprechend, den Frauen und Kindern freien*
*Abzug mit soviel Habseligkeiten, wie sie auf*
*ihren Rücken schleppen konnten. Die Weiber*
*von Weinsberg sollten daraufhin auf die Rettung*
*materieller Wertgegenstände verzichtet und*
*ihre Männer huckepack aus der Stadt getragen*
*haben. Heute erinnert die Burgruine »Weibertreu«*
*an diese Überlieferung.*

# Das kaiserliche Schreiben

Petrus, schreib – zu seinem Kanzler
sprachs der gramverstörte Staufen –
Satteln sollen meine Boten,
hundert Rosse sollen laufen!
Meinen Eignen, meinen Städtern,
meinen Pfaffen und Baronen!
dem Geringsten wie dem Höchsten!
allen, die das Reich bewohnen!
Klage! Klage! Totenklage!
meinen Sohn hab ich verloren...
Heinrich mit den finstern Locken...
den Konstanze mir geboren...
der das Reich verriet... dem eignen
Vater brach das Lehnsversprechen...
den ich beugen, beugen mußte,
dessen Trotz ich mußte brechen...
Lange brütet er im Kerker –
endlich hat er mich gerufen –
Da ich kam, flog er vorüber,
flog empor die Wendelstufen –
wieder wars, als ob, verzweifelnd,
er vom höchsten Söller riefe –
Da! der Knabe springt vor meinen
Augen in die Todestiefe!
Jammeranblick ohnegleichen!
Kommt, daß wir zusammen klagen!
helft mir meine schlimmen Träume,
meine Nachtgedanken tragen! –

Könnt ich ihn erwecken, nimmer
würd ich aus dem Arm ihn lassen!
Saget, ist es nicht entsetzlich,
daß mein Kind mich mußte hassen?
Petrus, zeig mir was du schreibest!
Willst du mir den Mund verhalten?
über meine Qualen wirfst du
würdevolle Purpurfalten?
meines Knaben Schrei erstickst du?
meine Tränen sind verboten?
Kanzler Petrus, schreibe Wahrheit
über mich und meine Toten!
Reden will ich zu den Vätern:
sagt mir, würdet ihr nicht einen
Knaben, der euch Not und dunkeln
Kummer brachte, doch beweinen?
den ihr in der Wiege küßtet –
ob er auch ein Arger wäre –
wenn er ginge zu den Schatten,
weigertet ihr ihm die Zähre?
Prüfet eure Herzen, Väter!
Was wir von den Kindern dulden,
ist es nicht gerechte Sühne,
nicht das eigene Verschulden?...
Petrus, du erschrickst, so ende!
ende mit dem kurzgefaßten
Rechtsbefehl: Wir ordnen Trauer
an für diesen Frühverblaßten.

*Von Conrad Ferdinand Meyer. Diese Ballade*
*schildert die Trauer des Kaisers Friedrich*
*II (1212–50) über seinen Sohn Heinrich, der*
*sich gegen den Vater empörte, in den Kerker*
*geworfen wurde und dort auf ungeklärte Weise*
*starb, möglicherweise durch Selbstmord.*

# Das Herz von Douglas

»Graf Douglas, presse den Helm ins Haar,
gürt um dein lichtblau Schwert,
schnall an dein schärfstes Sporenpaar
und sattle dein schnellstes Pferd!

Der Totenwurm pickt in Scones Saal,
ganz Schottland hört ihn hämmern,
König Robert liegt in Todesqual,
sieht nimmer den Morgen dämmern!« –

Sie ritten vierzig Meilen fast
und sprachen Worte nicht vier,
und als sie kamen vor Königs Palast,
da blutete Sporn und Tier.

König Robert lag im Norderturn,
sein Auge begann zu zittern:
»Ich höre das Schwert von Bannockburn
auf der Treppe rasseln und schüttern!

Ha, Gottwillkomm, mein tapfrer Lord!
es geht mit mir zu End,
und du sollst hören mein letztes Wort
und schreiben mein Testament: –

Es war am Tag von Bannockburn,
da aufging Schottlands Stern,
es war am Tag von Bannockburn,
da schwur ich's Gott dem Herrn:

Ich schwur, wenn der Sieg mir sei verliehn
und fest mein Diadem,
mit tausend Lanzen wollt ich ziehn
hin gen Jerusalem.

Der Schwur wird falsch, mein Herz steht still,
es brach in Müh und Streit;
es hat, wer Schottland bänd'gen will,
zum Pilgern wenig Zeit.

Du aber, wenn mein Wort verhallt
und aus ist Stolz und Schmerz,
sollst schneiden aus meiner Brust alsbald
mein schlachtenmüdes Herz.

Du sollst es hüllen in roten Samt
und schließen in gelbes Gold,
und es sei, wenn gelesen mein Totenamt,
im Banner das Kreuz entrollt.

Und nehmen sollst du tausend Pferd'
und tausend Helden frei

und geleiten mein Herz in des Heilands Erd',
damit es ruhig sei!«

»Nun vorwärts, Angus und Lothian,
laßt flattern den Busch vom Haupt!
Der Douglas hat des Königs Herz,
wer ist es, der's ihm raubt!

Mit den Schwertern schneidet die Taue ab,
alle Segel in die Höh!
Der König fährt in das schwarze Grab
und wir in die schwarzblaue See!«

Sie fuhren Tage neunzig und neun,
gen Ost war der Wind gewandt,
und bei dem hundertsten Morgenschein,
da stießen sie an das Land.

Sie ritten über die Wüste gelb,
wie im Tale blitzt der Fluß;
die Sonne stach durchs Helmgewölb
als wie ein Bogenschuß.

Und die Wüste war still, und kein Lufthauch blies,
und schlaff hing Schärpe und Fahn';
da flog in die Wolken der stäubende Kies,
draus flimmernde Spitzen sahn.

Und die Wüste ward voll, und die Luft erscholl,
und es hob sich Wolk' an Wolk';
aus jeder berstenden Wolke quoll
speerwerfendes Reitervolk.

Zehntausend Lanzen funkelten rechts,
zehntausend funkelten links.
Allah il Allah! scholl es rechts,
il Allah! scholl es links. –

Der Douglas zog die Zügel an,
und still stand Herr und Knecht:
»Beim heil'gen Kreuz und St. Alban,
das gibt ein grimmig Gefecht!«

Eine Kette von Gold um den Hals ihm hing,
dreimal umging sie rund,
eine Kapsel an der Kette hing,
die zog er an den Mund:

»Du bist mir immer gegangen voran,
o Herz! bei Tag und Nacht,
drum sollst du auch heut, wie du stets getan,
vorangehn in die Schlacht.

Und verlasse der Herr mich drüben nicht,
wie hier ich dir treu verblieb,
und gönne mir noch auf das Heidengezücht
einen christlichen Schwerteshieb.«

Er warf den Schild auf die linke Seit'
und band den Helm herauf,
und als zum Streit er saß bereit,
in den Bügeln stand er auf:

»Wer dieses Geschmeid mir wieder schafft,
des Tages Ruhm sei sein!«
Da warf er das Herz mit aller Kraft
in die Feinde mitten hinein.

Sie schlugen das Kreuz mit dem linken Daum,
die Rechte den Schaft legt' ein,
die Schilde zurück und los den Zaum!
Und sie ritten drauf und drein. –

Und es war ein Stoß, und es war eine Flucht,
und rasender Tod rundum,
und die Sonne versank in die Meeresbucht,
und die Wüste war wieder stumm.

Und der Stolz des Ostens, er lag gefällt
in meilenweitem Kreis,
und der Sand ward rot auf dem Leichenfeld,
der nie mehr wurde weiß.

Von den Heiden allen durch Gottes Huld
entrann nicht Mann noch Pferd,
kurz ist die schottische Geduld
und lang ein schottisch Schwert!

Doch wo am dicksten ringsumher
die Feinde lagen im Sand,
da hatte ein falscher Heidenspeer
dem Grafen das Herz durchrannt.

Und er schlief mit klaffendem Kettenhemd,
längst aus war Stolz und Schmerz;
doch unter dem Schilde festgeklemmt
lag König Roberts Herz.

*Von Moritz Graf von Strachwitz. Diese Ballade
schildert eine historisch verbürgte Begebenheit:
Graf James Douglas aus Schottland sollte
das Herz des toten Königs Robert Bruce ins
heilige Land bringen und fand dabei im Jahre
1330 den Tod.*

# Archibald Douglas

»Ich hab es getragen sieben Jahr
und ich kann es nicht tragen mehr,
wo immer die Welt am schönsten war,
da war sie öd und leer.

Ich will hintreten vor sein Gesicht
in dieser Knechtsgestalt,
er kann meine Bitte versagen nicht,
ich bin ja worden alt,

und trüg er noch den alten Groll,
frisch wie am ersten Tag,
so komme was da kommen soll
und komme was da mag.«

Graf Douglas spricht's. Am Weg ein Stein
lud ihn zu harter Ruh,
er sah in Wald und Feld hinein,
die Augen fielen ihm zu.

Er trug einen Harnisch, rostig und schwer,
darüber ein Pilgerkleid, –
da horch, vom Waldrand scholl es her
wie von Hörnern und Jagdgeleit.

Und Kies und Staub aufwirbelte dicht,
herjagte Meut' und Mann,
und ehe der Graf sich aufgericht't,
waren Roß und Reiter heran.

König Jakob saß auf hohem Roß,
Graf Douglas grüßte tief,
beim König das Blut in die Wange schoß,
der Douglas aber rief:

»König Jakob, schaue mich gnädig an
und höre mich in Geduld,
was meine Brüder dir angetan,
es war nicht meine Schuld.

Denk nicht an den alten Douglas-Neid,
der trotzig dich bekriegt,
denk lieber an deine Kinderzeit,
wo ich dich auf den Knien gewiegt.

Denk lieber zurück an Stirling-Schloß,
wo ich Spielzeug dir geschnitzt,
dich gehoben auf deines Vaters Roß
und Pfeile dir zugespitzt.

Denk lieber zurück an Linlithgow,
an den See und den Vogelherd,
wo ich dich fischen und jagen froh
und schwimmen und springen gelehrt.

O denk an alles, was einsten war,
und sänftige deinen Sinn,
ich hab es gebüßet sieben Jahr,
daß ich ein Douglas bin.«

»Ich sehe dich nicht, Graf Archibald,
ich hör deine Stimme nicht,
mir ist als ob ein Rauschen im Wald
von alten Zeiten spricht.

Mir klingt das Rauschen süß und traut,
ich lausch ihm immer noch,
dazwischen aber klingt es laut:
er ist ein Douglas doch.

Ich seh dich nicht, ich höre dich nicht,
das ist alles, was ich kann,
ein Douglas vor meinem Angesicht
wär ein verlorener Mann.«

König Jakob gab seinem Roß den Sporn,
bergan ging jetzt sein Ritt,
Graf Douglas faßte den Zügel vorn
und hielt mit dem Könige Schritt.

Der Weg war steil und die Sonne stach
und sein Panzerhemd war schwer,
doch ob er schier zusammenbrach,
er lief doch nebenher.

»König Jakob, ich war dein Seneschall,
ich will es nicht fürder sein,
ich will nur warten dein Roß im Stall
und ihm schütten die Körner ein.

Ich will ihm selber machen die Streu
und es tränken mit eigner Hand,
nur laß mich atmen wieder aufs neu
die Luft im Vaterland.

Und willst du nicht, so hab einen Mut,
und ich will es danken dir,
und zieh dein Schwert und triff mich gut
und laß mich sterben hier.«

König Jakob sprang herab vom Pferd,
hell leuchtete sein Gesicht,
aus der Scheide zog er sein breites Schwert,
aber fallen ließ er es nicht.

»Nimm's hin, nimm's hin und trag es neu
und bewache mir meine Ruh,
der ist in tiefster Seele treu,
wer die Heimat liebt wie du.

Zu Roß, wir reiten nach Linlithgow,
und du reitest an meiner Seit',
da wollen wir fischen und jagen froh,
als wie in alter Zeit.«

*Von Theodor Fontane. (1819–1898)*

# Der arme Kunrad

Ich bin der arme Kunrad
und komm von nah und fern,
von Hartematt und Hungerrain
mit Spieß und Morgenstern,
Ich will nicht länger sein der
Knecht,
leibeigen, frönig, ohne Recht.
Ein gleich Gesetz, das will ich han,
vom Fürsten bis zum Bauersmann.
Ich bin der arme Kunrad,
Spieß voran,
drauf und dran!

Ich bin der arme Kunrad
in Aberacht und Bann,
den Bundschuh trag ich auf der
Stang,
hab Helm und Harnisch an.
Der Papst und Kaiser hört mich
nicht,
ich halt nun selber das Gericht,
es geht an Schloß, Abtei und Stift,
nichts gilt als wie die Heilige Schrift.
Ich bin der arme Kunrad,
Spieß voran,
drauf und dran!

Ich bin der arme Kunrad,
trag Pech in meiner Pfann,
Heijoh! nun gehts mit Sens
und Axt
an Pfaff und Edelmann.
Sie schlugen mich mit Prügeln
platt
und machten mich mit Hunger
satt,
sie zogen mir die Haut vom Leib
und taten Schand an Kind und
Weib.
Ich bin der arme Kunrad,
Spieß voran,
drauf und dran!

*Von Heinrich von Reder (1824–1909). Der grobe, oben zugebundene »Bundschuh« war in den Jahren
1493–1517 das Feldzeichen der aufständischen Bauern.*

# Bauernaufstand

Die Glocken stürmen vom Bernwardsturm,
Der Regen durchrauschte die Straßen,
Und durch die Glocken und durch den Sturm
Gellte des Urhorns Blasen.

Das Büffelhorn, das lange geruht,
Veit Stoßperg nahm's aus der Lade;
Das alte Horn, es brüllte nach Blut
Und wimmerte: »Gott gnade!«

Ja, gnade dir Gott, du Ritterschaft!
Der Bauer stund auf im Lande,
Und tausendjährige Bauernkraft
Macht Schild und Schärpe zu Schande!

Die Klingsburg hoch am Berge lag,
Sie zogen hinauf in Waffen,
Auframmte der Schmied mit einem Schlag
Das Tor, das er fronend geschaffen.

Dem Ritter fuhr ein Schlag ins Gesicht
Und ein Spaten zwischen die Rippen –
Er brachte das Schwert aus der Scheide nicht
Und nicht den Fluch von den Lippen.

Aufrauschte die Flamme mit aller Kraft,
Brach Balken, Bogen und Bande –
Ja, gnade dir Gott, du Ritterschaft:
Der Bauer stund auf im Lande!

*Von Börries Freiherr von Münchhausen (1874–1945)*

# Die Bauern

Wir haben unser Hab verloren.
Wir haben unser Gut verbrannt.
Wir haben nichts als Kopf und Hand
Und Rache und Rache, die wir geschworen.
  Wir wuchten und schrein:
  Stoß ein! Stoß ein!
  Wir stürmen im Lauf:
  Mach auf! Mach auf!
Wir wollen mit vollen
Blutkelchen euch zollen
Wir wollen euch ehren
Mit Gabel und Speeren,
Wir wollen euch heilen
Mit giftigen Pfeilen,
Wir wollen verschwenden
Mit Morden und Schänden,
Wir wollen euch kosen
Mit stachlichten Rosen
  Wir wuchten und schrein:
  Stoß ein! Stoß ein!
  Wir stürmen im Lauf:
  Mach auf! Mach auf!
Wir haben unser Hab verloren,
Wir haben unser Gut verpraßt,
Wir sind von Mensch und Vieh gehaßt,
Rot ist die Rache, die wir geschworen!!

*Von Carl Zuckmayer (1896–1977)*

# Die Schlacht von Pavia

Herr Görg von Fronsperg,
Herr Görg von Fronsperg,
der hat die Schlacht gewunnen,
gewunnen hat er die Schlacht
vor Pavia im Tiergart,
in neunthalb Stunden gewunnen Land und Leut.

Der König aus Frankreich,
der König aus Frankreich,
der hat die Schlacht vor Pavia verloren,
verloren hat er die Schlacht
vor Pavia im Tiergart,
in neunthalb Stund verlor er Land und Leut.

Nun grüß dich Gott,
du Königstöchterlein
im ganzen Frankenreich!
Eurem Vater hab ich abgewunnen
in neunthalb Stunden Land und Leut.
Ich hab's gewagt, frisch unverzagt.
Ich hab's gewagt, frisch unverzagt,
Eurem Vater hab ich abgewunnen
in neunthalb Stunden Land und Leut.

Im Blut mußten wir gan,
im Blut mußten wir gan
bis über, bis über die Schuch:
Barmherziger Gott, erkenn die Not!
Barmherziger Gott, erkenn die Not!
wir müssen sonst verderben also.

Lerman, lerman, lerman!
Lerman, lerman, lerman!
tät uns die Trummel und die Pfeifen sprechen;
»her, her, her —«, ihr frummen deutschen Landsknecht
gut,
laßt uns in die Schlachtordnung stan,
laßt uns in die Schlachtordnung stan,
bis daß die Hauptleut sprechen: jetzt wollen wir greifen
an!
Reiter zum Pferd!
Sattel zum Zaun!
Der Feind ist vorhanden.

»Es geht wohl gegen die Sommerzeit,
da mancher Knecht zu Feld leit.«
Ich will euch tapfer lohnen
mit lauter Doppelkronen;
gute Postparten will ich euch geben,
weil ihr mir habt beschützt mein Land und Leut,
dazu mein junges Leben.

*Gedichtet von einem unbekannten Soldaten
1525 nach der Schlacht von Pavia, bei der
Kaiser Karl V. einen Sieg über Franz I. von
Frankreich erfocht. Görg von Fronsperg =
Herzog von Frundsberg (1473–1528), Kaiserlicher
Feldhauptmann und bedeutendster Landsknecht-Anführer
seiner Zeit. Lerman = Verballhornung von
Alarm. Postparten = Zeugnisse.*

# Der Pilgrim vor Sankt Just

Nacht ist's und Stürme sausen für und für,
hispanische Mönche, schließt mir auf die Tür!

Laßt hier mich ruhn, bis Glockenton mich weckt,
der zum Gebet euch in die Kirche schreckt!

Bereitet mir, was euer Haus vermag,
ein Ordenskleid und einen Sarkophag!

Gönnt mir die kleine Zelle, weiht mich ein.
Mehr als die Hälfte dieser Welt war mein.

Das Haupt, das nun der Schere sich bequemt,
mit mancher Krone ward's bediademt.

Die Schulter, die der Kutte nun sich bückt,
hat kaiserlicher Hermelin geschmückt.

Nun bin ich vor dem Tod den Toten gleich
und fall in Trümmer, wie das alte Reich.

*Von August Graf von Platen-Hallermund.
Diese Ballade schildert die Einkehr des Kaiser
Karl V (1500–1558) nach seiner Abdankung
(1556) ins Kloster St. Just bei Estremadura
(Spanien).*

# Die Leiche zu Sankt Just

Aus Sankt Justi Klosterhallen
tönt ein träges Totenlied,
Glocken summen von den Türmen
für den Mönch, der heut verschied.

Seht den Toten! Wie von welkem Blute
schlingt ein roter Reif sich um sein Haupt;
ob einst drauf zur Buß ein Dornkranz ruhte?
nein, die Krone lag auf diesem Haupt!

Die Kapuze zieht ein Mönch ihm
tief jetzt übers Auge zu,
daß die böse Spur der Krone
drin verhüllt, verborgen ruh.

Einst das Zepter hielt sein Arm erhoben;
rüttelte gleich dran die halbe Welt,
er hielt fest und höher es nach oben,
wie ein Fels, der eine Tanne hält.

Diese Arme beugt dem Toten
jetzt ein Frater zu Sankt Just,
drückt ein Kreuz darein und beugt sie,
ach so leicht! verschränkt zur Brust.

Wie des Regenbogens Himmelstiege
glomm der Tag, der ihm das Licht beschied,
Kön'ge schaukelten da seine Wiege,
Königinnen sangen ihm das Lied.

Doch ein Mönchchor singt das Grablied
jetzt in alter Melodei,
wie er singt, ob Grabeslegung
oder Auferstehung sei.

Seht, die Sonne sinkt, die aus den Reichen
dieses Toten nie den Ausgang fand;
dieses Abendrot im Gau der Eichen
ist ein Morgenrot dem Palmenland,

Und die Glocken leiser klingen:
schöne Täler, lebet wohl!
Und die Mönche heiser singen:
schnöde Welt, o fahre wohl!

Einmal noch durchs Kirchenfenster nieder
blickt zum Sarg der Sonne mildes Rot,
was sie hier sieht, dort zu künden wieder,
wie der Herrscher beider Welten tot!

Hirt und Hirtin doch im Tale,
wie da Glocke klingt und Lied,
beten still, entblößten Hauptes,
für den frommen Mönch, der schied.

*Von Anastasius Grün, Pseudonym von Alexander
Graf Auersperg (1806–1876). Ballade über
den Tod von Kaiser Karl V. im Jahre 1558.*

# Weil du der schönste Teufel bist

Wie bebte Königin Marie,
als durchs geheime Pförtlein spat
mit ungebognem Haupt und Knie
in ihr Gemach Graf Bothwell trat!

Ihr schön Gesicht ward leichenweiß;
sie zuckt und sah ihn fragend an:
er wischte von der Stirn den Schweiß
und sagte dumpf: »Es ist getan!

Es ist getan, dein süßer Mund
war nicht für Buben solcher Art,
heut abend um die achte Stund'
hielt Heinrich Darnley Himmelfahrt.« –

Sie schrie empor: »Verzeih dir Gott!
Nimm all mein Gold, nimm hin und flieh!«
Da lacht er laut in grimmem Spott
»Was soll mir Gold für Blut, Marie?

Ich liebe dich, und wenn ich mich
der Höll' ergab zu dieser Frist:
so war's um dich, allein um dich,
weil du der schönste Teufel bist.

Die Hand, die einen König schlug,
greift auch nach einer Königin.«
Er rief's, und Graun in jedem Zug,
starr wie ein Wachsbild sank sie hin.

Er hub sie auf, sie fühlt es nicht,
daß ihr ins Fleisch sein Stahlhemd schnitt;
ihr lockig Haupthaar wallte dicht
um seine Schulter, wie er schritt.

Er stieß den Ring an ihre Hand,
er schwang sie vor sich fest aufs Roß
und jagt ins wetterschwüle Land
hinaus mit ihr gen Dunbar-Schloß.

Schwarz war die Nacht, als wäre rings
erloschen jeder Stern des Heils;
nur manchmal in den Wolken ging's,
gleichwie das Blitzen eines Beils.

*Von Emanuel Geibel (1815–1884). James Earl of Bothwell (1536–1578), Geliebter der schottischen Königin Maria Stuart, ermordete 1567 deren zweiten Gemahl, Lord Darnley. Der Mörder wurde später dritter Gemahl der Königin.*

# Walenstein ermürdet

Der Walenstein, die eiserne Rut,
hat nun auch geben dar sein Blut,
zu Eger ist ermürdet.
Ein seltsamlich Gerüchte geht,
sein kaiserliche Majestät
hab ihn also bewirtet.

Er stieg dem Kaiser viel zu hoch
und gab der Rechnung gar ein Loch,
weil er's hielt mit den Schweden;
alldarum war er in der Nacht
samt Generalen umgebracht –
Verräterlohn triff jeden.

War ein berühmter General,
an Siegen groß, an Worten kahl,
hielt seinen Sinn verschlossen;
hat in so mancher Feldschlacht heiß
gesparet keine Mühn und Fleiß,
sein ritterlich Blut vergossen.

Doch Feind und Freund übel traktiert,
daran man lang gedenken wird,
gebrandschatzt und geplündert,
groß Reichtum auch an Gut und Geld
erworben sich damit im Feld,
doch seinen Ruhm gemindert.

Es konnt ihn keiner nit bestehn;
allein der Schweden König kühn,
der lehret ihm die Moren;
der hat dem Tilly geraubt den Kranz,
dem Walenstein geweist den Danz,
drin er die Schanz verloren.

Er mocht den Hahn nit hören krähn,
kein bellend Hündlein um sich sehn,
und lacht doch der Kartonen.
Itzt hat er Ruh und langen Fried,
kräht ihm kein Hahn und Hund ein Lied,
und kann sein Ohren schonen.

So geht's wann einer zu hoch will,
da kommt der Teufel in der Still
und tut ein Bein ihm stellen.
Kein Baum wachst in den Himmel nein,
es ist die Axt schon hinterdrein,
tut ihn zu Boden fällen.

O Walenstein, du allen ein Stein,
der Tod tut dich der Not und Pein,
der Weltpracht Last entheben.
Gott gnade deiner armen Seel,
woll dir all Sündenschuld und Fehl
um Christi Blut vergeben.

*Dieser Text wurde bald nach Wallensteins Ermordnung (1634) auf Flugblättern gedruckt und von Bänkelsängern vorgetragen. Moren (oder Mores) lehren = zu gesittetem Benehmen anhalten.*

# Wiegenlied

Horch, Kind, horch, wie der Sturmwind weht
und rüttelt am Erker!
Wenn der Braunschweiger draußen steht,
der faßt uns noch stärker.
Lerne beten, Kind, und falten fein die Händ,
damit Gott den tollen Christian von uns wend!

Schlaf, Kind, schlaf, es ist Schlafens Zeit,
ist Zeit auch zum Sterben.
Bis du groß, wird dich weit und breit
die Trommel anwerben.
Lauf ihr nach, mein Kind, hör deiner Mutter Rat;
fällst du in der Schlacht, so würgt dich kein Soldat.

»Herr Soldat, tu mir nichts zuleid,
und laß mir mein Leben!«
»Herzog Christian führt uns zum Streit,
kann kein Pardon geben.
Lassen muß der Bauer mir sein Gut und Hab,
zahle nicht mit Geld, nur mit dem kühlen Grab.«

Schlaf, Kind, schlaf, werde stark und groß.
Die Jahre, sie rollen;
folgst bald selber auf stolzem Roß
Herzog Christian dem Tollen.
Wie erschrickt der Pfaff und wirft sich auf die Knie –
»Für den Bauern nicht Pardon, den Pfaffen aber nie!«

Still, Kind, still, wenn Herr Christian kommt,
der lehrt dich zu schweigen!
Sei fein still, bis dir selber frommt
ein Roß zu besteigen.
Sei fein still, dann bringt der Vater bald dir Brot,
wenn nach Rauch der Wind nicht schmeckt, und nicht
der Himmel rot.

*Von Ricarda Huch (1864–1947)*

# Frieden

Von dem Turme im Dorfe klingt
ein süßes Geläute.
Mann sinnt, was es deute,
daß die Glocke im Sturm nicht schwingt.
Mich dünkt, so hört' ich's als Kind.
Dann kamen die Jahre der Schande.
Nun trägt's in die Weite der Wind,
daß Friede im Lande.

Wo mein Vaterhaus fest einst stand,
wächst wuchernde Heide.
Ich pflück', eh ich scheide,
einen Zweig mir mit zitternder Hand.
Das ist von der Väter Gut
mein einziges Erbe.
Nichts bleibt, wo mein Haupt sich ruht,
bis einsam ich sterbe.

Meine Kinder verwehte der Krieg.
Wer bringt sie mir wieder?
Beim Klange der Lieder
feiern Fürsten und Herren den Sieg.
Sie freuen sich beim Friedensschmaus,
die müß'gen Soldaten fluchen –
Ich ziehe am Stabe hinaus,
mein Vaterland suchen.

*Die Balladen »Wiegenlied« und »Frieden«*
*von Ricarda Huch sind unter dem Motto »Aus*
*dem dreißigjährigen Krieg« zusammengefaßt*

# Die Schlacht bei Fehrbellin

He lustig, es krachen Kartaunen,
des Martis sein Mahlzeit beginnt!
Wir wollen nicht länger mehr saumen,
marschieren herzu geschwind.
Soldaten sind herzhaft zum Streite,
sind allezeit lustig im Feld;
da gibt es rechtschaffene Beute,
wenn man den Sieg erhält.

Hör, Schwede, laß dir was sagen:
wir wollen bei Fehrbellin
dir jetzo an deinen Kragen,
sollst du ganz blutig entfliehn.
Dein Sengen, Brennen und Morden,
dein Rauben, Plündern im Land,
als wie die Türkenhorden,
das machet dir ewig Schand.

Frisch auf, ihr Kameraden!
Unser Kurfürst der reitet vorauf,
er muntert uns tapfre Soldaten
zu einem Siegeslauf.
Ihr Räuber, ihr tätet wohl hoffen,
ihr schösset ihn tot mit dem Blei:
ist aber falsch abgeloffen,
er reitet dort offen und frei.

Itzt lausen wir euch die Köpfe
mit Kolben, wie's Narren gebührt,
zerschmeißen euch Mäuler und Kröpfe,
daß euch vergolten wird.
Ihr müsset ja rennen und laufen
im Dreck durch dick und durch dünn,
dörft nicht einmal verschnaufen
von hier bis nach Demin.

Itzt haben wir wieder gewonnen,
was eure Räubersband
mit Stehlen und Plündern genommen
allhier im Brandenburger Land.
Der Kurfürst von Brandenburg soll leben!
Er ist ein tapferer Held,
tut seine Feinde erlegen,
steht allezeit wohl im Feld. –

*Mit dem Sieg des Großen Kurfürsten Friedrich Wilhelm I. (1640–1688) bei Fehrbellin (nahe Potsdam) über das bis zu dieser Zeit in Europa als Vorbild geltende Heer der Schweden am 18. Juni 1675 begann die preußische Militärtradition.*

# Die Befreiung Wiens

Freu dich, du edles Wien,
daß du nun wieder worden frei!
Wie ist dir doch zu Sinn,
daß du der Türken Tirannei
befreiet, gleichsam lebst aufs neu?
All Furcht ist nun dahin.

Dein tapfrer Kommandant,
Graf Starhemberg,
der deutsche Held,
tät ernsten Widerstand:
vieltausend Türken hat gefällt
und sie den Toten zugesellt,
o Wien, der Türken Schand!

Vierzigtausend und mehr
vor Wien bereits geblieben sein
durch tapfre Gegenwehr;
also daß auch der Grandwesir
wütig und rasend worden schier
mit seinem Türkenheer.

Er hat den Untergang
geschworen Wien mit Grimm
und Wut,
dir ward dennoch nicht bang;
traust Gott und der gerechten Sach,
der wendet auch dein Ungemach
und deiner Feinde Zwang.

Er stellt gut Ordinanz,
Graf Starhemberg mit Witz
und Mut
gab acht auf seine Schanz;
was bei der Nacht der Feind
tendiert,
am Tag er wieder ruiniert,
daß blieb kein Splitter ganz.

Manch Stürmen ward verbracht,
sie fanden allzeit Gegenwehr,
bei Tag und auch bei Nacht
Graf Starhemberg sie tapfer drüllt,
die Gräben lagen angefüllt,
der Türkenhund man lacht.

Sehr man mit Stücken schoß,
es regnet gleichsam Feuer ein,
man gab sich doch nicht bloß;
Granaten, Bomben groß und klein,
viel Feuerballen insgemein,
man achtet es nicht groß.

Graf Starhemberg mit Mut
ließ heben Stein und Pflaster auf,
zu stören solche Wut;
man deckt Böden und Dächer ab,
daß es so leicht nicht Unglück gab,
die Gegenwehr war gut.

Als dies nicht helfen wollt,
der Großwesir entbot hinein:
man sich ergeben sollt,
sonst wollt er weder groß
noch klein
verschonen. Nein, es kann
nicht sein,
ihr Hunde fort euch trollt!

Graf Starhemberg sprach frei,
daß er ihm nichts geständig sei
als Pulver, Eisen und Blei;
ließ heben viel Gegitter aus,
zerhauen, schoß damit hinaus,
das macht den Türken Graus.

Sie gruben als die Mäus
und fingen zu minieren an;
Starhemberg spart keinen Fleiß,
mit Gegenminen sie aufsucht
und viel zerstöret ohne Frucht;
ihm ist und bleibt der Preis.

Inzwischen der Entsatz
ward auf das fleißigst konsultiert,
wie endlich dieser Platz
möcht zeitlich werden sekundiert,
der Angriff wurde resolviert,
es gab ein scharfe Hatz.

Hört an die Tapferkeit!
Der Polenkönig in Person
zum Angriff war bereit,
Herzog von Lothringen, desgleich
viel brave Helden aus dem Reich,
es war nun Fechtens Zeit.

Der tapfre Sachsenfürst,
Kurbayern, Markgraf von
Bayreuth
an Feind gingen gerüst,
die Sachsen, Bayern insgemein,
als eine Mauer gestanden sein,
nach Türkenblut gedürst.

Es macht durch Schreiben kund
Herzog von Lothringen in Eil
Graf Starhemberg mit Grund,
daß der Entsatz nun nahe sei
und man sich einst der Not befrei
zu der erwünschten Stund.

Den Wald rekognosziert
Graf Dünewald, der tapfre Held,
kein Feind ward da verspürt.
Die christlich Armee insgemein
bei hunderttausend stark tät sein,
die ward an Feind geführt.

Der Feind ward aufgesucht;
er hat zum Schlagen wenig Lust
und gab gar bald die Flucht;
ließ Läger, Zelt, Geschütz im Stich,
sucht nur zu retirieren sich;
es gab erwünschte Frucht.

Kartaunen groß und klein,
Haubitzen auch dergleichen hier
dreißig gezählet sein;
samt achtundzwanzig Pöllern
mehr,
viel Feuerbomben hin und her,
man setzte tapfer drein.

Baracken und Gezelt
fünfzigtausend gezählet sein,
samt allem Gut und Geld,
viel Proviant, Munition,
an Gold viereinhalb Million
verlor der Türk im Feld.

Fürst Waldeck, Dünewald,
der General Herr von der Ley
machten sehr gut Anstalt;
gaben dem Feind nach
Kriegsgebrauch
zu kühlen Feuer, Dampf und
Rauch,
man setzt drauf mit Gewalt.

Also und dergestalt
ist Gottlob die Stadt Wien befreit
von der Türken Gewalt.
Das Christenheer setzt tapfer nach,
zu üben an den Feinden Rach –
o Herr, dein Volk erhalt!

O Wien, du Freudenstadt!
Dein Starhemberg allzeit früh und spat
für dich gesorget hat,
daß nicht der Römeradler Nest
zerstöret ward durch Räubergäst:
O tapfere Heldentat!

*Graf Rüdiger von Starhemberg (1638–1701)*
*verteidigte 1683 erfolgreich Wien, während*
*ein europäisches Entsatzheer unter Karl V.*
*von Lothringen auf dem Kahlenberg die Türken*
*besiegte.*

# Die Werbung

Rings im Kreise lauscht die Menge
bärtiger Magyaren froh;
aus dem Kreise rauschen Klänge:
was ergreifen die mich so? –
Tiefgebräunt vom Sonnenbrande,
rotgeglüht von Weinesglut,
spielt da die Zigeunerbande
und empört das Heldenblut.
»Laß die Geigen wilder singen!
wilder schlag das Zimbal du!«
ruft der Werber, und es klingen
seine Sporen hell dazu.
Der Zigeuner hört's, und voller
wölkt sein Mund der Pfeife Dampf,
lauter immer, immer toller
braust der Instrumente Kampf,
braust die alte Heldenweise,
die vorzeiten wohl mit Macht
frische Knaben, welke Greise
hinzog in die Türkenschlacht.
Wie des Werbers Augen glühn!
Und wie all die Säbelnarben,
Ehrenröslein purpurfarben,
ihm auf Wang und Stirne blühn!
Klirrend glänzt das Schwert
in Funken,
das sich oft in Blute wusch;
auf dem Schako, freudetrunken,
taumelt ihm der Federbusch. –
Aus der bunten Menge ragen
einen Jüngling, stark und hoch,
sieht der Werber mit Behagen:
»Wärest du ein Reiter doch!«
ruft er aus mit lichtern Augen,
»Solcher Wuchs und solche Kraft
würden dem Husaren taugen;
komm und trinke Brüderschaft!«
Und es schwingt der Freudigrasche
jenem zu die volle Flasche.
Doch der Jüngling hört es
schweigend,
in die Schatten der Gedanken,
die ihn bang und süß umranken,
still sein schönes Antlitz neigend.

Ihn bewegt das edle Sehnen,
wie der Ahn' ein Held zu sein;
doch berieseln warme Tränen
seiner Wangen Rosenschein.
Außer denen, die da rauschen
in Musik, in Werberswort,
scheint er Klängen noch zu
lauschen,
hergeweht aus fernem Ort.
»Komm zurück in meine Arme!«
fleht sein Mütterlein so bang;
und die Braut in ihrem Harme
fleht: »O säume nimmer lang!«
Und er sieht das Hüttchen trauern,
das ihn hegte mit den Seinen;
hört davor die Linde schauern
und den Bach vorüberweinen.
Pochst du lauter nach den Bahnen
kühner Taten, junges Herz?
Oder zieht das süße Mahnen
dich der Liebe heimatwärts?
Also steht er unentschlossen,
während dort Geworbne schon
ziehn ins Feld auf flinken Rossen,
lustig mit Drommetenton.
»Komm in unsre Reiterscharen!«
fällt der Werber jubelnd ein,
»Schönes Leben des Husaren,
das ist Leben, das allein!« –
Jünglings Augen flammen heller,
seine Pulse jagen schneller. – –
Plötzlich zeigt sich jetzt im Kreise
eine finstere Gestalt,
tiefen Ernstes, schreitet leise
und beim Werber macht sie halt
und sie flüstert ihm so dringend
ein geheimes Wort ins Ohr,
daß er, hoch den Säbel schwingend,
wie begeistert loht empor.
Und der Dämon schwebt zur
Bande,
facht den Eifer der Musik
mächtig an zum stärksten Brande
mit Geraun und Geisterblick.

Aus des Basses Sturmgewittern,
mit unendlich süßem Sehnen,
mit der Stimmen weichem Zittern,
singen Geigen, Grabsirenen.
Und der Finstre schwebt enteilend
durch der Lauscher dichte Reihe,
nur am Jüngling noch verweilend
wie mit einem Blick der Weihe. –
Bald im ungestümen Werben
wird der Liebe Klagelaut,
wird das Bild der Heimat sterben;
arme Mutter! arme Braut!
In des Jünglings letztes Wanken
bricht des Werbers rauhes Zanken,
lacht des Werbers bittrer Hohn:
»Bist wohl auch kein Heldensohn!
bist kein echter Ungarjunge!
Feiges Herz, so fahre hin!«
Seht! er stürzt mit raschem
Sprunge –
Zorn und Scham der Wange
Glühn –
hin zum Werber, von der Rechten
schallt der Handschlag in den
Lüften,
und er gürtet, kühn zum Fechten,
schnell das Schwert sich um die
Hüften. –
Wie beim Sonnenuntergange
hier und dort vom Saatgefild
still waldeinwärts schleicht
das Wild:
also von der Ungarn Wange
flüchtet in den Bart herab
still die scheue Männerzähre.
Ahnen sie des Jünglings Ehre?
ahnen sie sein frühes Grab?

*Von Nikolaus Lenau, Pseudonym*
*von Nikolaus Niembsch Edler von*
*Strehlenau (1802–1850).*

# Das Prinz-Eugen-Lied

Prinz Eugen, der edle Ritter,
wollt' dem Kaiser wied'rum kriegen
Stadt und Festung Belgerad.
Er ließ schlagen einen Brucken,
daß man kunnt' hinüber rucken
mit d'r Armee wohl für die Stadt.

Als der Brucken nun war geschlagen,
daß man kunnt' mit Stuck und Wagen
frei passieren den Donaufluß:
Bei Semlin schlug man das Lager,
alle Türken zu verjagen,
ihn'n zum Spott und zum Verdruß.

Am einundzwanzigsten August so eben
kam ein Spion bei Sturm und Regen,
schwur's dem Prinz'n und zeigt's ihm an,
daß die Türken futragieren,
so viel als man kunnt' verspüren,
an die dreimal hunderttausend Mann.

Als Prinz Eugenius dies vernommen,
ließ er gleich zusammen kommen
seine General und Feldmarschall.
Er tät sie recht instrugieren,
wie man sollt' die Truppen führen
und den Feind recht greifen an.

Bei der Parole tät er befehlen,
daß man sollt' die zwölfe zählen
bei der Uhr um Mitternacht;

da sollt' all's zu Pferd aufsitzen,
mit dem Feinde zu scharmützen,
was zum Streit nur hätte Kraft.

Alles saß auch gleich zu Pferde,
jeder griff nach seinem Schwerte,
ganz still ruckt' man aus der Schanz'.
Die Musk'tier wie auch die Reiter,
täten alle tapfer streiten.
's war fürwahr ein schöner Tanz!

»Ihr Konstabler auf der Schanzen,
spielet auf zu diesem Tanzen
mit Kartaunen groß und klein,
mit den großen, mit den kleinen
auf die Türken, auf die Heiden,
daß sie laufen all' davon.«

Prinz Eugenius wohl auf der Rechten
tät als wie ein Löwe fechten
als General und Feldmarschall.
Prinz Ludewig ritt auf und nieder:
»Halt't euch brav, ihr deutschen Brüder,
greift den Feind nur herzhaft an!«

Prinz Ludewig, der mußt' aufgeben
seinen Geist und junges Leben,
ward getroffen von dem Blei.
Prinz Eugen war sehr betrübet,
weil er ihn so sehr geliebet.
Ließ ihn bring'n nach Peterwardein.

*Bei der Schlacht von Belgrad im August 1717*
*siegte Prinz Eugen von Savoyen (1663–1736)*
*mit 70 000 Soldaten der kaiserlichen Armee*
*über 330 000 Türken. Ein unbekannter Soldat*
*dichtete den Text unmittelbar nach der Schlacht*
*zu einer bestehenden Volksweise, die seither*
*weltberühmt ist. Über die Entstehung des*
*Prinz-Eugen-Liedes schrieb Ferdinand Freiligrath*
*eine Ballade, in der sich Wahrheit und Dichtung*
*mischen:*

# Prinz Eugen der edle Ritter

Zelte, Posten, Werdarufer!
Lust'ge Nacht am Donauufer!
Pferde stehn im Kreis umher
angebunden an den Pflöcken;
an den engen Sattelböcken
hangen Karabiner schwer.

Um das Feuer auf der Erde,
vor den Hufen seiner Pferde
liegt das östreich'sche Pikett.
auf dem Mantel liegt ein jeder;
von den Tschakos weht die Feder,
Leutnant würfelt und Kornett.

Neben seinem müden Schecken
ruht auf einer wollnen Decken
der Trompeter ganz allein:
»Laßt die Knöchel, laßt die
Karten!
Kaiserliche Feldstandarten
wird ein Reiterlied erfreun!

Vor acht Tagen die Affäre
hab' ich zu Nutz dem ganzen
Heere,
in gehör'gen Reim gebracht;
selber auch gesetzt die Noten!
Drum, ihr Weißen und ihr Roten.
merket auf und gebet acht!«

Und er singt, die neue Weise
einmal, zweimal, dreimal leise
denen Reitersleuten vor;
und wie er zum letzten Male
endet, bricht mit einem Male
los der volle, kräft'ge Chor:

»Prinz Eugen, der edle Ritter!«
Hei, das klang wie Ungewitter
weit ins Türkenlager hin.
Der Trompeter tät den
Schnurrbart streichen
und sich auf die Seite schleichen
zu der Marketenderin.

*Von Ferdinand Freiligrath (1810–1876)*

# Der schlafende Wagen

Prinz Eugen, der edle Ritter,
Dieses Schlachtenungewitter,
Mußte trüb an sich erleiden
Müden Alters Not und Weh.
Mit zwei adeligen Damen
Spielt er nun, in Gottes Namen,
Melancholisch und bescheiden
Mariage und Piquet.

Vor der Damen stillem Schlosse
Wartet schläfrig die Karosse.
Wackelnd auf dem hohen Bocke
Nicken Kutscher und Hatschier.
Schläfrig unterm Sternenhimmel
Stehn zwei Isabellenschimmel.
Mit dem gold'nen Quastenstocke
Pendelt gähnend der Portier.

Endlich ist das Spiel zu Ende,
Und es küßt die Damenhände
Höchst galant der alte Ritter,
Zierlich, wie ein jüngrer kaum.
In der Träume Land getragen
Wird er sanft von seinem Wagen.
Bomben und Granatensplitter
Sprühn durch seinen Schlachtentraum.

Holpernd rollt die dunkle, schwere
Kutsche nach dem Belvedere.
Auf dem Bocke eingeschlafen
Nickt der Lenker, stumm und träg.
Fest entschlummert sind die Diener –
Durch das lust'ge Volk der Wiener,
Ahnend den gewohnten Hafen,
Ziehn die Rößlein flink den Weg.

Wie sie endlich mit der alten
Kutsche am Portale halten,
Regt und rührt sich keine Seele,
Alles schlummert fest und brav.
Sieh, da naht sich leise, leise
Auf den Zehn das Volk im Kreise,
Sorgend, daß kein Lärm bestehle
Seines Lieblings Heldenschlaf.

Stumm umstand das Volk der Wiener
Prinz Eugen und seine Diener,
Bis ein Schusterbube lachend
Auf zwei Fingern schrillend pfiff.
Er bekam zwar eine Schelle,
Doch sie tönte also helle,
Daß der alte Held erwachend
Jäh nach seinem Degen griff.

Und er sah des Volkes Menge
In ehrfürchtigem Gedränge,
Sah den Mond erfreulich blinken,
Nirgends Wagnis noch Gefahr.
Mit Gequitsche und Gerutsche
Schob sich schnell die alte Kutsche
Durchs Portal. Ein freundlich Winken,
Und der Prinz verschwunden war.

*Von Franz Karl Ginzkey (1871–1963)*

# Charlotte Corday

Die in Schleiern schwebend und geweiht,
eine aschenblonde Kerze, glomm:
Ihre Augen blühten klar und fromm,
ihre Hände griffen Dunkelheit;

Dunkelheit umschmiegte, was sie barg,
ihres Mordes streng erwählte Pflicht,
da sie ohne Flackern ihr Gesicht
leuchtend hinhob an den nahen Sarg.

In den düstern Käfig stieg sie hell,
Ach, die Treppe war so schwer zu gehn!
Jede Stufe ward ihr zehnmal zehn,
alle Stufen schwanden viel zu schnell.

Als ihr Mut die Glocke droben zog,
schrie das Herz, schrie Wehe ob der Hand,
rief so tönend, daß sie nicht verstand,
wie ihr Mund die Öffnende belog,

jenes ernste, ungeschmückte Weib,
das den Dämon heilig liebte, ihn,
der von Flammenkronen widerschien …
und sie sah das Bad, den Männerleib,

sah die Schulter nackt, die breite Brust,
um sein Haupt ein wunderliches Tuch,
spürte dünnen Arzeneigeruch,
fand in falbem armutskranken Dust

Linnen, Wanne, Brett und Tintenfaß,
Federkiel, der winkte. Und sie kam,
warf vom Lid die Röte ihrer Scham,
riß ums Antlitz blendend ihren Haß,

saß so stark und zitternd zu Gericht,
bot den Zettel, den er fiebrig griff,
wiederholte schweigend dieses: »Triff!«
fest sich fassend schon. Sie wußte nicht,

daß er groß war. Aber sie war rein,
Stahl, der seine Feuerpranke brach.
Sie erglänzte, zuckte auf und stach
als ein Messer blitzend in ihn ein.

Werkzeug, gleich umklammert und zerschellt;
Heldin, die dem Glauben starb. Er ruht.
Aus der Wunde fließt sein Herz, sein Blut
über Frankreich strömend in die Welt.

*Von Gertrud Kolmar (1894–1943). Jean Paul*
*Marat, radikaler Führer der französischen*
*Revolution, wurde 1744 von Charlotte Corday*
*im Bade ermordet.*

# Dantons Ende

Was klirrt, was wirbelt, dampft und braust,
dies Schrein, dies Keuchen, dies Lallen,
das riß er würgend in die Faust,
das zwang er klumpig um zum Ballen,
den seine Rechte wütend hob;
sein wildes Stierhaupt schwoll: Gelichter!
Er warf den Felsen, ein Zyklop,
ins Antlitz seiner Richter.

Und alles, Säumnis, Schuld, Verrat,
was ihn in kluger Schrift verdammte,
das stieß er mitten in die Tat,
die heiß von seinen Lippen flammte.
Er schlang sein Leben noch, den Rest,
die spritzende, zerdrückte Traube,
er hielt die Stunde drängend fest,
hielt ihre rote Phrygierhaube,

ihr schwarzes Mähnenhaar gepackt,
griff ihr den Lappen von der Flanke,
er fand sie glühend, stark und nackt
und schmiß sie zuckend vor die Schranke,
und seine Stimme schnob, ein Meer,
entstürzte donnernd aus den Dämmen,
Geschworne, Kläger, Volk und Heer
wie Treibholz wegzuschwemmen ...


## Robespierre

stand klein und fern in seinen Düsternissen
mit aufmerksamen Augen, unbewegt.
Er sah die Menge wolkig und zerrissen,
von Stürmen blind geschüttelt und gefegt,

sah Worte, die gleich Wogen brüllend schäumten,
ein blutend aus der Brust gerungnes Herz,
die Fäuste, die sich wuchtig, kantig bäumten,
doch an den Fäusten: war das Erz?

Ein seltsam, seltsam gelblich heller Schein,
ein Duft der Prägung, glitzernd und metallen ...
sie sprangen schlagend, klatschend in das Wallen
und tauchten auf und waren doch nicht rein,

von jenem faden Abglanz nicht gewaschen.
Und in des Mundes Dröhnen irrte zahm
ein dünnes, blankes Klingeln aus den Taschen,
unüberhörbar fein: »Ich gab ... ich nahm ...
ich nahm...«

Und dieser mit dem Blick wie blasser Stahl
warf eines Dreiecks Schatten zu den Wänden.
Dann blieb er richtend vor den eignen Händen;
sie waren unberührt und bleich und schmal.

Und achtlos, ob geschwungne Blöcke drohten,
mit Wettern und Gebirg der Riese stritt,
dem Blitze splitternd von der Wimper lohten,
trat er heran, ein leiser, sanfter Schritt,
und warf ihn zu den Toten.

*Von Gertrud Kolmar. Georges Danton und Maximilian de Robespierre waren - zusammen mit Jean Paul Marat - radikale Führer der französischen Revolution. Robespierre betrieb 1794 Sturz und Hinrichtung Dantons und wurde noch im selben Jahr selbst gestürzt und hingerichtet:*

# Robespierre

Er meckert vor sich hin. Die Augen starren
ins Wagenstroh. Der Mund kaut weißen Schleim.
Er zieht ihn schluckend durch die Backen ein.
Sein Fuß hängt nackt heraus durch zwei der Sparren.

Bei jedem Wagenstoß fliegt er nach oben.
Der Arme Ketten rasseln dann wie Schellen.
Man hört der Kinder frohes Lachen gellen,
die ihre Mütter aus der Menge hoben.

Man kitzelt ihn am Bein, er merkt es nicht.
Da hält der Wagen. Er sieht auf und schaut
am Straßenende schwarz das Hochgericht.

Die aschengraue Stirn wird schweißbetaut.
Der Mund verzerrt sich furchtbar im Gesicht.
Man harrt des Schreis. Doch hört man keinen Laut.

*Von Georg Heym (1887–1912)*

# Der alte Zieten

Joachim Hans von Zieten, Husarengeneral,
Dem Feind die Stirne bieten tät er viel hundertmal.
Die haben all' erfahren, wie er die Pelze wusch
Mit seinen Leibhusaren, der »Zieten aus dem Busch«.

Hei, wie den Feind sie bläuten bei Lowositz und Prag,
Bei Liegnitz und bei Leuthen und weiter Schlag auf
Schlag!
Bei Torgau, Tag der Ehre, ritt selbst der Fritz nach
Haus,
Und Zieten sprach: »Ich kehre erst noch das Schlacht-
feld aus.«

Sie kamen nie alleine, der Zieten und der Fritz:
Der Donner war der eine, der andre war der Blitz,
Es zeigt sich keiner träge, drum schlugs auch immer ein;
Ob warm, ob kalt die Schläge, sie pflegten gut zu sein.

Der Friede war geschlossen, doch Krieges Lust und
Qual,
Die alten Schlachtgenossen durchlebtens noch einmal.
Wie Marschall Daun gezaudert, doch Fritz und Zieten
nie.
Es ward jetzt durchgeplaudert bei Tisch in Sanssouci.

Einst mocht es ihm nicht schmecken, und sieh, der Zie-
ten schlief.
Ein Höfling wollt ihn wecken, der König aber rief:
»Laßt schlafen nur den Alten, er hat in mancher Nacht
Für uns sich wach gehalten, der hat genug gewacht!«

Und als die Zeit erfüllet des alten Helden war,
Da lag schlicht eingehüllet Hans Zieten der Husar.
Wie selber er genommen die Feinde stets im Husch,
So war der Tod gekommen, wie Zieten aus dem Busch.

*Text von Theodor Fontane. Zieten (1699–1786)*
*war Husarengeneral von Friedrich II. dem*
*Großen und entschied mehrere Schlachten des*
*Siebenjährigen Krieges.*

# Wer weiß, wo?

Auf Blut und Leichen, Schutt und Qualm.
Auf roßzerstampften Sommerhalm
die Sonne schien.
Es sank die Nacht, die Schlacht ist aus,
und mancher kehrte nicht nach Haus
einst von Kolin.

Ein Junker auch, ein Knabe noch,
der heut das erste Pulver roch,
er mußte dahin.
Wie hoch er auch die Fahne schwang,
der Tod in seinen Arm ihn zwang,
er mußte dahin.

Ihm nahe lag ein frommes Buch,
das stets der Junker bei sich trug,
am Degenknauf.
Ein Grenadier von Bevern fand
den kleinen erdbeschmutzten Band
und hob ihn auf.

Und brachte heim mit schnellem Fuß
dem Vater diesen letzten Gruß,
der klang nicht froh.
Dann schrieb hinein die Zitterhand:
»Kolin. Mein Sohn verscharrt im Sand.
Wer weiß, wo.«

Und der gesungen dieses Lied,
und der es liest, im Leben zieht
noch frisch und froh.
Doch einst bin ich, und bist auch du,
verscharrt im Sand, zur ewigen Ruh,
wer weiß, wo.

*Von Detlev Freiherr von Liliencron (1844–1909).*
*Die Ballade bezieht sich auf die Niederlage*
*von Friedrich II. bei Kolin am 18. Juni 1757.*

# Fridericus Rex

Fridericus Rex, unser König und Herr,
Der rief seine Soldaten allsamt in's Gewehr,
Zweihundert Bataillons und an die tausend Schwadro-
nen,
Und jeder Grenadier kriegte sechzig Patronen.

Ihr verfluchten Kerls (sprach Seine Majestät),
Daß jeder in der Bataille seinen Mann mir steht;
Sie gönnen mir nicht Schlesien und die Grafschaft Glatz.
Und die hundert Millionen in meinem Schatz.

Die Kaiserin hat sich mit den Franzosen alliiert,
Und das Römische Reich gegen mich revoltiert;
Die Russen sind gefallen in Preußen ein;
Auf, laßt uns sie zeigen, daß wir Preußen sein.

Meine Generale Schwerin und Feldmarschall von Keit
Und der Generalmajor von Zieten, sind all' Mal bereit
Potz Mohren, Blitz und Kreuz Element,
Wer den Fritz und seine Soldaten noch nicht kennt.

Nun Adjö Lowise, Lowise wisch' ab dein Gesicht,
Eine jede Kugel trifft ja nicht;
Denn träf' jede Kugel apart ihren Mann,
Wo kriegten die Könige Soldaten dann?

Die Musketenkugel macht ein kleines Loch,
Die Kanonenkugel ein weit größ'res noch.
Die Kugeln sind alle von Eisen und Blei,
Und manche Kugel geht manchem vorbei.

Uns're Artillerie hat ein vortrefflich Kaliber,
Und von den Preußen geht keiner nicht zum Feinde
über.
Die Schweden die haben verflucht schlechtes Geld,
Wer weiß, ob der Öst'reicher besseres hält.

Mit Pomade bezahlt den Franzosen sein König,
Wir kriegen's alle Wochen bei Heller und Pfennig.
Potz Mohren, Blitz und Kreuz Sakrament!
Wer kriegt so prompt, wie der Preuß' sein Traktment.

Fridericus mein König, den der Lorbeerkranz ziert,
Ach hättest du nur öfters zu plündern permittiert.
Fridericus Rex, mein König und Held,
Wir schlügen den Teufel für Dich aus der Welt.

*Von Willibald Alexis (1798–1871), Pseudonym
von Georg Wilhelm Häring.*

# Der Kutscher des Alten Fritz

Des Alten Fritz Leibkutscher soll aus Stein
zu Potsdam auf dem Stall zu sehen sein –
da fährt er so einher,
als ob er lebend wär:
aller Kutscher Muster, treu und fest und grob,
Pfund genannt, umschmeißen kannt er nicht: das war
sein Lob!

Mordwege fuhr er ohne Furcht, sein Mut
hielt aus in Schnee, Nacht, Sturm und Wasserflut.
Ihm war das einerlei,
er fand gar nichts dabei;
in dem Schnurrbart fest und steif blieb sein Gesicht,
und man sah darauf kein schlimmes Wetter niemals
nicht.

Doch rührte man an seinen Kutscherstolz,
war jedes Wort von ihm ein Kloben Holz;
woher es auch geschah,
daß er es einst versah
und dem Alten Fritz etwas zu gröblich kam,
wessenhalb derselbe eine starke Prise nahm

und sprach: »Ein grober Knüppel wie Er ist,
der fährt fortan mit Eseln Knüppel oder Mist!«
Und so geschah's. Ein Jahr
bereits verflossen war,
als der Pfund einst Knüppel fuhr und gutes Muts
ihm begegnete der Alte Fritz; der frug: »wie tut's?«

»I nu, wenn ich nur fahre,« sagte Pfund,
indem er fest auf seinem Fahrzeug stund,
»so ist mir's einerlei
und weiter nichts dabei,
ob's mit Pferden oder ob's mit Eseln geht,
fahr ich Knüppel oder fahr ich Euer Majestät.«

Da nahm der Alte Fritz Tabak gemach
und sah den groben Pfund sich an und sprach:
»Hüm, find't Er nichts dabei
und ist Ihm einerlei,
ob es Pferd, ob Esel, Knüppel oder ich;
lad Er ab und spann Er um und fahr Er wieder mich.«

*Von August Kopisch*

# Seydlitz und der Bürgermeister von Ohlau

In Ohlau, der Bürgermeister der Stadt
eine weiße Zippelmütze hat; –
gegenüber im Kommandantenhaus
sieht Seydlitz morgens zum Fenster hinaus.

Und jeden Morgen, unentwegt,
sich auch Zippelmütz ins Fenster legt,
und wenn der Seydlitz drüben schmaucht,
auch Zippelmütze sein Pfeifchen raucht,
und wenn der Seydlitz zum Räuspern ruckt,
hat Zippelmütze schon ausgespuckt.

Das ärgert den Seydlitz. »Philistergesicht.
Affront dazu; das lieb ich nicht.«
Und er nimmt Pistolen links von der Wand,
zielt hinüber mit sichrer Hand,
zielt und schießt auf dreißig Schritt,
eine zweite Kugel und nun eine dritt',

es spritzt der Kalk; – der drüben heiter
zieht seine Mütze, raucht aber weiter,
und Seydlitz lacht: »Verfluchte Visage,
aber der Kerl hat Courage«.

Das war im Frieden. Nun steht die Schlacht:
Seydlitz wartet und Seydlitz wacht,
anstrahlt ihn der Ruhm, er steigt zu Pferde,
hundert Schwadronen, es donnert die Erde;
gestern in Ohlau im Fenster liegen,
heute bei Zorndorf siegen, siegen, –
wie kam der Wandel! fragt nicht wie:
Klein im Kleinen, im Großen Genie.

*Von Theodor Fontane. Friedrich Wilhelm von
Seydlitz (1721–1773) war preußischer Reitergeneral
Friedrichs des Großen im Siebenjährigen Krieg.
Philistergesicht = Spießbürgergesicht (Studenten-
sprache).*

# Die Schlacht

Schwer und dumpfig,
Eine Wetterwolke,
Durch die grüne Ebne schwankt der Marsch.
Zum wilden eisernen Würfelspiel
Streckt sich unabsehlich das Gefilde.
Blicke kriechen niederwärts,
An die Rippen pocht das Männerherz,
Vorüber an hohlen Totengesichtern
Niederjagt die Front der Major:
»Halt!«
Und Regimenter fesselt das starre Kommando.

Lautlos steht die Front.

Prächtig im glühenden Morgenrot
Was blitzt dorther vom Gebirge?
Seht ihr des Feindes Fahnen wehn?
Wir sehn des Feindes Fahnen wehn,
Gott mit euch, Weib und Kinder!
Lustig! hört ihr den Gesang?
Trommelwirbel, Pfeifenklang
Schmettert durch die Glieder –
Wie braust es fort im schönen wilden Takt!
Und braust durch Mark und Bein.

Gott befohlen, Brüder!
In einer andern Welt wieder!

Schon fleugt es fort wie Wetterleucht,
Dumpf brüllt der Donner schon dort,
Die Wimper zuckt, hier kracht er laut,
Die Losung braust von Heer zu Heer –
Laß brausen in Gottes Namen fort,
Freier schon atmet die Brust.

Der Tod ist los – schon wogt sich der Kampf,
Eisern im wolkigen Pulverdampf,
Eisern fallen die Würfel.

Nah umarmen die Heere sich.
Fertig! heults von P'loton zu P'loton;
Auf die Knie geworfen
Feu'rn die Vordern, viele stehen nicht mehr auf,
Lücken reißt die streifende Kartätsche,
Auf Vormanns Rumpfe springt der Hintermann,
Verwüstung rechts und links und um und um,
Bataillone niederwälzt der Tod.

Die Sonne löscht aus – heiß brennt die Schlacht,
Schwarz brütet auf dem Heer die Nacht –
Gott befohlen, Brüder!
In einer andern Welt wieder!

Hoch spritzt an den Nacken das Blut,
Lebende wechseln mit Toten, der Fuß
Strauchelt über den Leichnamen –

»Und auch du, Franz?« – »Grüße mein Lottchen,
Freund!«
Wilder immer wütet der Streit.
»Grüßen will ich« – Gott! Kameraden, seht!
Hinter uns wie die Kartätsche springt! –
»Grüßen will ich dein Lottchen, Freund!
Schlummre sanft! wo die Kugelsaat
Regnet, stürz ich Verlaßner hinein.«

Hierher, dorthin schwankt die Schlacht,
Finstrer brütet auf dem Heer die Nacht –
Gott befohlen, Brüder!
In einer andern Welt wieder!

Horch! was strampft im Galopp vorbei?
Die Adjutanten fliegen,
Dragoner rasseln in den Feind,
Und seine Donner ruhen.
Viktoria, Brüder!
Schrecken reißt die feigen Glieder,
Und seine Fahne sinkt. -

Entschieden ist die scharfe Schlacht,
Der Tag blickt siegend durch die Nacht!
Horch! Trommelwirbel, Pfeifenklang
Stimmen schon Triumphgesang!
Lebt wohl, ihr geliebten Brüder!
In einer andern Welt wieder!

*1782. Von Friedrich von Schiller.*

# Austerlitz

O Wandrer stehe still
in diesem heilgen Schatten!
Hier zeigt sich ein Monument,
so du noch nie gesehn:
Die Friedensgöttin kam
mit Mars sich zu begatten
in diesem schönen Tal,
wo West und Zephyr wehn.

Ein mörderischer Krieg,
so selbst die Höll erschaffen
versammelt sich ein Volk
von ferner Region:
Auf Östreichs stiller Flur
erschien ein Heer mit Waffen,
beinah von jeder Sekt,
Von jeder Nation.

Wie mancher fand den Tod
in diesem Himmelstriche,
und seine Leiche ruht
hier in der Erde Schoß.
Der Ungar beim Kroat
der Böhme bei dem Griechen,
der Deutsche beim Kosak,
beim Russen der Franzos.

Hier ruht der Freund und Feind,
die sich gemordet haben,
der Freund starb vor dem Feind
den Tod fürs Vaterland.
Und wenn sie sich aus Wut
und Pflicht ein Beispiel gaben,
so reichen sie sich jetzt
versöhnt die Bruderhand.

Verschonet diesen Ort,
wo Greul und Hader schwinden
bis daß uns einst die Auferstehung wieder weckt.
Dann werdet ihr die wahre
Gleichheit wieder finden.
Und eine Gleichheit, die
kein Brudermord befleckt.

*Dreikaiserschlacht von Austerlitz
in Südmähren am 2. Dezember
1805: Napoleon I. besiegte die
Österreicher (Franz II.) und die
Russen (Alexander I.).*

# Wir geben nicht auf

Seid lustig, ihr Brüder! es freuet uns prächtig:
der Kaiser von Frankreich ist Colbergs nicht mächtig!
Er ließ zwar durch einen Trompeter ansagen,
daß er die Stadt Colberg und Festung wollt haben.

Der brave Kommandant antwortet ihm drauf:
»Wir geben die Festung von Colberg nicht auf;
wir haben Kanonen, viel Pulver und Blei,
es gibt auch noch recht brave Preußen dabei!«

»Seid ihr gleich brave Preußen, ich Kaiser von Frankreich
schieße Colberg zusammen, und so zeig ich euch,
daß ihr mir sollt geben die Festung jetzt auf
und gehen als Kriegsgefangne heraus!«

»Wir tun uns nicht ergeben, wir lieben den König
und unsere Freiheit, und fürchten uns wenig!
Wenn auch gleich die halbe Stadt liegt in der Asche,
doch brennet das Schnupftuch noch nicht in der Tasche.

Glaubt ihr denn, Franzosen, wir müssen retirieren,
weil ihr konntet Prinz Louis bei Saalfeld blessieren?
Glaubt mir, so lange das Blut in uns wallet,
so lange auch alle Kanonen frisch knallen!

Was helfen euch Kanonen? Wir haben auch Mauern,
wir sitzen in Kasematten und können ausdauern;
wir haben wohl Fleisch, Brot, Bier und auch Wein,
die Tore sind verschlossen, darf niemand herein.«

»So haut auf die Lunten und laßt einmal knallen!
Laßt Bomben, Granaten und Kugeln drein fallen,
daß alle, die drin sind, in Gewölbe schnell rennen,
darauf sie dann sprechen: wir müssen verbrennen.«

»Ihr wollt uns aushungern? Wir lachen dazu!
Wir essen und trinken in fröhlicher Ruh:
wir haben Kanonen und haben kein Bang –
marschiert nur nach Hause und wartet nicht lang!«

*Diese Ballade über die erfolgreiche Verteidigung
Kolbergs (vom 19. März bis zum 2. Juli 1807)
gegen die Franzosen hat Paul Heyse (Nobelpreisträger
1910) zu dem Drama »Colberg« angeregt.*

# Alles müd und matt

Mit Roß und Mann und Wagen,
so hat sie Gott geschlagen.
Es irrt durch Schnee und
Wald umher
das große mächt'ge Franzenheer;
der Kaiser auf der Flucht,
Soldaten ohne Zucht.
Mit Mann und Roß und Wagen,
so hat sie Gott geschlagen.

Jäger ohne Gewehr,
Kaiser ohne Heer,
Heer ohne Kaiser,
Wildnis ohne Weiser.
Mit Mann und Roß und Wagen,
so hat sie Gott geschlagen.

Trommler ohne Trommelstock,
Kürassier im Weiberrock,
Ritter ohne Schwert,
Reiter ohne Pferd.
Mit Mann und Roß und Wagen,
so hat sie Gott geschlagen.

Fähnrich ohne Fahn,
Flinten ohne Hahn,
Büchsen ohne Schuß,
Fußvolk ohne Fuß.
Mit Mann und Roß und Wagen,
so hat sie Gott geschlagen.

Feldherrn ohne Witz,
Stückleut ohne Geschütz,
Flüchter ohne Schuh,
nirgends Rast und Ruh.
Mit Mann und Roß und Wagen,
so hat sie Gott geschlagen.

Mit Mann und Roß und Wagen,
so hat sie Gott geschlagen.
Speicher ohne Brot,
aller Orten Not,
Wagen ohne Rad,
alles müd und matt;
Kranke ohne Wagen, –
so hat sie Gott geschlagen.

*Bezieht sich auf Napoleons Rückzug aus Russland*
*(1812)*

# Die Schlacht an der Katzbach

Und die Katzbach, das ist euch ein grausamer Fluß,
der machte dem Napoleon gar bittern Verdruß.
Es zählte jedes Heer an achtzigtausend Mann,
und da zogen auch die Blücherschen Husaren heran,
an der Katzbach, an der Katzbach!

Das Wort war gegeben, das hieß: Sieg oder Tod!
Und ein Regen goß vom Himmel, wie die Schock-
schwerenot.
Da schrie der Vater Blücher: »Der Tag ist erwacht,
frisch auf, mein Trompeter, und blase zur Schlacht!
An der Katzbach, an der Katzbach!«

Der Trompeter blies, und der Teufel ging los,
und bis Nachmittag wehrte sich tapfer der Franzos;
da rief der Vater Blücher: »Kinder, seid ihr alle da?
Zeigt euch wie tapfre Preußen, der König Hurra!«
An der Katzbach, an der Katzbach!

Marsch, vorwärts die Kolonnen, und Donner links und
rechts,
und Guß auf Guß, und die Hitze des Gefechts!
Hei, das war eine Lust, hei, das war eine Hatz,
wie wir packten die wilde französische Katz,
an der Katzbach, an der Katzbach!

Ein Karree stand wie Mauern, und da schrien wir: drauf!
da ward aus dem Karree bald von Leichen ein Hauf.
Und die Reiter und die Rosse und die Kanonen hinterdrein,
die jagten in die Reiß und in die Katzbach hinein!
An der Katzbach, an der Katzbach!

Und als der Sieg errungen, da beteten wir:
Gott, gib den toten Brüdern im Himmel Quartier! –
Ach, schon lange ist es her, und schon lange bin ich müd!
O schlief doch bei den Brüdern der alte Invalid.
An der Katzbach, an der Katzbach!

*Sieg Blüchers und Gneisenaus über Napoleon*
*am 26. August 1813 in der Schlacht an der*
*Katzbach (Nebenfluß der Oder in Niederschlesien).*

# Der Trompeter an der Katzbach

Von Wunden ganz bedecket,
der Trompeter sterbend ruht,
an der Katzbach hingestrecket,
der Brust entströmt das Blut.

Brennt auch die Todeswunde,
doch sterben kann er nicht,
bis neue Siegeskunde
zu seinen Ohren bricht.

Und wie er schmerzlich ringet
in Todesängsten bang,
zu ihm herüberdringet
ein wohlbekannter Klang.

Der hebt ihn von der Erde,
er streckt sich starr und wild –
dort sitzt er auf dem Pferde
als wie ein steinern Bild.

Und die Trompete schmettert,
fest hält sie seine Hand –
und wie ein Donner wettert
Viktoria in das Land.

Viktoria – so klang es,
Viktoria – überall,
Viktoria – so drang es
hervor mit Donnerschall.

Doch als es ausgeklungen,
die Trompete setzt er ab;
das Herz ist ihm zersprungen,
vom Roß stürzt er herab.

Um ihn herum im Kreise
hielt's ganze Regiment,
der Feldmarschall sprach leise:
»Das heißt ein selig End!«

*Von Julius Mosen (1803–1867)*

# Die Völkerschlacht

Wo kommst du her in dem roten Kleid
und färbst das Gras auf dem grünen Plan?
Ich komm aus blutigem Männerstreit,
ich komme rot von der Ehrenbahn.
Wir haben die blutige Schlacht geschlagen,
drob müssen die Mütter und Bräute klagen,

Sag an, Gesell, und verkünde mir,
wie heißt das Land, wo ihr schlugt die Schlacht?
Bei Leipzig trauert das Mordrevier,
das manches Auge voll Tränen macht,
da flogen die Kugeln wie Winterflocken,
und Tausenden mußte der Atem stocken
bei Leipzig der Stadt.

Wie heißen, die zogen ins Todesfeld
und ließen fliegende Banner aus?
Es kamen Völker aus aller Welt,
die zogen gegen Franzosen aus,
die Russen, die Schweden, die tapfern Preußen
und die nach dem glorreichen Östreich heißen,
die zogen all aus.

Wem ward der Sieg in dem harten Streit,
wem ward der Preis mit der Eisenhand?
Die Welschen hat Gott wie die Spreu zerstreut,
die Welschen hat Gott verweht wie den Sand;
viele Tausende decken den grünen Rasen,
die Übriggebliebnen entflohen wie Hasen,
Napoleon mit.

Nimm Gottes Lohn! habe Dank, Gesell!
Das war ein Klang, der das Herz erfreut!
Das klang wie himmlische Zimbeln hell,
habe Dank der Mär von dem blutigen Streit!
Laß Witwen und Bräute die Toten klagen,
wir singen noch fröhlich in spätesten Tagen
die Leipziger Schlacht.

O Leipzig, freundliche Lindenstadt,
dir ward ein leuchtendes Ehrenmal:
so lange rollt der Jahre Rad,
so lange scheinet der Sonnenstrahl,
so lange die Ströme zum Meere reisen,
wird noch der späteste Enkel preisen
die Leipziger Schlacht.

*Von Ernst Moritz Arndt (1769–1860). Die
Ballade schildert Napoleons Niederlage in
der Völkerschlacht bei Leipzig vom 16. bis
19. Oktober 1813. Danach brach das Napoleonische
System zusammen. Deutschland, Holland und
Oberitalien wurden durch diesen Sieg befreit.*

# Die Grenadiere

Nach Frankreich zogen zwei Grenadier,
die waren in Rußland gefangen.
Und als sie kamen ins deutsche Quartier,
sie ließen die Köpfe hangen.

Da hörten sie beide die traurige Mär:
daß Frankreich verlorengegangen,
besiegt und zerschlagen das große Heer, –
und der Kaiser, der Kaiser gefangen.

Da weinten zusammen die Grenadier
wohl ob der kläglichen Kunde.
Der eine sprach: Wie weh wird mir,
wie brennt meine alte Wunde!

Der andre sprach: Das Lied ist aus,
auch ich möcht mit dir sterben,
doch hab ich Weib und Kind zu Haus,
die ohne mich verderben.

Was schert mich Weib, was schert mich Kind!
Ich trage weit beßres Verlangen;
laß sie betteln gehn, wenn sie hungrig sind, –
mein Kaiser, mein Kaiser gefangen!

Gewähr mir, Bruder, eine Bitt:
Wenn ich jetzt sterben werde,
so nimm meine Leiche nach Frankreich mit,
begrab mich in Frankreichs Erde.

Das Ehrenkreuz am roten Band
sollst du aufs Herz mir legen;
die Flinte gib mir in die Hand,
und gürt mir um den Degen.

So will ich liegen und horchen still,
wie eine Schildwach, im Grabe,
bis einst ich höre Kanonengebrüll
und wiehernder Rosse Getrabe.

Dann reitet mein Kaiser wohl über mein Grab,
viel Schwerter klirren und blitzen;
dann steig ich gewaffnet hervor aus dem Grab, –
den Kaiser, den Kaiser zu schützen!

*Von Heinrich Heine.*

# Das Scharnhorst-Lied

In dem wilden Kriegestanze
brach die schönste Heldenlanze,
Preußen, euer General.
Lustig auf dem Feld bei Lützen,
sah er Freiheitswaffen blitzen:
Doch ihn traf des Todes Strahl.

»Kugel, rafft mich doch nicht
nieder?
Dien' euch blutend, werte Brüder,
führt in Eile mich gen Prag!
Will mein Blut um Östreich
werben;
ists beschlossen, will ich sterben,
wo Schwerin im Blute lag.«

Arge Stadt, wo Helden kranken,
Heil'ge von den Brücken sanken
reißest alle Blüten ab!
Nennen dich mit leisen Schauern,
heilge Stadt, nach deinen Mauern
zieht uns manches teure Grab.

Aus dem irdischen Getümmel
haben Engel in den Himmel
seine Seele sanft geführt
zu dem alten deutschen Rathe,
den im ritterlichen Staate
ewig Kaiser Karl regiert.

»Grüßt euch Gott, ihr teuren
Helden!
Kann euch frohe Zeiten melden:
Unser Volk ist aufgewacht!
Deutschland hat sein Recht
gefunden,
schaut, ich trage Siegeswunden
aus der heilgen Opferschlacht!«

Solches hat er dort verkündet,
und wir alle stehn verbündet,
daß das Wort nicht Lüge sei.
Heer, aus seinem Geist geboren,
Jäger, die sein Mut erkoren,
wählet ihn zum Feldgeschrei!

Zu den höchsten Bergesforsten,
wo die freien Adler horsten,
hat sich früh sein Blick gewandt:
Nur dem Höchsten galt sein Streben,
nur in Freiheit konnt' er leben:
Scharnhorst ist er drum genannt.

Keiner war wohl treuer, reiner,
näher stand dem König keiner,
doch dem Volke schlug sein Herz.
Ewig auf den Lippen schweben
wird er, wird im Volke leben
besser als in Stein und Erz.

*Gerhard von Scharnhorst (1755–1813), preußischer*
*Generalstabschef, wurde in der Schlacht von*
*Gross-Görschen verwundet und starb kurz darauf,*
*als er – trotz sehr schweren Verletzungen –*
*zu diplomatischen Verhandlungen nach Österreich*
*reiste. Die Ballade wurde von einem Unbekannten*
*zur Melodie des Prinz-Eugen-Liedes gedichtet.*

# Das Andreas-Hofer-Lied

Zu Mantua in Banden der treue Hofer war,
In Mantua zum Tode führt ihn der Feinde Schar;
Es blutete der Brüder Herz,
Ganz Deutschland, ach in Schmach und Schmerz!
Mit ihm das Land Tirol.

Die Hände auf den Rücken, Andreas Hofer ging
Mit ruhig festen Schritten, ihm schien der Tod gering.
Der Tod, den er so manchesmal
Vom Iselberg geschickt ins Tal
Im heilgen Land Tirol.

Doch als aus Kerkers Gittern, im festen Mantua
Die treuen Waffenbrüder die Händ er strecken sah,
Da rief er laut: »Gott sei mit euch,
Mit dem verratnen deutschen Reich,
Und mit dem Land Tirol.«

Dem Tambour will der Wirbel nicht unterm Schlegel
vor.
Als nun Adreas Hofer schritt durch das finstre Tor.
Andreas, noch in Banden frei,
Dort stand er fest auf der Bastei,
Der Mann vom Land Tirol.

Dort soll er niederknieen; er sprach: »Das tut ich nit.
Will sterben, wie ich stehe, will sterben wie ich stritt,
So wie ich steh auf dieser Schanz',
Es leb mein guter Kaiser Franz,
Mit ihm sein Land Tirol!«

Und von der Hand die Binde nimmt ihm der Korporal,
Andreas Hofer betet allhier zum letztenmal;
Dann ruft er: »Nun so trefft mich recht!
Gebt Feuer! – Ach, wie schießt ihr schlecht!
Ade, mein Land Tirol!

*Text von Julius Mosen, 1831. Die Melodie*
*hat Ludwig Erk 1849 in Anlehnung an eine*
*alte Volksweise geschaffen. Andreas Hofer*
*(1767–1810), Gastwirt aus dem Passeiertal,*
*Anführer der tiroler Volkserhebung von 1809,*
*kämpfte auch dann noch weiter, als Österreich*
*nach dem Frieden von Schönbrunn das Land*
*Tirol aufgegeben hatte. Nach den Siegen im*
*Eisacktal und am Berg Isel mußte er auf eine*
*Almhütte flüchten, wo er durch Verrat aufgespürt*
*wurde. Hinrichtung in Mantua, Beisetzung*
*in der Innsbrucker Hofkirche. Die folgenden*
*Balladen befassen sich mit Andreas Hofers*
*engsten Vertrauten:*

# Pater Haspinger

Der Kapuziner Haspinger
mit seinem roten Bart,
der einst in dem Tirolerkrieg
beim Land zu hohen Ehren stieg,
sein Name sei bewahrt.

Der Kapuziner Haspinger
mit seinem roten Bart;
er hieß sich selbst den
Rotbart gern,
der Rotbart war ein roter Stern,
der'm Feinde furchtbar ward.

Der Kapuziner Haspinger
mit seinem roten Bart;
beim Angriff ging er uns voran,
daß wir auf seinen Bart nur sahn,
wie nach Blutfahnenart.

Der Kapuziner Haspinger
mit seinem weißen Stab,
ging einstmals wieder uns voran
und zeigt' uns auf den Feind
die Bahn,
der auf uns Salven gab.

Der Kapuziner Haspinger
scheut keine Kugelsaat;
da springt ein Bayer auf ihn her,
der ihn von vorn mit dem Gewehr
Lust zu durchstoßen hat.

Der Kapuziner Haspinger,
der Pater ist in Not!
Springt ein Tiroler Schütz heran,
legt auf des Paters Schultern an
und schießt den Bayer tot.

Der Kapuziner Haspinger,
das rettet ihn vom Tod.
Der Schuß hat ihm den
Bart versengt;
der Bart, der sonst war
rot gesprengt,
ist jetzt zündfeuerrot.

*Von Friedrich Rückert. Joachim Haspinger*
*(1776–1858) war neben Andreas Hofer ein*
*Führer des Tiroler Freiheitskampfes von 1803.*

# Der Speckbacher

Der Speckbacher, der Speckbacher!
wenn der die Schützen rief, –
der Tag und Nacht und Nacht und Tag
den Feinden auf der Fährte lag
und gar des Nachts nicht schlief.

Zum Schlafen nahm er sich nie Zeit,
als wenn er nachts wo ritt;
wenn dann das Pferd des Wegs fort lief,
so saß der Held darauf und schlief
und kam vom Fleck damit.

Und wenn wo kam ein Scheideweg,
so stand der kluge Gaul;
aufwacht' der Held und wohlgemut
als hätt er recht die Nacht geruht,
war er den Tag nicht faul.

Der Speckbacher, der Speckbacher!
als er vor Kufstein lag,
ging er auf Kundschaft selbst zur Stadt,
zu sehn, ob sie noch Vorrat hat
und sich noch halten mag.

Und als auf ihn Verdacht gefaßt
der Festung Kommandant,
ließ er ihn hin ins Zimmer stehn,
von Leuten ihn beim Licht besehn,
die ihn sonst wohl gekannt.

Da sah der Held so mutig drein,
so seltsam ganz und gar,
daß er von keinem ward erkannt,
und ihn entließ der Kommandant
hinaus zu seiner Schar.

Der Speckbacher, der Speckbacher!
wenn er zum Kampf zog aus,
da lief sein kleiner Bub ihm nach,
und was der Vater droht' und sprach,
er blieb doch nicht zu Haus.

In das Gewehrfeur lief er 'nein,
da wies man ihn hinaus;
da macht sich seitwärts hin der Bub,
wo Kugeln schlugen ein, die grub
er mit dem Messer aus.

Und wie er sieht, den Schützen fehlt
es an Munition,
läuft er damit hinein ins Glied
und bringt, daß es sein Vater sieht,
sein Hütlein voll davon.

Der Speckbacher, der Speckbacher!
als es nun lang gewährt,
der Held nun gehn mußt auf die Flucht,
wird er von Reitern aufgesucht,
für vogelfrei erklärt.

Im Winter tief im Schneegebirg
mußt er umirren gehn;
als er sich in das Wetterloch
in seiner höchsten Not verkroch,
hatt' er viel auszustehn.

Im Mute der Verzweifelung
trieb's ihn zuletzt heraus;
er wagts, ins Tal hinabzugehn,
sein treues Weib einmal zu sehn,
schlich er sich in sein Haus.

Da fängt sein treuer Knecht ihn auf:
Im Haus kein Flecklein ist,
die Reiter liegen überall;
er muß den Herrn im Pferdestall
eingraben unterm Mist.

Der Knecht trägt ihm das Essen zu
in seinem schlimmen Bett;
da liegt er mit begrabnem Leib
und darf nicht einmal sehn sein Weib,
so gern getan ers hätt'.

Da lag er einen Monat lang
und etwa länger noch;
da mußt er auch von da nun fort;
sein treues Weib wollt er am Ort
zuletzt nur sprechen doch.

Da weinete das edle Weib
in ungestillter Qual,
daß ihr vor Schmerz das Herz zerbrach,
weil liegen mußt in solcher Schmach
ihr edeler Gemahl.

*Von Friedrich Rückert. Joseph Speckbacher
(1767–1820) gehörte 1809 neben Andreas Hofer
zu den Führern des Tiroler Freiheitskampfes.*

# Der große Hecker

Seht, da steht der große Hecker,
eine Feder auf dem Hut,
seht, da steht der Volkserwecker,
lechzend nach Tyrannenblut!
Wasserstiefeln, dicke Sohlen,
Säbeln trägt er und Pistolen,
und zum Peter sagte er:
»Peter, sei du Statthalter!«

»Peter«, sprach er, »du regiere
Konstanz und den Bodensee,
ich zieh aus und kommandiere
unsre tapfre Arimee;
mit Polacken und Franzosen
wird der Herwegh zu mir stoßen,
und der stirbt lebendig eh'r,
als daß er ein Hundsfott wär.«

Pflästerer und Schieferdecker,
alles, niedrig und hoch,
alles jauchzte unserm Hecker,
als er aus zum Kampfe zog.
Handwerksburschen, Literaten,
Tailleurs, Bauern, Advokaten,
alles folgte rasch dem Zug,
als er seine Trommel schlug.

Rumbidibum, so hört
man's schlagen,
Rumbidibum, Dumdumdumbum;
und bei Straf ließ Weißhaar sagen
rings im ganzen Land herum:
»Tut euch schnell zusammenraffen,
gebt mir Mannschaft,
Pferde, Waffen,
oder ich bring alles um;
Rumbidibum Dumdumdumbum!«

Durch die Baar tat man
jetzt wandern
und hernach ins Wiesental
und daselbst stieß man
bei Kandern
auf Soldaten ohne Zahl.
Edler Gagern, wackre Hessen,
wollt ihr euch mit Hecker messen?
Gagern, du kommst nicht zurück,
vivat hoch die Republik!

Gagern wollt parlamentieren,
doch das ist nicht Heckers Art:
»Ich«, sprach er, »soll retirieren,
ich mit meinem roten Bart?« –
Ach! nun hört man
Schüsse knallen,
General Gagern sah man fallen –
und der tapfre Hinckeldey
saß zu Pferde auch dabei.

Und als Gagern war gefallen,
fing man leider auf dem Rhein,
zur Bekümmernis uns allen,
unsern edeln Struwel ein;
man tat ihn in Eisen legen,
aber von des Heckers wegen
ließ der Oberamtmann Schley
den Gefangnen wieder frei.

Kaiser, Weißhaar, Struwel, Peter,
alle trieb man allbereits
gleichsam als wie Übeltäter
in die schöne, freie Schweiz.
Doch der Peter, der kam wieder,
legt die Statthalterschaft nieder,
»denn«, sprach er, »ich werde alt
und verlier sonst mein Gehalt.«

Hecker, sag, wo bist du, Hecker?
legst die Hände in den Schoß?
Auf nun, du Tyrannenschrecker,
jetzt geht es auf Freiburg los!
Baden, Hessen und Nassauer
stehen dorten auf der Lauer.
Doch wir kommen schon hinein,
denn neutral will Freiburg sein.

All die schönen Stadtkanonen,
großer Hecker, sie sind dein;
und man ladet blaue Bohnen
nebst Kartätschen schnell hinein.
Langsdorf will rekognoszieren,
läßt sich auf den Münster führen
und guckt durch ein Perspektiv,
ob es gut geht oder schief.

Oben her vom Günterstale,
hinter Wald und Hecken vor,
kam im Sturm mit einem Male
Siegels wildes, tapfres Korps.
Aber unsre Hessenschützen
ließen ihre Büchsen blitzen,
und das Korps zog sich zurück, –
aus war's mit der Republik!

Denn hinein zu allen Toren
stürmte jetzt das Militär,
und die Freischar war verloren
trotz der tapfern Gegenwehr;
alle, die sich blicken ließen,
tat das Militär erschießen;
alle Führer gingen durch,
und eroberten Freiburg.

Doch nun kamen
Herweghs Scharen,
er und seine Frau kam nach,
kamen in der Chais gefahren
auf dem Weg nach Dossenbach.
Doch zu ihrem großen Ärger
sah man dort die Württemberger;
Miller, dieser grobe Schwab,
kam von einem Berg herab.

Heckers Geist und
Schimmelpfennig
machten da den Schwaben warm:
Herwegh sah's, er fuhr einspännig,
und es fuhr ihm in den Darm.
Unter seinem Spritzenleder
forcht er sich vorm Donnerwetter;
heiß fiel es dem Herwegh bei,
daß der Hinweg besser sei.

»Ach, Madamchen«, tat er sagen,
»aus ist's mit der Republik!
Soll ich Narr mein Leben wagen?
Nein, für jetzt nur schnell zurück!
Laß für meinen Kopf uns sorgen,
komm ich heut nicht, komm
ich morgen;
ach, wie kneipt's mich in den Leib,
wende um, mein liebes Weib!«

Und Madam hieß ihn verkriechen
sich in ihren treuen Schoß,
denn er konnt kein Pulver riechen,
und es ging erschrecklich los;
Schimmelpfennig ward erstochen,
manche Sense ward zerbrochen,
und erschossen mancher Mann,
die ich nicht all nennen kann.

Also ist's in Baden gangen;
was nicht fiel und nicht entfloh,
ward vom Militär gefangen,
liegt zu Bruchsal auf dem Stroh –
Ich, ein Spielmann bei den Hessen,
der kann Baden nicht vergessen,
der den Feldzug mitgemacht,
habe dieses Lied erdacht.

*Friedrich Hecker (1811–1881), badischer Freischarführer,*
*rief 1848 in Konstanz die Republik aus, wurde*
*von badischen Bundestruppen unter der Führung*
*von Gagerns besiegt.*
*Der spöttische Ton dieser Ballade erboste zwei*
*Hecker-Anhänger derart, daß sie einen Mordanschlag*
*auf den Dichter Georg Nadler verübten, der*
*mit knapper Not dem Tode entging. Hecker*
*wanderte später nach Amerika aus und wurde*
*Brigade-General im amerikanischen Bürgerkrieg.*
*Auch die folgende Ballade befaßt sich mit*
*Hecker:*

# Der meineid'ge Hecker

Hört, Leute, hört, Leute, was ich euch erzähl
und vom Hecker, dem Räuber, dem meineid'gen Kerl.

Als Hecker ist kommen in Schwarzwalt hinein,
und als Kaiser der Deutschen, das wollt er gleich sein.

Den Zepter, die Krone, das hätt er gern g'habt,
und da hab'n die Soldat'n ihn gleich halt ertappt.

Den Zweck zu erreichen schickt er sein Adjutant,
der gab als Verräter dem General die Hand.

Als Hecker ist kommen zu seiner freien Rott,
und da schossen die Schurken den General zu tot.

Da kamens die Hessen und Nassauer in die Wut,
und sie kämpften wie die Löwen, bis Blut fließen tut.

Da laufens die Schurken alsbald in die Flucht,
und sie werfen ihre Waffen hinein in die Schlucht.

Gelt, Hecker, gelt, Hecker, das Blatt hat sich gewend't,
und du hast dir bei Kandern dein Schnurren verbrennt.

Den Schnurren verbrennt und die Sensen verlorn,
gelt, Hecker, gelt, Hecker, im Schweizer Kanton!

Ihr König und Kaiser, mit dem Hecker ist's aus!
Was kriegen Soldaten, wann sie kommen nach Haus,

Sie haben gestritten fürs deutsche Parlament
und für Deutschland zu Ehren, von vielen verkennt.

*Dichter unbekannt.*

# Das Radetzky-Lied

Graf Radetzky, edler Degen!
Schwurs: des Kaisers Feind zu fegen
aus der falschen Lombardei.
In Verona langes Hoffen
als mehr Truppen eingetroffen
fühlt und rührt der Held sich frei.

Schleicht um Mant'va mit den Seinen,
fällt heraus eh sie's vermeinen,
schlägt die Feind am Curtaton,
Vicenza höhnet sein Erbarmen.
Da faßt er es mit eis'n Armen
Und Vernichtung ward dem Hohn.

Bald die blutgen Würfel rollen
bei Custozza, bis den vollen
Sieg errungen Öst'reichs Heer.
Volta will der Feind noch wagen,
wird auch da heraus geschlagen
in wilde Flucht ihn hält nichts mehr.

Doch nach kurzem Stillstand wieder
falln die eisern Würfel nieder.
Wohl der Feldherr d'rauf bereit
gen Novara schnell gewendet,
hat zu Habsburgs Ruhm geendet
er auch diesen blutgen Streich.

So ward Sieg auf Sieg errungen,
Lug und Trug und Feind bezwungen,
Karl Albert gestürzt vom Tron,
Held Radetzky' tapferer Degen
bracht dem Kaiser dies zu wegen,
und bewahrt die Eisenkron.

*Joseph Radetzky (1766–1858), Generalstabschef
unter Schwarzenberg, erfocht die Siege von
Custozza (1848) und, ein Jahr später, von
Novarra. Der unbekannte Dichter schuf den
Text zur berühmten Melodie des Prinz-Eugen-Liedes.*

# Die Schlacht bei Gravelotte

Das war der Tag bei Gravelotte –
's war eine heiße Schlacht!
Wir kamen ins Gedränge
von der Franzosen Menge
und großen Übermacht.

Und immer neu stürmt
Bazaine vor,
wollt uns erdrücken gar;
wir konnten uns kaum mehr
schützen,
da war wohl groß die Gefahr.

Vater Moltke reitet in
Sorgen hinaus:
»Wo bleibt Franseckys Korps?«
Da sah er die Pommern kommen,
vom Abendrot umklommen,
Franseckys allen vor.

Vater Moltke schwang den
Degen hoch
und rief entgegen laut:
»Vorwärts, ihr tapfern Scharen,
treibt dort den Feind zu Paaren,
auf euch hab ich vertraut!«

»Hurra! 's ist Vater Moltke selbst
und mitten im Schlachtgewühl!«
Vorwärts die Pommern stürmen,
ob sich die Höhn auch türmen,
übersät von Granatenspiel.

*In der Schlacht von Gravelotte (bei Metz)*
*am 18. August 1870 besiegte der preußische*
*Generalfeldmarschall und Generalstabschef*
*Helmuth Graf von Moltke (1800–1891) die*
*Franzosen.*

Bazaine grimmvoll wütet zwar
in seinem Zorne groß;
doch die Pommern niederschlagen
Franzosen, Turkes, Zuaven,
trotz ihrer Chassepots.

Und als Bazaine retiriert,
da reitet der alte Held
zu König Wilhelm wieder:
»Der Feind liegt vor uns nieder,
Eurer Majestät ist das Feld!«

# Fühler und Vorhang

Weit der Schwadron war ich vorausgeritten
und hielt im Nebel, horchend, auf dem Hügel.
Kommandoruf, vom Winde abgeschnitten,
verworren klang Geklirr von Roß und Bügel.
Da brach ein Reiher, nah, aus Nebelsmitten
und nahm den Schleier auf die breiten Flügel:
Sonnüberponnen, unten tief, durchritten
die Furt Husaren, Zügel hinter Zügel.

Den Gaul herum, die Seligkeit vergessen,
schieß ich zurück, mein Schatten ist betrogen, –
»Fertig zum Aufsitzen« und »Auf–gesessen«;
dann weg, wie von der Erde aufgesogen,
vorsichtig, still, in richtigem Ermessen,
schlau wie die Rothaut zieht im Gräserwogen.
Halt... Säbelwink... der Eisensporn dem Blessen,
und in den Feind sind wir hineingeflogen.

*Von Detlev Freiherr von Liliencron*

# Die Attacke

Platz da, und Zieten aus dem Busch!
Mit Hurra drauf in Flusch und Husch,
und vorgebeugten Leibes rasen,
in einem Strich die Pferdenasen,
wir zwei weit voran den Husaren,
so sind wir in den Feind gefahren.
Die roten Jungen hinterher
in todesbringender Karriere,
daß wild die Spitzen der Schabracken
den Grashalm fegen wie der Wind.
Und hussa, hep, die bunten Jacken,
sind wir am Waldesrand geschwind.
Geknatter, dann ein tolles Laufen,
wir konnten kaum mit ihnen raufen,
so rissen die Gascogner aus
vor unserm Säbelschnittgesaus.
Doch hinter einer schmalen Erle
stand einer dieser kleinen Kerle
und macht auf mich recht schlechte Witze:
er schoß mir ab die Helmturmspitze.
Ei, du verfluchter gelber Lümmel,
ich treffe gleich dich im Getümmel.
Und »Hieb zur Erde tief« saß ihm
im Schädel eine forsche Prim.

Kolonnen rückten nun heran,
der Auftrag war erfüllt, getan.
Der Leutnant sammelte den Zug,
und als er durch die Säbel fragte,
ob keiner wegblieb, keiner fehle,
da schnürt es ihm die junge Kehle.
Denn der Trompeterschimmel bäumte,
den Sattel frei, und schnob und schäumte.
Wir fanden seinen Reiter bald
an Brombeersträuchen, tot, im Wald.
Ein blaurot Felckchen zeigte nur
den Schuß ins Herz, der Kugel Spur.
Bei meinem Freund zum erstenmal
sah ich die Scherbe niederschnippen,
und Tränen fielen ohne Zahl
dem Toten auf die bleichen Lippen.

O schäm dich nicht, wenn dies du liest,
daß dir so leicht die Träne fließt.
Im Sterben trägst du noch die Scherbe;
ich sei, stirbst früher du, der Erbe.
Dann denk ich an den treuesten Freund,
den je die Sonne hat gebräunt.

*Von Detlev Freiherr von Liliencron (1844–1909)*

# Bauernlied

Ruft der Richter seine Bauern: »Nehmt's den Spaten,
Kummt's begraben, kummt's begraben die Soldaten!

Sechs Schuh tief und zwanzig Klafter Länge,
Dritthalb Ellen breit, da liegen sie nit enge.«

Alsdern haben wir die Grube ausgehoben:
Die Gemeinen unten, Korporale oben.

Seitwärts viere, in der Mitte viere,
Überzwerch die Herren Offiziere.

Is noch manchem aus der Brust das Blut geflossen,
Sauber haben mir's mit Kalk begossen.

Drauf den Obersten in aaner Truhe –
Jetzt haben die Soldaten ihre Ruhe.

*Von Roda Roda, Pseudonym für*
*Alexander Roda (1872–1945).*

# Die Trompete von Vionville

Sie haben Tod und Verderben gespien;
wir haben es nicht gelitten,
zwei Kolonnen Fußvolk, zwei Batterien,
wir haben sie niedergeritten.

Die Säbel geschwungen, die Zäume verhängt,
tief die Lanzen und hoch die Fahnen,
so haben wir sie zusammengesprengt, –
Kürassiere wir und Ulanen.

Doch ein Blutritt war es, ein Todesritt;
wohl wichen sie unsern Hieben,
doch von zwei Regimentern, was ritt und was stritt,
unser zweiter Mann ist geblieben.

Die Brust durchschossen, die Stirn zerklafft,
so lagen sie bleich auf dem Rasen,
in der Kraft, in der Jugend dahingerafft, –
nun Trompeter, zum Sammeln geblasen!

Und er nahm die Trompet', und er hauchte hinein;
da, – die mutig mit schmetterndem Grimme
uns geführt in den herrlichen Kampf hinein, –
der Trompete versagte die Stimme!

Nur ein klanglos Wimmern, ein Schrei voll Schmerz
entquoll dem metallenen Munde;
eine Kugel hatte durchlöchert ihr Erz, –
um die Toten klagte die wunde!

Um die Tapfern, die Treuen, die Wacht am Rhein,
um die Brüder, die heut gefallen, –
um sie alle, es ging uns durch Mark und Bein,
erhub sie gebrochenes Lallen.

Und nun kam die Nacht, und wir ritten hindann,
rundum die Wachtfeuer lohten;
die Rosse schnoben, der Regen rann –
und wir dachten der Toten, der Toten.

*Von Ferdinand Freiligrath. In der Schlacht*
*von Vionville und Mars-la-Tour am 16. 8. 1870*
*brachte zum letztenmal in der Kriegsgeschichte*
*ein Reiterangriff den Sieg.*

# Der Kanonen-Song

1
John war darunter und Jim war dabei
Und Georgie ist Sergeant geworden
Doch die Armee, sie fragt keinen, wer er sei.
Und sie marschierte hinauf nach dem Norden.
Soldaten wohnen
Auf den Kanonen
Vom Cap bis Couch Behar.
Wenn es mal regnete
Und es begegnete
Ihnen 'ne neue Rasse
'ne braune oder blasse
Da machen sie vielleicht daraus ihr Beefsteak Tartar.

2
Johnny war der Whisky zu warm
Und Jimmy hatte nie genug Decken
Aber Georgie nahm beide beim Arm
Und sagte: Die Armee kann nicht verrecken.
Soldaten wohnen
Auf den Kanonen
Vom Cap bis Couch Behar.
Wenn es mal regnete
Und es begegnete
Ihnen 'ne neue Rasse
'ne braune oder blasse
Da machen sie vielleicht daraus ihr Beefsteak Tartar.

3
John ist gestorben und Jim ist tot
Und Georgie ist vermißt und verdorben
Aber Blut ist immer noch rot
Und für die Armee wird jetzt wieder geworben!
Soldaten wohnen
Auf den Kanonen
Vom Cap bis Couch Behar.
Wenn es mal regnete
Und es begegnete
Ihnen 'ne neue Rasse
'ne braune oder blasse
Da machen sie vielleicht daraus ihr Beefsteak Tartar.

*Von Bertolt Brecht. (1898–1956)*

# Die Legende vom Soldaten im dritten Weltkrieg

**1**

Vom Morden am Morgen begehrlich gemacht
Schlief der Soldat so schön
Er lag auf ihr, sie konnte dabei
Die Sterne der Heimat sehn.
Atomraketenhagel fiel
Vom Himmel blau und klar
Die meisten Bomben kamen zu spät
War nichts mehr zum Sterben da
Noch ist es Winterzeit
Abende lang und weit
trauern im Schnee
Wenn wir nur lebend sind
Karin, im Kältewind
ist es schon gut

**2**

Da wurde die Erde ein Totenschiff
Ein rundes rotes Geschwür
Die Sterne am Himmel warn gar nicht mehr schön
Denn es sah sie keiner mehr
Den Engeln brannten die Flügel ab
Und dem Lieben Gott der Bart
Das Jüngste Gericht wurde abgesagt
Warn keine Seelen mehr da
Noch ist es Winterzeit
Abende lang und weit
trauern im Schnee
Wenn wir nur lebend sind
Karin, im Kältewind
ist es schon gut

**3**

Und ein Molekül vom Soldatengehirn
Und eins von ihrem Gesäß
Die hielten sich lange noch beieinand
Bis Hitze auch sie zerriß
Und hätt der Soldat der Frau zu Haus
Statt Krieg ein Kind gemacht
Dann schlüge das Herz der Erde noch
Der Krieg würd ausgelacht
Kommt uns die Sommerzeit
Karin, nicht nur zu zweit
im Blütenschnee
Nieder mit Krieg und Tod
Reifen die Kirschen rot
dann ist es gut

*Von Wolf Biermann, geboren 1936*

# Der Krieg

Aufgestanden ist er, welcher lange schlief,
aufgestanden unten aus Gewölben tief.
In der Dämm'rung steht er, groß und unbekannt,
Und den Mond zerdrückt er in der schwarzen Hand.

In den Abendlärm der Städte fällt es weit,
Frost und Schatten einer fremden Dunkelheit.
Und der Märkte runder Wirbel stockt zu Eis.
Es wird still. Sie sehn sich um. Und keiner weiß.

In den Gassen faßt es ihre Schulter leicht.
Eine Frage. Keine Antwort. Ein Gesicht erbleicht.
In der Ferne zittert ein Geläute dünn,
und die Bärte zittern um ihr spitzes Kinn.

Auf den Bergen hebt er schon zu tanzen an,
und er schreit: Ihr Krieger alle, auf und an!
Und es schallet, wenn das schwarze Haupt er schwenkt,
Drum von tausend Schädeln laute Kette hängt.

Einem Trum gleich tritt er aus die letzte Glut,
wo der Tag flieht, sind die Ströme schon voll Blut.
Zahllos sind die Leichen schon im Schilf gestreckt,
von des Todes starken Vögeln weiß bedeckt.

In die Nacht er jagt das Feuer querfeldein,
einen roten Hund mit wilder Mäuler Schrei'n.
Aus dem Dunkel springt der Nächte schwarze Welt,
von Vulkanen furchtbar ist ihr Rand erhellt.

Und mit tausend hohen Zipfelmützen weit
sind die finstern Ebnen flackernd überstreut.
Und was unten auf den Straßen wimmelnd flieht,
stößt er in die Feuerwälder, wo die Flamme brausend
zieht.

Und die Flammen fressen Wald um Wald,
gelbe Feldermäuse, zackig in das Laub gekrallt,
seine Stange haut er wie ein Köhlerknecht
in die Bäume, daß das Feuer brause recht.

Eine große Stadt versank in gelbem Rauch,,
warf sich lautlos in des Abgrunds Bauch.
Aber riesig über glühnden Trümmern steht,
der in wilde Himmel dreimal seine Fackel dreht.

Über sturmzerfetzter Wolken Widerschein,
in des toten Dunkels kalten Wüstenei'n,
daß er mit dem Brande weit die Nacht verdorr',
Pech und Feuer träufet unten auf Gomorrh.

*Von Georg Heym*

# Der Tod

Wie sie am Krankenbett
des Kaisers weinten.
Wie sie lachten,
als der Gaukler starb

# Die drei sterbenden Reiter

Drei Reiter nach verlorner Schlacht,
wie reiten sie so sacht, so sacht!

Aus tiefen Wunden quillt das Blut,
es spürt das Roß die warme Flut.

Vom Sattel tropft das Blut, vom Zaum,
und spült hinunter Staub und Schaum.

Die Rosse schreiten sanft und weich,
sonst flöß das Blut zu rasch, zu reich.

Die Reiter reiten dicht gesellt,
und einer sich am andern hält.

Sie sehn sich traurig ins Gesicht,
und einer um den andern spricht:

»Mir blüht daheim die schönste Maid,
drum tut mein früher Tod mir leid.«

»Hab Haus und Hof und grünen Wald
und sterben muß ich hier so bald!«

»Den Blick hab ich in Gottes Welt,
sonst nichts, doch schwer mir's Sterben fällt.«

Und lauernd auf den Todesritt
ziehn durch die Luft drei Geier mit.

Sie teilen kreischend unter sich:
»Den speisest du, den du, den ich.«

*Von Nikolaus Lenau*

# Das Sterbelied der drei Indianer

Mächtig zürnt der Himmel im Gewitter,
schmettert manche Rieseneich' in Splitter,
übertönt des Niagara Stimme,
und mit seiner Blitze Flammenruten
peitscht er schneller die beschäumten Fluten,
daß sie stürzen mit empörtem Grimme.

Indianer stehn am lauten Strande,
lauschen nach dem wilden Wogenbrande,
nach des Waldes bangem Sterbgestöhne;
Greis der eine, mit ergrautem Haare,
aufrecht überragend seine Jahre,
die zwei andern seine starken Söhne.

Seine Söhne jetzt der Greis betrachtet,
und sein Blick sich dunkler jetzt umnachtet
als die Wolken, die den Himmel schwärzen,
und sein Aug versendet wildre Blitze
als das Wetter durch die Wolkenritze,
und er spricht aus tiefempörtem Herzen:

»Fluch den Weißen! ihren letzten Spuren!
Jeder Welle Fluch, worauf sie fuhren,
die einst, Bettler, unsern Strand erklettert!
Fluch dem Windhauch, dienstbar ihrem Schiffe!
Hundert Flüche jedem Felsenriffe,
das sie nicht hat in den Grund geschmettert!

Täglich übers Meer in wilder Eile
fliegen ihre Schiffe, gift'ge Pfeile,
treffen unsre Küste mit Verderben.
Nichts hat uns die Räuberbrut gelassen,
als im Herzen tödlich bittres Hassen:
kommt, ihr Kinder, kommt, wir wollen sterben!«

Also sprach der Alte, und sie schneiden
ihren Nachen von den Uferweiden,
drauf sie nach des Stromes Mitte ringen;
und nun werfen sie weithin die Ruder,
armverschlungen Vater, Sohn und Bruder
stimmen an, ihr Sterbelied zu singen.

Laut ununterbrochne Donner krachen,
Blitze flattern um den Todesnachen,
ihn umtaumeln Möven sturmesmunter;
und die Männer kommen festentschlossen
singend schon dem Falle zugeschossen,
stürzen jetzt den Katarakt hinunter.

*Von Nikolaus Lenau*

# Der Trauernde und die Elfen

Zum Grab der Trauten schleicht der Knabe;
ihm ist das Herz so bang und schwer.
Da sinkt die dunkle Nacht hernieder,
und bleiche Geister gehn umher.
Des Abends feuchte Nebel tauen,
der Nachtwind wühlt in seinem Haar,
das alles wird er nicht gewahr.

In Träumen ist er ganz verloren,
er merket nicht der Stunden Gang.
Da weckt ihn aus dem dumpfen Schlummer
Musik und froher Chorgesang;
er blicket auf: und schaut den Reigen
der Elfen, deren muntrer Tanz
sich schlingt um frischer Gräber Kranz.

Und sieh! ihm naht der Elfen schönste
und spricht: »Was trauerst du so sehr?
komm! ist dein Mädchen dir gestorben?
vergiß sie! komm zum Tanze her!
Frei sind wir Elfen, ohne Sorgen.
Leicht wie der Sinn ist unser Fuß,
und froh und leicht sind Lieb und Kuß.

O zögre nicht! Nur wenig Stunden,
so moderst du; nur kurze Zeit,
so welket alles, was jetzt blühet.
Drum komm! entsag dem schweren Leid.« –
Wild springt er auf zum raschen Tanze
und über seiner Braut Gebein
schlingt sich der lust'ge Elfenreihn.

Er tanzt, vergisset die Geliebte.
Leicht, wie der Elfen, wird sein Sinn;
entbunden aller Erdensorgen,
schwingt er sich über Wolken hin.
Er sieht Geschlechter kommen, sterben,
kann alles froh und lustig sehn,
der Dinge Blühen und Vergehn.

*Von Karoline von Günderode (1780–1806).*
*Die Dichterin verübte Selbstmord aus unglücklicher*
*Liebe.*

# Die Fahn' im Friedhof

Im Heimwald an die Edeltanne
hat sich ein junger Schütz gelehnt,
die Brust gewölbt, wie sie dem Manne
die freie Luft der Berge dehnt.
Er hat sich eine Fahn' erschossen –
es war sein letzter Meisterschuß –
die Kugel hat sein Lieb gegossen,
er wußte, daß sie treffen muß.

Die eine Hand im Gurt von Leder,
die andere zerdrückt den Hut,
dran klebt am Kiel der Spielhahnfeder
ein Nelkenpaar, wie trocknes Blut.
Und achtlos liegt die Fahn' am Boden
und flattert übers Farrenkraut –
so steht er da, der Mann im Loden
und denkt an seine tote Braut.

Er denkt an jenes Gartengitter,
das leicht ein Jäger übersprang,
er denkt der Zeit, wo sie zur Zither
der Liebe süßes Trutzlied sang;
dort, wo des Abends Nebel fliegen,
von kahlen Felsen überragt,
hat sie die fichtenlüstern' Ziegen
vom jungen Anflug weggejagt.

Siehst du sie nicht herunterwinken,
im Rock von nelkenbraunem Zwilch?
Sie lächelt, ihre Zähne blinken
wie junges Maiskorn in der Milch;
schlank wie das Fohlen von dem Hirsche,
das Auge groß und brombeerschwarz,
der Mund süß wie die Spätbergkirsche
und würzig wie das Fichtenharz.

Es dunkelt schon; die Bienen tragen
den letzten Honig aus dem Klee,
des Waldes Rosen gehn und schlagen
sich Zelte auf im Gletscherschnee;
und mit dem Büchsensack von Juchten
und mit der Fahne goldgestickt
springt jetzt der Schütz hinab die Schluchten
wie eine Gemse, die erschrickt.

Es führt ein Weg mit feinem Kiese
bedeckt zu einem Gitter hin;
kein Garten ist's und keine Wiese,
doch gibt es Gras und Blumen drin;
die Türe offen, gestern, heute,
als wagte sich dahin kein Dieb,
und drinnen schlafen so viel Leute
und drinnen schläft des Schützen Lieb.

Dort pflanzt er auf des Grabes Hügel
die Fahn', geschmückt mit Rosmarin,
und flieht dahin, als hätt' die Flügel
der Lüfte König ihm geliehn. –
Vergebens forscht man in der Runde
nach dem Entflohnen Tag für Tag, –
die Fahn' im Friedhof gibt wohl Kunde,
daß er nicht wiederkehren mag.

*Von Hermann von Gilm (1812–1864)*

# Der Tod der Liebenden

Durch hohe Tore wird das Meer gezogen
und goldne Wolkensäulen, wo noch säumt
der späte Tag am hellen Himmelsbogen
und fern hinab des Meeres Weite träumt.

»Vergiß der Traurigkeit, die sich verlor
ins ferne Spiel der Wasser, und der Zeit
versunkner Tage! Singt der Wind ins Ohr
dir seine Schwermut, höre nicht sein Leid!

Laß ab vom Weinen! Bei den Toten unten
im Schattenlande werden bald wir wohnen
und ewig schlafen in den Tiefen drunten,
in den verborgenen Städten der Dämonen.

Dort wird uns Einsamkeit die Lider schließen.
Wir hören nichts in unserer Hallen Räumen,
die Fische nur, die durch die Fenster schießen,
Und leisen Wind in den Korallenbäumen.

Wir werden immer beieinander bleiben
im schattenhaften Walde auf dem Grunde.
Die gleiche Woge wird uns dunkel treiben,
und gleiche Träume trinkt der Kuß vom Munde.

Der Tod ist sanft. Und die uns niemand gab,
er gibt uns Heimat. Und er trägt uns weich
in seinem Mantel in das dunkle Grab,
wo viele schlafen schon im stillen Reich.«

Des Meeres Seele singt am leeren Kahn.
Er treibt davon, ein Spiel den tauben Winden
in Meeres Einsamkeit. Der Ozean
türmt fern sich auf zu schwarzer Nacht, der blinden.

In hohen Wogen schweift ein Kormoran
mit grünen Fittichs dunkler Träumerei.
Darunter ziehn die Toten ihre Bahn.
Wie blasse Blumen treiben sie vorbei.

Sie sinken tief. Das Meer schließt seinen Mund
und schillert weiß. Der Horizont nur bebt
wie eines Adlers Flug, der von dem Sund
ins Abendmeer die blaue Schwinge hebt.

*Von Georg Heym*

# Dreimal

Dreimal ging die Witwe übers Ödland,
da war kein Frühling, kein Sommer, kein Herbst noch
Winter.
Mitten im Ödland saß ihr Mann, ihr Liebster,
und das erste Mal kniete sie nieder, umfing seinen Schoß,
sagte, wir haben die Kürbisse eingelegt
sauer und süß. Wir sammeln die ersten Nüsse.
Die Kinder schreiben das A und das O.
Leb wohl, und der Tote nickte.

Dreimal ging die Witwe übers Ödland.
Da war kein Tag, keine Nacht, kein Morgen noch
Abend.
Mitten im Ödland saß ihr Mann, ihr Liebster,
und das zweitemal legte sie ihm ihre Hand auf die Brust,
sagte, ein Schnee ist gefallen, die Fenster blühn,
der Igel hält seinen Winterschlaf,
die Kinder backen Monde und Sterne,
Leb wohl, und der Tote nickte.

Dreimal ging die Witwe übers Ödland,
da war kein Wasser, kein Feuer, keine Luft noch Erde.
Mitten im Ödland saß ihr Mann, ihr Liebster,
und das drittemal sah sie ihn an, berührte ihn nicht.
Sagte, wir haben die Beete abgedeckt,
die Erde in unserem Garten ist schwarz und fett,
die Kinder verbrennen den Winter.
Leb wohl, und der Tote nickte.

Zum andernmal ging die Witwe, fand das Ödland nicht
mehr.
Hoch stand das Gras, verwachsen starrten die Hecken.
Margeriten blühten und Rosen, die Sichel ging,
Leb wohl, und die Sonne nickte.

*Von Marie Luise Kaschnitz (1901–1974)*

# Der Tod beim Hochzeitstanz

Zur Hochzeit ward gefahren
nach einer Stadt am Rhein;
die Braut war jung an Jahren,
doch nicht vom Herzen rein;
das Spiel, der Tanz nahm nie ein End,
das Sausen und das Brausen
sich weder legt noch wendt.

Die Braut in Feierkleidern
saß über Tag und Nacht
vor Fiedlern, Narren und Schneidern:
ward nicht an Gott gedacht.
Der Bräutgam ließ sein Geschäft;
das Gesind schwänzt hin und wieder;
den Gästen schwanden ihre Kräft'.

Nun waren sie just beim Tanze,
die Braut hoffärtig spricht:
Von meinem Myrtenkranze
kehrt sich mein Angesicht;
mein Antlitz und das ist so rot,
die grünen Blätter sind welke,
neue Blumen mir tun not!

Da trat der Tod nun eben
mit Sens' und Stundenglas herein:
»Frische Blumen dir will ich geben,
die sollen auf deinem Grabe sein.
Dein Stündlein ist gelaufen ab,
hast deine Ehr' verjubelt,
mußt in das kühle Grab!

Du lebtest hoch in Freuden
und kanntest keinen Schmerz,
die Welt lag golden und seiden
vor deinem reinen Herz.
Ach! hättest du geliebet treu,
du wärst es nun zufrieden,
daß mit dem Fest deine Frist vorbei.«

Er schwang die Braut behende
aus Tanz und Spiel heraus,
er gab ihr beide Hände,
er nahm sie mit sich in sein Haus.
Sie mußte tanzen atemlos,
da lag sie nun im Kühlen –
tief ist der Erde Schoß.

*Von Otto Heinrich Graf von Loeben (1786–1825) Pseudonym: Isidorus orientalis*

# Das tote Brautpaar

Zu Augsburg in dem hohen Saal
Herr Fugger hielt sein Hochzeitmahl.

Kunigunde hieß die junge Braut,
saß krank und bleich, gab keinen Laut.

Zwölf goldne Becher gingen herum,
nichts trank Herr Fugger, so bleich und stumm.

Zwölf Blumenkörbe bot man umher,
die Braut velangte kein Blümlein mehr.

Zwölf Harfner lockten zum Fackeltanz,
die Fackeln gaben so matten Glanz.

Die Gäste tanzten in langen Reihn,
zwo weiße Gestalten hinterdrein.

Die Gäste tanzten zum Saal hinaus,
sie tanzten und tanzten wohl aus dem Haus.

Die Saiten der Harfen sprangen zumal,
stumm schlichen die Harfner sich aus dem Saal.

Im Saale vernahm man keinen Laut,
tot saßen im Dunkel Bräut'gam und Braut.

*Von Justinus Kerner*

# Die Glocken zu Speier

Zu Speier im letzten Häuselein,
da liegt ein Greis in Todespein,
sein Kleid ist schlecht, sein Lager hart,
viel Tränen rinnen in seinen Bart.

Es hilft ihm keiner in seiner Not;
es hilft ihm nur der bittre Tod.
Und als der Tod ans Herze kam,
da tönt's auf einmal wundersam.

Die Kaiserglocke, die lange verstummt,
von selber dumpf und langsam summt,
und alle Glocken groß und klein
mit vollem Klange fallen ein.

Da heißt's in Speier weit und breit:
Der Kaiser ist gestorben heut!
Der Kaiser starb, der Kaiser starb;
weiß keiner, wo der Kaiser starb?

Zu Speier, der alten Kaiserstadt,
da liegt auf goldner Lagerstatt,
mit mattem Aug' und matter Hand,
der Kaiser, Heinrich V. genannt.

Die Diener laufen hin und her,
der Kaiser röchelt tief und schwer,
und als der Tod ans Herze kam,
da tönt's auf einmal wundersam.

Die kleine Glocke, die lange verstummt,
die Armesünderglocke summt,
und keine Glocke stimmt mit ein,
sie summt so fort und fort allein.

Da heißt's in Speier weit und breit:
Wer wird denn wohl gerichtet heut?
Wer mag der arme Sünder sein?
Sagt an, wo ist der Rabenstein?

*Von Maximilian Freiherr von Oer (1806–1846)*

# Ballade vom kranken Kind

Das Kind mit fiebernden Wangen lag,
rotgolden versank im Laub der Tag.
Das Fenster hing voller wilden Wein,
da sah ein fremder Jüngling herein.

»Laß, Mutter, den schönen Knaben ein,
er beut mir die Schale mit leuchtendem Wein,
seine Lippen sind wie Blumen rot,
aus seinen Augen ein Feuer loht.«

Der nächste Tag verglomm im Teich,
da stand am Fenster der Jüngling, bleich,
mit Lippen wie giftige Blumen rot
und einem Lächeln, das lockt und droht.

»Schick, Mutter, den fremden Knaben fort,
mich zehrt die Glut und mein Leib verdorrt,
mich ängstigt sein Lächeln, er hält mir her
die Schale mit Wein, der ist heiß und schwer!

Ach Mutter, was bist du nicht erwacht!
Er kam geschlichen ans Bett bei Nacht:
Und, weh, seinen Wein ich getrunken hab
und morgen könnt ihr mir graben das Grab!«

*Von Hugo von Hofmannsthal (1874–1929)*

# Elegie auf ein Landmädchen

Schwermutsvoll und dumpfig hallt Geläute
vom bemoosten Kirchenturm herab.
Väter weinen, Kinder, Mütter, Bräute,
und der Totengräber gräbt ein Grab.
Angetan mit einem Sterbekleide,
eine Blumenkron im blonden Haar,
schlummert Röschen, so der Mutter Freude,
so der Stolz des Dorfes war.

Ihre Lieben, voll des Mißgeschickes,
denken nicht an Pfänderspiel und Tanz,
stehn am Sarge, winden nassen Blickes
ihrer Freundin einen Totenkranz.
Ach! kein Mädchen war der Tränen werter,
als du gutes, frommes Mädchen bist,
und im Himmel ist kein Geist verklärter,
als die Seele Röschens ist.

Wie ein Engel stand im Schäferkleide
sie vor ihrer kleinen Hüttentür,
Wiesenblumen waren ihr Geschmeide
und ein Veilchen ihres Busens Zier;
ihre Fächer waren Zephirs Flügel
und der Morgenhain ihr Putzgemach,
diese Silberquelle ihre Spiegel,
ihre Schminke dieser Bach.

Sittsamkeit umfloß wie Mondenschimmer
ihre Rosenwangen, ihren Blick;
nimmer wich der Seraph Unschuld, nimmer
von der holden Schäferin zurück.
Jünglingsblicke taumelten voll Feuer
nach dem Reiz des lieben Mädchens hin,
aber keiner als ihr Vielgetreuer
rührte jemals ihren Sinn.

Keiner als ihr Wilhelm! Frühlingsweihe
rief die Edeln in den Buchenhain,
angeblinkt von Maienhimmelbläue
flogen sie den deutschen Ringelreihn.
Röschen gab ihm Bänder mancher Farbe,
kam die Ernt', an seinen Schnitterhut,
saß mit ihm auf einer Weizengarbe,
lächelt ihm zur Arbeit Mut.

Band den Weizen, welchen Wilhelm mähte,
band und äugelt ihrem Liebling nach,
bis die Kühlung kam und Abendröte
durch die hellen Westgewölke brach.
Über alles war ihm Röschen teuer,
war sein Taggedanke, war sein Traum.
Wie sich Röschen liebten und ihr Treuer,
liebten sich die Engel kaum.

Wilhelm! Wilhelm! Sterbeglocken hallen,
und die Grabgesänge heben an,
schwarzbeflorte Trauerleute wallen,
und die Totenkrone weht voran.
Wilhelm wankt mit seinem Liederbuche
nassen Auges an das offne Grab,
trocknet mit dem weißen Leichentuche
sich die hellen Tränen ab.

Schlummre sanft, du gute, fromme Seele,
bis auf ewig dieser Schlummer flieht!
Wein' auf ihrem Hügel, Philomele,
um die Dämmrung ein Sterbelied.
Weht wie Harfenlispel, Abendwinde,
durch die Blumen, die ihr Grab gebar!
Und im Wipfel dieser Kirchhoflinde
nist' ein Turteltaubenpaar!

*Von Ludwig Heinrich Hölty (1748–1776),*
*Mitglied des Göttinger Dichterbundes.*

# Eine Leichenphantasie

Mit erstorbnem Scheinen
Steht der Mond auf totenstillen Hainen,
Seufzend streicht der Nachtgeist durch die Luft –
Nebelwolken schauern,
Sterne trauern
Bleich herab, wie Lampen in der Gruft.
Gleich Gespenstern, stumm und hohl und hager,
Zieht in schwarzem Totenpompe dort
Ein Gewimmel nach dem Leichenlager
Unterm Schauerflor der Grabnacht fort.

Zitternd an der Krücke
Wer mit düsterm, rückgesunknem Blicke,
Ausgegossen in ein heulend Ach,
Schwer geneckt vom eisernen Geschicke,
Schwankt dem stummgetragnen Sarge nach?
Floß es »Vater« von des Jünglings Lippe?
Nasse Schauer schauern fürchterlich
Durch sein gramgeschmolzenes Gerippe,
Seine Silberhaare bäumen sich. –

Aufgerissen seine Feuerwunde!
Durch die Seele Höllenschmerz!
»Vater« floß es von des Jünglings Munde,
»Sohn« gelispelt hat das Vaterherz.
Eiskalt, eiskalt liegt er hier im Tuche,
Und dein Traum, so golden einst, so süß!
Süß und golden, Vater, dir zum Fluche!
Eiskalt, eiskalt liegt er hier im Tuche,
Deine Wonne und dein Paradies! –

Wild, wie umweht von Elysiumslüften,
Wie, aus Auroras Umarmung geschlüpft,
Himmlisch umgürtet mit rosigen Düften,
Florens Sohn über das Blumenfeld hüpft,
Flog er einher auf den lachenden Wiesen,
Nachgespiegelt von silberner Flut,
Wollustflammen entsprühten den Küssen,
Jagten die Mädchen in liebende Glut.

Mutig sprang er im Gewühle der Menschen,
Wie auf Gebirgen ein jugendlich Reh,
Himmelum flog er in schweifenden Wünschen,
Hoch wie die Adler in wolkiger Höh;
Stolz, wie die Rosse sich sträuben und schäumen,
Werfen im Sturme die Mähnen umher,
Königlich wider den Zügel sich bäumen,
Trat er vor Sklaven und Fürsten daher.

Heiter wie Frühlingstag schwand ihm das Leben,
Floh ihm vorüber in Hesperus Glanz,
Klagen ertränkt er im Golde der Reben,
Schmerzen verhüpft er im wirbelnden Tanz.
Welten schliefen im herrlichen Jungen,
Ha! wenn er einsten zum Manne gereift –
Freue dich, Vater! – im herrlichen Jungen
Wenn einst die schlafenden Keime gereift.

Nein doch, Vater – Horch! die Kirchhoftüre brauset,
Und die ehrnen Angel klirren auf –
Wie's hinein ins Grabgewölbe grauset! –
Nein doch, laß den Tränen ihren Lauf. –
Geh, du Holder, geh im Pfad der Sonne
Freudig weiter der Vollendung zu,
Lösche nun den edeln Durst nach Wonne,
Gramentbundner, in Walhallas Ruh! –

Wiedersehen – himmlischer Gedanke! –
Wiedersehen dort an Edens Tor!
Horch! der Sarg versinkt mit dumpfigem Geschwanke,
Wimmernd schnurrt das Totenseil empor!
Da wir trunken um einander rollten,
Lippen schwiegen und das Auge sprach –
Haltet! haltet! – da wir boshaft grollten –
Aber Tränen stürzten wärmer nach – –

Mit erstorbnem Scheinen
Steht der Mond auf totenstillen Hainen,
Seufzend streicht der Nachtgeist durch die Luft.
Nebelwolken schauern
Sterne trauern
Bleich herab, wie Lampen in der Gruft.
Dumpfig schollerts überm Sarg zum Hügel –
O, um Erdballs Schätze, nur noch einen Blick!
Starr und ewig schließt des Grabes Riegel,
Dumpfer – dumpfer schollerts überm Sarg zum Hügel,
Nimmer gibt das Grab zurück.

*1780. Von Friedrich von Schiller.*

# Schillers Bestattung

Ein ärmlich düster brennend Fackelpaar, das Sturm
und Regen jeden Augenblick zu löschen droht.
Ein flatternd Bahrtuch. Ein gemeiner Tannensarg
mit keinem Kranz, dem kargsten nicht, und kein Geleit!
Als brächte eilig einen Frevel man zu Grab.
Die Träger hasteten. Ein Unbekannter nur,
von eines weiten Mantels kühnem Schwung umweht,
schritt dieser Bahre nach. Der Menschheit Genius

*Von Conrad Ferdinand Meyer*

# Poetentod

Der Herbstwind rauscht; der Dichter liegt im Sterben,
die Blätterschatten fallen an der Wand;
an seinem Lager knien die zarten Erben,
des Weibes Stirn ruht heiß auf seiner Hand.

Mit dunklem Purpurwein, darin ertrunken
der letzten Sonne Strahl, netzt er den Mund;
dann wieder rückwärts auf den Pfühl gesunken,
tut er den letzten Willen also kund:

»Die ich aus lust'gen Klängen aufgerichtet,
vorbei ist dieses Hauses Herrlichkeit;
ich habe ausgelebt und ausgedichtet
mein Tagewerk und meine Erdenzeit.

Das keck und sicher seine Welt regierte,
es bricht mein Herz, mit ihm das Königshaus;
der Hungerschlucker, der die Tafel zierte:
der Ruhm, er flattert mit den Schwalben aus.

So löschet meines Herdes Weihrauchflamme
und zündet wieder schlechte Kohlen an,
wie's Sitte war bei meiner Väter Stamme,
vor ich den Schritt auf dieses Rund getan!

Und was den Herd bescheidnen Schmuckes kränzte,
was sich an alter Weisheit um ihn fand,
in Weihgefäßen auf Gesimsen glänzte,
streut in den Wind, geht in der Juden Hand!

Daß meines Sinnes unbekannter Erbe
mit find'ger Hand, vielleicht im Schülerkleid,
auf offnem Markte ahnungsvoll erwerbe
die Heilkraft wider der Vernachtung Leid.

Werft jenen Wust verblichner Schrift ins Feuer,
der Staub der Werkstatt mag zugrunde gehn!
Im Reich der Kunst, wo Raum und Licht so teuer,
soll nicht der Schutt dem Werk im Wege stehn!

Dann laßt des Gartens Zierde niedermähen,
weil unfruchtbar; die Lauben brechet ab!
Zwei junge Rosenbäumchen lasset stehen
für mein und meiner lieben Frauen Grab!

Mein Lied mag auf des Volkes Wegen klingen,
wo seine Banner von den Türmen wehn;
doch ungekannt mit mühsalschwerem Ringen
wird meine Sippschaft dran vorübergehn!«

Doch überläuft sein Angesicht, das reine,
mit einem Strahl das sinkende Gestirn;
so glühte eben noch im Purpurscheine,
nun starret kalt und weiß des Berges Firn.

Und wie durch Alpendämmerung das Rauschen
von eines späten Adlers Schwingen webt,
ist in der Todesstille zu erlauschen,
wie eine Geisterschar von hinnen schwebt.

Sie ziehen aus, des Schweigenden Penaten,
in faltige Gewande tief verhüllt;
sie gehn, die an der Wiege einst beraten
was als Geschick sein Leben hat erfüllt!

Voran, gesenkten Blicks, das Leid der Erde,
verschlungen mit der Freude Traumgestalt,
die Phantasie und endlich ihr Gefährte,
der Witz, mit leerem Becher, still und kalt.

*Von Gottfried Keller*

# Der Tod des Gauklers

Der Vorhang rauscht und fliegt empor,
ein alter Gaukler tritt hervor,
mit Flitter sattsam ausgestattet,
sein ehrlich Antlitz rot beschmiert.

Du alter Mann mit dem weißen Haar,
wie dauerst du mich im Herzen gar,
der du vorm Grabe gaukelnd springst,
damit du vom Pöbel ein Lächeln erzwingst!

Ein Lächeln über ein greises Haar
und über die nahe Totenbahr!
Dies eines Lebens höchster Preis!
des deinen, armer, armer Greis!

Des Greises Hirn ist schwach und alt,
der Liebsten selbst vergißt er bald;
du aber zwängst mit Müh und Pein
noch eitlen Floskelkram hinein.

Des Greises Arm ist abgespannt,
man sieht nur noch die müde Hand
zum Segen für Kind und Enkel erhöht
und fromm gefaltet zum Gebet.

Doch deine Hand schlägt fort und fort
den tollen Takt zu wüstem Wort,
und all die Mühe, armer Mann,
damit der Pöbel lachen kann.

Und schmerzt dich auch dein morsch Gebein,
ei was, 's ist längst ja nimmer dein!
Du magst wohl weinen, alter Mann,
wenn nur die Menge lachen kann!

Der Greis sich in den Lehnstuhl setzt,
ei, wie das seine Glieder letzt!
»Der macht sich's auch bequem, fürwahr!«
so murmelt's spöttisch durch die Schar.

Mit leisem abgebrochnen Ton
beginnt er mühsam seinen Sermon –
»Der hält nun auch kein Schlagwort mehr!«
so zürnt es strafend ringsumher.

Der Greis lallt nur manch tonlos Wort,
die Stimme bebt, es will nicht fort;
noch ist sein Spruch nicht ganz heraus,
da schweigt er, als ging sein Atem aus.

Das Glöcklein schellt, der Vorhang sinkt,
wer ahnt's, daß ein Totenglöcklein klingt?
Die Menge trommelt und pfeift dabei,
wer ahnt's, daß ein Leichenlied dies sei?

Der Alte lehnt im Stuhle tot,
doch Leben heuchelt der Schminke Rot,
die auf dem Antlitz blaß und kalt,
wie eine große Lüge, prahlt.

Sie blieb auf des Alten Angesicht,
wie eine Grabschrift, die da spricht,
daß alles Lug und Trug und Dunst,
sein Leben, Treiben, seine Kunst!

Sein Wald, gemalt auf Leinwand grün,
rauscht über sein Grab nicht klagend hin!
Es ist sein ölgetränkter Mond
um Tote zu weinen nicht gewohnt.

Die Kunstgenossen umstehn den Greis,
und einer spricht zu seinem Preis:
»Heil ihm, denn, traun, ein Held ist der,
der auf dem Schlachtfeld fiel, wie er!«

Ein Gauklerdirnlein als Muse gar
legt dann dem Greis ins Silberhaar
den grünpapiernen Lorbeerkranz,
vom vielen Gebrauch zerknittert ganz.

Zwei Männer sind sein Leichenzug,
die sind, den Sarg zu tragen, genug;
und als sie ihn zu Grabe gebracht,
hat niemand geweint und niemand gelacht.

*Von Anastasius Grün*

# Der Tod am Krankenbett des Kaisers

Um Mitternacht, in Habsburgs alten Mauern,
geht ein Verhüllter, rätselhaft zu sehn!
Man sieht ihn schreiten, weilen nun, und lauern –
dann heben seinen Fuß und weiter gehn.
Vom Haupte zu den trägen Fersen nieder
umhüllend rings fließt nächtiges Gewand,
die Falten scharf; so zeichnen sich nicht Glieder,
wo Leben noch die straffen Sehnen spannt.

Was hält er? ists ein Stab? es blinkt wie Waffen –
des Schnitters Waffe haltend zieht er ein!
Und wo des Mantels Säum' im Gehen klaffen,
blickt kahl entgegen fleischentblößt Gebein.
Ich kenne dich! du Würger der Lebend'gen!
Was suchst im Heiligtume, Scheusal, du?
Hier darf das Alter nur die Tage end'gen,
die Pflicht zu leben, gibt ein Recht dazu.

Jetzt steht er still, dort wo das Pförtchen schließet;
o schließe gut, o Pförtchen, schließ ihn aus!
Doch aus dem Kleide, das ihn rings umfließet,
streckt er die dürre Knochenhand heraus.
Wie an die Flügel er die Finger stellet,
da springen sie, weitgähnend, aus dem Schloß,
und ein Gemach, vom Lampenschein erhellet,
liegt seinem Aug, liegt seinem Arme bloß.

Und drin ein Mann auf seinem Schmerzensbette,
wie ist die edle Stirn von Tropfen feucht!
Zwei Frauen neben ihm: wer säh's und hätte
die Gattin nicht erkannt, die Mutter leicht?
Und eine Krone liegt zu Bettes Füßen:
»Das ist ein König!« spricht der bleiche Gast,
»und zwar ein guter, soll ich glauben müssen,
das früh ergraute Haar zeugt nicht von Rast.

Wohl auch als Gatte mocht er sich bewähren,
darum bewacht die Gattin jeden Hauch.
Durchs Schloß erschallen Seufzer, fließen Zähren,
ein guter Herr und Vater also auch.
Und dennoch kann das alles mich nicht hindern,
der Gattin Tränen halten mich nicht auf;
den Vater raub ich täglich seinen Kindern,
was vorbestimmt ist, habe seinen Lauf!«

Und er tritt ein. Da summen leise Klänge
vom Schloßhof her in sein gespanntes Ohr.
Dort woget Volk, kaum faßt der Raum die Menge,
und jeder forscht, und jeder blickt empor.
Ein Weinender fragt einen, der da weinet,
und Tränen machen ihm die Antwort kund,
»ob Hoffnung sei?« Was trüb der Blick verneinet,
pflanzt durch die Menge sich von Mund zu Mund.

Und alle Hände sind zum Flehen gefaltet,
auf jeder Lippe zittert ein Gebet;
der Todespfeil, der einen Busen spaltet,
den blut'gen Weg zu aller Herzen geht. –
Da hält der Würger an, sieht nach dem Kranken,
dann nach der Menge, wogend ohne Ruh, –
es stockt der Fuß, der Arm beginnt zu wanken,
und endlich – schreitet er der Türe zu.

Schon hört er nicht mehr das Gebet der Menge,
die Bess'rungskunde jubelnd zu sich ruft;
und an dem Ende der verschlungnen Gänge
schwingt er, ein Nachtgewölk, sich in die Luft.
Im Gehen aber scheint er noch zu sprechen:
»Nicht über meinen Auftrag geht die Pflicht;
ich ward gesandt, ein einzig Herz zu brechen,
so viele tausend Herzen brech ich nicht!«

*Von Franz Grillparzer (1791–1872). Ballade
zum Dank für die Genesung des Kaisers Franz II.
(1768–1835) im März 1826.*

# Herr von Ribbeck auf Ribbeck
# im Havelland

Herr von Ribbeck auf Ribbeck im Havelland,
ein Birnbaum in seinem Garten stand,
und kam die goldene Herbsteszeit
und die Birnen leuchteten weit und breit,
da stopfte, wenn's Mittag vom Turme scholl,
der von Ribbeck sich beide Taschen voll,
und kam in Pantinen ein Junge daher,
so rief er: »Junge, wist' 'ne Beer?«
und kam ein Mädel, so rief er: Lütt Dirn,
kumm man röwer, ich hebb' ne Birn«.

So ging es viele Jahre, bis lobesam
der von Ribbeck auf Ribbeck zu sterben kam.
Er fühlte sein Ende. 's war Herbsteszeit,
wieder lachten die Birnen weit und breit,
da sagte von Ribbeck: »Ich scheide nun ab,
legt mir eine Birne mit ins Grab«.
Und drei Tage drauf, aus dem Doppeldachhaus,
trugen von Ribbeck sie hinaus,
alle Bauern und Büdner mit Feiergesicht
sangen »Jesus meine Zuversicht«,
und die Kinder klagten, das Herze schwer,
»He is dod nu. Wer giwt uns nu 'ne Beer?«

So klagten die Kinder. Das war nicht recht,
ach, sie kannten den alten Ribbeck schlecht,
der neue freilich, der knausert und spart,
hält Park und Birnbaum strenge verwahrt,
aber der alte, vorahnend schon
und voll Mißtraun gegen den eigenen Sohn,
der wußte genau, was damals er tat,
als um eine Birn' ins Grab er bat,
und im dritten Jahr, aus dem stillen Haus
ein Birnbaumsprößling sproßt heraus.

Und die Jahre gehen wohl auf und ab,
längst wölbt sich ein Birnbaum über dem Grab,
und in der goldenen Herbstzeit
leuchtet's wieder weit und breit.
Und kommt ein Jung' über'n Kirchhof her,
so flüstert's im Baume: »Wiste 'ne Beer?«
und kommt ein Mädel, so flüstert's: »Lütt Dirn,
kumm man röwer, ick gew' di 'ne Birn«.
So spendet Segen noch immer die Hand
des von Ribbeck auf Ribbeck im Havelland.

*Von Theodor Fontane*

# Schicksal

Von Todes-Spiel
und Teufels-Spott,
von Göttergunst
und Götterneid.

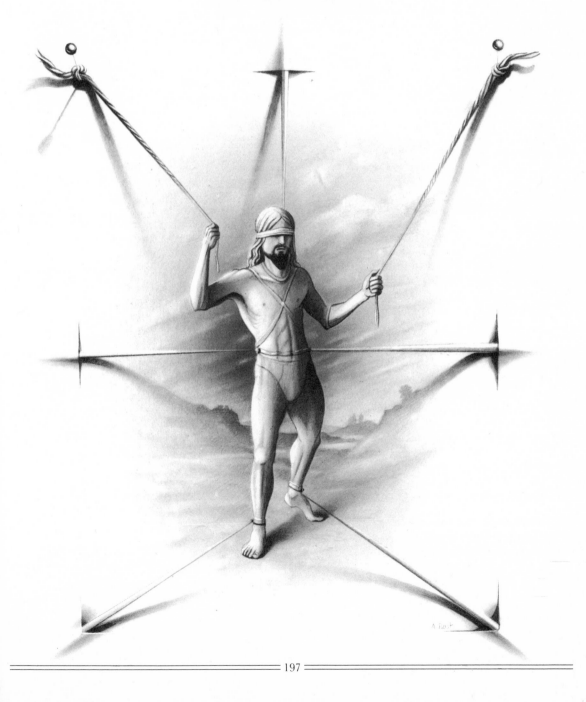

# Der Todspieler

»Herr Pastor, kommen Sie! Ihr Abendtisch
war ausgezeichnet, und das Bier ist frisch
und reicht schon noch zu ein paar Zügen Rauch! –
Danke, ich brenne schon! Nach altem Brauch
gehn wir noch etwas in Ihr Gartenzimmer.
Ihr Junge schläft, – so'n Bengel schläft ja immer, –
da setzen Sie sich mal an Ihr Klavier! –
Nein, keine Redensarten! Ihr Patron
bittet recht schön und weiß: Sie können's schon!«

»Verzeihung, Herr Baron,
ich kann so wenig heut wie immer spielen,
weil gar zu schauerlich und zufallsblind
aus Gottes ew'ger Hand die Würfel fielen,
die meinem armen Kopf doch – Würfel sind!
Warum es mir an Mut zum Spiel gebricht,
wenn ich's erzähl, – Sie drängten weiter nicht!

Es ist jetzt her so sechs bis sieben Jahr,
damals, da lebte meine Frau und gerne
spielt ich ihr vor, wenn's Büblein schlafen war,
und sie sah träumerisch
vom offnen Gartenzimmer in die Sterne.
Und einmal spielt ich auch, – ich weiß es noch,
mir war's, als wüchsen meiner armen Seele
dabei zwei Schwingen, rein und engelshoch.
So spielt ich nie vorher, und aus der Kehle
kam wie von selbst dazu ein Dankgedicht,
ein Dank an Gott für all sein Gnadenlicht,
für Weib und Kind, – denn unser Ältster schlief
im Kämmerchen, das nach dem Hof verlief.

Und in mein Spielen hör ich plötzlich leise
ein fein Geräusch, wie Schritte hinter mir,
und seh im Spiegel über dem Klavier,
wie unser Kind nach des Chorales Weise
in tiefem Schlaf tanzend ins Zimmer geht.
Und hebt sein Hemdchen zierlich in die Höh,
zierlich in die Höh,
und tritt so leis auf nackter kleiner Zeh,
nackter kleiner Zeh,
dreht sich und biegt sich im Mondenlicht
und weiß es nicht,
macht ein blasses tiefernstes Gesicht.

Da, ein Geräusch, – im Lehnstuhl meine Frau
drehte sich um, – das Kind schreit, wacht auf
und fällt taumelnd hin. – Wir wußten's nicht genau,
war es der Schreck, war es die Abendluft,
doch stand der Knabe nicht mehr auf,
und nach vier Tagen legte ich die letzten
Rosen auf seinen Sarg, die taubenetzten.

Wir haben damals nicht daran gedacht,
daß ihm mein Spiel den frühen Tod gebracht,
wir hatten andrer Sorgen viel, – das zweite
war unterwegs und kam, und dann im nächsten März
drückt ich den dritten, der da schläft, ans Herz.

Und dann drei glückliche und stille Jahre,
da kam die Diphtherie ins Kohrener Land,
und täglich streckte auf des Kirchspiels Bahre
ein Opfer ihre mitleidlose Hand.
Hänschen, der ältere, lag schwer danieder,
und tagelang schwankte der Wage Zunge,
ob Leben oder Tod. Indes der Junge
war kräftig von Natur und wurde wieder,
ganz langsam zwar, doch wurde er gesund
und lag nun matt im Bett mit blassem Mund.

Mir war so voll das Herz von großem Dank!
Wie hatte Gott erhört die heißen Bitten!
Gewiß, er wußte, was mein Herz gelitten,
und wollte nicht, daß es noch tiefer sank.
Und in mir rief's: Nun stimme Lieder an,
nun preise Gott, der solches hat getan!

Ich spielte wieder. Rauschend quoll der Strom
des mächtigen Chorals empor und hob
schier über mich hinaus in Gottes Dom
des ewgen Trösters Preis und Lob:
›Nun danket alle Gott,
mit Herzen…‹
(Ein Gedanke, der wie eine Ratte huscht…
nun ist er fort, – wie kam mir der Gedanke! –
Er schläft ja längst nebenan, der Kranke!)
›Der große Dinge tut
an uns und…
(Wieder, wieder Gedanken wie graue Ratten,
die sich lange versteckt gehalten hatten,
in der Zimmerecke knistern sie leis –
unter dem großen Schranke, –
und nebenan schläft doch so ruhig der Kranke!)
›Der uns von Mutterleib
und Kindesbeinen…‹
Knistern sie leis…
knistern sie leis…
Ob er wohl weiß,
wann er zuletzt berührt diese Tasten?
Wie, wenn nun wieder…
Wie, wenn nun wieder… just bei Lob und Danke –
die grauen Ratten tollen und hasten…
Ach, nebenan schläft doch so ruhig der Kranke! –
Die Töne werden schwerer, schleppend fast,
die Hände zittern…, und da läuft ein Grauen
mir übern Rücken, denn ein kleiner Gast,

ich fühl es, kommt ins Zimmer! – –
Ich wage nicht, zum Spiegel aufzuschauen,
ich wage nicht, die Hände fortzutun,
ich stiere vor mich hin und spiele starr vor Grauen
und wie zum Spott
mit lauten Machtakkorden: Nun danket alle Gott!

Und leise höre ich jedesmal
bei jedem schweren Takte im Choral
ein leises nacktes Schreiten,
Tanzen, … Gleiten,
ich spiele lauter, lauter immerzu,
umsonst, ich decke nicht die leisen Laute zu:
ich höre in das Gehen
ein leichtes Hemdchen wehen
und hör an seinen Hacken
ab und zu
im Tanz ein Knöchlein knacken. –

Da schlag ich wie toll in die Tasten,
hilf, allmächt'ger Gott:
Nun danket alle Gott! –
Umsonst! – Immerzu
meines Knäbleins süße
weiche bloße Füße

tanzen ohne Ruh
durch die Stube, – dort und hier,
immer hinter mir …!!!

Ein Schrei! Ich brach besinnungslos zusammen
und lag bewußtlos viele Wochen lang,
vor meinen Augen lauter, lauter Flammen,
in meinen Ohren Kirchenlobgesang,
in meinem Hirn immer wüster und wilder
entsetzliche Bilder,
gottlästernde Worte, teuflischer Spott,
und immer dazwischen die Töne:
›Nun danket alle Gott!‹

Als ich nach langer, langer Zeit erwacht,
da war der Kleine längst zur Ruh gebracht,
da war es einsam, einsam um mich her,
denn auch mein liebes Weib fand ich nicht mehr.
Ich bat, mich aus der Stelle fortzutun,
ich mußte meine müde Seele ruhn,
und kam dann, Herr Baron, durch Sie
in diese weltentlegne Parochie.

Und wenn ich vorhin mich geweigert habe,
jetzt wissen Sie: Ich spiele nun und nie: –
Da drinnen schläft mein letzter Knabe!«

*Von Börries Freiherr von Münchhausen*

# Der Taucher

»Wer wagt es, Rittersmann oder Knapp,
Zu tauchen in diesen Schlund?
Einen goldnen Becher werf ich hinab,
Verschlungen schon hat ihn der schwarze Mund.
Wer mir den Becher kann wieder zeigen,
Er mag ihn behalten, er ist sein eigen.«

Der König spricht es und wirft von der Höh
Der Klippe, die schroff und steil
Hinausdrängt in die unendliche See,
Den Becher in der Charybde Geheul.
»Wer ist der Beherzte, ich frage wieder,
Zu tauchen in diese Tiefe nieder?«

Und die Ritter, die Knappen um ihn her
Vernehmen's und schweigen still,
Sehen hinab in das wilde Meer,
Und keiner den Becher gewinnen will.
Und der König zum drittenmal wieder fraget:
»Ist keiner, der sich hinunter waget?«

Doch alles noch stumm bleibt wie zuvor;
Und ein Edelknecht, sanft und keck,
Tritt aus der Knappen zagendem Chor,
Und den Gürtel wirft er, den Mantel weg,
Und alle die Männer umher und Frauen
Auf den herrlichen Jüngling verwundert schauen.

Und wie er tritt an des Felsen Hang
Und blickt in den Schlund hinab,
Die Wasser, die sie hinunterschlang,
Die Charybde jetzt brüllend wiedergab,
Und wie mit des fernen Donners Getose
Entstürzen sie schäumend dem finstern Schoße.

Und es wallet und siedet und brauset und zischt,
Wie wenn Wasser mit Feuer sich mengt,
Bis zum Himmel spritzet der dampfende Gischt,
Und Flut auf Flut sich ohn' Ende drängt,
Und will sich nimmer erschöpfen und leeren,
Als wollte das Meer noch ein Meer gebären.

Doch endlich, da legt sich die wilde Gewalt,
Und schwarz aus dem weißen Schaum
Klafft hinunter ein gähnender Spalt,
Grundlos, als ging's in den Höllenraum,
Und reißend sieht man die brandenden Wogen
Hinab in den strudelnden Trichter gezogen.

Jetzt schnell, eh die Brandung wiederkehrt,
Der Jüngling sich Gott befiehlt,
Und – ein Schrei des Entsetzens wird rings gehört,
Und schon hat ihn der Wirbel hinweggespült,
Und geheimnisvoll über dem kühnen Schwimmer
Schließt sich der Rachen; er zeigt sich nimmer.

Und stille wird's über dem Wasserschlund,
In der Tiefe nur brauset es hohl,
Und bebend hört man von Mund zu Mund:
»Hochherziger Jüngling, fahre wohl!«
Und hohler und hohler hört man's heulen,
Und es harrt noch mit bangem, mit schrecklichem
Weilen.

Und wärfst du die Krone selber hinein
Und sprächst: wer mir bringet die Kron',
Er soll sie tragen und König sein –
Mich gelüstete nicht nach dem teuren Lohn.
Was die heulende Tiefe da unten verhehle,
Das erzählt keine lebende glückliche Seele.

Wohl manches Fahrzeug, vom Strudel gefaßt,
Schoß jäh in die Tiefe hinab,
Doch zerschmettert nur rangen sich Kiel und Mast
Hervor aus dem alles verschlingenden Grab. –
Und heller und heller, wie Sturmes Sausen,
Hört man's näher und immer näher brausen.

Und es wallet und siedet und brauset und zischt,
Wie wenn Wasser mit Feuer sich mengt,
Bis zum Himmel spritzet der dampfende Gischt,
Und Well' auf Well' sich ohn' Ende drängt,
Und wie mit des fernen Donners Getose
Entstürzt es brüllend dem finstern Schoße.

Und sieh! aus dem finster flutenden Schoß
Da hebet sich's schwanenweiß,
Und ein Arm und ein glänzender Nacken wird bloß,
Und es rudert mit Kraft und mit emsigem Fleiß,
Und er ist's, und hoch in seiner Linken
Schwinkt er den Becher mit freudigem Winken.

Und atmete lang und atmete tief
Und begrüßte das himmlische Licht.
Mit Frohlocken es einer dem andern rief:
»Er lebt! er ist da! es behielt ihn nicht!
Aus dem Grab, aus der strudelnden Wasserhöhle
Hat der Brave gerettet die lebende Seele!«

Und er kommt; es umringt ihn die jubelnde Schar;
Zu des Königs Füßen er sinkt,
Den Becher reicht er ihm kniend dar,
Und der König der lieblichen Tochter winkt,
Die füllt ihn mit funkelndem Wein bis zum Rande,
Und der Jüngling sich also zum König wandte:

»Lang lebe der König! Es freue sich,
Wer da atmet im rosigen Licht!
Da unten aber ist's fürchterlich,
Und der Mensch versuche die Götter nicht
Und begehre nimmer und nimmer zu schauen,
Was sie gnädig bedecken mit Nacht und Grauen.

Es riß mich hinunter blitzesschnell,
Da stürzt' mir aus felsichtem Schacht
Wildflutend entgegen ein reißender Quell:
Mich packte des Doppelstroms wütende Macht,
Und wie einen Kreisel mit schwindelndem Drehen
Trieb mich's um, ich konnte nicht widerstehen.

Da zeigte mir Gott, zu dem ich rief,
In der höchsten schrecklichen Not,
Aus der Tiefe ragend ein Felsenriff,
Das erfaßt ich behend und entrann dem Tod –
Und da hing auch der Becher an spitzen Korallen,
Sonst wär er ins Bodenlose gefallen.

Denn unter mir lag's noch bergetief
In purpurner Finsternis da,
Und ob's hier dem Ohre gleich ewig schlief,
Das Auge mit Schaudern hinunter sah,
Wie's von Salamandern und Molchen und Drachen
Sich regt in dem furchtbaren Höllenrachen.

Schwarz wimmelten da in grausem Gemisch
Zu scheußlichen Klumpen geballt,
Der stachlichte Roche, der Klippenfisch,
Des Hammers greuliche Ungestalt,
Und dräuend wies mir die grimmigen Zähne
Der entsetzliche Hai, des Meeres Hyäne.

Und da hing ich und war's mir mit Grausen bewußt,
Von der menschlichen Hilfe so weit,
Unter Larven die einzige fühlende Brust,
Allein in der gräßlichen Einsamkeit,
Tief unter dem Schall der menschlichen Rede
Bei den Ungeheuern der traurigen Öde.

Und schaudernd dacht ich's, da kroch's heran,
Regte hundert Gelenke zugleich,
Will schnappen nach mir – in des Schreckens Wahn
Laß ich los der Koralle umklammerten Zweig;
Gleich faßt mich der Strudel mit rasendem Toben,
Doch es war mir zum Heil, er riß mich nach oben.«

Der König darob sich verwundert schier
Und spricht: »Der Becher ist dein,
Und diesen Ring noch bestimm' ich dir,
Geschmückt mit dem köstlichen Edelgestein,
Versuchst du's noch einmal und bringst mir Kunde,
Was du sahst auf des Meers tiefunterstem Grunde.«

Das hörte die Tochter mit weichem Gefühl,
Und mit schmeichelndem Munde sie fleht:
»Laßt, Vater, genug sein das grausame Spiel!
Er hat Euch bestanden, was keiner besteht,
Und könnt Ihr des Herzens Gelüsten nicht zähmen,
So mögen die Ritter den Knappen beschämen.«

Drauf der König greift nach dem Becher schnell,
In den Strudel ihn schleudert hinein:
»Und schaffst du den Becher mir wieder zur Stell',
So sollst du der trefflichste Ritter mir sein
Und sollst sie als Ehgemahl heut noch umarmen,
Die jetzt für dich bittet mit zartem Erbarmen.«

Da ergreift's ihm die Seele mit Himmelsgewalt,
Und es blitzt aus den Augen ihm kühn,
Und er siehet erröten die schöne Gestalt
Und sieht sie erbleichen und sinken hin –
Da treibt's ihn, den köstlichen Preis zu erwerben,
Und stürzt hinunter auf Leben und Sterben.

Wohl hört man die Brandung, wohl kehrt sie zurück,
Sie verkündigt der donnernde Schall –
Da bückt sich's hinunter mit liebendem Blick:
Es kommen, es kommen die Wasser all,
Sie rauschen herauf, sie rauschen nieder,
Den Jüngling bringt keines wieder.

*1797. Von Friedrich von Schiller.*

# Das Lied vom braven Mann

Hoch klingt das Lied vom braven Mann,
wie Orgelton und Glockenklang.
Wer hohes Muts sich rühmen kann,
den lohnt nicht Gold, den lohnt Gesang.
Gottlob! daß ich singen und preisen kann:
zu singen und preisen den braven Mann.

Der Tauwind kam vom Mittagsmeer
und schnob durch Welschland trüb und feucht.
Die Wolken flogen vor ihm her,
wie wann der Wolf die Herde scheucht.
Er fegte die Felder, zerbrach den Forst;
auf Seen und Strömen das Grundeis borst.

Am Hochgebirge schmolz der Schnee;
der Sturz von tausend Wassern scholl;
das Wiesental begrub ein See;
des Landes Heerstrom wuchs und schwoll;
hoch rollten die Wogen entlang ihr Gleis
und rollten gewaltige Felsen Eis.

Auf Pfeilern und auf Bogen schwer,
aus Quaderstein von unten auf,
lag eine Brücke drüber her,
und mitten stand ein Häuschen drauf.
Hier wohnte der Zöllner mit Weib und Kind. –
»O Zöllner! o Zöllner! entfleuch geschwind!«

Es dröhnt und dröhnte dumpf heran,
laut heulten Sturm und Wog ums Haus.
Der Zöllner sprang zum Dach hinan
und blickt in den Tumult hinaus.
»Barmherziger Himmel! erbarme dich!
Verloren! Verloren! Wer rettet mich?«

Die Schollen rollten, Schuß auf Schuß,
von beiden Ufern, hier und dort,
von beiden Ufern riß der Fluß
die Pfeiler samt den Bogen fort.
Der bebende Zöllner mit Weib und Kind,
er heulte noch lauter als Strom und Wind.

Die Schollen rollten, Stoß auf Stoß,
an beiden Enden, hier und dort,
zerborsten und zertrümmert, schoß
ein Pfeiler nach dem andern fort.
Bald nahte der Mitte der Umsturz sich.
»Barmherziger Himmel! erbarme dich!« –

Hoch auf dem fernen Ufer stand
ein Schwarm von Gaffern, groß und klein;
und jeder schrie und rang die Hand,
doch mochte niemand Retter sein.
Der bebende Zöllner, mit Weib und Kind,
durchheulte nach Rettung den Strom und Wind.

Wann klingst du, Lied vom braven Mann,
wie Orgelton und Glockenklang?
wohlan! so nenn ihn, nenn ihn dann!
Wann nennst du ihn, mein schönster Sang?
Bald nahet der Mitte der Umsturz sich.
O braver Mann! braver Mann! zeige dich!

Rasch galoppiert ein Graf hervor,
auf hohem Roß ein edler Graf.
Was hielt des Grafen Hand empor?
ein Beutel war es, voll und straff.
»Zweihundert Pistolen sind zugesagt
dem, welcher die Rettung der Armen wagt.«

Wer ist der Brave? ist's der Graf?
sag an, mein braver Sang, sag an! –
Der Graf, beim höchsten Gott! war brav!
doch weiß ich einen bravern Mann.
O braver Mann! braver Mann! zeige dich!
schon naht das Verderben sich fürchterlich. –

Und immer höher schwoll die Flut,
und immer lauter schnob der Wind,
und immer tiefer sank der Mut.
O Retter! Retter! komm geschwind! –
Stets Pfeiler bei Pfeiler zerborst und brach.
Laut krachten und stürzten die Bogen nach.

»Hallo! Hallo! Frisch auf gewagt!«
Hoch hielt der Graf den Preis empor.
Ein jeder hört's, doch jeder zagt,
aus Tausenden tritt keiner vor.
Vergebens durchheulte, mit Weib und Kind,
der Zöllner nach Rettung den Strom und Wind.

Sieh, schlecht und recht, ein Bauersmann
am Wanderstabe schritt daher,
mit grobem Kittel angetan,
an Wuchs und Antlitz hoch und hehr.
Er hörte den Grafen, vernahm sein Wort
und schaute das nahe Verderben dort.

Und kühn in Gottes Namen sprang
er in den nächsten Fischerkahn;
trotz Wirbel, Sturm und Wogendrang
kam der Erretter glücklich an.
Doch wehe! der Nachen war zu klein,
um Retter von allen zugleich zu sein.

Und dreimal zwang er seinen Kahn,
trotz Wirbel, Sturm und Wogendrang,
und dreimal kam er glücklich an,
bis ihm die Rettung ganz gelang.
Kaum kamen die letzten in sichern Port,
so rollte das letzte Getrümmer fort. –

Wer ist, wer ist der brave Mann?
sag an, sag an, mein braver Sang!
Der Bauer wagt ein Leben dran;
doch tat er's wohl um Goldesklang?
denn spendete nimmer der Graf sein Gut,
so wagte der Bauer vielleicht kein Blut. –

»Hier«, rief der Graf, »mein wackrer Freund!
hier ist dein Preis! komm her! nimm hin!« –
Sag an, war das nicht brav gemeint?
Bei Gott! der Graf trug hohen Sinn.
Doch höher und himmlischer, wahrlich! schlug
das Herz, das der Bauer im Kittel trug.

»Mein Leben ist für Gold nicht feil.
Arm bin ich zwar, doch eß ich satt.
Dem Zöllner werd Eur Gold zuteil,
der Hab und Gut verloren hat!«
So rief er mit herzlichem Biederton
und wandte den Rücken und ging davon. –

Hoch klingst du, Lied vom braven Mann,
wie Orgelton und Glockenklang!
Wer solches Muts sich rühmen kann,
den lohnt kein Gold, den lohnt Gesang.
Gottlob! daß ich singen und preisen kann,
unsterblich zu preisen den braven Mann.

*1777. Von Gottfried August Bürger.*

# Der Ring des Polykrates

Er stand auf seines Daches Zinnen,
Er schaute mit vergnügten Sinnen
Auf das beherrschte Samos hin.
Dies alles ist mir untertänig,
Begann er zu Ägyptens König,
Gestehe, daß ich glücklich bin.

Du hast der Götter Gunst erfahren!
Die vormals deinesgleichen waren,
Sie zwingt jetzt deines Szepters Macht.
Doch einer lebt noch, sie zu rächen;
Dich kann mein Mund nicht glücklich sprechen,
So lang des Feindes Auge wacht.

Und eh' der König noch geendet,
Da stellt sich, von Milet gesendet,
Ein Bote dem Tyrannen dar:
Laß, Herr! des Opfers Düfte steigen,
Und mit des Lorbeers muntern Zweigen
Bekränze dir dein göttlich Haar!

Getroffen sank dein Feind vom Speere;
Mich sendet mit der frohen Märe
Dein treuer Feldherr Polydor –
Und nimmt aus einem schwarzen Becken,
Noch blutig, zu der beiden Schrecken,
Ein wohlbekanntes Haupt hervor.

Der König tritt zurück mit Grauen:
»Doch warn' ich dich, dem Glück zu trauen«,
Versetzt er mit besorgtem Blick.
»Bedenk', auf ungetreuen Wellen,
Wie leicht kann sie der Sturm zerschellen,
Schwimmt deiner Flotte zweifelnd Glück.«

Und eh' er noch das Wort gesprochen,
Hat ihn der Jubel unterbrochen,
Der von der Reede jauchzend schallt.
Mit fremden Schätzen reich beladen
Kehrt zu den heimischen Gestaden
Der Schiffe mastenreicher Wald.

Der königliche Gast erstaunet:
»Dein Glück ist heute gut gelaunet,
Doch fürchte seinen Unbestand.
Der Kreter waffenkund'ge Scharen
Bedräuen dich mit Kriegsgefahren;
Schon nahe sind sie diesem Strand.«

Und eh' ihm noch das Wort entfallen,
Da sieht man's von den Schiffen wallen,
Und tausend Stimmen rufen: Sieg!
Von Feindesnot sind wir befreiet,
Die Kreter hat der Sturm zerstreuet,
Vorbei, geendet ist der Krieg!

Das hört der Gastfreund mit Entsetzen;
»Fürwahr, ich muß dich glücklich schätzen!
Doch«, spricht er, »zittr' ich für dein Heil:
Mir grauet vor der Götter Neide;
Des Lebens ungemischte Freude
Ward keinem Irdischen zu Teil.

Auch mir ist alles wohl geraten;
Bei allen meinen Herrschertaten
Begleitet' mich des Himmels Huld;
Doch hatt' ich einen teuren Erben,
Den nahm mir Gott, ich sah ihn sterben,
Dem Glück bezahlt' ich meine Schuld.

Drum, willst du dich vor Leid bewahren,
So flehe zu den Unsichtbaren,
Daß sie zum Glück den Schmerz verleihn.
Noch keinen sah ich fröhlich enden,
Auf den mit immer vollen Händen
Die Götter ihre Gaben streun.

Und wenn's die Götter nicht gewähren,
So acht' auf eines Freundes Lehren
Und rufe selbst das Unglück her,
Und was von allen deinen Schätzen
Dein Herz am höchsten mag ergötzen,
Das nimm und wirf's in dieses Meer.«

Und jener spricht, von Furcht beweget:
»Von allem, was die Insel heget,
Ist dieser Ring mein höchstes Gut.
Ihn will ich den Erinnyen weihen,
Ob sie mein Glück mir dann verzeihen.«
Und wirft das Kleinod in die Flut.

Und bei des nächsten Morgens Lichte
Da tritt mit fröhlichem Gesichte
Ein Fischer vor den Fürsten hin:
»Herr, diesen Fisch hab' ich gefangen,
Wie keiner noch in's Netz gegangen;
Dir zum Geschenke bring' ich ihn.«

Und als der Koch den Fisch zerteilet,
Kommt er bestürzt herbeigeeilet,
Und ruft mit hocherstauntem Blick:
»Sieh, Herr, den Ring, den du getragen,
Ihn fand ich in des Fisches Magen;
Oh, ohne Grenzen ist dein Glück!«

Hier wendet sich der Gast mit Grausen:
»So kann ich hier nicht ferner hausen,
Mein Freund kannst du nicht weiter sein.
Die Götter wollen dein Verderben;
Fort eil' ich, nicht mit dir zu sterben.«
Und sprach's und schiffte schnell sich ein.

*Von Friedrich von Schiller*

# Die Kraniche des Ibykus

Zum Kampf der Wagen und Gesänge,
Der auf Korinthus' Landesenge
Der Griechen Stämme froh vereint,
Zog Ibykus, der Götterfreund.
Ihm schenkte des Gesanges Gabe,
Der Lieder süßen Mund Apoll;
So wandert er, an leichtem Stabe,
Aus Rhegium, des Gottes voll.

Schon winkt auf hohem Bergesrücken
Akrokorinth des Wandrers Blicken,
Und in Poseidons Fichtenhain
Tritt er mit frommem Schauder ein.
Nichts regt sich um ihn her, nur Schwärme
Von Kranichen begleiten ihn,
Die fernhin nach des Südens Wärme
In graulichtem Geschwader ziehn.

»Seid mir gegrüßt, befreundte Scharen,
Die mir zur See Begleiter waren!
Zum guten Zeichen nehm ich euch,
Mein Los, es ist dem euren gleich:
Von fern her kommen wir gezogen
Und flehen um ein wirtlich Dach.
Sei uns der Gastliche gewogen,
Der von dem Fremdling wehrt die Schmach!«

Und munter fördert er die Schritte
Und sieht sich in des Waldes Mitte –
Da sperren, auf gedrangem Steg,
Zwei Mörder plötzlich seinen Weg.
Zum Kampfe muß er sich bereiten,
Doch bald ermattet sinkt die Hand,
Sie hat der Leier zarte Saiten,
Doch nie des Bogens Kraft gespannt.

Er ruft die Menschen an, die Götter,
Sein Flehen dringt zu keinem Retter;
Wie weit er auch die Stimme schickt,
Nichts Lebendes wird hier erblickt.
»So muß ich hier verlassen sterben,
Auf fremdem Boden, unbeweint,
Durch böser Buben Hand verderben,
Wo auch kein Rächer mir erscheint!«

Und schwer getroffen sinkt er nieder,
Da rauscht der Kraniche Gefieder,
Er hört, schon kann er nicht mehr sehn,
Die nahen Stimmen furchtbar krähn.
»Von euch, ihr Kraniche dort oben,
Wenn keine andre Stimme spricht,
Sei meines Mordes Klag' erhoben!«
Er ruft es und sein Auge bricht.

Der nackte Leichnam wird gefunden,
Und bald, obgleich entstellt von Wunden,
Erkennt der Gastfreund in Korinth
Die Züge, die ihm teuer sind.
»Und muß ich so dich wiederfinden,
Und hoffte mit der Fichte Kranz
Des Sängers Schläfe zu umwinden,
Bestrahlt von seines Ruhmes Glanz!«

Und jammernd hören's alle Gäste,
Versammelt bei Poseidons Feste,
Ganz Griechenland ergreift der Schmerz,
Verloren hat ihn jedes Herz.
Und stürmend drängt sich zum Prytanen
Das Volk, es fordert seine Wut,
Zu rächen des Erschlagnen Manen,
Zu sühnen mit des Mörders Blut.

Doch wo die Spur, die aus der Menge,
Der Völker flutendem Gedränge,
Gelocket von der Spiele Pracht,
Den schwarzen Täter kenntlich macht?
Sind's Räuber, die ihn feig erschlagen?
Tat's neidisch ein verborgner Feind?
Nur Helios vermag's zu sagen,
Der alles Irdische bescheint.

Er geht vielleicht mit frechem Schritte
Jetzt eben durch der Griechen Mitte,
Und während ihn die Rache sucht,
Genießt er seines Frevels Frucht;
Auf ihres eignen Tempels Schwelle
Trotzt er vielleicht den Göttern, mengt
Sich dreist in jene Menschenwelle,
Die dort sich zum Theater drängt.

Denn Bank an Bank gedränget sitzen,
Es brechen fast der Bühne Stützen,
Herbeigeströmt von fern und nah,
Der Griechen Völker wartend da.
Dumpfbrausend, wie des Meeres Wogen,
Von Menschen wimmelnd, wächst der Bau
In weiter stets geschweiftem Bogen
Hinauf bis in des Himmels Blau.

Wer zählt die Völker, nennt die Namen,
Die gastlich hier zusammenkamen?
Von Theseus' Stadt, von Aulis' Strand,
Von Phocis, vom Spartanerland,
Von Asiens entlegner Küste,
Von allen Inseln kamen sie
Und horchen von dem Schaugerüste
Des Chores grauser Melodie.

Der streng und ernst, nach alter Sitte,
Mit langsam abgemeßnem Schritte
Hervortritt aus dem Hintergrund,
Umwandelnd des Theaters Rund.
So schreiten keine ird'schen Weiber,
Die zeugete kein sterblich Haus!
Es steigt das Riesenmaß der Leiber
Hoch über menschliches hinaus.

Ein schwarzer Mantel schlägt die Lenden,
Sie schwingen in entfleischten Händen
Der Fackel düsterrote Glut,
In ihren Wangen fließt kein Blut;
Und wo die Haare lieblich flattern,
Um Menschenstirnen freundlich wehn,
Da sieht man Schlangen hier und Nattern
Die giftgeschwollnen Bäuche blähn.

Und schauerlich gedreht im Kreise
Beginnen sie des Hymnus Weise,
Der durch das Herz zerreißend dringt,
Die Bande um den Frevler schlingt.
Besinnungraubend, herzbetörend
Schallt der Erinnyen Gesang,
Er schallt, des Hörers Mark verzehrend,
Und duldet nicht der Leier Klang:

»Wohl dem, der frei von Schuld und Fehle
Bewahrt die kindlich reine Seele!
Ihm dürfen wir nicht rächend nahn.
Er wandelt frei des Lebens Bahn.
Doch wehe, wehe, wer verstohlen
Des Mordes schwere Tat vollbracht!
Wir heften uns an seine Sohlen,
Das furchtbare Geschlecht der Nacht.

Und glaubt er fliehend zu entspringen,
Geflügelt sind wir da, die Schlingen
Ihm werfend um den flücht'gen Fuß,
Daß er zu Boden fallen muß.
So jagen wir ihn, ohn' Ermatten,
Versöhnen kann uns keine Reu,
Ihn fort und fort bis zu den Schatten
Und geben ihn auch dort nicht frei.«

So singend tanzen sie den Reigen,
Und Stille wie des Todes Schweigen
Liegt überm ganzen Hause schwer,
Als ob die Gottheit nahe wär'.
Und feierlich, nach alter Sitte
Umwandelnd des Theaters Rund
Mit langsam abgemeßnem Schritte,
Verschwinden sie im Hintergrund.

Und zwischen Trug und Wahrheit schwebet
Noch zweifelnd jede Brust und bebet
Und huldiget der furchtbarn Macht,
Die richtend im Verborgnen wacht,
Die unerforschlich, unergründet
Des Schicksals dunkeln Knäuel flicht,
Dem tiefen Herzen sich verkündet,
Doch fliehend vor dem Sonnenlicht.

Da hört man auf den höchsten Stufen
Auf einmal eine Stimme rufen:
»Sieh da, sieh da, Timotheus,
Die Kraniche des Ibykus!« –
Und finster plötzlich wird der Himmel,
Und über dem Theater hin
Sieht man in schwärzlichtem Gewimmel
Ein Kranichheer vorüberziehn.

»Des Ibykus!« – Der teure Name
Rührt jede Brust mit neuem Grame,
Und wie im Meere Well' auf Well',
So läuft's von Mund zu Munde schnell:
»Des Ibykus, den wir beweinen,
Den eine Mörderhand erschlug!
Was ist's mit dem? was kann er meinen?
Was ist's mit diesem Kranichzug?« –

Und lauter immer wird die Frage,
Und ahnend fliegt's mit Blitzesschlage
Durch alle Herzen: »Gebet acht,
Das ist der Eumeniden Macht!
Der fromme Dichter wird gerochen,
Der Mörder bietet selbst sich dar –
Ergreift ihn, der das Wort gesprochen,
Und ihn, an den's gerichtet war!«

Doch dem war kaum das Wort entfahren,
Möcht er's im Busen gern bewahren;
Umsonst! Der schreckenbleiche Mund
Macht schnell die Schuldbewußten kund.
Man reißt und schleppt sie vor den Richter,
Die Szene wird zum Tribunal,
Und es gestehn die Bösewichter,
Getroffen von der Rache Strahl.

*1797. Von Friedrich von Schiller.*

# Wie Sultan Mahmud Recht vollstreckt

Vor Mahmuds Thron kniet Nureddin: »O Padischah!
ich fordre Recht!
Ein Krieger deines Hofes hat ruchloser Unbill sich er-
frecht!
Aus meiner Wohnung, meinem Bett trieb der verfluchte
mich heraus
und schwelgt mit meinen Weibern nun, als wäre sein
mein Herd und Haus.«

Der Schah vernimmt es und erbleicht; stumm starrt er
lang zu Boden hin.
»Geht!« – heischt er zu den Sklaven dann – »besetzt das
Haus des Nureddin,
daß keiner draus entrinnen mag; wenn Finsternis die
Erde deckt,
ruft mich, und sehen soll die Welt, wie Sultan Mahmud
Recht vollstreckt.«

Sie alle gehn; er aber tritt in die Moschee, verschließt das
Tor
und liegt vor Allah im Gebet, bis sich der Tagesschein
verlor;
mit Nureddin als Führer eilt er nach dem Haus des Frevels dann,
vier seine Schergen hinter ihm, mit scharfen Beilen
Mann für Mann.

»Löscht aus die Fackeln!« donnert er. Im Hause wird es
schreckenstumm;
nur matt durchblinkt der Sterne Schein die tiefe Finsternis ringsum;
ins Tor voran stürmt Nureddin; mit seinen Schergen
folgt der Schah
durch Gänge und durch Säulen hin. »Da« – flüstert
dumpf der Führer – »da!«

Die Schergen stellen sich im Kreis. »Des Frevlers Todes-
kampf sei kurz!«
ruft Mahmud aus und zückt das Schwert; ein halb er-
stickter Schrei, ein Sturz.
»Licht her!« Man bringt's. Flugs beugt der Schah sich zu
des Toten Angesicht,
dann kniet er nieder: »Allah, Dank! Der, den ich meine,
war es nicht.

Ihr aber, die ihr staunt, erfahrt! Ich glaubte, daß mein
eigner Sohn
der Täter sei; auf schlimmem Pfad argwöhnt' ich ihn seit
lange schon,
und, daß sein Anblick nicht die Hand mir hemmte bei
dem Strafgericht,
vollstreckt ich es in Finsternis; dem Himmel Dank, er
war es nicht!«

*Adolf Friedrich Graf von Schack (1815–1894)*

# Die Ballade vom Nachahmungstrieb

Es ist schon wahr: Nichts wirkt so rasch wie Gift!
Der Mensch , und sei er noch so minderjährig,
ist, was die Laster dieser Welt betrifft,
früh bei der Hand und unerhört gelehrig.

Im Februar, ich weiß nicht am wievielten,
geschah's, auf irgend eines Jungen Drängen,
daß Kinder, die im Hinterhofe spielten,
beschlossen, Naumanns Fritzchen aufzuhängen.

Sie kannten aus der Zeitung die Geschichten,
in denen Mord vorkommt und Polizei.
Und sie beschlossen, Naumann hinzurichten,
weil er, so sagten sie, ein Räuber sei.

Sie steckten seinen Kopf in eine Schlinge.
Karl war der Pastor, lamentierte viel
und sagte ihm, wenn er zu schrein anfinge,
verdürbe er den anderen das Spiel.

Fitz Naumann äußerte, ihm sei nicht bange.
Die andern waren ernst und führten ihn.
Man warf den Strick über die Teppichstange.
Und dann begann man, Fritzchen hochzuziehn.

Er sträubte sich. Es war zu spät. Er schwebte.
Dann klemmten sie den Strick am Haken ein.
Fritz zuckte, weil er noch ein bißchen lebte.
Ein kleines Mädchen zwickte ihn ins Bein.

Er zappelte ganz stumm, und etwas später
verkehrte sich das Kinderspiel in Mord.
Als das die sieben kleinen Übeltäter
erkannten, liefen sie erschrocken fort.

Noch wußte niemand von dem armen Kinde.
Der Hof lag still. Der Himmel war blutrot.
Der kleine Naumann schaukelte im Winde.
Er merkte nichts davon. Denn er war tot.

Frau Witwe Zickler, die vorüberschlurfte,
lief auf die Straße und erhob Geschrei,
obwohl sie doch dort gar nicht schreien durfte.
Und gegen Sechs erschien die Polizei.

Die Mutter fiel in Ohnmacht vor dem Knaben.
Und beide wurden rasch ins Haus gebracht.
Karl, den man festnahm, sagte kalt: »Wir haben
es nur wie die Erwachsenen gemacht.«

*Von Erich Kästner nach einem Pressebericht*
*aus dem Jahre 1930*

# Das Lied

Es fuhr ein knecht hinaus zum wald
Sein bart war noch nicht flück
Er lief sich irr im wunderwald
Er kam nicht mehr zurück.

Das ganze dorf zog nach ihm aus
Vom früh- zum abendrot
Doch fand man nirgends seine spur
Da gab man ihn für tot.

So flossen sieben jahr dahin
Und eines morgens stand
Auf einmal wieder er vorm dorf
Und ging zum brunnenrand.

Sie fragten wer es wär und sahn
Ihm fremd ins angesicht.
Der vater starb die mutter starb
Ein andrer kannt ihn nicht.

Vor tagen hab ich mich verirrt
Ich war im wunderwald
Dort kam ich recht zu einem fest
Doch heim trieb man mich bald.

Die leute tragen güldnes haar
Und eine haut wie schnee…
So heissen sie dort sonn und mond
So berg und tal und see.

Da lachten all: in dieser früh
Ist er nicht weines voll.
Sie gaben ihm das vieh zur hut
Und sagten er ist toll.

So trieb er täglich in das feld
Und sass auf einem stein
Und sang bis in die tiefe nacht
Und niemand sorgte sein.

Nur kinder horchten seinem lied
Und sassen oft zur seit…
Sie sangen's als er lang schon tot
Bis in die spätste zeit.

*Von Stefan George (1868–1933)*

# Die Wallfahrt nach Kevlaar

Am Fenster stand die Mutter,
im Bette lag der Sohn.
»Willst du nicht aufstehn, Wilhelm,
zu schaun die Prozession?« –

»Ich bin so krank, o Mutter,
daß ich nicht hör und seh;
ich denk an das tote Gretchen,
da tut das Herz mir weh.«

»Steh auf, wir wollen nach Kevlaar,
nimm Buch und Rosenkranz;
die Mutter Gottes heilt dir
dein krankes Herze ganz.«

Es flattern die Kirchenfahnen,
es singt im Kirchenton;
das ist zu Köllen am Rheine,
da geht die Prozession.

Die Mutter folgt der Menge,
den Sohn, den führet sie,
sie singen beide im Chore:
»Gelobt seist du, Marie!«

Die Mutter Gottes zu Kevlaar
trägt heut ihr bestes Kleid;
heut hat sie viel zu schaffen,
es kommen viel kranke Leut.

Die kranken Leute bringen
ihr dar, als Opferspend',
aus Wachs gebildete Glieder,
viel wächserne Füß' und Händ'.

Und wer eine Wachshand opfert,
dem heilt an der Hand die Wund';
und wer einen Wachsfuß opfert,
dem wird der Fuß gesund.

Nach Kevlaar ging mancher
auf Krücken,
der jetzo tanzt auf dem Seil,
gar mancher spielt jetzt die
Bratsche,
dem dort kein Finger war heil.

Die Mutter nahm ein Wachslicht
und bildete draus ein Herz.
»Bring das der Mutter Gottes,
dann heilt sie deinen Schmerz.«

Der Sohn nahm seufzend das
Wachsherz,
ging seufzend zum Heiligenbild;
die Träne quillt aus dem Auge,
das Wort aus dem Herzen quillt:

»Du Hochgebenedeite,
du reine Gottesmagd,
du Königin des Himmels,
dir sei mein Leid geklagt!

Ich wohnte mit meiner Mutter
zu Köllen in der Stadt,
der Stadt, die viele hundert
Kapellen und Kirchen hat.

Und neben uns wohnte Gretchen,
doch die ist tot jetzund –
Marie, dir bring ich ein Wachsherz,
heil du meine Herzenswund'.

Heil du mein krankes Herze,
ich will auch spät und früh
inbrünstiglich beten und singen:
Gelobt seist du, Marie!«

Der kranke Sohn und die Mutter,
die schliefen im Kämmerlein;
da kam die Mutter Gottes
ganz leise geschritten herein.

Sie beugte sich über den Kranken
und legte ihre Hand
ganz leise auf sein Herze
und lächelte mild und schwand.

Die Mutter schaut alles im Traume
und hat noch mehr geschaut;
sie erwachte aus dem Schlummer,
die Hunde bellten so laut.

Da lag dahingestrecket
ihr Sohn, und der war tot;
es spielt auf den bleichen Wangen
das lichte Morgenrot.

Die Mutter faltet die Hände,
ihr war, sie wußte nicht wie;
andächtig sang sie leise:
»Gelobt seist du, Marie!«

*Zu dieser Ballade teilte der Dichter, Heinrich Heine, beim Erstdruck folgendes mit: »Als ich ein kleiner Knabe war, und im Franciscanerkloster zu Düsseldorf die erste Dressur erhielt und dort zuerst Buchstabiren und Stillsitzen lernte, saß ich oft neben einem anderen Knaben, der mir immer erzählte: wie seine Mutter ihn nach Kevlaar (der Accent liegt auf der ersten Silbe, und der Ort selbst liegt im Geldernschen) einstmal mitgenommen, wie sie dort einen wächsernen Fuß für ihn geopfert, und wie sein eigener schlimmer Fuß dadurch geheilt sei. Mit diesem Knaben traf ich wieder zusammen in der obersten Classe des Gymnasiums, und als wir im Philosophischen-Collegium bei Rector Schallmeyer nebeneinander zu sitzen kamen, erinnerte er mich lachend an jene Mirakel-Erzählung, setzte aber doch etwas ernsthaft hinzu: jetzt würde er der Mutter-Gottes ein wächsernes Herz opfern. Ich hörte später, er habe damals an einer unglücklichen Liebschaft laborirt, und endlich kam er mir ganz aus den Augen und aus dem Gedächtnis. – Im Jahre 1819, als ich in Bonn studirte und einmal in der Gegend von Godesberg am Rhein spazieren ging, hörte ich in der Ferne die wohlbekannten Kevlaar-Lieder, wovon das vorzüglichste den gedehnten Refrain hat: »Gelobt seist du, Maria!« und als die Procession näher kam, bemerkte ich unter den Wahlfahrtern meinen Schulkameraden mit seiner alten Mutter. Diese führte ihn. Er aber sah sehr blaß und krank aus. Berlin, den 16. des Maimondes 1822.*

# Der Fischer von Svendaland

Wild auf schrie Terja und stürzte hin neben der grinsenden Leiche,
doch Sven sprang fort aus dem brechenden Haus und lief zu Damm und Deiche,
die Nacht da draußen war kälter nicht, als wie seine bleichen Lippen,
und wilder peitschte die Angst sein Blut, als der Sturm die Otteröklippen.

Er suchte das Boot, es war zerschellt, schon wich bei seinen Schritten
der Sand, von den Wellen hinweggespült, gespenstisch unter den Tritten,

ein Sarg noch trug ihn kurze Zeit und sank dann nieder zum Sande, –
so holten die Toten die Lebenden ab bei Nacht im Svendalande.

Und die Sonne stieg auf, und ihr Schleier von Gold des Festlands Felsen umwebte,
doch nur die Sage von Svendaland noch über der Tiefe schwebte,
wo Terjas Hütte, da rollten sacht die Wogen auf und nieder, –
eine Möwe suchte ihr Dünennest und fand die Stätte nicht wieder.

»Nun laß die Segel und laß das Boot und wirf die Netze zur Seite, –
aufsteigt Gewölk am Romsdalhorn, und die Winde rüsten zum Streite,
die Nordlandsee wird leichenfahl und kräuselt die weißen Lippen,
und schlägt mit der nassen Riesenfaust wild gegen die Otteröklippen!

Und nun den Kiel über knirschenden Sand hinauf an die Dünen gezogen,
so haben wir auch in diesem Sturm das Meer um sein Opfer betrogen.
Doch denk ich, ein anderes Opfer soll die Nacht den Fluten bescheren: –
der Wind, der jetzt mir den Bart zerzaust, soll Kiele zum Himmel kehren!

Wir wollen der Dünen trockenes Gras ausraufen und Haufen schichten,
und abends im Sturm soll die falsche Glut das Steuer der Schiffe richten,
hei, was uns dann morgen die See beschert an Schätzen, das mag uns frommen,
und drüben der Pfarrer von Otterö soll Leichenarbeit bekommen!«

Der Alte sprach's von Svendaland, Terja, der einsame Fischer,
es war der Hai in der Meeresbucht nicht falscher und räuberischer.
Wie viele Schiffe er schon verderbt, – die Hügel könnten's berichten, –
doch Grabeshügel im Dünensand erzählen keine Geschichten.

Nun trat er ins Haus mit Sven, dem Sohn, von dem die Sagen erklangen,
daß einst die Planken am Eichenboot unter seinen Fäusten zersprangen,
im Mutterleibe schon trug ihn das Meer und hatte bis jetzt ihn getragen
und sollt ihn tragen als Leiche dereinst in weiße Tücher geschlagen.

Jetzt standen sie drinnen im niederen Raum, und der Wind pfiff durch die Spalten,
sie sahen, wie draußen im Winde der Rauch aufstieg in wallenden Falten,
sie sahen, wie an den Dünen empor die flackernden Flammen glühten,
und wie ans blinde Fenster der Sand und tausend Funken sprühten.

Schwarz kam das Dunkel, und mit der Nacht stieg mächtig die Flut in den Fjorden,
und hinter der Flut zog tobend einher der heulende Sturm aus Norden,
von Hareidsland zum Ramsofjord trieb weißer Schaum auf den Wogen,
und kreischend auf dem Dünennest Sturmschwalben und Möwen flogen.

Und es stieg die Nacht, und es stieg der Sturm, es bebten der Erde Glieder,
und Himmel und Meer umschlangen sich wild, und Regen schauerte nieder,
an den niedrigen Hügeln wühlte die Flut und suchte, was scheu sie verbergen,
und schauerlich scharrte ihre gierige Hand den Sand von den dunkeln Särgen. –

In düsterer Hütte saß mit Sven Terja an des Herdes Gluten:
»Ich wollt, es wäre die Nacht herum und Wind und Wellen ruhten,
es klingt durch die Lüfte ein fremder Ton, und Fremdes fühl' ich da drinnen, –
mir ist, als würd ich heimlich verfolgt und könnte nicht mehr entrinnen!«

Und wie er spricht, da dröhnt's an die Tür mit dumpfen mächtigen Schlägen,
und an der Hauswand scharrt es rauh und stößt mit Krachen dagegen,
aufspringen die beiden leichenfahl, grell leuchtet ein Blitz ins Zimmer,
da donnert es lauter gegen das Haus, und die Türe splittert in Trümmer.

Ein Windstoß heulet durch den Schlot, das Wasser kommt rauschend geflossen,
und auf dem Wasser kommt es schwarz in die Stube hereingeschossen,
ein offener Sarg, herausgespült von der Flut mit Graben und Nagen,
und schauerlich von dem Wogenschwall in das Haus des Mörders getragen.

*Von Börries Freiherr von Münchhausen*

# Die Brück' am Tay

»Wann treffen wir drei wieder zusamm'?«
»Um die siebente Stund', am Brückendamm.«
»Am Mittelpfeiler.«
»Ich lösch die Flamm'.«
»Ich mit.«
»Ich komme vom Norden her.«
»Und ich vom Süden.«
»Und ich vom Meer.«

»Hei, das gibt ein Ringelreihn,
und die Brücke muß in den Grund hinein.«
»Und der Zug, der in die Brücke tritt
um die siebente Stund'?«
»Ei, der muß mit.«
»Muß mit.«
»Tand, Tand
ist das Gebilde von Menschenhand!«

Auf der Norderseite, das Brückenhaus –
alle Fenster sehen nach Süden aus,
und die Brücknersleut', ohne Rast und Ruh
und in Bangen sehen nach Süden zu,
sehen und warten, ob nicht ein Licht
übers Wasser hin »ich komme« spricht,
»ich komme, trotz Nacht und Sturmesflug,
ich, der Edinburger Zug.«

Und der Brückner jetzt: »Ich seh einen Schein
am andern Ufer. Das muß er sein.
Nun, Mutter, weg mit dem bangen Traum,
unser Johnie kommt und will seinen Baum,
und was noch am Baume von Lichtern ist,
zünd alles an wie zum heiligen Christ,
der will heuer zweimal mit uns sein, –
und in elf Minuten ist er herein.«

Und es war der Zug. Am Süderturm
keucht er vorbei jetzt gegen den Sturm,
und Johnie spricht: »Die Brücke noch!
Aber was tut es, wir zwingen es doch.
Ein fester Kessel, ein doppelter Dampf,
die bleiben Sieger in solchem Kampf,
und wie's auch rast und ringt und rennt,
wir kriegen es unter: das Element.

Und unser Stolz ist unsre Brück';
ich lache, denk ich an früher zurück,
an all den Jammer und all die Not
mit dem elend alten Schifferboot;
wie manche liebe Christfestnacht
hab ich im Fährhaus zugebracht
und sah unsrer Fenster lichten Schein
und zählte und konnte nicht drüben sein.«

Auf der Norderseite, das Brückenhaus –
alle Fenster sehen nach Süden aus,
und die Brücknersleut' ohne Rast und Ruh
und in Bangen sehen nach Süden zu;
denn wütender wurde der Winde Spiel,
und jetzt, als ob Feuer vom Himmel fiel,
erglüht es in niederschießender Pracht
überm Wasser unten... Und wieder ist Nacht.

»Wann treffen wir drei wieder zusamm'?«
»Um Mitternacht, am Bergeskamm.«
»Auf dem hohen Moor, am Erlenstamm.«
»Ich komme.«
»Ich mit.«
»Ich nenn euch die Zahl.«
»Und ich die Namen.«
»Und ich die Qual.«
»Hei!
Wie Splitter brach das Gebälk entzwei.«
»Tand, Tand
ist das Gebilde von Menschenhand.«

*Von Theodor Fontane. Die 3214 Meter lange,*
*1878 erbaute Eisenbahnbrücke über die breite*
*Mündung des schottischen Flusses Tay stürzte*
*während eines Unwetters am 28. Dezember*
*1879 ein und riß den Zug von Edinbourgh*
*mit in die Tiefe.*

# DAS MEER

Vom Schiffsjung',
der den Hering stahl.
Von Segel, Sturm
und Störtebecker

# Seemanns Abschied

Getakelt lag das Schiff am Port,
die Wimpel flossen rot im Winde,
schwarzäugig Suschen kam an Bord:
»O sagt mir, wo ich Wilhelm finde!
Ihr weidlichen Matrosen, sagt mir wahr:
geht Wilhelm mit in eurer frohen Schar?«

Wilhelm, der hoch am Maste sang,
gewiegt von Wellen hin und wieder,
sobald die traute Stimm' ihm klang,
sah stumm durch Seil und Stangen nieder;
das lange Tau durchglitt ihm heiß die Hand,
und rasch erreicht er das Verdeck und stand.

So, wenn die Lerch' im Saatfeld ruft,
verstummt ihr Gatte schnell, der munter
sein Frühlied singt in blauer Luft,
und schießt geschloßner Schwing hinunter.
Die holden Küss', o Wilhelm, ohne Zahl,
mißgönnte dir Kap'tän und Admiral.

»O Suschen! Suschen! muß ich gehn,
auch ferne bleibst du mein Verlangen.
Wir trennen uns zum Wiedersehn;
o trockne dir die heißen Wangen!
Verstürm uns auch der Wind nach Ost und West,
dir steht mein Herz, ein treuer Kompaß, fest!

O süßes Mädchen, traue nicht
des falschen Landvolks schnödem Worte:
der Seemann find't ein glatt Gesicht
für seine Lieb an jedem Orte.
Ein glatt Gesicht ist hier und allerwärts;
doch Suschen, wo dein gutes liebes Herz?

Ob uns Orkan und Wogen drohn,
ob Klipp und Sandbank um uns brande:
den Elementen biet ich Hohn
und kehre heim vom fernsten Strande;
und donnert auch mit Kugelsaat die Schlacht,
mich rettet dir der holden Liebe Macht!« –

Der Schiffer ruft sein schrecklich Wort;
der Anker steigt, die Segel schwellen.
»Ach«, schluchzt er küssend, »Suschen, fort!«
Und starrt ihr nach durch dunkle Wellen.
Schon kleiner wankt ihr Nachen noch am Strand,
und weiß noch weht das Tuch in Suschens Hand.

Der Ozean stieg schaurig,
vom Sturmwind aufgeschreckt,
da seufzte Suschen traurig,
am Felsenbach gestreckt.
Ihr Auge, weithin spähend,
durchflog den Wogendrang,
indes die Stirn ihr wehend
die Trauerweid umschlang.

»Das Jahr ist schon vorüber,
ach! schon neun Tage mehr!
Warum so dreist, o Lieber,
vertrautest du dem Meer?
Laß, Meer vom Sturm gehoben,
laß meinen Wilhelm ruhn!
Ach! hier im Busen toben
noch wildre Stürme nun!

Was zogst du, Gold zu häufen,
zum fernen Mohrenstrand,
wo Spezereien reifen
und Perl und Diamant?
Der Fleiß bei sicherm Werke
gewährt uns Überfluß;
uns gäbe Mut und Stärke
ein treuer Herzenskuß.

Wie ringt mit grausen Wettern
dein überwogtes Schiff!
O wehe mir! nun schmettern
es Stürm' ans Felsenriff!
Jetzt schwimmst du auf der Trümmer
durch Weltmeer! sinkend jetzt
nennst du mit Angstgewimmer
dein Suschen noch zuletzt!« –

Sie rief's mit bangem Sehnen
vom Felsen, wo sie saß,
und weinte helle Tränen,
ihr Busentuch ward naß;
da trieb die Woge schäumend
den kalten Leichnam her;
sie starrt ihn an, wie träumend,
erblaßt und sank ins Meer.

*Von Heinrich Christian Boie (1744–1806),
Mitglied des Göttinger Dichterbundes.*

# Meeresstille

Meeresstille! Ihre Strahlen
wirft die Sonne auf das Wasser,
und im wogenden Geschmeide
zieht das Schiff die grünen Furchen.

Bei dem Steuer liegt der Bootsmann
auf dem Bauch, und schnarchet leise.
Bei dem Mastbaum, segelflickend,
kauert der beteerte Schiffsjung.

Hinterm Schmutze seiner Wangen
sprüht es rot, wehmütig zuckt es
um das breite Maul, und schmerzlich
schaun die großen, schönen Augen,

denn der Kapitän steht vor ihm,
tobt und flucht und schilt ihn: »Spitzbub!
Spitzbub! einen Hering hast du
aus der Tonne mir gestohlen!«

Meeresstille! Aus den Wellen
taucht hervor ein kluges Fischlein,
wärmt das Köpfchen in der Sonne,
plätschert lustig mit dem Schwänzchen.

Doch die Möwe, aus den Lüften,
schießt herunter auf das Fischlein,
und den raschen Raub im Schnabel
schwingt sie sich hinauf ins Blaue.

*Von Heinrich Heine*

# Die Nacht am Strande

Sternlos und kalt ist die Nacht,
es gärt das Meer;
und über dem Meer, platt auf dem Bauch,
liegt der ungestaltete Nordwind,
und heimlich, mit ächzend gedämpfter Stimme,
wie'n störriger Griesgram, der gutgelaunt wird,
schwatzt er ins Wasser hinein,
und erzählt viel tolle Geschichten,
Riesenmärchen, totschlaglaunig,
uralte Sagen aus Norweg,
und dazwischen, weitschallend, lacht er und heult er
Beschwörungslieder der Edda,
auch Runensprüche,
so dunkeltrotzig und zaubergewaltig,
daß die weißen Meerkinder
hoch aufspringen und jauchzen,
Übermut-berauscht.

Derweilen, am flachen Gestade,
über den flutbefeuchteten Sand
schreitet ein Fremdling, mit einem Herzen,
das wilder noch als Wind und Wellen.
Wo er hintritt,
sprühen Funken und knistern die Muscheln;
und er hüllt sich fest in den grauen Mantel,
und schreitet rasch durch die wehende Nacht; –
sicher geleitet vom kleinen Lichte,
das lockend und lieblich schimmert
aus einsamer Fischerhütte.

Vater und Bruder sind auf der See,
und mutterseelenallein blieb dort
in der Hütte die Fischertochter,
die wunderschöne Fischertochter.
Am Herde sitzt sie,
und horcht auf des Wasserkessels
ahnungssüßes, heimliches Summen,
und schüttet knisterndes Reisig ins Feuer,
und bläst hinein,
daß die flackernd roten Lichter
zauberlieblich widerstrahlen
auf das blühende Antlitz,
auf die zarte, weiße Schulter,
die rührend hervorlauscht
aus dem groben, grauen Hemde,
und auf die kleine, sorgsame Hand,
die das Unterröckchen fester bindet
um die feine Hüfte.

Aber plötzlich, die Tür springt auf,
und es tritt herein der nächtige Fremdling;
liebessicher ruht sein Auge
auf dem weißen, schlanken Mädchen,
das schaudernd vor ihm steht,
gleich einer erschrockenen Lilie;
und er wirft den Mantel zur Erde,
und lacht und spricht:

Siehst du, mein Kind, ich halte Wort,
und ich komme, und mit mir kommt
die alte Zeit, wo die Götter des Himmels
niederstiegen zu Töchtern der Menschen
und die Töchter der Menschen umarmten,
und mit ihnen zeugten
zeptertragende Königsgeschlechter
und Helden, Wunder der Welt.

Doch staune, mein Kind, nicht länger
ob meiner Göttlichkeit,
und, ich bitte dich, koche mir Tee und Rum,
denn draußen wars kalt,
und bei solcher Nachtluft
frieren auch wir, wir ewigen Götter,
und kriegen wir leicht den göttlichsten Schnupfen,
und einen unsterblichen Husten.

*Von Heinrich Heine*

# Sturm

Es wütet der Sturm,
und er peitscht die Wellen,
und die Welln, wutschäumend und bäumend,
türmen sich auf, und es wogen lebendig
die weißen Wasserberge,
und das Schifflein erklimmt sie,
hastig mühsam,
und plötzlich stürzt es hinab
in schwarze, weitgähnende Flutabgründe –

O Meer!
Mutter der Schönheit, der Schaumentstiegenen!
Großmutter der Liebe! schone meiner!
Schon flattert, leichenwitternd,
die weiße, gespenstische Möwe,
und wetzt an dem Mastbaum den Schnabel,
und lechzt, voll Fraßbegier, nach dem Herzen,
das vom Ruhm deiner Tochter ertönt,
und das dein Enkel, der kleine Schalk,
zum Spielzeug erwählt.

Vergebens mein Bitten und Flehn!
Mein Rufen verhallt im tosenden Sturm,
im Schlachtlärm der Winde.
Es braust und pfeift und prasselt und heult,
wie ein Tollhaus von Tönen!
Und zwischendurch hör ich vernehmbar
lockende Harfenlaute,
sehnsuchtswilden Gesang,
seelenzerreißend,
und ich erkenne die Stimme.

Fern an schottischer Felsenküste,
wo das graue Schlößlein hinausragt
über die brandende See,
dort, am hochgewölbten Fenster,
steht eine schöne, kranke Frau,
zartdurchsichtig und marmorblaß,
und sie spielt Harfe und singt,
und der Wind durchwühlt ihre langen Locken,
und trägt ihr dunkles Lied
über das weite, stürmende Meer.

*Von Heinrich Heine*

# Gewitter

Dumpf liegt auf dem Meer das Gewitter,
und durch die schwarze Wolkenwand
zuckt der zackige Wetterstrahl,
rasch aufleuchtend und rasch verschwindend,
wie ein Witz aus dem Haupte Kronions.
Über das wüste, wogende Wasser
weithin rollen die Donner
und springen die weißen Wellenrosse,
die Boreas selber gezeugt
mit des Erichthons reizenden Stuten,
und es flattert ängstlich das Seegevögel,
wie Schattenleichen am Styx,
die Charon abwies vom nächtlichen Kahn.

Armes, lustiges Schifflein,
das dort dahintanzt den schlimmsten Tanz!
Äolus schickt ihm die flinksten Gesellen,
die wild aufspielen zum fröhlichen Reigen;
der eine pfeift, der andre bläst,
der dritte streicht den dumpfen Brummbaß –
und der schwankende Seemann steht am Steuer,
und schaut beständig nach der Bussole,
der zitternden Seele des Schiffes,
und hebt die Hände flehend zum Himmel:
O rette mich, Kastor, reisiger Held,
und du, Kämpfer der Faust, Polydeukes!

*Von Heinrich Heine*

# Die Wettersäule

Vom Meere wirbelt's auf wie Rauch,
und aus der Wolke senkt sich auch
der finstre Hang.
Die Wettersäule stürmt ums Riff
und faßt bereits der Helden Schiff:
da trotzet Swend
und ruft: »Ein Feenwirbelwind!«
und wirft danach sein Messer geschwind –
da tönt ein Schrei!
Da faßt das Wirbeln ihn allein, –
die andern sollen gerettet sein; –
er aber fliegt
mit den wirbelnden Wassern ans End' der Welt:
auf öder Insel er niederfällt,
da liegt er betäubt. –
Und wie er aufs neu zum Leben erwacht,
hell leuchtet's um ihn mit Wunderpracht:
auf blicket Swend –
und sieht halbschwebend vor sich stehn
die schönste der lichten Meeresfeen:
die weinet sehr! –
Durch Tränen blickt die holde Gestalt.
Da ergreift ihn der Liebe Zaubergewalt;
sie aber spricht:
»Swend Alf, zu Kühner, was hast du getan?
sieh meine Seite, die blutet, an!« –
Da schreit er auf
und windet zu Füßen ihr sich in Schmerz
und ruft: »Das traf mein eigen Herz,
süßholde Frau!
Wie soll ich sühnen, was ich gefehlt?«

Der kühne Swend liegt lieb-entseelt
in tiefem Weh. –
Die Huld der Fee nicht lange weilt:
»Traf es dein Herz, so ist geheilt
mein herbes Leid.
Oh sieh, es schwindet der Wunde Spur
und Schmerz wird süße Sehnsucht nur
von Herz zu Herz.
Sieh, blumigen Rasen schwellt zur Stund'
des vormals dürren Eilands Grund
und ladet zur Ruh –
und laubige Schatten hüllen uns ein
zu liebseligem Huldverein.«
Da küßt sie ihn,
da küßt er sie, schlingt liebewarm
um die wonneschwere Gestalt den Arm,
der kühne Swend.
Rings dunkelt Nacht, – den Strand entlang
tönt wallender Wogen Brautgesang
und Kühlungen wehn;
und Nachtigallen mit süßem Schall
ziehn dichter im Wald allüberall
das Liebesnetz.
Allselige Tage lebt der Held
und entzückende Nächte, fern der Welt,
der kühne Swend.
Und jeder Wunsch wird ihm erfüllt,
und jedes Sehnen scheint gestillt
dem kühnen Swend.
Sie reicht ihm die hehre Speise der Fein,
sie selbst kredenzt ihm den Purpurwein
im Kelch von Kristall.

In prächtiger Grotte wohnt das Paar,
umglüht von Gesteinen wunderbar,
von Bernsteingold,
von Muscheln, Korallen und Perlen licht!
Allein die Ruhe behaget ihm nicht:
er sehnt sich fort,
säh lieber seiner Hütte Rauch
und seine kühnen Genossen auch
am Silter Strand.
Und wie die Meerfei schlief einmal,
er ihren Zaubergürtel stahl,
der kühne Swend.
Er dreht einen Ring – da fliegt er hoch,
den zweiten – da fliegt er schneller noch
ob Land und Meer.
Er fliegt, wo er nur hin begehrt,
und als er nah der Heimat fährt,
da jauchzt er laut!
Er hat die Türme schon erkannt
und hört bereits die Stimmen am Land:
laut bellt sein Hund! –
Da dreht er vor Freude den dritten Ring;
doch wunderbar es ihm erging –

ihn hebt ein Sturm,
der wirbelt tausend Meilen von dort
besinnungsraubend den Kühnen fort,
zurück, zurück.
Er fliegt hoch über Land und Meer
in Zauberkreisen wild umher
zurück, zurück –
zurück bis wieder zur Meeresfrau,
schon sieht er den Strand, die Höhle genau:
wild stürmt's ihn hin.
Und Blitze fliegen und Donner erschallt:
die Frei reißt alles hinab mit Gewalt
ins untre Meer.
Swend kehrt nicht mehr zu der Menschen Land,
und die Sonne wird ihm unbekannt:
in blauer Nacht,
hoch über ihm der Fische Heer,
im wallenden, erdumdonnernden Meer
wehklaget Swend.
Gern säh er seiner Hütte Rauch
und seine kühnen Genossen auch
am Silter Strand! –

*Von August Kopisch*

# Nis Randers

Krachen und Heulen und berstende Nacht,
Dunkel und Flammen in rasender Jagd –
Ein Schrei durch die Brandung!

Und brennt der Himmel, so sieht mans gut:
Ein Wrack auf der Sandbank! Noch wiegt es die Flut;
Gleich holt sichs der Abgrund.

Nis Randers lugt – und ohne Hast
Spricht er: »Da hängt noch ein Mann im Mast;
Wir müssen ihn holen.«

Da faßt ihn die Mutter: »Du steigst mir nicht ein!
Dich will ich behalten, du bliebst mir allein,
Ich wills, deine Mutter!

Dein Vater ging unter und Momme, mein Sohn;
Drei Jahre verschollen ist Uwe schon,
Mein Uwe, mein Uwe!«

Nis tritt auf die Brücke. Die Mutter ihm nach!
Er weist nach dem Wrack und spricht gemach:
»Und seine Mutter?«

Nun springt er ins Boot und mit ihm noch sechs:
Hohes, hartes Friesengewächs;
Schon sausen die Ruder.

Boot oben, Boot unten, ein Höllentanz!
Nun muß es zerschmettern …! Nein, es blieb ganz!…
Wie lange? Wie lange?

Mit feurigen Geißeln peitscht das Meer
Die menschenfressenden Rosse daher;
Sie schnauben und schäumen.

Wie hechelnde Hast sie zusammenzwingt!
Eins auf den Nacken des andern springt
Mit stampfenden Hufen!

Drei Wetter zusammen! Nun brennt die Welt!
Was da? – Ein Boot, das landwärts hält –
Sie sind es! Sie kommen!

Und Auge und Ohr ins Dunkel gespannt…
Still – ruft da nicht einer! – Er schreits durch die Hand:
„Sagt Mutter, 's ist Uwe!«

*Von Otto Ernst (1862–1925)*

# Columbus

Nicht mehr die Salzluft, nicht die öden Meere,
drauf Winde stürmen hin mit schwarzem Schall.
Nicht mehr der großen Horizonte Leere,
Draus langsam kroch des runden Mondes Ball.

Schon fliegen große Vögel auf den Wassern,
mit wunderbarem Fittich blau beschwingt.
Und weiße Riesenschwäne mit dem blassen
Gefieder sanft, das süß wie Harfen klingt.

Schon tauchen andre Sterne auf in Chören,
die stumm wie Fische an dem Himmel ziehn.
Die müden Schiffer schlafen; die betören
die Winde, schwer von brennendem Jasmin.

Am Bugspriet vorne träumt der Genueser
in Nacht hinaus, wo ihm zu Füßen blähn
im grünen Wasser Blumen, dünn wie Gläser,
und tief im Grund die weißen Orchideen.

Im Nachtgewölke spiegeln große Städte
fern, weit, in goldnen Himmeln wolkenlos,
und wie ein Traum versunkener Abendröte
die goldnen Tempeldächer Mexikos.

Das Wolkenspiel versinkt im Meer. Doch ferne
zittert ein Licht im Wasser weiß empor.
Ein kleines Feuer, zart gleich einem Sterne,
dort schlummert noch in Frieden Salvador.

*Von Georg Heym*

# Das Störtebecker-Lied

Störtebecker und Gödeke Michael,
die raubten beide zu gleichem Teil
zu Wasser und auch zu Lande,
bis daß es Gott im Himmel verdroß.
Des mußten sie leiden große Schande.

Störtebecker sprach sich allzuhand:
»Die Wester-See ist mir wohl bekannt.
Viel Geld will ich uns holen;
Die reichen Kaufleut von Hamburg
sollen uns das Gelag bezahlen.«

Und das erhört ein schneller Bot',
der was von einem klugen Rat.
Kam gen Hamburg eingelaufen.
Er fragt nach des ältest Bürgermeister Haus,
den fand er dann zu Hausen.

»Mein' lieben Herren all durch Gott,
nehmt diese Red' auf ohne Spott,
die ich euch will verkünden:
Die Feind liegen euch gar nahe hierbei,
sie liegen am wilden Hafen.«

Der älteste Bürgermeister sprach zuhand;
»Gut Gesell, du bist uns unbekannt,
wobei soll'n wir dir glauben?«
»Das sollt ihr edle Herren tun
bei meinem Eid und Treuen.

Ihr sollt mich setzen aufs Kastell,
So lang bis ihr eure Feinde seht,
wohl zu diesen Stunden.
Spürt ihr denn einig Wanken an mir,
so senkt mich gar zu dem Grunde.«

Die edlen Herren von Hamburg
gingen zu Segel wohl mit der Flut,
hin nach dem neuen Werke.
Vor Nebel konnten sie nicht sehen.
So dunkel waren die Wolken.

Die Sonn brach durch, die Wolken wurden klar,
sie fuhren fort und kamen dar,
großen Preis wollten sie erwerben,
Störtebecker und Gödeke Michael
die sollten darum sterben.

Sie brachten die Büchsen wohl an die Bord,
gar viele Schüsse hörte man dort,
Sie schlugen sich drei Tag und Nacht.
Da sah man so manchen stolzen Held
der ward nun um sein Leben gebracht.

Störtebecker sprach sich bald:
»Ihr Herren von Hamburg tut uns kein Gewalt.
Wir wollen den Kampf aufgeben,
wölltet ihr uns schenken Leib und Gesund,
und fristen unser junges Leben.«

»Mein Herr«, sprach sie Herr Simon von Utrecht,
»gebt euch gefangen ganz ohne Recht,
und laßt euch nit verdriessen,
Ihr habt viel Seeleut ein Leid getan,
dess' werd't ihr wohl jetzt büssen«

Sie wurden gen Hamburg in die Haft gebracht,
Sie saßen da nicht länger als ein Nacht
wohl zu denselben Stunden.
Ihr Todesurteil ward sehr beklagt
von Weibern und Jungfrauen.

»Ihr Herren von Hamburg, wir bitten nur ein Bitt,
die mag euch zwar beschaden nit
und bringen euch auch kein Schande:
Daß wir mögen zum Scharfrichter hingahn
in unserm besten Gewande.«

Die Herrn von Hamburg täten ihn' die Ehr,
Sie ließen ihn' Pfeifen und Trommeln vorgehn,
so wie sie es erkoren;
Wären sie wieder in der Freiheit gewest,
sie hätten das Leben nit verloren.

Der Scharfrichter hieß sich Rosenfeld.
Er hieb so manchen stolzen Held
mit also freiem Mute;
Er stand in seinen geschnürten Schuh'n
bis an die Knöchel im Blute.

*Volksballade. Schildert die wahre Geschichte*
*von der Verhaftung und Enthauptung der beiden*
*Seeräuber Klaus Störtebecker und Michael*
*Gödeke im Jahre 1402.*

# Störtebeckerlied

Seeräuber und Kameraden,
Wenn meine Augen richtig sind
Hat die Bark voraus auch Fässer geladen. –
Auf, ihr Hurenboys! An die Brassen!
Royal hoch! Alle Lappen noch härter an den Wind.
Denn die Hunde wittern Blut.
Denn sie segeln gut,
Das muß der Teufel ihnen lassen.

Hei! Holt die hollandsche nieder
Und hißt die Flagge rot – rot – rot!
Und singt recht schweinische Lieder.
Vielleicht ist einer von uns morgen tot.
Denn sie haben eine Kanone an Bord.
Und ein halbes Dutzend Soldaten
Mit Blei und mit Dünnschiß geladen.
Wir aber sind kühne Piraten
Und fürchten nicht Tod noch Mord.
Wir sind weder fromm – aber frei.

Was mag in dem Schiffe wohl sonst noch sein?
Kakerlaken oder Seife oder Gold oder Wein? –
Nun signalisiert: »Dreht bei!«
Und ich, euer Kaptain, rufe: Enterhaken klar!
Und kämmt den Krämern das ölige Haar.

Nur merkt euch: Die Leute alle über dreißig Jahr
Sollen leben bleiben. Leben bleiben –
Nun hofft, wie es kommt, und glaubt, wie es war.
Und fragt nicht, wie lang wir's noch treiben.

Liebe mit mir verfluchte Halunken,
Was soll denn mit den
Unter dreißig geschehn?
Die machen wir mit Braunteer betrunken.
Aber wer uns gefällt,
Weil er's ehrlich mit uns hält,
Dem sei das Leben geschunken.
Den andern aber sagen wir: Amerika ist nah.
Und knüpfen sie sauber an die Obermarsraa.

Old sailors! Likedelers!
Kommt selber und schaut:
Sie haben ein Weibstück an Bord. Unsre Braut
Sie soll leben! Unsre Braut sie soll leben!
Und ich werde sie weitergeben,
Bis zuletzt sie der Schiffsjunge nimmt.
Der soll dann mit Eisenstücken
Und Ankerketten sie schmücken
Und sehen, wie weit sie damit schwimmt.

*Von Joachim Ringelnatz (1883–1934). Pseudonym*
*für Hans Bötticher.*

# Ballade von den Seeräubern

**1**

Von Branntwein toll und
Finsternissen!
Von unerhörten Güssen naß!
Vom Frost eisweißer Nacht
zerrissen!
Im Mastkorb, von Gesichten blaß!
Von Sonne nackt und gebrannt
und krank!
(Die hatten sie im Winter lieb)
Aus Hunger, Fieber und Gestank
Sang alles, was noch übrig blieb:
*O Himmel, strahlender Azur!*
*Enormer Wind, die Segel bläh!*
*Laßt Wind und Himmel fahren! Nur*
*Laßt uns um Sankt Marie die See!*

**2**

Kein Weizenfeld mit milden
Winden
Selbst keine Schenke mit Musik
Kein Tanz mit Weibern und
Absinthen
Kein Kartenspiel hielt sie zurück.
Sie hatten vor dem Knall das
Zanken
Vor Mitternacht die Weiber satt:
Sie lieben nur verfaulte Planken
Ihr Schiff, das keine Heimat hat.
*O Himmel, strahlender Azur!*
*Enormer Wind, die Segel bläh!*
*Laßt Wind und Himmel fahren! Nur*
*Laßt uns um Sankt Marie die See!*

**3**

Mit seinen Ratten, seinen Löchern
Mit seiner Pest, mit Haut und Haar
Sie fluchten wüst darauf beim
Bechern
Und liebten es, so wie es war.
Sie knoten sich mit ihren Haaren
Im Sturm in seinem Mastwerk fest:
Sie würden nur zum Himmel fahren
Wenn man dort Schiffe fahren läßt.
*O Himmel, strahlender Azur!*
*Enormer Wind, die Segel bläh!*
*Laßt Wind und Himmel fahren! Nur*
*Laßt uns um Sankt Marie die See!*

**4**

Sie häufen Seide, schöne Steine
Und Gold in ihr verfaultes Holz
Sie sind auf die geraubten Weine
In ihren wüsten Mägen stolz.
Um dürren Leib riecht toter
Dschunken
Seide glühbunt nach Prozession
Doch sie zerstechen sich betrunken
Im Zank um einen Lampion.
*O Himmel, strahlender Azur!*
*Enormer Wind, die Segel bläh!*
*Laßt Wind und Himmel fahren! Nur*
*Laßt uns um Sankt Marie die See!*

**5**

Sie morden kalt und ohne Hassen
Was ihnen in die Zähne springt
Sie würgen Gurgeln so gelassen
Wie man ein Tau ins Mastwerk
schlingt.
Sie trinken Sprit bei Leichenwachen
Nachts torkeln trunken sie in See
Und die, die übrig bleiben, lachen
und winken mit der kleinen Zeh:
*O Himmel, strahlender Azur!*
*Enormer Wind, die Segel bläh!*
*Laßt Wind und Himmel fahren! Nur*
*Laßt uns um Sankt Marie die See!*

**6**

Vor violetten Horizonten
Still unter bleichem Mond im Eis
Bei schwarzer Nacht in
Frühjahrsmonden
Wo keiner von dem andern weiß
Sie lauern wolfgleich in den Sparren
Und treiben funkeläugig Mord
Und singen um nicht zu erstarren
Wie Kinder, trommelnd im Abort:
*O Himmel, strahlender Azur!*
*Enormer Wind, die Segel bläh!*
*Laßt Wind und Himmel fahren! Nur*
*Laßt uns um Sankt Marie die See!*

**7**

Sie tragen ihren Bauch zum
Fressen
Auf fremde Schiffe wie nach Haus
Und strecken selig im Vergessen
Ihn auf die fremden Frauen aus.
Sie leben schön wie noble Tiere
Im weichen Wind, im
trunknen Blau!
Und oft besteigen sieben Stiere
Eine geraubte fremde Frau.
*O Himmel, strahlender Azur!*
*Enormer Wind, die Segel bläh!*
*Laßt Wind und Himmel fahren! Nur*
*Laßt uns um Sankt Marie die See!*

**8**

Wenn man viel Tanz in müden
Beinen
Und Sprit in satten Bäuchen hat
Mag Mond und zugleich
Sonne scheinen:
Man hat Gesang und Messer satt.
Die hellen Sternennächte schaukeln
Sie mit Musik in süße Ruh
Und mit geblähten Segeln gaukeln
Sie unbekannten Meeren zu.
*O Himmel, strahlender Azur!*
*Enormer Wind, die Segel bläh!*
*Laßt Wind und Himmel fahren! Nur*
*Laßt uns um Sankt Marie die See!*

**9**

Doch eines Abends im Aprile
Der keine Sterne für sie hat
Hat sie das Meer in aller Stille
Auf einmal plötzlich selber satt.
Der große Himmel, den sie lieben
Hüllt still in Rauch die
Sternensicht
Und die geliebten Winde schieben
Die Wolken in das milde Licht.
*O Himmel, strahlender Azur!*
*Enormer Wind, die Segel bläh!*
*Laßt Wind und Himmel fahren! Nur*
*Laßt uns um Sankt Marie die See!*

**10**

Der leichte Wind des Mittags fächelt
Sie anfangs spielend in die Nacht
Und der Azur des Abends lächelt
Noch einmal über schwarzem Schacht.
Sie fühlen noch, wie voll Erbarmen
Das Meer mit ihnen heute wacht
Dann nimmt der Wind sie in die Arme
Und tötet sie vor Mitternacht.
*O Himmel, strahlender Azur!*
*Enormer Wind, die Segel bläh!*
*Laßt Wind und Himmel fahren! Nur*
*Laßt uns um Sankt Marie die See!*

**11**

Noch einmal schmeißt die letzte Welle
Zum Himmel das verfluchte Schiff
Und da, in ihrer letzten Helle
Erkennen sie das große Riff.
Und ganz zuletzt in höchsten Masten
War es, weil Sturm so gar laut schrie
Als ob sie, die zur Hölle rasten
Noch einmal sangen, laut wie nie:
*O Himmel, strahlender Azur!*
*Enormer Wind, die Segel bläh!*
*Laßt Wind und Himmel fahren! Nur*
*Laßt uns um Sankt Marie die See!*

*Von Bertolt Brecht*

# Die Seeräuber-Jenny

**1**

Meine Herren, heute sehen Sie mich Gläser abwaschen
Und ich mache das Bett für jeden.
Und sie geben mir einen Penny, und ich bedanke mich
schnell
Und sie sehen meine Lumpen und dies lumpige Hotel
Und sie wissen nicht, mit wem Sie reden.
Aber eines Abend wird ein Geschrei sein am Hafen
Und man fragt: Was ist das für ein Geschrei?
Und man wird mich lächeln sehn bei meinen Gläsern
Und man sagt: Was lächelt die dabei?
    Und ein Schiff mit acht Segeln
    Und mit fünfzig Kanonen
    Wird liegen am Kai.

**2**

Und man sagt: Geh, wisch deine Gläser, mein Kind
Und man reicht mir den Penny hin.
Und der Penny wird genommen und das Bett wird ge-
macht.
(Es wird keiner mehr drin schlafen in dieser Nacht)
Und Sie wissen immer noch nicht, wer ich bin.
Denn an diesem Abend wird ein Getös sein am Hafen
Und man fragt: Was ist das für ein Getös!
Und man wird mich stehen sehen hinterm Fenster
Und man sagt: Was lächelt die so bös?
    Und das Schiff mit acht Segeln
    und mit fünfzig Kanonen
    Wird beschießen die Stadt.

**3**

Meine Herren, da wird wohl Ihr Lachen aufhören
Denn die Mauern werden fallen hin
Und die Stadt wird gemacht dem Erdboden gleich
Nur ein lumpiges Hotel wird verschont von jedem
Streich
Und man fragt: Wer wohnt Besonderer darin?
Und in dieser Nacht wird ein Geschrei um das Hotel sein
Und man fragt: Warum wird das Hotel verschont?
Und man wird mich sehen treten aus der Tür gen Mor-
gen
Und man sagt: Die hat darin gewohnt?
    Und das Schiff mit acht Segeln
    und mit fünfzig Kanonen
    Wird beflaggen den Mast.

**4**

Und es werden kommen hundert gen Mittag an Land
Und werden in den Schatten treten
und fangen einen jeglichen aus jeglicher Tür
Und legen ihn in Ketten und bringen vor mir
Und fragen: Welchen sollen wir töten?
Und an diesem Mittag wird es still sein am Hafen
Wenn man fragt, wer wohl sterben muß.
Und dann werden Sie mich sagen hören: Alle!
Und wenn dann der Kopf fällt, sag ich: Hoppla!
    Und das Schiff mit acht Segeln
    Und mit fünfzig Kanonen
    Wird entschwinden mit mir.

*Von Bertolt Brecht*

# Dirnen

Von der einsamen Frau
im Freudenhaus.
Von Liebe, Lust
und Jammer

# Vor Gericht

Von wem ich es habe, das sag ich euch nicht,
Das Kind in meinem Leib. –
Pfui! speit ihr aus: die Hure da! –
Bin doch ein ehrlich Weib.

Mit wem ich mich traute, das sag ich euch nicht.
Mein Schatz ist lieb und gut,
Trägt er eine goldene Kett am Hals,
Trägt er einen strohernen Hut.

Soll Spott und Hohn getragen sein,
Trag ich allein den Hohn.
Ich kenn ihn wohl, er kennt mich wohl,
Und Gott weiß auch davon.

Herr Pfarrer und Herr Amtmann ihr,
Ich bitte, laßt mich in Ruh!
Es ist mein Kind, es bleibt mein Kind,
Ihr gebt mir ja nichts dazu.

*Von Johann Wolfgang von Goethe*

# Fragment aus einem ungedruckten Roman

»In Not und Sünd hab ich geschwebt,
in Fluchen und in Jammer
hab ich das Elend hingelebt
auf meiner finstern Kammer.

Bei Sonnenschein und Himmelblau
hab ich zu Haus getrauert,
auf Herzensschlag und Uhrenschlag
in Einsamkeit gelauert.

Ich wußt nicht, was die Liebe ist,
man hat mich's nicht gelehret,
ich hab statt dir, Herr Jesus Christ,
die Bilder nur verehret!

Damit auch alles mir gebricht,
was mir das Herz könnt laben,
konnt ich die Eltern achten nicht,
die mich verkaufet haben.

Mensch, hilf dir selbst, so hilft dir Gott!
hat keiner mir gesaget,
es ward mein Leib der Sünde Spott,
mein Leib, der göttlich raget.

Die Küsse, die ich heiß geküßt,
sind kalt dahingeflogen,
mich hat die Lust, mich hat die List,
um Heil und Welt betrogen.«

So sprach die Tochter weinend aus;
kein Brot hat sie auf morgen,
der Vater trieb sie aus dem Haus:
»Du mußt jetzt für dich sorgen!«

Sie schnürt sich ein das arme Herz,
kraust die verwirrten Locken
und geht voll Schmerz zu bösem Scherz,
die Buhler anzulocken.

Sie dreht das Haupt, sie schwingt den Leib,
sie läßt die Augen winken, –
du schönes Weib, du elend Weib,
wer wird den Becher trinken?

Ins Schauspielhaus geht sie zuletzt,
das Volk sitzt schon gedränget,
sie hat unziemlich sich gesetzt,
von Männern eingeenget.

Und rings um sie Verleumdung geht,
die Jungfraun von ihr rücken,
der Mann, der ihr zur Seite steht,
mißt sie mit Sünderblicken.

Ein Fremder setzt sich hin zu ihr,
er hat sie gleich erkennet,
das Elend ist mit böser Zier
ihr auf die Stirn gebrennet.

Sein Fuß berühret ihren Fuß,
sie könnt hinweg ihn rücken,
doch weil sie heute sorgen muß,
läßt sie ihn lieber drücken.

Er spricht zu ihr: »Der Teufel hat
zusammen uns geführet!«
Doch ward ihr Herz, so müd und matt,
nicht durch dies Wort gerühret.

Sie geht, er folgt, sie führet ihn
nach der verfluchten Kammer
und gibt dem Fremdling alles hin,
die Lust und auch den Jammer.

Er ging von ihr, kehrt wieder oft,
er hat mit ihr gelebet,
bis die Natur so unverhofft
ein bess'res Band gewebet.

Ihr armes Herz hat sich erwarmt,
die Lieb ist ihr begegnet
und hat sich ihres Leibs erbarmt:
ihr Schoß ward ihr gesegnet.

Der Mieder springt, der sie geschnürt,
es wuchs ihr unterm Herzen,
und was sich ihr im Schoße rührt,
es macht ihr Freud und Schmerzen.

Sie weinet nieder in den Schoß
und denkt: »Ich will dich lieben;
bin ich gleich aller Freude los,
das Kind ist mir geblieben.

Hab ich doch nicht umsonst gelebt,
bin ich doch Mutter worden,
die Unschuld unterm Herzen schwebt,
kein Mensch soll mir sie morden.

Und stoßen sie mich auch hinaus
auf Nimmerwiedersehen,
mit meinem Kind von Haus zu Haus
will gern ich betteln gehen.

Du armes Kind, bist mein, bist mein,
auf dich will ich vertrauen,
ich werd nicht ausgestoßen sein,
du wirst ein Haus mir bauen.

Du läßt die Mutter nicht ohn Brot,
du wirst statt ihrer sorgen,
drückst ihr die Augen zu im Tod,
ist's heut nicht, ist's doch morgen.«

So sinnt das Weib und hofft, und wähnt
und zählt und mißt die Wochen,
da hat der Tod, den sie ersehnt,
ihr all ihr Glück zerbrochen.

Der Monde Zahl war noch nicht voll,
die Frucht noch nicht gereifet,
als schon der Schoß ihr überquoll,
das Weh ihr Kind ergreifet.

Es hat die Sonne nicht gesehn,
hat nicht die Luft getrunken,
ist, eh es sollte auferstehn,
zur Nacht hinabgesunken.

Es hat die Küsse nicht gefühlt,
womit sie es bedecket,
der Schmerz, der ihr im Herzen wühlt,
er hat's nicht aufgeweckt.

Sie hat's gekleidet, hat's geschmückt,
mit Tränen es getaufet,
hat ihm, das nie das Licht erblickt,
den kleinen Sarg gekaufet.

O dunkles Leben, heller Tod!
o kalte, kalte Erde!
o Himmel, ewig Morgenrot,
ob ich's einst sehen werde!

*Von Clemens von Brentano*

# Ich kenn ein Haus, ein Freudenhaus!

Ich kenn ein Haus, ein Freudenhaus,
es hat geschminkte Wangen.
es hängt ein bunter Kranz heraus,
drin liegt der Tod gefangen.

In meinem Mantel trag ich hin
Biskuit und süße Weine,
der Himmel weiß wohl wer ich bin,
die Welt schimpft was ich scheine.

Die eine liest mir in der Hand,
sie will mein Unglück lesen,
die andre malt mich an die Wand
und nennt mich holdes Wesen.

Die dritte weiß sich flink zu drehn,
es schwindeln mir die Sinne,
und jede dieser bösen Feen
sucht, wie sie mich umspinne.

Doch dorten auf den Arm gelehnt,
sitzt eine stumm und weinet,
sie hat sich längst mit Gott versöhnt
und sitzet doch und weinet.

Was will sie noch in diesem Haus,
sie muß den Spott erleiden,
es zischt der freche Chor sie aus:
»Du kannst uns doch nicht meiden!«

Sie schweigt und weint und trägt den Hohn,
den schweren Büßer-Orden,
man zuckt die Achseln, kennt sie schon,
sie ist zur Närrin worden.

Doch ich berühr um sie allein
die himmelschreiende Schwelle,
bei ihr, tret ich zum Saal herein,
ist meine feste Stelle.

Sie achtet's nicht, sie blickt nicht auf:
wenn alle tanzend fliegen,
seh ich mit stetem Tränenlauf
das bleiche Haupt sie wiegen.

So hundert Tage ohne Ruh
sah ich sie wanken, weinen,
und sprach: »O Weib, welch Kind wiegst du?
will denn kein Schlaf erscheinen?

Du hast dem Leid genug getan,
gib mir's, ich will dir's tragen« –

Da schrie ihr Blick mich schneidend an,
doch konnt ihr Mund nichts sagen.

Und neulich nachts um Mitternacht
kam ich mit meiner Laute;
die Pforte hat sie aufgemacht,
die noch am Fenster schaute.

Sie zieht mich in den Garten fort,
sitzt auf ein Hüglein nieder,
gibt keinen Blick und gibt kein Wort
und weinet stille wieder.

Zu ihren Füßen saß ich hin
und ehrte ihren Kummer,
da hat mir Gott ein Lied verliehn,
ich sang sie in den Schlummer.

Ich sang so kindlich, sang so fromm,
ach, säng ich je so wieder!
»O Ruhe komm, ach Friede komm,
küß ihre Augenlieder!«

Und da sie schlief, da stieg so hold
ein Kindlein aus dem Hügel,
trug einen Kranz von Flittergold
und einen Taschenspiegel.

Und brach ein Zweiglein Rosmarin,
das ihm am Herzen grünet,
und legt es auf die Mutter hin
und sprach: »Gott ist versühnet!«

Und wo den Rosmarin es brach,
da bluteten zwei Wunden,
und als es kaum die Worte sprach,
ist es vor mir verschwunden.

Die Mutter ist nicht mehr erwacht,
noch schläft sie in dem Garten,
ich steh und sing die ganze Nacht,
kann wohl den Tag erwarten.

Da ruft mich Zucht und Ehr und Pflicht
aus diesem Haus der Sünde,
doch von der Mutter laß ich nicht,
ob ihrem armen Kinde.

Es winkt zurück, wenn ich will gehn,
sitzt an des Hügels Schwelle,
und kann nicht aus dem Spiegel sehn,
sein Flitterkranz glänzt helle.

Es brach das Haus, der Kranz fiel ab,
fiel auf den Sarg der Frauen,
ich blieb getreu, tät bei dem Grab
mir eine Hütte bauen.

Und daß die Schuld nicht mehr erwacht,
will ich da ewig singen,
bis Jesus richtend bricht die Nacht,
bis die Posaunen klingen.

Oft mit dem Kind in Sturm und Wind,
sing ich auf meinen Knien:
o Jesus! du gemordet Kind,
du hast ja auch verziehen.

Ein Tröpflein deines Blutes nur
laß auf die Mutter fallen,
das macht uns rein und klar und pur,
daß wir zum Lichte wallen!

*Von Clemens von Brentano*

# Pomare

### I.

Alle Liebesgötter jauchzen
mir im Herzen und Fanfare
blasen sie und rufen: »Heil!
Heil der Königin Pomare!«

Jene nicht von Otahaiti –
missionärisiert ist jene –
die ich meine, die ist wild,
eine ungezähmte Schöne.

Zweimal in der Woche zeigt sie
öffentlich sich ihrem Volke
in dem Garten Mabill, tanzt
dort den Cancan, auch die Polke.

Majestät in jedem Schritte,
jede Beugung Huld und Gnade,
eine Fürstin jeder Zoll
von der Hüfte bis zur Wade –

Also tanzt sie, – und es blasen
Liebesgötter die Fanfare
mir im Herzen, rufen: »Heil!
Heil der Königin Pomare!«

### II.

Sie tanzt. Wie sie das Leibchen wiegt!
Wie jedes Glied sich zierlich biegt!
Das ist ein Flattern und ein Schwingen,
um wahrlich aus der Haut zu springen.

Sie tanzt. Wenn sie sich wirbelnd dreht
auf einem Fuß und stille steht
am End mit ausgestreckten Armen,
mag Gott sich meiner Vernunft erbarmen.

Sie tanzt. Derselbe Tanz ist das,
den einst die Tochter Herodias'
getanzt vor dem Judenkönig Herodes,
ihr Auge sprüht wie Blitze des Todes.

Sie tanzt mich rasend – ich werde toll –
sprich, Weib, was ich dir schenken soll?
Du lächelst! Heda! Trabanten! Läufer!
man schlage ab das Haupt dem Täufer!

### III.

Gestern noch fürs liebe Brot
wälzte sie sich tief im Kot,
aber heute schon mit vieren
fährt das stolze Weib spazieren.
In die seidnen Kissen drückt
sie das Lockenhaupt und blickt
vornehm auf den großen Haufen
derer, die zu Fuße laufen.

Wenn ich dich so fahren seh,
tut es mir im Herzen weh!
Ach, es wird dich dieser Wagen
nach dem Hospitale tragen,
wo der grausenhafte Tod
endlich endet deine Not.
Und der Carabin mit schmierig
plumper Hand und lernbegierig
deinen schönen Leib zerfetzt,
anatomisch ihn zersetzt –
Deine Rosse trifft nicht minder
einst zu Montfaucon der Schinder.

### IV.

Besser hat es sich gewendet,
das Geschick, das dich bedroht' –
Gott sei Dank, du hast geendet,
Gott sei Dank, und du bist tot.

In der Dachstub' deiner armen
alten Mutter starbest du,
und sie schloß dir mit Erbarmen
deine schönen Augen zu.

Kaufte dir ein gutes Lailich,
einen Sarg, ein Grab sogar.
Die Begräbnisfeier freilich
etwas kahl und ärmlich war.

Keinen Pfaffen hört man singen,
keine Glocke klagte schwer;
hinter deiner Bahre gingen
nur dein Hund und dein Friseur.

»Ach, ich habe der Pomare,«
seufzte dieser, »oft gekämmt
ihre langen schwarzen Haare,
wenn sie vor mir saß im Hemd.«

Was den Hund betrifft, so rannt er
schon am Kirchhofstor davon,
und ein Unterkommen fand er
späterhin bei Ros' Pompon.

Ros' Pompon, der Provençalin,
die den Namen Königin
dir mißgönnt und als Rivalin
dich verklatscht mit niederm Sinn.

Arme Königin des Spottes,
mit dem Diadem von Kot,
bist gerettet jetzt durch Gottes
ew'ge Güte, du bist tot.

Wie die Mutter, so der Vater
hat Barmherzigkeit geübt,
und ich glaube, dieses tat er,
weil auch du so viel geliebt.

*Von Heinrich Heine*


# Die Hure


Mit einer vollen Brust und einem leeren Gesicht,
Ein schönes Weib, die käuflichen Schlüssel in der Hand.
Abscheulich, der sein Bestes, seine Schlüssel verkauft.
Beneid sie, Freundin, nicht; sie kann nur eins und das
schlecht.
Sie wirft den Hintern wie du, doch welcher Unterschied,
Ob Wollust, ob ein Groschen eine Puppe bewegt.
Wer dumm ist, denkt schlecht, näht schlecht, kocht
schlecht
und liebt nicht gut.
Willfährigkeit ist übel, übler Willfährigkeit
In Form der Leidenschaft. Bedaure sie, Freundin, nicht,
Diese gefügige Sorte, halb Göttin, halb Sparferkel,
Die nichts zurecht sich legt, die stets zurechtgelegt wird.
Sie ist verführt? Gewiß. Das eben werf ich ihr vor.
Jetzt, sie bewegt sich. Auf dem Pflaster knalln ihre
Schuh.
Indes ihre Bewegung ist keine Änderung.
Es naht nichts, wenn sie naht, und wo sie geht, mangelt
nichts.
Man soll sie bespein, sie in den Rinnstein wegstoßen,
Daß endlich einmal das Huren aus der Mode kommt.

*Von Peter Hacks*

# Mörderinnen

Vom Särglein
und von der Giftmischerin.
Vom Nannerl,
das durchs Schandtor ging

# Die Giftmörderin

»Wo bist du denn so lang gewes'n,
Heinrich, mein lieber Sohn?«
»Ich bin bei mein Feinsliebchen gewes'n,
Frau Mutter mein, oh weh!
Mein junges Leben,
vergeben hat sie's mir.«

Was gab sie dir zu essen,
Heinrich, mein lieber Sohn?
»Sie kocht mir einen bunten Fisch,
Frau Mutter mein, oh weh,«

»Und wieviel Stücke schnitt sie dir,
Heinrich, mein lieber Sohn?«

»Sie schnitt davon drei Stückelein,
Frau Mutter mein, oh weh!«

»Wo ließ sie denn das dritte Stück,
Heinrich, mein lieber Sohn?«
»Sie gab's ihrem schwarzbraunen Hündelein,
Frau Mutter mein, oh weh!«

»Und was geschah dem Hündelein,
Heinrich, mein lieber Sohn?«
»Der Bauch sprang ihm in der Mitt entzwei,
Frau Mutter mein, oh weh!«

»Was wünschest du deinem Vater,
Heinrich, mein lieber Sohn?«
»Ich wünsch ihm tausend Glück und Seg'n,
Frau Mutter mein, oh weh!«

»Was wünschest du deiner Mutter,
Heinrich, mein lieber Sohn?«
»Ich wünsch ihr die ewige Seligkeit,
Frau Mutter mein, oh weh!«

»Was wünschest du deiner Liebsten,
Heinrich, mein lieber Sohn?«
»Ich wünsch ihr die ewige Höll und Qual,
Frau Mutter mein, oh weh!
Mein junges Leben,
vergeben hat sie's mir!«

*Volksballade. Der Refrain »Mein junges Leben,*
*vergeben hat sie's mir« gehört zu jeder Strophe.*
*Das Thema »Giftmischerin« oder »Schlangenköchin«*
*ist häufig in Balladen anzutreffen.*

# Die Giftmischerin

Dies hier der Block und dorten klafft die Gruft.
Laßt einmal noch mich atmen diese Luft
und meine Leichenrede selber halten.
Was schauet ihr mich an so grausenvoll?
Ich führte Krieg, wie jeder tut und soll,
gen feindliche Gewalten.
Ich tat nur eben, was ihr alle tut,
nur besser; drum, begehret ihr mein Blut,
so tut ihr gut.

Es sinnt Gewalt und List nur dies Geschlecht;
was will, was soll, was heißet denn das Recht?
Hast du die Macht, du hast das Recht auf Erden.
Selbstsüchtig schuf der Stärkre das Gesetz,
ein Schlächterbeil zugleich und Fangenetz
für Schwächere zu werden.
Der Herrschaft Zauber aber ist das Geld:
Ich weiß mir Beßres nichts auf dieser Welt
als Gift und Geld.

Ich habe mich aus tiefer Schmach entrafft,
vor Kindermärchen Ruhe mir geschafft,
die Schrecken vor Gespenstern überwunden.
Das Gift erschleicht im Dunkeln Geld und Macht,
ich hab es zum Genossen mir erdacht
und hab es gut befunden.
Hinunter stieß ich in das Schattenreich
Mann, Brüder, Vater, und ich ward zugleich
geehrt und reich.

Drei Kinder waren annoch mir zur Last,
drei Kinder meines Leibes; mir verhaßt,
erschwerten sie mein Ziel mir zu erreichen.
Ich habe sie vergiftet, sie gesehn,
zu mir um Hilfe rufend, untergehn,
bald stumme, kalte Leichen.
Ich hielt die Leichen lang auf meinem Schoß
und schien mir, sie betrachtend tränenlos,
erst stark und groß.

Nun frönt ich sicher heimlichem Genuß,
mein Gift verwahrte mich vor Überdruß
und ließ die Zeugen nach der Tat verschwinden.
Daß Lust am Gift, am Morden ich gewann,
wer, was ich tat, erwägt und fassen kann,
der wird's begreiflich finden.
Ich teilte Gift wie milde Spenden aus
und weilte lüstern Auges, wo im Haus
der Tod hielt Schmaus.

Ich habe mich zu sicher nur geglaubt
und büß es billig mit dem eignen Haupt,
daß ich der Vorsicht einmal mich begeben.
Den Fehl, den einen Fehl bereu ich nur
und gäbe, zu vertilgen dessen Spur,
wie viele eurer Leben!
Du, schlachte mich nun ab, es muß ja sein.
Ich blicke starr und fest vom Rabenstein
ins Nichts hinein.

*Von Adelbert von Chamisso*

# Die Giftmörderin

Es ritt ein Ritter wohl übers Feld,
er hatte kein'n Freund, kein Gut, kein Geld.
Sein Schwesterlein war hübsch und fein:
»Ach Schwesterlein! ich sage dir Adie,
ich sehe dich ja nimmermehr;
ich reite weg in ein fremdes Land,
reich du mir deine weiße Hand!
Adie! Adie! Adie!«

»Ich sah, mein schönstes Brüderlein,
ein buntig, artig Vögelein,
es hüpfte im Wacholderbaum;
ich warf's mit meinem Ringelein,
es nahm ihn in sein Schnäbelein
und flog weg in dem Walde fort;
Adie! Adie! Adie!«

»Schließ du dein Schloß wohl feste zu,
halt dich fein still in guter Ruh;
laß niemand in dein Kämmerlein:
Der Ritter mit dem schwarzen Pferd
hat dich zumalen lieb und wert;
nimm dich vor ihm gar wohl in acht,
manch Mägdlein hat er zu Fall gebracht,
Adie! Adie! Adie!«

Das Mägdlein weinte bitterlich;
der Bruder sah noch hinter sich
und grüßte sie noch einmal schön.
Da ging sie in ihr Kämmerlein
und konnte da nicht fröhlich sein:
den Ritter mit dem schwarzen Pferd
hätt' sie vor allem lieb und wert.
Adie! Adie! Adie!

Der Ritter mit dem schwarzen Roß
hätt' Güter und viel Reichtum groß;
er kame zum Jungfräulein zart,
er kame oft um Mitternacht
und ginge, wann der Tag anbrach.
Er führt sie in sein Schlösselein
zum anderen Jungfräulein fein.
Adie! Adie! Adie!

Sie kam dahin in schwarzer Nacht,
sie sah, daß er zu Fall gebracht
viel edele Jungfrauen zart.
Sie nahm wohl einen kühlen Wein
und goß ein schnödes Gift hinein
und trank's dem schwarzen Ritter zu,
es gingen beiden die Äuglein zu.
Adie! Adie! Adie!

Sie begruben den Ritter im Schlosse fein,
das Mägdlein inbei ein Brünnelein;
sie schläft da im kühlen Gras.
Um Mitternacht da wandelt sie umher
im Mondenschein, dann seufzet sie so sehr,
sie wandelt da im weißigen Kleid
und klaget da dem Wald ihr Leid.
Adie! Adie! Adie!

Der edle Bruder eilt herein
bei diesem klaren Brünnelein
und sah es, sein Schwesterlein zart.
»Was machst du, mein Schwesterlein, allhier?
du seufzest so, was fehlt dann dir?«
»Ich hab den Ritter in schwarzer Nacht
und mich mit bösem Gift umgebracht:
Adie! Adie! Adie!«

Wie Nebel in dem weiten Raum
flog auf das Mägdlein durch den Baum,
man sah sie wohl nimmermehr.
Ins Kloster ging der Rittersmann
und fing ein frommes Leben an.
Da betete er fürs Schwesterlein,
auf daß sie möchte selig sein.
Adie! Adie! Adie!

*Von Johann Heinrich Jung.*

# Das fremde Weib

Dir ist der alte Müller bekannt,
Bolei, der wackre, wird er genannt,
bettlägerig ins zwanzigste Jahr,
der Geist noch kräftig, heiter und klar.

Ihn rührte der Schlag in der Schreckensnacht,
wo vom Stall herüber, vom Sturme gefacht,
der ungeheure Brand das Schloß
ergriff und über das Dorf sich ergoß.

Wo's galt zu retten, war er dabei,
der erste, der kühnste, der wackre Bolei;
er meint und sprang in die Glut hinein,
der Stallknecht möchte zu retten noch sein.

Den Fritz begrub der lodernde Graus,
selbst kam er mit brennenden Kleidern heraus,
und wie darauf er ins Wasser sprang,
ward er gelähmt auf sein Lebenlang.

Sein Aug' ist wunderbarlich hell,
den Kindern und Reinen ein freudiger Quell;
doch nimmer den scharfen Lichtblick erträgt,
wer selbst im Busen Nächtliches hegt.

Bolei war jüngst im Haus allein;
es trat ein fremdes Weib zu ihm ein,
ein Fäßlein Branntwein trug sie daher,
den bot sie feil und rühmte ihn sehr.

»Es steht nach Branntwein nicht mein Sinn,
geh du mit Gott nur wieder hin.«
Sie ließ sich nicht abweisen und trat
zudringlich näher und trotzte und bat.

Er sah sie an verwundert schier:
»Geh du mit Gott! was suchst du hier?«
Sie machte frech der Worte noch viel,
bis scharf sein Blick ihr ins Auge fiel.

Dem wollte sie nicht noch weichen sogleich
und wurde doch stumm und wurde doch bleich:
da schrie sie auf: »Was siehst du mich an?
was willst du? was hab ich Böses getan?«

Er aber lag auf dem Lager dort,
sah bloß sie an und sprach kein Wort,
und zitternd stand sie gefesselt und schien
unmächtig, sich dem Blick zu entziehn.

»Was willst du von mir, Entsetzlicher, sprich!
Laß ab von mir, was peinigst du mich?
Ich bin nicht schuldig: was hältst du Gericht?
wend ab dein Auge, halte mich nicht!«

Er aber lag auf dem Lager dort,
sah scharf sie an und sprach kein Wort.
Und heftiger immer erzitterte sie
und rang sich loszureißen und schrie:

»Wend ab dein Auge! was hast du erdacht?
was hälst du mich fest? wer gibt dir die Macht?
was dringt dein Blick mit dem blutigen Schein
des lodernden Brandes so auf mich ein?!

Wer redet vom Brande? was geht der mich an?
Wie darfst du sagen: ich hab es getan?!
Ich sage: nein! was keiner weiß,
das macht mich nicht bang und macht mich nicht heiß.«

Er aber lag auf dem Lager dort,
sah schärfer sie an und sprach kein Wort.
Sie rang, wie ihrer selbst nicht bewußt,
da erscholl ein Schrei aus zerrissener Brust:

»Du weißt es schon, daß ich es war!
Nun ja! nun ja! es ist doch wahr!
der böse Feind hat mich versucht,
die Liebe, was weiß ich? die Eifersucht!

Das weißt du, Fritz, der die Eh' mir versprach,
ging jetzt der Anne Marie doch nach;
ich hatt's ihm gesagt, und – als er schlief –
das Messer war scharf, der Schnitt war tief. –

Er zappelte noch und röchelte bang;
das Blut, das rann die Dielen entlang;
er hatte des Blutes entsetzlich viel!
Es trieb der Böse damit sein Spiel.

Ja, wenn die Flamme das Blut nur leckt
mit roter Zunge, so wird es verdeckt.
Und unten im Stalle war willig das Stroh,
auf einmal flackert es lichterloh!

Sie sprach's und stöhnte, und raffte sich auf
und war verschwunden in schnellem Lauf.
Er sah ihr nach, erschrocken fast,
bis er zum Beten sich stille gefaßt.

*Von Adelbert von Chamisso*

# Die Pfefferbrühe

Kind, wo bist du hin gewesen?
Kind, sage du's mir!
»Nach meiner Mutter Schwester,
wie wehe ist mir!«

Kind, was gaben sie dir zu essen?
Kind, sage du's mir!
»Eine Brühe mit Pfeffer,
wie wehe ist mir!«

Kind, was gaben sie dir zu trinken?
Kind, sage du's mir!
»Ein Glas mit rotem Weine,
wie wehe ist mir!«

Kind, was gaben sie den Katzen und Hunden?
Kind, sage du's mir!
»Eine Brühe mit Pfeffer,
wie wehe ist mir!«

Kind, was machten die Katzen und Hunde?
Kind, sage du's mir!
»Sie starben in derselben Stunde,
wie wehe ist mir!«

Kind, was soll dein Vater haben?
Kind, sage du's mir!
»Einen Stuhl in dem Himmel,
wie wehe ist mir!«

Kind, was soll deine Mutter haben?
Kind, sage du's mir!
»Einen Stuhl in der Hölle,
wie wehe ist mir!«

*Volksballade*

# Die Großmutter als Giftköchin

Maria, wo bist du zur Stube gewesen?
Maria, mein einziges Kind!
»Ich bin bei meiner Großmutter gewesen,
Ach weh! Frau Mutter, wie weh!«

Was hat sie dir dann zu essen gegeben?
Maria, mein einziges Kind!
»Sie hat mir gebackne Fischlein gegeben.
Ach weh! Frau Mutter, wie weh!«

Wo hat sie dir dann das Fischlein gefangen?
Maria, mein einziges Kind!
»Sie hat es in ihrem Krautgärtlein gefangen.
Ach weh! Frau Mutter, wie weh!«

Womit hat sie dann das Fischlein gefangen?
Maria, mein einziges Kind!
»Sie hat es mit Stecken und Ruten gefangen.
Ach weh! Frau Mutter, wie weh!«

Wo ist dann das übrige vom Fischlein hinkommen?
Maria, mein einziges Kind!
»Sie hat's ihrem schwarzbraunen Hündlein gegeben.
Ach weh! Frau Mutter, wie weh!«

Wo ist dann das schwarzbraune Hündlein hinkommen?
Maria, mein einziges Kind!
»Es ist in tausend Stücke zersprungen.
Ach weh! Frau Mutter, wie weh!«

Maria, wo soll ich dein Bettlein hinmachen?
Maria, mein einziges Kind!
»Du sollst mir's auf den Kirchhof machen.
Ach weh! Frau Mutter, ach weh!«

*Volksballade. Von Clemens von Brentano in
seinem Roman »Godwi« veröffentlicht, später
auch in »Des Knaben Wunderhorn« erschienen.*

# Drei höllische Geier

Es wollt ein Hirtlein treiben aus,
er trieb wohl vor den Grunwald naus.

Und wie er vor den Grunwald treibt,
da hört er schrein ein Kindelein.

»Ach sag, mein Kindlein, wo du bist?
Ich hört dich schon, ich seh dich nicht.«

»Ich bin im hohlen Baum versteckt,
mit Eichenspänlein zugedeckt.

Ach nimm mich, nimm mich, Hirtelein,
und trag mich in die Stadt hinein.

Und trag mich in dasselbig Haus,
dort wo meine Mutter ist die Braut.« –

»Ei Mutter, nimms ab, dein Kränzelein,
du hast geboren drei Söhnelein:

Das eine hast du in Mist versenkt,
das andere hast du in Wasser ertränkt.

Und mich hat Christ der Herr ernährt,
daß mich nicht haben die Würmlein verzehrt.«

»So wahr, daß ich deine Mutter bin,
komm auch der Geier gleich nach mir!«

Und wie die Braut das Wort aussprach,
der Geier zu der Tür rein sah:

»Guten Tag, guten Tag, ihr Hochzeitsleut!
Die Braut, die soll mein eigen sein.«

Er tanzt mit ihr den ersten Tanz,
er drückt ihr's Blut zu den Nägeln raus:

»– Hätt mich der Vater recht erzogen,
so hätt mich die Hölle nicht betrogen!«

»Dein Vater hat dich recht erzogen,
dein falscher Sinn hat dich betrogen.«

Er nahm sie bei dem roten Rock,
er schwang sie vor sich auf sein Roß.

Er ritt bis vor eine große Tür,
stund unsere liebe Frau dafür:

»Nun wart, nun wart, du Allerleutsbraut!
Du hast gar wenig auf mich vertraut.«

Er ritt bis vor ein schwarze Tür,
stunden drei höllische Geier dafür.

Er ritt bis vor ein Haselstock,
er nahm sie bei dem roten Rock.

Er ritt bis vor ein steinern Brück,
dort riß er sie in tausend Stück:

»Da lieg bis auf den Jüngsten Tag,
bis ich dich wieder holen werd.«

*Volksballade von der Rabenmutter in einer*
*ins Hochdeutsche übertragenen Fassung aus*
*Mähren.*

# Die böse Stiefmutter

Die böse Stiefmutter sitzt und spinnt
und drüber manch böse Mär ersinnt.

Das Knäblein springt lustig zur Tür herein:
»Frau Mutter, schenkt mir ein Äpfelein!«

»Du weißt, in der Kammer da steht die Truh,
da liegen viel Äpfel so rosig wie du.«

Das Knäblein hebt auf den Deckel schwer;
die böse Stiefmutter ist hinter ihm her.

Da hört man's dumpf rollen hinab in die Truh,
der schwere Deckel klappt drüber zu.

Die böse Stiefmutter sitzt und spinnt
und drüber manch böse Mär ersinnt.

Das Mägdlein springt lustig zur Tür herein:
»Frau Mutter, wo ist mein Brüderlein?«

»Dein liebes Brüderlein nascht allein
in der Kammer die süßen Rotäpfelein.«

»Frau Mutter, möcht auch ein Äpfelein süß!«
»So schau, was dein Brüderlein übrig ließ!«

Das Mägdlein hebt auf den Deckel schwer;
die böse Stiefmutter ist hinter ihm her.

Da hört man's dumpf rollen hinab in die Truh,
der schwere Deckel klappt drüber zu.

Die böse Stiefmutter sitzt und spinnt,
am Rocken blutige Fäden sie spinnt.

Der Vater tritt spät zur Tür herein:
»Wo sind meine lieben zwei Kinderlein?«

»Die Kinderlein liegen in guter Ruh,
sie schlafen selbander in einer Truh.«

Es flattert, es pickt ans Fensterlein,
zwei schneeweiße Vöglein schauen herein.

»Frau Mutter, habt Dank für die Äpflein rot!
Frau Mutter, habt Dank für den süßen Tod!«

Die fällt vom Sessel zu Boden schwer;
der Platz ist hinter dem Rocken leer.

Ein schwarzer Vogel die Kammer durchirrt
und ächzend, krächzend durchs Fenster schwirrt.

*Von August Stöber (1808–1884)*

# Die Kindsmörderin

Ritter, lieber Ritter, was hast du gedacht,
daß du die schöne Nannerl ins Unglück gebracht!

»Ach Ritter, lieber Ritter, mit mir ists bald aus!
Man wird mich bald führen zum Schandtor hinaus.

Zum Schandtor hinaus auf einen grünen Platz,
da wirst du bald sehen, was Lieb hat gemacht.

Ach Richter, lieber Richter, richt nur fein geschwind,
Ich will ja gern sterben, daß ich komm zu meinem Kind!

Ach Ritter, lieber Ritter, reich mir deine Hand!
Ich will dir verzeihen, das ist Gott wohl bekannt.«

Der Fähnrich kam geritten und schwenkt' seine Fahn:
»Halt still mit der schönen Nannerl! Ich bringe Pardon!«

Ach Fähnrich, lieber Fähnrich, sie ist ja schon tot:
Gute Nacht, mein schön Nannerl, dein Seel ist bei Gott.

*Etwa 1615 entstanden. Nach Auffassung des*
*Volksliedforschers Franz Magnus Böhme (1827–1898)*
*hat dieser Text Friedrich von Schiller zu seiner*
*Ballade »Die Kindsmörderin« angeregt:*

# Die Kindsmörderin

Horch – die Glocken hallen dumpf zusammen,
Und der Zeiger hat vollbracht den Lauf,
Nun, so sei's denn! – Nun, in Gottes Namen,
Grabgefährten, brecht zum Richtplatz auf!
Nimm, o Welt, die letzten Abschiedsküsse!
Diese Tränen nimm, o Welt, noch hin!
Deine Gifte – o sie schmeckten süße! –
Wir sind quitt, du Herzvergifterin!

Fahret wohl, ihr Freuden dieser Sonne,
Gegen schwarzen Moder umgetauscht!
Fahret wohl, du Rosenzeit voll Wonne,
Die so oft das Mädchen lustberauscht!
Fahret wohl, ihr goldgewebten Träume,
Pardieseskinder Phantasien! –
Weh! sie starben schon im Morgenkeime,
Ewig nimmer an das Licht zu blühn.

Schön geschmückt mit rosaroten Schleifen,
Deckte mich der Unschuld Schwanenkleid,
In der blonden Locken loses Schweifen
Waren junge Rosen eingestreut.
Wehe! – die Geopferte der Hölle
Schmückt noch itzt das weißliche Gewand,
Aber ach! – der Rosenschleifen Stelle
Nahm ein schwarzes Totenband.

Weinet um mich, die ihr nie gefallen,
Denen noch der Unschuld Lilien blühn,
Denen zu dem weichen Busenwallen
Heldenstärke die Natur verliehn!
Wehe! – menschlich hat dies Herz empfunden!
Und Empfindung soll mein Richtschwert sein!
Weh! vom Arm des falschen Manns umwunden,
Schlief Luisens Tugend ein.

Ach vielleicht umflattert eine andre,
Mein vergessen, dieses Schlangenherz,
Überfließt, wenn ich zum Grabe wandre,
An dem Putztisch in verliebtem Scherz?
Spielt vielleicht mit seines Mädchens Locke,
Schlingt den Kuß, den sie entgegenbringt,
Wenn verspritzt auf diesem Todesblocke,
Hoch mein Blut vom Rumpfe springt.

Joseph! Joseph! auf entfernte Meilen
Folge dir Luisens Totenchor,
Und des Glockenturmes dumpfes Heulen
Schlage schrecklich mahnend an dein Ohr –
Wenn von eines Mädchens weichem Munde
Dir der Liebe sanft Gelispel quillt,
Bohr es plötzlich eine Höllenwunde
In der Wollust Rosenbild!

Ha, Verräter! nicht Luisens Schmerzen?
Nicht des Weibes Schande, harter Mann?
Nicht das Knäblein unter meinem Herzen?
Nicht, was Löw' und Tiger milden kann?
Seine Segel fliegen stolz vom Lande!
Meine Augen zittern dunkel nach;
Um die Mädchen an der Seine Strande
Winselt er sein falsches Ach!

Und das Kindlein – in der Mutter Schoße
Lag es da in süßer, goldner Ruh,
In dem Reiz der jungen Morgenrose
Lachte mir der holde Kleine zu –
Tödlichlieblich sprach aus allen Zügen
Des geliebten Schelmen Konterfei;
Den beklommnen Mutterbusen wiegen
Liebe und – Verräterei.

Weib, wo ist mein Vater? lallte
Seiner Unschuld stumme Donnersprach';
Weib, wo ist dein Gatte? hallte
Jeder Winkel meines Herzens nach –
Weh, umsonst wirst, Waise, du ihn suchen,
Der vielleicht schon andre Kinder herzt,
Wirst der Stunde unsrer Wollust fluchen,
Wenn dich einst der Name Bastard schwärzt.

Deine Mutter – o im Busen Hölle! –
Einsam sitzt sie in dem All der Welt,
Durstet ewig an der Freudenquelle,
Die dein Anblick fürchterlich vergällt.
Ach, in jedem Laut von dir erwachet,
Toter Wonne Qualerinnerung,
Jeder deiner holden Blicke fachet
Die unsterbliche Verzweifelung.

Hölle, Hölle, wo ich dich vermisse,
Hölle, wo mein Auge dich erblickt,
Eumenidenruten deine Küsse,
Die von seinen Lippen mich entzückt!
Seine Eide donnern aus dem Grabe wieder,
Ewig, ewig würgt sein Meineid fort,
Ewig – hier umstricke mich die Hyder –
Und vollendet war der Mord.

Joseph! Joseph! auf entfernte Meilen
Jage dir der grimme Schatten nach,
Mag mit kalten Armen dich ereilen,
Donnre dich aus Wonneträumen wach,
Im Geflimmer sanfter Sterne zucke
Dir des Kindes grasser Sterbeblick,
Es begegne dir im blut'gen Schmucke,
Geißle dich vom Paradies zurück.

Seht! da lag es – lag im warmen Blute,
Das noch kurz im Mutterherzen sprang,
Hingemetzelt mit Erinnysmute,
Wie ein Veilchen unter Sensenklang; – –
Schrecklich pocht' schon des Gerichtes Bote,
Schrecklicher mein Herz!
Freudig eilt ich, in dem kalten Tode
Auszulöschen meinen Flammenschmerz.

Joseph! Gott im Himmel kann verzeihen,
Dir verzeiht die Sünderin.
Meinen Groll will ich der Erde weihen,
Schlage, Flamme, durch den Holzstoß hin! –
Glücklich! glücklich! Seine Briefe lodern,
Seine Eide frißt ein siegend Feu'r,
Seine Küsse! – wie sie hochauf lodern! –
Was auf Erden war mir einst so teu'r?

Trauet nicht den Rosen eurer Jugend,
Trauet, Schwestern, Männerschwüren nie!
Schönheit war die Falle meiner Tugend,
Auf der Richtstatt hier verfluch ich sie! –
Zähren? Zähren in des Würgers Blicken?
Schnell die Binde um mein Angesicht!
Henker, kannst du keine Lilie knicken?
Bleicher Henker, zittre nicht! – – –

*1782. Von Friedrich von Schiller.*

# Des Pfarrers Tochter von Taubenhain

Im Garten des Pfarrers von Taubenhain
geht's irre bei Nacht in der Laube.
Da flüstert und stöhnt's so ängstiglich;
da rasselt, da flattert und sträubet es sich,
wie gegen den Falken die Taube.

Es schleicht ein Flämmchen am Unkenteich,
das flimmert und flammert so traurig.
Da ist ein Plätzchen, da wächst kein Gras,
das wird vom Tau und vom Regen nicht naß,
da wehen die Lüftchen so schaurig. –

Des Pfarrers Tochter von Taubenhain
war schuldlos wie ein Täubchen.
Das Mädel war jung, war lieblich und fein,
viel ritten der Freier nach Taubenhain
und wünschten Rosetten zum Weibchen. –

Von drüben herüber, von drüben herab,
dort jenseits des Baches vom Hügel,
blinkt stattlich ein Schloß auf das Dörfchen im Tal,
die Mauern wie Silber, die Dächer wie Stahl,
die Fenster wie brennende Spiegel.

Da trieb es der Junker von Falkenstein
in Hüll und in Füll und in Freude.
Dem Jüngferchen lacht in die Augen das Schloß,
ihm lacht in das Herzchen der Junker zu Roß,
im funkelnden Jägergeschmeide.

Er schrieb ihr ein Briefchen auf Seidenpapier,
umrändelt mit goldenen Kanten.
Er schickt ihr sein Bildnis, so lachend und hold,
versteckt in ein Herzchen von Perlen und Gold;
dabei war ein Ring mit Demanten.

»Laß du sie nur reiten und fahren und gehn,
laß du sie sich werben zuschanden!
Rosettchen, dir ist wohl was Bessers beschert.
Ich achte des stattlichen Ritters dich wert,
beliehen mit Leuten und Landen.

Ich hab ein gut Wörtchen zu kosen mit dir;
das muß ich dir heimlich vertrauen.
Drauf hätt' ich gern heimlich erwünschten Bescheid.
Lieb Mädel, um Mitternacht bin ich nicht weit;
sei wacker und laß dir nicht grauen!

Heut Mitternacht horch auf den Wachtelgesang,
im Weizenfeld hinter dem Garten.
Ein Nachtigallmännchen wird locken die Braut
mit lieblichem, tief aufflötendem Laut;
sei wacker und laß mich nicht warten!« –

Er kam, in Mantel und Kappe vermummt,
er kam um die Mitternachtsstunde.
Er schlich, umgürtet mit Waffen und Wehr,
so leise, so lose wie Nebel, einher
und stillte mit Brocken die Hunde.

Er schlug der Wachtel hellgellenden Schlag
im Weizenfeld hinter dem Garten.
Dann lockte das Nachtigallmännchen die Braut
mit lieblichem, tief aufflötendem Laut;
und Röschen, ach! – ließ ihn nicht warten.

Er wußte sein Wörtchen so traulich und süß
in Ohr und Herz ihr zu girren! –
Ach, Liebender Glauben ist willig und zahm!
Er sparte kein Locken, die schüchterne Scham
zu seinem Gelüste zu kirren.

Er schwur sich bei allem, was heilig und hehr,
auf ewig zu ihrem Getreuen.
Und als sie sich sträubte und als er sie zog,
vermaß er sich teuer, vermaß er sich hoch:
»Lieb Mädel, es soll dich nicht reuen!«

Er zog sie zur Laube, so düster und still,
von blühenden Bohnen umdüftet.
Da pocht ihr das Herzchen, da schwoll ihr die Brust;
da wurde vom glühenden Hauch der Luft
die Unschuld zu Tode vergiftet. –

Bald, als auf duftendem Bohnenbeet
die rötlichen Blumen verblühten,
da wurde dem Mädel so übel und weh,
da bleichten die rosichten Wangen zu Schnee,
die funkelnden Augen verglühten.

Und als die Schote nun allgemach
sich dehnt in die Breit und Länge,
als Erdbeer und Kirsche sich rötet und schwoll,
da wurde dem Mädel das Brüstchen zu voll,
das seidene Röckchen zu enge.

Und als die Sichel zu Felde ging,
hub's an sich zu regen und strecken.
Und als der Herbstwind über die Flur
und über die Stoppel des Habers fuhr,
da konnte sie's nicht mehr verstecken.

Der Vater, ein harter und zorniger Mann,
schalt laut die arme Rosette:
»Hast du dir erbuhlt für die Wiege das Kind,
so hebe dich mir aus den Augen geschwind
und schaff auch den Mann dir ins Bette!«

Er schlang ihr fliegendes Haar um die Faust;
er hieb sie mit knotigen Riemen.
Er hieb, das schallte so schrecklich und laut!
er hieb ihr die samtene Lilienhaut
voll schwellender blutiger Striemen.

Er stieß sie hinaus in der finstersten Nacht
bei eisigem Regen und Winden.
Sie klimmt am dornigen Felsen empor
und tappte sich fort bis an Falkensteins Tor,
dem Liebsten ihr Leid zu verkünden. –

»O weh mir, daß du mich zur Mutter gemacht,
bevor du mich machtest zum Weibe!
Sieh her! sieh her! mit Jammer und Hohn
trag ich dafür nun den schmerzlichen Lohn
an meinem zerschlagenen Leibe!«

Sie warf sich ihm bitterlich schluchzend ans Herz;
sie bat, sie beschwur ihn mit Zähren:
»O mach es nun gut, was du übel gemacht!
Bist du es, der so mich in Schande gebracht,
so bring auch mich wieder zu Ehren!«

»Arm Närrchen«, versetzt er, »das tut mir ja leid!
Wir wollen's am Alten schon rächen.
Erst gib dich zufrieden und harre bei mir!
Ich will dich schon hegen und pflegen allhier;
dann wollen wir's ferner besprechen.«

»Ach, hier ist kein Säumen, kein Pflegen, noch Ruhn!
Das bringt mich nicht wieder zu Ehren.
Hast du einst treulich geschworen der Braut,
so laß auch an Gottes Altare nun laut
vor Priester und Zeugen es hören!«

»Ho, Närrchen, so hab ich es nimmer gemeint!
Wie kann ich zum Weibe dich nehmen?
Ich bin ja entsprossen aus adligem Blut.
Nur Gleiches zu Gleichem gesellet sich gut;
sonst müßte mein Stamm sich ja schämen.

Lieb Närrchen, ich halte dir's, wie ich's gemeint:
mein Liebchen sollst immerdar bleiben.
Und wenn dir mein wackerer Jäger gefällt,
so laß ich's mir koten ein gutes Stück Geld.
Dann können wir's ferner noch treiben.«

»Daß Gott dich! – du schändlicher, bübischer Mann!
daß Gott dich zur Hölle verdamme!
Entehr ich als Gattin dein adliges Blut,
warum denn, o Bösewicht, war ich einst gut
für deine unehrliche Flamme? –

So geh denn und nimm dir ein adliges Weib!
Das Blättchen soll schrecklich sich wenden!
Gott siehet und höret und richtet uns recht.
So müsse dereinst dein niedrigster Knecht
das adlige Bette dir schänden!

Dann fühle, Verräter, dann fühle wie's tut,
an Ehr und an Glück zu verzweifeln!
Dann stoß an die Mauer die schändliche Stirn
und jag eine Kugel dir fluchend ins Hirn!
Dann, Teufel, dann fahre zu Teufeln!«

Sie riß sich zusammen, sie raffte sich auf,
sie rannte verzweifelnd von hinnen,
mit blutigen Füßen, durch Distel und Dorn,
durch Moor und Geröhricht, vor Jammer und Zorn
zerrüttet an allen fünf Sinnen.

»Wohin nun, wohin o barmherziger Gott,
wohin nun auf Erden mich wenden?«
Sie rannte verzweifelnd an Ehr und an Glück
und kam in den Garten der Heimat zurück,
ihr klägliches Leben zu enden.

Sie taumelt, an Händen und Füßen verklomt,
sie kroch zur unseligen Laube;
und jach durchzuckte sie Weh auf Weh
auf ärmlichen Lager, bestreuet mit Schnee,
von Reisig und rasselndem Laube.

Es wand ihr ein Knäbchen sich weinend vom Schoß
bei wildem unsäglichen Schmerze.
Und als das Knäbchen geboren war,
da riß sie die silberne Nadel vom Haar
und stieß sie dem Knaben ins Herze.

Erst als sie vollendet die blutige Tat,
mußt, ach! ihr Wahnsinn sich enden.
Kalt wehten Entsetzen und Grausen sie an.
»O Jesu, mein Heiland, was hab ich getan?«
Sie wand sich den Bast von den Händen.

Sie kratzte mit blutigen Nägeln ein Grab
am schilfigen Unkengestade.
»Da ruh du, mein Armes, da ruh nun in Gott,
geborgen auf immer vor Elend und Spott!
Mich hacken die Raben vom Rade!«

Das ist das Flämmchen am Unkenteich,
das flimmert und flammert so traurig.
Das ist das Plätzchen, da wächst kein Gras,
das wird vom Tau und vom Regen nicht naß,
da wehen die Lüftchen so schaurig.

Hoch hinter dem Garten vom Rabenstein,
hoch über dem Steine vom Rade
blickt hohl und düster ein Schädel herab,
das ist ihr Schädel, der blickt aufs Grab,
drei Spannen lang an dem Gestade.

Allnächtlich herunter von Rabenstein,
allnächtlich herunter vom Rade
huscht bleich und molkicht ein Schattengesicht,
will löschen das Flämmchen und kann es doch nicht
und wimmert am Unkengestade.

*1789. Von Gottfried August Bürger*

# Die wackeren Mütterlein

Im Laub der Esche lispelte der Wind,
an ihrem Stamme liegt ein bleiches Kind,
das weint und schreit wohl nach der Mutter sein,
den Weg entlang, ach! kommt kein Mütterlein.

Kein Mütterlein mit holder warmer Brust,
kein Mütterlein in banger Liebeslust;
vom morschen Turm, in einem schwirren Bogen,
kommt matten Flugs die Eule hergeflogen.

Die dunkle Eul', die nächtens schaurig krächzt,
sie hört das Kind, das an dem Baume ächzt,
sie hört das Kind, wie's schreit zum Mütterlein,
das barmt ihn in der öden Seele sein.

»Dein Mütterlein, mein bleiches, armes Kind,
rufst du umsonst bei Regen und bei Wind,
dieweil du hier am Eschenbaum geruht,
säumt die in einem Saale warm und gut.

Dieweil du lagst auf diesem Moderholz,
wallt sie in einem Schlößlein blank und stolz,
dieweil du hier am Moor bist eingeschlafen,
küßt Mütterlein sich mit dem jungen Grafen.

Ich nun bin eine gar zu gute Mutter,
im Turm da drüb' gebricht es uns an Futter,
im Turm da drüb', da heulen sich zu Tod
die Kindelein und schrein nach Aas, nach Brot.

Wo schaff ich's her? die Feldmaus ging ins Loch,
das Murmeltier schläft kaum erst eine Woch',
der junge Dachs wird nachgerad zu stark,
denn schon gebricht es meiner Krall an Mark.

Nun eh du ausweinst deine Äuglein dir,
du liebes, bleiches Kind, so laß sie mir.
Nun eh du hier ausjammerst deine Lunge,
so laß sie mir für meine magern Junge.

Nicht kommt dein Mütterlein; horch! Sang und Tanz
tönt her vom Schloß, sie reigt im Rosenkranz.
Halt still, mein Kind, halt still, bald ist's geschehn,
und ich kann reichbeglückt nach Hause gehn.

Halt still, mein Kind, halt still. So, nun ist's gut,
nun schweigt dein Schrein, nun rinnt dein warmes Blut.
Mit werter Beute flieg ich heim zu Nest,
leb wohl, du Kind, ich hole bald den Rest!«

Die Eul' ist schrillen Fluges fortgeschwebt,
im Eschenlaub hat's eifrig fortgebebt.
Das Kind ist tot, der Mond beglänzt die Szene,
vom Schlosse her schallt wilder Lust Getöne.

*Von M. Solitair, Pseudonym für Woldemar Nürnberger*
*(1818–1869)*

# Und man gräbt das Särglein ein

»Ha, nun ist es schon das achte,
das sich meinem Schoß entringt,
weil der Mann, der unbedachte,
stets im Rausch mich
wieder zwingt.

Hungern müssen längst die andern,
denn dahin sind Feld und Kuh –
und wir können bettelnd wandern,
kommt dies letzte noch hinzu.

Säug ich's auf an welken Brüsten,
fehlt mir selbst des Taglohns Brot –
und wie soll das Zeug ich rüsten? –
wäre doch der Balg gleich tot!«

Ungehört und ungesehen
ruft's im öden Stall ein Weib,
greift, bedrängt von raschen Wehen,
in den schmerzgesprengten Leib.

Mit der Hand, der schwielig
rauhen,
faßt sie hart, was sie verflucht –
und stumpfsinnig, ohne Grauen,
schaut sie die entseelte Frucht.

Hastig jetzt aus morschen
Schindeln,
die dort in der Ecke ruhn,

zimmert sie – das spart die
Windeln –
gleich die winzigste der Truhn.

Auf der Bank in dumpfer Stube
wird der Wurm dann ausgestellt;
sei's ein Mädchen, sei's ein Bube –
kam er doch schon kalt zur Welt!

Schüttelt auch den Kopf der Bader,
schreibt er dennoch seinen Schein,
gern umgeht er Streit und Hader –
und man gräbt das Särglein ein.

*Von Ferdinand von Saar (1833–1906).*

# Von der Kindsmörderin Marie Farrar

1

Marie Farrar, geboren im April,
Unmündig, merkmallos, rachitisch, Waise,
Bislang angeblich unbescholten, will
Ein Kind ermordet haben in der Weise:
Sie sagt, sie habe schon im zweiten Monat
Bei einer Frau in einem Kellerhaus
Versucht, es abzutreiben mit zwei Spritzen,
Angeblich schmerzhaft, doch ging's nicht heraus.
  *Doch ihr, ich bitte euch, wollt nicht*
  *in Zorn verfallen,*
  *Denn alle Kreatur braucht Hilf von allen.*

2

Sie habe dennoch, sagt sie, gleich bezahlt,
Was ausgemacht war, sich fortan geschnürt,
Auch Sprit getrunken, Pfeffer drin vermahlt,
Doch habe sie das nur stark abgeführt.
Ihr Leib sei zusehends geschwollen, habe
Auch stark geschmerzt, beim Tellerwaschen oft.
Sie selbst sei, sagt sie, damals noch gewachsen.
Sie habe zu Marie gebetet, viel erhofft.
  *Auch ihr, ich bitte euch, wollt nicht*
  *in Zorn verfallen,*
  *Denn alle Kreatur braucht Hilf von allen.*

3

Doch die Gebete hätten, scheinbar, nichts genützt.
Es war auch viel verlangt. Als sie dann dicker war,
Hab' ihr in Frühmetten geschwindelt. Oft hab' sie geschwitzt,
Auch Angstschweiß, häufig unter dem Altar.
Doch hab' den Zustand sie geheim gehalten,
Bis die Geburt sie nachher überfiel.
Es sei gegangen, da wohl niemand glaubte,
Daß sie, sehr reizlos, in Versuchung fiel.
  *Und ihr, ich bitte euch, wollt nicht*
  *in Zorn verfallen,*
  *Denn alle Kreatur braucht Hilf von allen.*

4

An diesem Tag, sagt sie, in aller Früh
Ist ihr beim Stiegenwischen so, als krallten
Ihr Nägel in den Bauch. Es schüttelt sie.
Jedoch gelingt es ihr, den Schmerz geheimzuhalten.
Den ganzen Tag, es ist beim Wäschehängen,
Zerbricht sie sich den Kopf; dann kommt sie drauf,
Daß sie gebären sollte, und es wird ihr
Gleich schwer ums Herz. Erst spät geht sie hinauf.
  *Doch ihr, ich bitte euch, wollt nicht*
  *in Zorn verfallen,*
  *Denn alle Kreatur braucht Hilf von allen.*

**5**

Man holte sie noch einmal, als sie lag:
Schnee war gefallen, und sie mußte kehren.
Das ging bis elf. Es war ein langer Tag.
Erst in der Nacht konnte sie in Ruhe gebären.
Und sie gebar, so sagt sie, einen Sohn.
Der Sohn war ebenso wie andre Söhne.
Doch sie war nicht, wie andre Mütter sind, obschon:
Es liegt kein Grund vor, daß ich sie verhöhne.
  *Auch ihr, ich bitte euch, wollt nicht*
  *in Zorn verfallen,*
  *Denn alle Kreatur braucht Hilf von allen.*


**6**

So laßt sie also weiter denn erzählen,
Wie es mit diesem Sohn geworden ist,
(Sie wolle davon, sagt sie, nichts verhehlen)
Damit man sieht, wie ich bin und du bist.
Sie sagt, sie sei, nur kurz im Bett, von Übel-
keit stark befallen worden, und allein
Hab' sie, nicht wissend, was geschehen sollte,
Mit Mühe sich bezwungen, nicht zu schrein.
  *Und ihr, ich bitte euch, wollt nicht*
  *in Zorn verfallen,*
  *Denn alle Kreatur braucht Hilf von allen.*


**7**

Mit letzter Kraft hab' sie, so sagt sie, dann,
Da ihre Kammer auch eiskalt gewesen,
Sich zum Abort geschleppt und dort auch (wann,
Weiß sie nicht mehr) geborn ohn Federlesen
So gegen Morgen zu. Sie sei, sagt sie,
Jetzt ganz verwirrt gewesen, habe dann
Halb schon erstarrt, das Kind kaum halten können,
Weil es in den Gesindeabort hereinschnein kann.
  *Und ihr, ich bitte euch, wollt nicht*
  *in Zorn verfallen,*
  *Denn alle Kreatur braucht Hilf von allen.*


**8**

Dann zwischen Kammer und Abort – vorher, sagt sie,
Sei noch gar nichts gewesen – fing das Kind
Zu schreien an, das hab' sie so verdrossen, sagt sie,
Daß sie's mit beiden Fäusten, ohne Aufhörn, blind,
So lang geschlagen habe, bis es still war, sagt sie.
Hierauf hab' sie das Tote noch durchaus
Zu sich ins Bett genommen für den Rest der Nacht
Und es versteckt am Morgen in dem Wäschehaus.
  *Doch ihr, ich bitte euch, wollt nicht*
  *in Zorn verfallen,*
  *Denn alle Kreatur braucht Hilf von allen.*


**9**

Marie Farrar, geboren im April,
Gestorben im Gefängnishaus zu Meißen,
Ledige Kindsmutter, abgeurteilt, will
Euch die Gebrechen aller Kreatur erweisen.
Ihr, die ihr gut gebärt in saubern Wochenbetten
Und nennt »gesegnet« euren schwangeren Schoß,
Wollt nicht verdammen die verworfnen Schwachen,
Denn ihre Sünd war schwer, doch ihr Leid groß.
  *Darum, ich bitte euch, wollt nicht*
  *in Zorn verfallen,*
  *Denn alle Kreatur braucht Hilf von allen.*


*Von Bertolt Brecht*

# Schuld und Sühne

Von mancher
schnöden Schurkentat,
und wie's der Henker
gerochen hat.

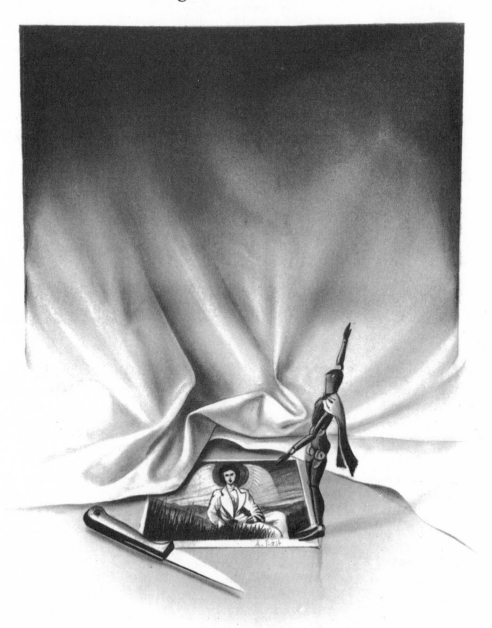

# »Ihr sollt nit länger leben«

Was wolln wir aber singen?
Was wollen wir heben an?
Ein Lied von der Frau von
Weißenburg,
wie sie ihren Herrn verriet.

Sie tät ein Brieflein schreiben
so fern in fremde Land
zu ihrem Buhlen Friedrich,
auf daß er käm zuhand.

Do ihm die Botschaft kame,
den Brief er überlas.
Do wurden ihm seine Wangen
von heißen Zähren naß.

Er sprach zu seinem Knecht:
»Nun sattel uns die Pferd!
Zu der Weißenburg wöllen
wir reiten,
dahin hab ich gut Recht.«

Do sie zu der Weißenburg kamen
unter das hohe Haus,
do stund die edle Fraue,
sach zu eim Fenster aus.

»Ich grüß euch, edle Fraue!
Wünsch euch ein guten Tag:
Wo ist eur edler Herre,
dem ich zu dienen pflag?«

»Ihr sollet mich nicht fragen,
doch will ichs euch wohl sagen:
Er ist gestern so späte
mit seinen Hunden aus jagen.«

Er sprach zu seinem Knecht:
»Sattel uns bald die Pferd!
Zu der Grünbach will ich reiten,
ist mir wohl Reitens wert.«

Do sie zu der Grünbach kamen
unter ein Linden grün,
do hielt der edle Herre
mit seinen Hunden kühn.

»Gott grüß euch, edler Herre!
Geb euch ein guten Tag.
Ihr sollt nit länger leben
denn diesen halben Tag!«

»Soll ich nit länger leben
denn diesen halben Tag.
So klag ichs Gott von Himmel,
der alle Ding vermag.«

Er sprach zu seinem Knechte:
»Spann auf dein Armbrust schnell.
Und scheuß den edlen Herren
durch seinen Hals und Kehl!«

»Warumb soll ich ihn schießen?
Hat er mir nichts getan.
Das muß er heut genießen,
der gut fromm Edelmann.«

Ihr Buhl gedacht im Herzen:
»Weh mir hier und auch dort!
Es bringt mir Leid und Schmerzen,
würd ich stiften das Mord.«

Do tät ihn überwinden
der Frauen Lieb so groß,
daß er mit seinen Händen
unschuldig Blut vergoß.

Er zog aus seiner Scheiden
ein Messer von Gold so rot.
Und stach den edlen Herren
unter der Linden zu Tod.

Er sprach zu einem Knecht:
»Nun sattel uns die Pferd!
Zu der Weißenburg wöllen
wir reiten,
dahin haben wir gut Recht.«

»Wöllt ihr zu der Weißenburg
reiten
und habt dahin gut Recht,
so bitt euch, edler Herre,
dingt euch ein andres Knecht.«

Do er zu der Weißenburg kame.
Unter das hohe Haus,
do stund die falsche Fraue,
sach zu einem Laden aus.

»Ich grüß euch, falsche Fraue,
wünsch euch ein guten Tag!
Euer Will der ist ergangen,
Euer edler Herr ist tot!«

»Ist nun mein Will ergangen,
mein edler Herr ist tot:
Bitt ich euch Buhlen Friedrich,
zeigt mir das Botenbrot.«

Er zog aus seiner Scheiden
ein Messer von Blut so rot:
»Nun schauet, falsche Fraue,
dies ist das Botenbrot!«

Was zog sie von der Hände?
Von Gold ein Fingerlein:
»Dies tragest, Buhle Friedrich,
wohl durch den Willen mein!«

Er nahm dasselbige Fingerlein
in sein schneeweiße Hand.
Er warf es an die Mauren,
daß es in Graben sprang.

»Was soll mir, Frau eu'r
Fingerlein?
Ich mag sein doch nit trag.
Wann ich es an tät schauen,
so hätt mein Herz groß Klag.«

Sie wand ihr schneeweiß Hände,
rauft aus ihr gelbkraus Haar:
Do lag ihr edler Herre
zu der Grünbach auf der Bahr.

*Diese Volksballade, die auch von
Bänkelsängern vorgetragen wurde,
schildert eine wahre Geschichte:
Landgraf Ludwig der Springer
von Thüringen ermordete im Jahre
1056 den auf Schloß Weißenburg
residierenden Pfalzgrafen Friedrich
von Sachsen, um dessen Witwe
heiraten zu können. Er zeugte mit
ihr fünf Kinder. Der hier abgedruckte
Text – er stammt von einem Flugblatt
aus dem 16. Jahrhundert – berichtet
allerdings nicht von der historisch
verbürgten Heirat zwischen Mörder
und Witwe, wohl deshalb, weil
ein glücklicher Ausgang dieser Mordgeschichte mit den herkömmlichen
Moralbegriffen nicht vereinbar
war. Ludwig der Springer begann
als Buße für seine Tat im Jahre
1070 die Wartburg, ein Bergschloß
bei Eisenach zu bauen.*

# Der Mordknecht auf der Wartburg

Die Wartburg ruht im Dunkel,
der Bergwald stöhnt im Sturm,
nur eines Lichts Gefunkel
glimmt matt im Frauenturm;
dort flieht der süße Schlummer
zwei Augen, trüberwacht,
dort nagt der bittre Kummer
ein Herz in stiller Mitternacht.

Das ist Frau Margarete,
Graf Albrechts fromm Gemahl,
sie kniet noch im Gebete
in tiefer Seelenqual;
der solch Juwel zerschlagen,
solch edlen Schatz verkannt,
der wird seit alten Tagen
wohl »der Unartige« genannt.

Ihr hoher Seelenadel,
ihr Hohenstaufenblut,
die Schönheit sonder Tadel,
drei Kindlein hold und gut,
der keines rührt die Sinne
dem ungetreuen Mann,
den eine wilde Minne
mit Zaubernetzen ganz umspann.

Die schöne Kunigunde,
das Fräulein Isenberg,
lockt ihn zu bösem Bunde
durch teuflisch Zauberwerk;
sie mag nicht Ruhe geben,
bis daß ihr Werk vollbracht:
es geht dir an dein Leben,
hüt, arme Frau, dich heute nacht!

Sie hüllt sich keusch in Decken,
sie schloß die Augen kaum,
da fährt in jähem Schrecken
sie auf aus bangem Traum,
ihr Herz schlägt wie ein Hammer,
sie sieht sich grausend um;
Weh! mitten in der Kammer
da steht ein Mörder bleich und
stumm.

Doch plötzlich rührt ein' Grauen
des Knechtes rohen Sinn,
vor seiner edlen Frauen
in Tränen sinkt er hin:
»Ich kann es nicht vollbringen,
Ihr seid zu tugendreich!
mich ließ der Landgraf dingen,
man helft vom Tode mir und
Euch!«

Da sprach sie: »Schleich verstohlen
dich in den Ritterbau,
geh meinen Kämmrer holen
mir schwerverratnen Frau.«
Sie weckt die treuen Frauen,
da hält man weinend Rat:
»Ihr müßt vor Morgengrauen
weit weg von hier auf sichrem
Pfad!«

Sie läßt sich zitternd kleiden
in rauhes Reis'gewand,
sie rafft von Brautgeschmeiden
ihr Bestes rasch zur Hand;
sie weiß vor Angst und Grämen
kaum selber, was sie tut,
darf doch nicht mit sich nehmen
den besten Schatz, ihr liebstes Gut.

Sie tritt mit schwanker Kerze
ins nahe Schlafklosett
und steht im stummen Schmerze
an ihrer Kindlein Bett;
da liegen sie verschlungen
auf einem Schlummerpfühl,
drei blühendschöne Jungen,
drei Rosen gleich an einem Stiel.

Sie schlingt die Mutterarme
um Dietz mit heißem Schmerz,
sie preßt in herbem Harme
den holden Heinz ans Herz;
doch da sie nun zum dritten,
zum süßen Friedrich kam,
da zuckt ihr Herz, durchschnitten
von unaussprechlich
bittrem Gram.

Sie hebt vom Schlummerkissen
ihn weinend in die Höh,
erstickt ihn schier mit Küssen,
dem Kindlein ward so weh,
drückt lange, lange, lange
ihn an den heißen Mund
und beißt im Liebesdrange
des Knaben weiche Wange wund.

Lang blutet ihm die Wange,
doch länger ihr das Herz,
das blutet fort so lange,
bis daß es brach vor Schmerz.
Wohl von der Wartburg Mauer
half ihr das Rettungsseil,
doch von des Abschieds Trauer
ihr Mutterherz ward nimmer heil.

Zu Frankfurt an dem Maine,
im stillen Klosterhaus,
ruht unterm Leichensteine
die Schmerzensreiche aus.
Dort kniete oft und lange
ein Degen ritterlich:
Mit der gebißnen Wange
ihr bester Sohn, Graf Friederich.

*Von Karl Gerok (1815–1890)*

# Die Dame von Faverne

Seht Ihr Navailles? Spiegelnd hebt's im See
die spitzen grauen Türme in die Höh,
das Schloß Navailles. Drüben liegt die Stadt
im Sonnenschein, den Fuß im blauen Bad;
so Stadt als Schloß gehörten schon von je
den Herren Faverne.

Des Schlosses Dame stand im hohen Saal,
im Trauerkleide noch um den Gemahl
– ein Jahr war's her, daß spurlos er verschwand –,
und ehrerbietig vor der Fraue stand
in Schmuck und Waffen die Vasallenzahl
der Herrschaft von Faverne.

Sie sprach: »Das Wort der Kirche spricht mich frei:
mein eigner Willen, euer Wunsch – es sei!
Dem Vetter des Gemahls reich ich die Hand,
er herrsche über mich und alles Land!
Den Eid der Treue schwört ihr morgen neu
dem Herren von Faverne.«

Am Hochzeitstag vom Schlosse Fahnen wehn,
geschmückt mit Teppichen und Blumen schön
schwimmt durch den See der Kahn mit Sang und Klang:
drin sitzt der Bräutigam in Waffen blank
und ihm zur Seite, bräutlich anzusehn,
die Dame von Faverne.

Da ist geschehn ein wundersames Ding:
Die weiße Hand der Braut ins Wasser hing,
sie spielte drin in süßer Träumerei –
da tut sie plötzlich einen leisen Schrei:
hinweg vom Finger war der goldne Ring
der Dame von Faverne.

Der Ring, den ihr der erste Ehherr gab,
den sie zu tragen schwur bis in das Grab;
sie bricht in Tränen aus, sie will nicht frein:
der Ring soll wieder erst gefunden sein!
In Schloß und Stadt sagt man die Hochzeit ab
der Dame von Faverne.

Vom See die Fischer ruft man all zusamm' –
Was bringen sie herauf aus tiefem Schlamm?
ein Mannsgeripp – am Finger stak der Ring:
ein rost'ger Dolch in seinen Rippen hing
mit goldnem Knauf – der Dolch vom Bräutigam
der Dame von Faverne.

Der Mörder flieht, die Rache folgt ihm nach;
man spricht, daß er am Kreuzweg sterbend lag.
Den Witwenschleier und den goldnen Ring
trug bis zum Tag, da sie zu Grabe ging,
und trägt ihn drin wohl bis zum Jüngsten Tag
die Dame von Faverne.

*Von Hugo Freiherr von Blomberg (1820–1871)*

# Die schöne Bernauerin

Es reiten drei Herren zu München hinaus,
sie reiten wohl vor der Bernauerin ihr Haus:
»Bernauerin bist du darinnen, ja darinnen?«

»Bist du dann darinnen, so reite heraus!
Der Herzog ist draußen vor ihrem Haus,
mit allem seinem Hofgesinde, ja Hofgesinde.«

Sobald die Bernauerin die Stimme vernahm,
ein schneeweißes Hemd zog sie gar bald an,
wohl vor den Herzog zu treten, zu treten.

Sobald die Bernauerin vors Tor hinaus kam,
drei Herren gleich die Bernauerin vernahm'n:
»Bernauerin, was willst du machen, ja machen?

Ei willst du lassen den Herzog entweg'n,
oder willst du lassen dein jung frisches Leb'n?
Ertrinken im Donauwasser, ja Wasser?«

»Und eh ich will lassen mein'n Herzog entwegn,
so will ich lassen mein jung frisches Leben.
Ertrinken im Donauwasser, ja Wasser!

Der Herzog ist mein, und ich bin sein,
der Herzog ist mein, und ich bin sein:
»Sind wir gar treu versprochen, ja versprochen«

Bernauerin wohl auf dem Wasser schwamm,
Maria Mutter Gottes hat sie gerufet an,
sollt ihr aus dieser Not helfen, ja helfen.

»Hilf mir, Maria, aus dem Wasser heraus,
mein Herz läßt dir bauen ein neues Gotteshaus,
von Marmorstein ein Altar, ja Altar!«

Sobald sie dieses hat gesprochen aus,
Maria Mutter Gottes hat geholfen aus
und von dem Tod sie errettet, ja errettet.

Sobald die Bernauerin auf die Brucken kam,
drei Henkersknecht zur Bernauerin kam'n:
»Bernauerin, was willst machen, ja machen?

Ei, willst du werden ein Henkersweib,
oder willst du lassen dein jung stolzen Leib?
Ertrinken im Donauwasser, ja Wasser!«

»Und eh ich will werden ein Henkersweib,
so will ich lassen mein jung stolzen Leib.
Ertrinken im Donauwasser, ja Wasser!«

Es stunde kaum an den dritten Tag,
dem Herzog kam ein traurige Klag:
Bernauerin ist ertrunken, ja ertrunken.

»Auf, rufet mir alle Fischer daher,
sie sollen fischen bis in das rote Meer,
daß sie mein feines Lieb suchen, ja suchen!«

Es kamen gleich alle Fischer daher.
Sie haben gefischt bis in das rote Meer,
Bernauerin haben sie gefunden, ja gefunden.

Sie legen's dem Herzog wohl auf den Schoß.
Der Herzog wohl viel tausend Tränen vergoß.
Er tät gar herzlich weinen.

»So rufet mir her fünftausend Mann!
Einen neuen Krieg will ich fangen an
mit meinem Herrn Vater eben, ja eben.

Und wär' mein Herr Vater mir nicht so lieb,
so ließ ich ihn aufhenken als wie einen Dieb!
Wär' aber mir eine große Schande, ja Schande.«

Es stunde kaum an den dritten Tag,
dem Herzog kam eine traurige Klag:
Sein Herr Vater ist gestorben, ja gestorben.

»Die mir helfen meinen Herrn Vater begraben,
Rote Mänteln müssen sie hab'n,
Rot müssen sie sich tragen, ja tragen.

Und die mir helfen mein feines Lieb begrabn,
Schwarze Mänteln müssen sie habn,
Schwarz müssen sie sich tragen, ja tragen.

So wollen wir stiften ein ewige Meß,
daß man der Bernauerin nicht vergeß.
Man wölle für sie beten, ja beten!«

*Volksballade. Schildert die wahre Geschichte von Agnes Bernauer, einer armen aber schönen Augsburger Badertochter, die gegen den Widerstand der gesamten Aristokratie den Herzog Albrecht von Bayern-München heiratete und einige Jahre danach, im Oktober 1435, auf Geheiß ihres Schwiegervaters, Herzog Ernst , in der Donau bei Straubing ertränkt wurde. Der daraufhin ausbrechende Zwist zwischen Vater und Sohn ließ sich nur durch Vermittlung von Kaiser Sigismund wieder beilegen. Entgegen dem Balladen-Inhalt*

*starb jedoch Herzog Ernst nicht. Herzog Albrecht*
*heiratete später, dem Wunsch seines Vaters*
*entsprechend, die reiche aber häßliche Anna*
*von Braunschweig. Diese Ballade dürfte bald*
*nach dem Tode der Agnes Bernauer entstanden*
*sein. Vierhundert Jahre später schrieb ein Bayern-Fürst*
*folgende Bernauer-Ballade:*

# An Agnes Bernauerin

Ein holdes Veilchen blühtest du verborgen
In kindlicher Zurückgezogenheit,
An deines Lebens harmlos stillen Morgen,
Bewußtlos deiner Liebenswürdigkeit.

Da fiel versengend hin, auf dich gerichtet,
Der Fürstenliebe unheilvolle Gluth,
Dein kurzes Leben wurde schnell zernichtet,
Doch deine Liebe endet nicht die Fluth.

Und in des Himmels ew'gem sel'gen Frieden
Ist längst dein Albrecht froh zu dir gesellt,
Dort wirst du nimmermehr von ihm geschieden,
Der Liebe Glück ist nicht für diese Welt.

Der Wonnen höchste hattest du empfunden,
Doch wie du kaum erreicht die Seligkeit,
So war sie dir sogleich auch schon verschwunden,
Sie lebt nicht in dem Raum, noch in der Zeit.

Was vom Geschick bestimmt, getrennt zu bleiben,
Beglückend wird's hienieden nie vereint,
In das Verderben immer muß es treiben,
Wenn's gleich im Augenblick besel'gend scheint.

Jahrhunderte hat schon die Zeit verschlungen,
So wie die Fluth, in der dein Leben schwand,
Dein Name doch hat sich ihr hehr entschwungen,
Mit Rührung wird derselbe noch genannt.

*Von Ludwig I., bayerischer König.*

# Das Lied von der Bernauerin

Soll ich die Märe bringen,
die mir bewegt den Sinn?
So sagen wir und singen
von der Bernauerin.

»Ich weiß nicht mehr zu raten,
zu helfen nimmer weiß,
so möge Gott in Gnaden
aufnehmen meinen Geist.

Doch wie ich nun geduldig
verlieren muß den Leib,
so wahr bin in unschuldig
und meines Herren Weib.

Und sagt Herrn Ernstens Schreiben,
das Badermägdelein,
das könne leben bleiben,
woll's seine Schnur nicht sein,

So sag ich's doch und schwören
will ich's noch tausendmal:
ich bin in Zucht und Ehren
Herrn Albrechts Ehgemahl.

Der Frauen höchster Adel
ist ihre Frauenehr,
die hab ich sonder Tadel,
hat keine Fürstin mehr.«

Sie nahm das Ringlein abe,
das Ringlein war von Gold,
ihr gab's der edle Knabe,
der sie nicht lieben sollt.

»Leb wohl, der mir ihn geben,
leb wohl, mein liebster Knab;
so wohl sollst du mir leben,
wie ich geliebt dich hab.«

Und um des Hemdleins Falten
herum ein Tuch sie wand.
»Sollt mir das Tuch nicht halten,
das wär mir eine Schand.

Nun bitt ich nur zumeisten,
daß nur das Totenweib
und keines Manns Erdreisten
berühre meinen Leib.«

Da griff nun so behende
der wilde Henker dar
und wand um seine Hände
ihr goldnes langes Haar

und faßte sie darüber
mit seiner linken Hand
und schwang sie hoch hinüber
über der Brücke Land.

Es wichen rings die Wellen,
so wie sie fiel darein,
als wollten sie Gesellen
so schlimmer Tat nicht sein,

und trugen wie auf Armen
empor den schönen Leib,
als hätt' es ihr Erbarmen,
das schöne Fürstenweib.

Da faßte mit der Stange
der Henker wieder dar
und wand darum das lange,
das weiche goldne Haar

und tauchte sie mit Schnelle
und hielt sie fest darin;
und traurig zog die Welle
über die Tote hin.

Da kam ihr Herr von Böhmen
herangesprengt zu Roß;
wie er's erfuhr, in Strömen
die Zähr' ihm niederfloß.

»Nicht soll dem Alten frommen
die himmelschrei'nde Tat;
weit mehr hat er genommen,
als er mir geben hat.

Auf, Fischer, fischt mir eilig
nach ihrem süßen Leib –
weh doch! weh um mein heilig,
getreues reines Weib!

Es ward sein Weib geborgen,
von fürstlich edlerm Sinn
zur Fürstin je erkoren
als die Bernauerin.

Und um solch Weib getragen
hat Jammer nie ein Mann;
so muß ich um sie klagen,
so lang ich klagen kann.«

*Von Otto Ludwig (1813–1865)*

# Agnes Bernauerin

Sie sangen am Herd als die Flamme schied:
»Es ist ein Roß' entsprungen.«
Sie sprachen zu ihr als verklungen das Lied:
»Was hast du nicht mitgesungen?

Was bist du so blaß, Agnes Bernauerin,
Was starrst du so vor dich nieder?«
Sie sprach wie schlafend vor sich hin
Und schloß ihre schweren Lider:

»Mir träumte in der Andreasnacht,
Ich sei an die Donau gegangen;
Der Himmel glomm in blutiger Pracht,
Und die roten Wellen sangen.

Sie trugen mir zu in schaukelndem Tanz
Eine Krone sternbeschienen,
Und wie ich sie hob war's ein Sterbekranz
Von welkenden Rosmarinen.«

*Von Agnes Miegel*

# Mord an der Schwester

Es fuhr ein Fuhrknecht über den Rhein,
er kehrt beim jungen Pfalzgrafen ein.

»Ach Pfalzgraf, lieber Pfalzgraf mein,
wo hast dein adlich Schwesterlein?«

»Was fragst nach meinem Schwesterlein?
sie wird dir wohl viel zu adlich sein.«

»Soll sie mir viel zu adlig sein,
sie hat fürwahr ein Kindlein klein.«

»Hat sie fürwahr ein Kindlein klein,
so soll sie nimmer mein Schwester sein!«

Da ließ er spannen sechs Roß und Wag'n
und ließ gar bald sein Schwester herfahr'n.

Als nun die Gräfin gefahren kam,
der junge Graf ihr entgegen sprang:

»Gott grüß dich, Schwester hübsch und fein!
Wo hast du dein artlich Kindelein?«

»Ich hab fürwahr kein Kindelein,
die Leut die gehn mit Lügen auf mich ein.«

Er nimmt sie bei ihrer schneeweißen Hand
und führt sie nach Holland zu dem Tanz.

Er tanzt am Winter die lange Nacht,
bis daß ihr die Milch zur Brust ausbrach.

»Ach Bruder hör auf, denn es ist genug!
Daheime weint mein Fleisch und Blut.«

Er nimmt sie an ihrem schneeweißen Arm
und führt sie in die Kammer, daß Gott erbarm!

Er trat sie am Winter die lange Nacht,
bis daß man ihr Lung und Leber sach.

»Ach Bruder, hör auf, es ist genug!
Es gehört dem König von England zu.«

»Ach Schwester, hättst du's mir ehr gesagt,
was hätt ich für'n lieben Schwager gehabt!«

Es stund wohl kaum drei Tage an,
der König von England geritten kam.

»Gott grüß dich, Pfalzgraf hübsch und fein!
Wo hast dein adlig Schwesterlein?«

»Mein Schwesterlein ist lange tot,
sie liegt begraben röslinrot.«

»Liegt sie begraben röslinrot,
so mußt du leiden den bittern Tod!«

Da zog er aus sein glitzrig Schwert
und stach's dem Pfalzgrafen durch sein Herz.

Er stach's ihm ins Herz, so tief als er kann:
»Sieh an, das hast deiner Schwester getan!«

Er nahm das Kindlein wohl auf den Arm:
»Jetzt haben wir keine Mutter mehr, daß Gott erbarm!«

Er wiegt das Kindlein in süße Ruh
und ritt mit ihm nach England zu.

*Volksballade, von Goethe im Elsass entdeckt
und aufgezeichnet, später überarbeitet von Ludwig
Erk.*

# Die blutige Hochzeit

Es fuhr ein Pfalzgraf übern Rhein,
er freit sich des Königs Töchterlein.

Er konnt sie nicht erwerben,
es müssen ihrer Sieben darum sterben.

Der Tag verging, der Abend kam heran,
der Hof voll Reiter und Grafen lag.

Zu ersten stachen sie den Vater tot,
zum zweiten stachen sie die Frau Mutter tot;

zum dritten die Brüder alle drei:
gedenkt: wie ihrs zumut mag sein!

»Ach Jungfrau, wollt Ihr mit uns reiten oder gehn?
oder wollt Ihr bei den Toten bleiben stehn?«

»Ich will nicht mit euch reiten oder gehn,
ich will bei den Toten bleiben stehn.«

Sie war dem Pfalzgrafen lieb und wert,
er schwenkt sie hinter sich wohl auf sein Pferd.

Sie ritten den Weg mit Eilen
wohl siebenundsiebenzig Meilen.

Sie ritten den Berg, den tiefen Tal,
bis daß sie sieben Schlösser blinken sah:

»Die Schlösser sind alle sieben dein,
darauf sollst du meine Pfalzgräfin sein!«

»Sind die Schlösser alle sieben mein,
soll ich darauf eine Pfalzgräfin sein:

So wollt ich, sie wären versunken,
der Pfalzgraf wär ertrunken!«

Der Tag verging, der Abend kam heran,
die junge Braut sollte zu Tische gahn.

Mit Trompeten und Pfeifen und allerhand Spiel
ward sie geführt zur Tafel hin.

Sie aßen, sie tranken den römischen kühlen Wein,
die junge Braut konnte nicht lustig sein.

»Zuerst schlug er den Vater tot,
zum andern die liebe Frau Mutter mein,

zum dritten die Brüder alle drei:
gedenkt, wie mirs zumute mag sein!«

Der Tag verging, die Nacht kam heran,
die junge Braut sollt zu Bette gahn.

Man leuchtet ihr zum Schlafkämmerlein
mit zweiundsiebenzig Kerzelein.

»Ach Pfalzgraf, herzliebster Pfalzgraf mein,
möcht ich diese Nacht noch eine Jungfrau sein!«

»Die erste und auch die zweite,
aber nicht die dritte.«

In der Nacht, in der Nacht, wohl mitten in der Nacht
der Pfalzgraf an sein feins Liebchen dacht.

Er wollt sie küssen auf ihren roten Mund,
da war sie tot und nicht gesund.

Er rief den Kammerdiener an:
»Steh auf und zünd ein Kerzchen an!

Mein Liebchen ist mir verschieden,
mein Herz hat nimmer Frieden.«

Es stund sich an eine halbe Viertelstund,
der Herr, der starb in der nämlichen Stund.

Es seind diesen Tag sieben Leichen;
Gott geb ihnen das Himmelreiche!

*Von Karl Simrock 1802–1876 in der Nähe*
*Bonns gehört und aufgezeichnet.*

# Der getreue Hund

In König Karls, des Weisen, Gnade
wuchs Aubry von Montdidier,
gleich einem Ölbaum am Gestade
der Marne, in die Höh;
denn er, kein Schmeichler und kein Zwitter
von Schurk und Biedermann,
hing eifriger, als alle Ritter
bei Hof, der Weisheit an.

Scheel sah der Ritter von Macaire
im Sommerglanz den Lieblichen blühn,
und er, der gern gewesen wäre,
was, ohne sein Bemühn
itzt Aubry war, legt Aubry Schlingen
fein, wie der Hofmann flicht,
und grub ihm Gruben; doch gelingen
wollt alle List ihm nicht.

Von einem Jagdhund nur begleitet,
ging einstens Aubry in den Wald
von Bondy. Siehe! plötzlich reitet
sein Feind daher. »Halt! halt!
du Schurke!« rief er. Aubry kannte
die Stimm' und hielt's für Scherz;
doch jener zog sein Schwert und rannte
die Spitz' in Aubrys Herz.

Noch warm, verscharrt er Aubrys Leiche,
bedeckte den blutroten Ort
mit Erde, Rasen und Gesträuche
sorgfältig und ritt fort.
Der Hund blieb aber auf der Stelle
dem toten Herrn zu lieb,
mit Kratzen, Heulen und Gebelle,
bis Hunger fort ihn trieb. –

Von Aubrys Freunden fast vergessen
kam Herkul mager nach Paris.
Kaum hatt er halb sich satt gefressen,
so heult er und verließ
geschwind das Haus und rannte wieder
in Bondys Wald hinauf,
legt auf der Gruft des Herrn sich nieder
und hielt Schildwache drauf.

So trieb er's lange Zeit. Man spürte
des Hundes Fährte nach und fand
tief im Gehölz, wohin sie führte,
den Hund auf seinem Stand.
Als man die Stelle voll Gesträuche
und frisch gegraben sah
grub man sie auf und Aubrys Leiche
lag halb verweset da.

Man fuhr sie nach Paris. Die Ohren
gesenkt, lief Herkul nebenher
schon alle Hoffnung war verloren,
je zu entdecken, wer
der Mörder sei. Da packt voll Rache
einst Herkul seinen Mann,
im Kreis der Armbrustschützenwache
des Königs, grimmig an.

Was schlagen konnte, schlug den Treuen
der seines Herren Mörder biß;
doch immer faßt er ihn von neuem,
bis man hinweg ihn riß.
In allen Häusern, allen Gassen
sucht er den Ritter auf,
und konnt er ihn nach Wunsch nicht fassen,
so bellt er drauf und drauf.

Dem Adel, der den Hund wohl kannte,
schien das verdächtig. Bald erfuhr
der König selbst es. Dieser brannte,
noch näher auf die Spur
zu kommen; ließ, umringt von Rittern,
den Mörder Aubrys stehn;
und dennoch war heraus ihn wittern
in einem Hui geschehn.

Denn Herkul kündigt mit Gebelle,
so schlau sich dieser auch verbirgt,
den Mörder an, und auf der Stelle
hätt er ihn stracks erwürgt
(so schlug er, Haken gleich, die Pfoten
ins Fleisch des Feindes ein!),
wenn nicht der weise Karl geboten,
Macaire zu befrein.

Der König zog ihn auf die Seite:
»Gestehet, Ritter!« sprach er sacht,
»habt Ihr – schon sagen's alle Leute –
nicht Aubry umgebracht?
Bedenkt! wenn selbst verloren sollte
auch Eure Seele gehn!«
Allein aus Furcht vor Strafe wollte
Macaire nichts gestehn.

»Nun wohl!« sprach König Karl, so mache
Gott selber denn die Wahrheit kund,
denn Aubrys Blut schreit laut um Rache
durch seinen treuen Hund;
drum soll ein Zweikampf zwischen beiden
den sonderbaren Zwist
auf übermorgen gleich entscheiden,
und wenn du schuldig bist« –

Karl drohte mit den Augenbrauen
dem Mörder noch und hieß ihn gehn.
Die Insel unsrer lieben Frauen
zum Kampfplatz ausersehn,
ward eingefasset mit Staketen,
dem Hof ein Pavillon
erbaut; der König kam; Trompeten
erschallten vom Balkon.

Macair erschien; in seiner rechten
mit einem Prügel, einen Schild
in seiner linken Hand. Zum Fechten
hatt' Herkul nichts, der wild
um seinen Feind und um die Keule,
die keck der Bube schwang,
mit Zähnefletschen und Geheule
herum im Kreise sprang.

Auf einmal fuhr er zu und packte
den, der verhöhnend vor ihm lief,
so fest, daß das Genick ihm knackte
und daß aus Angst er rief:
»Ach, Gnad! ihr sollet alles wissen!
bringt nur die Bestie fort!«
Und als der Hund war losgerissen,
gestand er seinen Mord.

Man drängt sich, Herkuln liebzukosen:
es lebe, schrien aus einem Mund
enthusiastisch die Franzosen,
der König und der Hund!
»So!«, rief itzt vom Balkon der König:
»Wohlan! du Schlangenbrut!
Recht und Gerechtigkeit versöhn ich
nunmehro durch dein Blut!«

Macair erzittert und erbleichte;
er bat; – umsonst! Da kamen schon
zwei Priester, führten ihn zur Beichte
und Absolution, –
worauf, als er sich sträuben wollte,
der Henker fest ihn band,
und – nur ein Schwertschlag – schnappend rollte
sein Kopf schon in den Sand.

*Von Günther von Göckingk (1748–1828)*


# Blutig fleusst der Bach im Tal

In des Morgens grauem Schleier
kehrt heim zum Felsenschloß,
wo die feile Wage schwebte,
wo die Unschuld jammernd bebte,
Wolfenschieß auf seinem Roß.

Auf der Wies' am Erlenbache,
wo sie bei dem Morgensang
häuslich ihre Gewebe tränkte
sah er Adelheid und lenkte
schnell den Pfad zu ihr entlang.

Adelheid, der Weiber schönste,
Roß' und Lilie, Wang und Brust,
blau ihr Auge, Krokosblüten
ihre Locken. Plötzlich glühten
Wut in ihm und Frevellust.

Blickte dir der jungen Frühe
Unschuld nicht ins Angesicht?
Lispelten des Sees Lüfte
dir nicht? noch des Tales Düfte?
Sang dir Lerch und Drossel nicht?

Ihm, dem Wütrich? Sonn und Sterne
schaut nicht, Mond und Berg und See,
der die Unschuld kränkt, die Kette
Freien schmiedet, der das Bette
höhnt der Jungfrau und der Eh!

»Ha! willkommen! nicht vergebens
find ich, schönes Weib! dich hier;
mit mir in des Baches Welle
steigst du, und der Freuden Quelle –
komm! – ergeußt sich mir und dir.

Säumst du? meines Fürsten Rechte
sind mit seinem Schlosse mein!
Widerstrebst du mir, so fließet
deines Mannes Blut, so schließet
dich des Zwingers Kerker ein.«

Sprach's und warf den Mantel nieder,
riß den Purpurwams sich ab:
»Tue, Weib, wie ich, enthülle
deiner Schönheit ganze Fülle,
komm mit mir ins Bad hinab!«

»Ach nicht hier im Strahl des Tages!
Weiber schmückt, wie euch der Mut,
Zucht und Scham; die Welle webe
mir den Schleier; Schatten bebe
auf die stillverborgne Flut!

Harr' im Bade, wo das Bächlein
schlängelnd unter Haseln schlüpft.«
Sprach's und auf der Eile Flügel
war sie, wo ihr Mann am Hügel
nebenan die Stäbe knüpft.

»Komm sei unsrer Schande Rächer!«
Wenig Worte taten's kund,
doch Erröten und Erbleichen,
Tränen und des Busens Keuchen
sprachen lauter als der Mund.

Harre, Wolfenschieß, es nahet
Adelheid! – Des Frevlers Stahl
hebt sie aus dem Haselschatten,
fleht zu Gott, gibt ihn dem Gatten –
blutig fleußt der Bach ins Tal.

*Von Christian Graf zu Stolberg (1748–1821)*

# Der Heidenknabe

Der Knabe träumt, man schicke ihn fort
mit dreißig Talern zum Heideort,
er ward drum erschlagen am Wege
und war doch nicht langsam und träge.

Noch liegt er im Angstschweiß, da rüttelt ihn
sein Meister und heißt ihm, sich anzuziehn,
und legt ihm das Geld auf die Decke
und fragt ihn, warum er erschrecke.

»Ach Meister, mein Meister, sie schlagen mich tot,
die Sonne, sie ist ja wie Blut so rot!«
Sie ist es für dich nicht alleine,
drum schnell, sonst mach ich dir Beine!

»Ach Meister, mein Meister, so sprachst du schon,
das war das Gesicht, der Blick, der Ton,
gleich greifst du,« – zum Stock, will er sagen,
er sagt's nicht, er wird schon geschlagen.

»Ach Meister, mein Meister, ich geh, ich geh,
bring meiner Frau Mutter das letzte Ade!
Und sucht sie nach allen vier Winden,
am Weidenbaum bin ich zu finden!«

Hinaus aus der Stadt! Und da dehnt sie sich,
die Heide, nebelnd, gespenstiglich,
die Winde darüber sausend:
»Ach, wär hier ein Schritt wie tausend!«

Und alles so still, und alles so stumm,
man sieht sich umsonst nach Lebendigem um,
nur hungrige Vögel schießen
aus Wolken, um Würmer zu spießen.

Er kommt ans einsame Hirtenhaus,
der alte Hirt schaut eben heraus,
des Knaben Angst ist gestiegen,
am Wege bleibt er noch liegen.

»Ach Hirte, du bist ja von frommer Art,
vier gute Groschen hab ich erspart,
gib deinen Knecht mir zur Seite,
daß er bis zum Dorf mich begleite.

Ich will sie ihm geben, er trinke dafür
am nächsten Sonntag ein gutes Bier,
dies Geld hier, ich trag es mit Beben,
man nahm mir im Traum drum das Leben!«

Der Hirt, der winkte dem langen Knecht,
er schnitt sich eben den Stecken zurecht,
jetzt trat er hervor – wie graute
dem Knaben, als er ihn schaute!

»Ach Meister Hirte, ach nein, ach nein,
es ist doch besser, ich geh allein!«
Der Lange spricht grinsend zum Alten:
»Er will die vier Groschen behalten.«

»Da sind die vier Groschen!« Er wirft sie hin
und eilt hinweg mit verstörtem Sinn.
Schon kann er die Weide erblicken:
Da klopft ihn der Knecht in den Rücken.

»Du hälst es nicht aus, du gehst zu geschwind,
ei, Eile mit Weile, du bist ja noch Kind,
auch muß das Geld dich beschweren,
wer kann dir das Ausruhn verwehren?

Komm, setz dich unter den Weidenbaum
und dort erzähl mir den häßlichen Traum,
mir träumte – Gott soll mich verdammen,
trifft's nicht mit deinem zusammen!«

Er faßt den Knaben wohl bei der Hand,
der leistet auch nimmermehr Widerstand,
die Blätter flüstern so schaurig,
das Wässerlein rieselt so traurig!

»Nun sprich, du träumtest« – »Es kam ein Mann –«
»War ich das? sieh mich doch näher an,
ich denke, du hast mich gesehen!
Nun weiter, wie ist es geschehen?«

»Er zog ein Messer!« – »War das, wie dies?« –
»Ach ja, ach ja!« – »Er zog's?« – »Und stieß –«
»Er stieß dir's wohl so durch die Kehle?
Was hilft es auch, daß ich dich quäle!

Und fragt ihr, wie's weiter gekommen sei?
so fragt zwei Vögel, sie saßen dabei,
der Rabe verweilte gar heiter,
die Taube konnte nicht weiter!

Der Rabe erzählt, was der Böse noch tat
und auch, wie's der Henker gerochen hat,
die Taube erzählt, wie der Knabe
geweint und gebetet habe.

*Von Friedrich Hebbel*

# Das Gesetz der Brüder

Die Mutter hat schon lang geschaut
von ihrem Giebelfenster,
als kaum der Morgen hat gegraut,
es weckten sie Gespenster:
Der Mann, der Sohn, sie blieben aus,
sie wollten abends schon nach Haus.

Da naht der Sohn, sie lacht ihn an,
er keucht mit schwerem Ranzen;
sie rät, was ihm so lasten kann,
was nach der Pfeif' muß tanzen:
Ob Hirsch, ob Reh im Tanze fiel?
Sie holet Wein zum Freudenspiel! –

Der Sohn schleicht scheu und denkt der Not,
die nachts von ihm bestanden,
wie viele Jäger ihn bedroht,
im Dunkel ihn nicht fanden;
Der Vater nur, der konnt' nicht mit,
der rief zu ihm die letzte Bitt'.

Der Vater scheut die lange Haft,
fällt er in Jägerhände,
erloschen war der Füße Kraft,
der Augen Feuerbrände;
vom Sohn erfleht er schnellen Tod,
der wartet bis zum Morgenrot.

Der Sohn kann fliehen, doch er harrt,
daß sich der Vater stärke,
sein Fuß scharrt leis, sein Auge starrt,
daß es der Vater merke:
Kein Jäger weicht von seinem Ort,
sonst trüge er den Vater fort.

Der Fuchs, wenn ihn das Eisen fängt,
beißt ab die eignen Glieder;
die gleiche Not ihn jetzt umdrängt
und das Gesetz der Brüder:
»Wer lebend fällt in Jägers Hand,
den töte, wer ihm noch verwandt.«

Sein Kopf wird heiß, kein Tau ihm sinkt,
die Nacht ist so verflossen,
der Vater kniet, als Morgen blinkt,
der Sohn hat abgeschossen,
und wie der Vater niederfällt,
die Jäger fliehn, die ihn umstellt.

Sie meinten all, ein Jäger tat's,
und scheun des Sohnes Rache,
durch Zeichen sind sie eines Rats,
sie fliehn, als ob ein Drache
an ihre Fersen sei gebannt,
so sind die Jäger fortgerannt.

Des Vaters Ehr' bedenkt der Sohn,
daß ihn nicht fressen Raben,
daß ihn die Fremden nicht mit Hohn
in Kirchhofseck begraben:
Er sackt ihn ein und hebt ihn auf
und eilt nach Haus im schnellen Lauf.

So tritt er zu der Türe ein,
die Mutter fröhlich winket:
»Heut muß es reiche Beute sein,
das Blut schon fernhin blinket!«
»Da, Mutter, nehmt sie heut für Euch,
ich brach mir keinen grünen Zweig.

Spart auf den Wein zum Totenmahl,
das Ehbett macht zur Bahre,
wascht Vatern rein vom blut'gen Strahl,
daß keines es erfahre,
daß beste Hemde zieht ihm an
und sprecht, es starb am Schlag der Mann.

Ihr sorgt für Schmaus und ehrlich Grab,
für Gäste will ich sorgen,
die Büchs schoß manchen Vogel ab,
die Freunde Kugeln borgen:
so viele Jäger uns umstellt,
so viele sind zum Schmaus gesellt.

Ich ruf die Freund' um Hilfe an,
daß ich bald fertig werde,
die Jäger treff' ich Mann für Mann
rings an des Försters Herde:
durchs Fenster schießen wir hinein,
solang sich reget ein Gebein.«

*Von Achim von Arnim*

# Der Wildschütz und sein Sohn

O stille, graue Frühe!
die Blätter flüstern sacht:
der Hirsch hat seine Kühe
zum Waldrand schon gebracht.
Zum Waldrand in die Saaten!
Da steht und stampft er schon!
Im Busch ruhn die Kossaten,
der Vater und sein Sohn.

Der Alte wiegt in Händen
den rost'gen Flintenlauf.
»Ein Hirsch von vierzehn Enden!
Kerl, Schwerenot, halt drauf!«
Der Junge drückt – ein Knallen!
Das heiß ich gute Pirsch!
Sie sehn zur Erde fallen
den vierzehnend'gen Hirsch!

Fortstieben rings die Kühe –
der Alte ruft: »O Glück!«
Stürzt vor und stemmt die Knie
auf das erlegte Stück.
»Ei, Bursch, du zieltest wacker!
sieh selber – grad aufs Blatt!
Gott segn' es unserm Acker –
der frißt sich nicht mehr satt!

Dem ist kein Korn mehr nütze,
der biegt kein Hälmlein mehr,
der – nun, was gaffst du, Fritze?
rasch!, gib die Stricke her!
So – Fuß an Fuß gebunden!
fühl doch, er wird schon kalt!«
Da tritt mit Volk und Hunden
der Förster aus dem Wald.

Hilf Gott, der kennt die Schliche!
Nun gilt's! Aufspringt das Paar,
reißt aus und läßt im Stiche
die Doppelläufe gar!
Der Förster bleibt nicht hinten,
nachruft er: »Steh, Gezücht!
Was helfen mir die Flinten,
hab ich die Schützen nicht?«

Umsonst! – Da rasch zur Wange
hebt er der Büchse Wucht!
Was – Menschen? – auf der Flucht?
gleichviel! Er drückt – ein Knallen!
Hallo, das heiß ich Glück!
den Alten sieht er fallen –
er traf ihn ins Genick!

In seiner eignen Gerste
daliegt der knochige Mann;
als ob das Herz im berste,
aufstöhnt er dann und wann!
Sein Blut, dem Wams entquollen,
rinnt ab in Furch und Spur;
warm sickert's durch die Schollen –
was denkt die Lerche nur?

Sie sitzt im stillen Neste –
da schießt das Blut herein!
aufschwirrt sie gleich zur Feste,
Blut an den Flügelein!
Sie läßt vor Gott es blitzen
im ersten Sonnenblick,
sprengt auf die Halmenspitzen
es schmetternd dann zurück!

Das ist ein kräftiger Regen
das ist ein kostbar Sprühn!
das ist ein Lerchensegen,
der macht die Saaten grün!
Der tropft auch auf den Jungem
der hinrast übers Feld
und heulend dann umschlungen
den toten Vater hält!

Fort, Bursch! was noch umklammern
die starre Mannsgestalt!
Fort nun, und laß dein Jammern –
»Fühl doch, er wird schon kalt!«
Zurück vom blauen Munde
mit deinem roten! – Sieh,
ankeuchen schon die Hunde –
Herr Gott, zum »Halali!«

Stracks ruhn auf einem Karren
der Hirsch und auch der Mann!
Zum Rot- und Schwarzwildscharren
fortgeht es durch den Tann!
Fortgeht's in einer Hetze –
der Förster pfeift und lacht!
Warum nicht? – die Gesetze
vollstreckt er nur der Jagd!

Drum macht ihm keine Trauer
des Jungen wild Geknirsch –
vergessen wird der Bauer,
gegessen wird der Hirsch!
Ihm selbst wird die Medaille –
ja so, das fehlte noch! –
Den Fritzen, die Kanaille,
wirft man ins Hundeloch!

Da starrt er trüb durchs Gitter;
ein Leirer steht am Tor,
der singt zu seiner Zither
ein Lied den Leuten vor:
»Es lebe, was auf Erden
stolziert in grüner Tracht,
die Wälder und die Felder,
der Jäger und die Jagd!«

*Von Ferdinand Freiligrath. Der Dichter
schrieb zu dieser Ballade, daß sie eine
wahre Geschichte aus dem Jahre 1843
schildert.*

# Der Wildschütz und sein Geselle

Hin schleichet ein Wildschütz durch Wald und Moor,
den Hut im Aug', in der Hand das Rohr,
es treibt ihn die Not zur nächt'gen Jagd,
ein Wild muß er haben, bevor es tagt.

Ein Wild muß er haben, er gab sich das Wort,
und sei auch der Preis für das Wild ein Mord!
So zieht er dahin und späht und lauscht,
wie leis nur der Wind in den Tannen rauscht.

So zieht er dahin in Trotz und Grimm.
Was raschelt, was schleicht da sich hinter ihm?
Den Hut im Aug', in der Hand das Rohr,
ein andrer Wildschütz tritt rasch hervor.

»Woher?« – »Wohin?« – »Auf die nächtige Jagd,
ein Wild muß ich haben, bevor es tagt!«
»Ich auch, ich gab mir darauf mein Wort.«
»Wohlan denn, so ziehn wir zusammen fort!«

Drauf ziehn die beiden, gar stumm und sacht,
dahin durch die öde grausige Nacht,
sie klettern und klimmen hinab, hinan,
doch zeigt sich kein Wild noch auf ihrer Bahn.

Der erste fluchet, der andre lacht,
daß 's schaurig durchschallet die Waldesnacht.
»Und finden muß ich's, ich schwöre mir dies!«
Der andre: »Das meine, das ist mir gewiß!«

So klimmen sie beide den Berg empor,
den Hut im Aug', in der Hand das Rohr.
»Sieh da eine Gemse, frisch auf, Gesell,
nicht kann sie entrinnen auf dieser Stell.«

»Nur nach, nur nach, das Keckste gewagt,
ein Wild muß ich haben, bevor es tagt!«
Und nach setzen beide in Sturm und Graus:
»Nicht kommt uns das Wild mehr, das treffliche, aus!«

Jetzt beugen herum sie ums Felsgestein,
da blickt aus den Wolken des Mondes Schein.
»Wer sperrt uns den Pfad dort, wer tritt heran?
Weh dir, daß du nahest, o Jägersmann!«

Der Jäger tritt ihnen entgegen voll Mut:
»Zurück, sonst gilt's euer wärmstes Blut.«
»Zurück du selber, ich gab mir das Wort,
ein Wild muß ich haben, und sei's durch Mord!«

Da knallen die Büchsen – die eine traf;
hin sinket der Wildschütz zu ew'gem Schlaf,
es stürzt aus der Brust ihm ein warmer Quell:
»O rette, o räche du mich, Gesell!«

Doch wie er zu diesem erhebt den Blick,
da sinkt er mit Todesentsetzen zurück,
denn über ihm kichert ein fleischlos Gebein
aus grinsendem Schädel: »Das Wild ist mein!«

*Von Johann Nepomuk Vogl*

# Die Räuberschenke

Ich zog durchs weite Ungarland;
mein Herz fand seine Freude,
als Dorf und Busch und Baum verschwand
auf einer stillen Heide.

Die Heide war so still, so leer,
am Abendhimmel zogen
die Wolken hin, gewitterschwer,
und leise Blitze flogen.

Da hört ich in der Ferne was,
in dunkler, meilenweiter;
ich legte 's Ohr ans knappe Gras,
mir war, als kämen Reiter.

Und als sie kamen näherwärts,
begann der Grund zu zittern,
stets bänger, wie ein zages Herz
vor nahenden Gewittern.

Her tobte nun ein Pferdehauf,
von Hirten angetrieben
zu rastlos wildem Sturmeslauf
mit lauten Geißelhieben.

Der Rappe peitscht den Grund geschwind
zurück mit starken Hufen,
wirft aus dem Wege sich den Wind,
hört nicht sein scheltend Rufen.

Gezwungen ist in strenge Hast
des Wildfangs tolles Jagen,
denn flammernd herrscht des Reiters Kraft,
um seinen Bauch geschlagen.

Sie flogen hin, woher mit Macht
das Wetter kam gedrungen;
verschwanden – ob die Wolkennacht
mit einmal sie verschlungen.

Doch meint ich nun und immer noch
zu hören und zu sehen
der Hufe donnerndes Gepoch,
der Mähnen schwarzes Wehen.

Die Wolken schienen Rosse mir,
die eilend sich vermengten,
des Himmels hallendes Revier
im Donnerlauf durchsprengten;

der Sturm, ein wackrer Rosseknecht,
sein muntres Liedel singend,
daß sich die Herde tummle recht,
des Blitzes Geißel schwingend.

Schon rannten sich die Rosse heiß,
matt ward der Hufe Klopfen,
und auf die Heide sank ihr Schweiß
in schweren Regentropfen.

Nun brach die Dämmerung herein,
mir winkt von fernen Hügeln
herüber weißer Wände Schein,
die Schritte zu beflügeln.

Es schwieg der Sturm, das Wetter schwand;
froh, daß es fortgezogen,
sprang übers ganze Heideland
der junge Regenbogen.

Die Hügel nahten allgemach;
die Sonne wies im Sinken
mir noch von Rohr das braune Dach,
ließ hell die Fenster blinken.

Am Giebel tanzte wie berauscht
des Weines grüner Zeiger,
und als ich freudig hingelauscht,
hört ich Gesang und Geiger.

Bald kehrt ich ein und setzte mich
allein mit meinem Kruge;
an mir vorüber drehte sich
der Tanz im raschen Fluge.

Die Dirnen waren frisch und jung
und hatten schlanke Leiber,
gar flink im Drehen, leicht im Sprung,
die Bursche – waren Räuber.

Die Hände klatschten und im Takt
hell klirrt des Spornes Eisen;
das Lied frohlocket und es klagt
schwermütig kühne Weisen.

Ein Räuber singt: »Wir sind so frei,
so selig, meine Brüder!«
Am Jubeln seines Munds vorbei
schleicht eine Träne nieder.

Der Hauptmann sitzt, auf seinen Arm
das braune Antlitz senkend,
er scheint entrückt dem lauten Schwarm,
wie an sein Schicksal denkend.

Das Feuer seiner Augen bricht
hindurch die finstern Brauen,
wie nachts im Wald der Flamme Licht
durch Büsche ist zu schauen.

Wächst aber Sang und Sporngeklirr
nun kühner den Genossen,
seh ich das leere Weingeschirr
ihn kräftig niederstoßen.

Ein Mädel sitzt an seiner Seit',
scheint ihn als Kind zu ehren
und gerne hier der Fröhlichkeit
des Tanzes zu entbehren.

Auf ihren Reizen ruht sein Blick
mit innigem Behagen,
zugleich auf seines Kinds Geschick
mit heimlichem Beklagen. –

Stets wilder in die Seelen geigt
nun die Zigeunerbande,
der Freude süßes Rasen steigt
laut auf zum höchsten Brande.

Und selbst des Hauptmanns Angesicht
hat Freude überkommen; –
da dacht ich an das Hochgericht
und ging hinaus, beklommen.

Die Heide war so still, so leer,
am Himmel nur war Leben;
ich sah der Sterne strahlend Heer,
des Mondes Völle schweben.

Der Hauptmann auch entschlich dem Haus;
mit wachsamer Gebärde
rings horcht er in die Nacht hinaus,
dann horcht er in die Erde.

Ob er nicht höre schon den Tritt
ereilender Gefahren,
ob leise nicht der Grund verriet
ansprengende Husaren.

Er hörte nichts, da blieb er stehn,
um in die hellen Sterne,
um in den hellen Mond zu sehn,
als möcht er sagen gerne:

»O Mond im weißen Unschuldkleid!
ihr Sterne dort unzählig!
in eurer stillen Sicherheit,
wie wandert ihr so selig!«

Er lauschte wieder – und er sprang
und rief hinein zum Hause,
und seiner Stimme Macht verschlang
urplötzlich das Gebrause.

Und eh das Herz mir dreimal schlug,
so saßen sie zu Pferde,
und auf und davon im schnellsten Flug,
daß rings erbebte die Erde.

Doch die Zigeuner blieben hier,
die feurigen Gesellen,
und spielten alte Lieder mir
Rakoczys, des Rebellen.

*Von Nikolaus Lenau*

# Lindenschmids Gefangennahme

Es ist nit lang, daß es geschah,
daß man den Lindenschmid reiten sah
auf einem hohen Rosse;
er reit den Rheinstrom auf und ab,
hat sein gar wohl genossen, ja genossen.

»Frisch her, ihr lieben G'sellen mein!
es muß sich nur gewaget sein,
wagen das tut gewinnen;
wir wöllen reiten Tag und Nacht,
bis wir ein Beut gewinnen.«

Den Markgrafen von Baden kam neue Mär,
wie man ihm ins G'leit gefallen wär,
das tät ihn sehr verdrießen;
wie bald der Junker Casper schreib:
er sollt ihm ein Reislein dienen.

Junker Casper zog dem Bäurlein ein Kappen an,
er schickt ihn allzeit vorne dran
wohl auf die freie Straßen:
ob er den edeln Lindenschmid fänd,
denselben sollt er verraten.

Das Bäurlein schiffet über Rhein,
er kehret zu Frankenthal ins Wirtshaus ein:
»Wirt! haben wir nichts zu essen?
Es kommen drei Wägen, seind wohl beladen,
von Frankfurt aus der Messen.«

Der Wirt der sprach dem Bäurlein zu:
»Ja Wein und Brot hab ich genug,
im Ställ da stehn drei Rosse,
die seind des edlen Lindenschmid,
er nährt sich auf freier Straßen.«

Das Bäurlein dacht in seinem Mut:
die Sache wird noch werden gut,
den Feind hab ich vernommen;
wie bald er Junker Casper schreib,
daß er soll eilends kommen!

Der Lindenschmid der hätt einen Sohn,
der sollt den Rossen das Futter tun,
den Habern tät er schwingen:
»Steh auf, herzliebster Vater mein!
ich hör die Harnisch klingen.«

Der Lindenschmid lag hinterm Tisch und schlief,
sein Sohn der tät so manchen Rief,
der Schlaf hatt ihn bezwungen.
»Steh auf, herzliebster Vater mein,
dein Verräter ist schon kommen.«

Junker Casper zu der Stuben eintrat,
der Lindenschmid von Herzen sehr erschrak.
»Lindenschmid, gib dich gefangen!
Zu Baden an dem Galgen hoch,
daran so sollt du hangen!«

Der Lindenschmid der war ein freier Reutersmann,
wie bald er zu der Klingen sprang:
»Wir wöllen erst ritterlich fechten!«
Es waren der Bluthund also viel,
sie schlugen ihn zu der Erden.

»Kann und mag es denn mit anders gesein,
so bitt ich um den liebsten Sohne mein,
auch um meinen Reutersjungen,
und haben sie jemands Leids getan,
darzu hab ich sie gezwungen.«

Junker Casper sprach nein darzu:
»Das Kalb muß entgelten der Kuh;
es soll dir nicht gelingen,
zu Baden in der werten Stadt
muß ihm sein Haupt abspringen.«

Sie wurden alle drei gen Baden gebracht,
sie saßen nit länger denn eine Nacht;
wohl zu derselbigen Stunde,
da ward der Lindenschmid gericht,
sein Sohn und der Reutersjunge, ja Junge.

*Lindenschmid war ein weithin bekannter Räuber,
der 1490 hingerichtet wurde.*

# Ich bin der Fürst der Wälder

Ich bin der bayrisch Hiesel,
Kei' Kugel geht mir ein;
Drum fürcht ich auch kein Jäger,
Sollts gleich der Teufel sein.
Im Wald drauß ist mei' Heimat,
Im Wald drauß ists a Leb'n,
Da schieß ich Reh' und Hirsche,
Und Wildschwein auch daneb'n.

Was soll ich mich auch fürchten,
Mei Kugel trifft ja gut,
Und wenn auch d' Streifen kommen,
Dieß sagt mir z'erst mein Hut.
Und wenn s' mich auch umringen,
Die dummen Eselsköpf,
Sehn s' mich, den Hund, den Buben,
So laufen s' gleich, die Tröpf!

Und thun mich d' Feind verfolgen,
und lassen s' mir kei' Ruh;
Krieg i halt ein'n in d' Klauen,
So muß ers büßen gnu.
Was d' Jäger thut verdrieß'n,
Daß g'schieht mit größter Freud';
Nächst haben s' mir beten müss'n
Und machen mir Reu' und Leid.

Ein himmellanger Jäger
hat droht, er häng mich auf,
Derweil ists um'kehrt gangen,
Wie oft im Lebenslauf.
Im Wald sind wir z'sammen kommen,
Dieß hätt' kein Mensch nicht denkt;
Beim Schopf hab ich ihn g'nommen
Und schnell am Baum aufg'hängt.

Ich bin der Fürst der Wälder,
Und keiner ist mir gleich;
So weit der Himmel blau ist,
So weit geht auch mein Reich.
Das Wild auf weiter Erde
Ist freies Eigenthum;
Drum laß ich mich nicht hindern,
Denn wers nicht schieß, wär dumm.

Es gibt kein schöners Leben,
Wie ich führ auf der Welt;
Die Bauern geb'n mir z'essen,
Und, wenn ichs brauch, noch Geld.
Drum thu ich d' Felder schützen
Mit meine tapfern Leut',
Und wo ich auch nur hinkomm,
O Gott, da ists a Freud!

Und kommt die letzte Stunde,
Und schließ ich d' Augen zu;
Soldaten, Scherg'n und Jäger
Erst dann habt ihr a Ruh.
Da wird sichs 's Wild vermehren
Und springen kreuzwohlauf,
Und d' Bauern wer'n oft rufen:
Geh Hiesl, steh noch auf!

*Dieser Text entstand noch zu Lebzeiten des Räuberhauptmannes und Wilderers Matthäus Klostermaier, vulgo »bayrisch Hiesel«, der 1771 in Dillingen zum Tode verurteilt und öffentlich gerädert wurde. Friedrich von Schiller hat die Gestalt seines »edlen Räubers« Karl Moor dem »bayrischen Hiesel« nachempfunden.*

# Das »Räuber«-Lied

Stehlen, morden, huren, balgen,
heißt bei uns die Zeit zerstreun,
morgen hangen wir am Galgen,
drum laßt uns heute lustig sein.

Ein freies Leben führen wir,
ein Leben voller Wonne:
Der Wald ist unser Nachtquartier,
bei Sturm und Wind hantieren wir,
der Mond ist unsre Sonne,
Merkurius ist unser Mann,
der's Praktizieren trefflich kann.

Heut laden wir bei Pfaffen uns ein,
bei masten Pächtern morgen,
was drüber ist, da lassen wir fein
den lieben Herrgott sorgen.

Und haben wir im Traubensaft
die Gurgel ausgebadet,
so machen wir uns Mut und Kraft
und mit dem Schwarzen Brüderschaft,
der in der Hölle bratet.

Das Wehgeheul geschlagner Väter,
der bangen Mütter Klaggezeter,
das Winseln der verlaßnen Braut
ist Schmauß für unsre Trommelhaut!

Ha! Wenn sie euch unter dem Beile so zucken,
ausbrüllen wie Kälber, umfallen wie Mucken.
Das kitzelt unsern Augenstern,
das schmeichelt unsern Ohren gern.

Und wenn mein Stündlein 'kommen nun,
der Henker soll es holen,
so haben wir halt unsern Lohn,
und schmieren unsre Sohlen.
Ein Schlückchen auf den Weg vom heißen Traubensohn
und hurra rax dax! gehts, als flögen wir davon.

*Von Friedrich von Schiller*

# Schinderhannes' Abschiedslied

Gute Nacht! – lebt wohl! – ich scheide –
Gute Nacht, ihr Menschen all! –
Schaut mich nur recht an, denn heute
seht ihr mich zum letztenmal;
laßt euch noch von mir erzählen
meinen kurzen Lebenslauf,
prägt ihn tief in eure Seelen,
Jugend hör – und merk darauf:

Wahr ist's, was von mir zu lesen:
daß ich eines Bauern Sohn
von Saarbrücken bin gewesen
und dem Vater lief davon.
Wahr ist's: daß ich mich verdungen
zum Fallmeister in dem Land;
daher auch der Nam entsprungen,
daß man Schinderhanns mich nannt.

Wahr ist's: daß ich einer Bande
Hauptmann und Anführer war,
daß ich manchen in dem Lande
plündert und ermord't sogar,
welches meist an reichen Leuten
und an Juden ich verübt;
darum ich den Tod muß leiden,
den man auch mit Recht mir gibt.

Zweimal ist mir's zwar gelungen,
daß ich mich aus dem Arrest
losgemacht und bin entsprungen,
doch zuletzt hielt man mich fest,
da mein Schwager mich verraten,
daß ich Schinderhannes sei.
Ich wurd darauf zum Soldaten,
mich dadurch zu machen frei.

Bald drauf wurd durch die Franzosen
ich nach Mainz geliefert gar,
da im Holzturm ich geschlossen
saß, beinah sechsviertel Jahr.
Und nun naht die letzte Stunde
meines Lebens sich heran;
drum so hört aus meinem Munde
meinen letzten Abschied an.

Nehmt euch all an meinem Leben
ein Exempel und Beispiel,
wer dem Müßiggang ergeben,
nichts arbeit, noch lernen will;
ach! ich sag es unverhohlen,
wollt Gott, daß nicht so wär,
daß ich schon als Knab gestohlen
und es nicht konnt lassen mehr.

Merkt dies, junge Leut und Kinder!
nehmt nichts, was euch nicht gehört;
halt't die Eltern und nicht minder
eure Lehrer hoch und wert!
Laßt mit wenig euch genügen,
geht zur Kirch und Schule gern;
meidet schlechte Streich und Lügen;
denn wer lügt, der stiehlt auch gern.

Lasset Geiz und Habsucht fahren;
lebt keusch, züchtig, fromm und rein.
Laßt euch auch in ältern Jahren
nicht in böse G'sellschaft ein;
laßt euch nie zu etwas brauchen,
das zur bösen Tat verleit't;
habt im Herzen und vor Augen,
Gott, der richt't es mit der Zeit.

Nichts half es mir, daß den Armen
ich viel Guts erwiesen dort;
weil ohn Mitleid und Erbarmen
ich geraubet und gemord't.
Menschen! wollt ihr Gutes üben,
haßt das Böse, was ihr tut,
und tut niemand nicht betrüben,
sei's ein Christ gleich oder Jud.

Dreiundfünfzig Hauptverbrechen
hab ich schuldig mich gemacht,
die auf meinen Räuberwegen
seit vier Jahren ich vollbracht.

Einbruch, Straßenräubereien
nebst drei Mordtat ich verübt.
Weib und Kinder mir nachschreien:
Mörder, uns hast du betrübt!

Gott, ich bin ein armer Sünder,
war ein großer Bösewicht!
Ach, verfahr mit mir gelinder,
geh nicht mit mir ins Gericht!
Lang tät mir's im Sinn schon schweben,
daß ich bin zum Tod bestimmt;
weil, wer andern raubt ihr Leben,
man mit Recht sein Leben nimmt.

Ich gesteh frei und geduldig:
Ich sterb nach Gerechtigkeit;
aber zehn sind fast unschuldig,
ihr Tod tut mir herzlich leid,
weil ich sie selbst hab verführet
unter meine Räuberschar;
ihr Tod ist es, der mich rühret.
Gott, verzeih mir dies noch gar!

Lebt wohl, all, die ihr mich balde
seht hinführen zum Gericht!
Ach, ich bitt euch, Jung und Alte,
nehmt zu Herzen dies Gedicht!
Fürchtet Gott von eurer Jugend,
arbeit't gern mit eurer Hand,
daß ihr nie vom Weg der Tugend
fallt in Laster, Sünd und Schand!

Gute Nacht, Kind und Geliebte,
die auf ihrer Jugendbahn
ich verführt und jetzt betrübte.
Ach, verzeih, was ich getan!
Du warst treu, doch falsch dein Bruder,
der mir Fall und Netz gestellt;
gute Nacht, Vater und Mutter!
ich geh in ein bess're Welt.

Ruhig, froh, getrost und heiter
geh ich in die Ewigkeit;
springe von der Wagenleiter
rasch und willig und bereit
hin zu jener Mordmaschine
ohne Schrecken, Qual und Pein,
und sterb durch die Guillotine.
Führ mich Gott zum Himmel ein!

*Schinderhannes, mit bürgerlichem Namen Johann
Bückler (1778–1803), war ein berüchtigter
Räuberhauptmann im Rheinland. Sein »Abschiedslied«
stammt nicht von ihm sondern von einem unbekannten
Moritaten-Dichter. Das Schicksal dieses Räuberhauptmannes
hat Carl Zuckmayer zu seinem Drama »Schinderhannes«
angeregt:*

# Lied vom Schinderhannes

»Im Schneppenbacher Forste,
Da geht der Teufel rumdibum,
De Hals voll schwarzer Borste,
Und bringt die arme Kaufleut um!

Das ist der Schinderhannes,
Der Lumpenhund, der Galgenstrick,
Der Schrecken jedes Mannes,
Und auch der Weiberstück!

Im Soonewald, im Soonewald
Steht manche dunkle Tann,
Darunter liegt begraben bald
Ein braver Wandersmann.

Im Schneppenbacher Forste,
Da geht der Teufel rumdibum,
Die Ank voll schwarzer Borste,
Und legt die junge Weibsleut um!«

*Von Carl Zuckmayer (1896–1977) Aus: »Schinderhannes«*

# Rinaldini

In des Waldes tiefsten Gründen,
in den Höhlen tief versteckt,
schläft der Räuber allerkühnster,
bis ihn seine Rosa weckt,

»Rinaldini!« ruft sie schmeichelnd,
Rinaldini, wache auf!
Deine Leute sind schon munter,
Längst schon ging die Sonne auf!«

Und er öffnet seine Augen,
lächelt ihr den Morgengruß.
Sie sinkt sanft in seine Arme
und erwidert seinen Kuß.

Draußen bellen laut die Hunde,
Alles strömet hin und her;
Jeder rüstet sich zum Streite,
ladet doppelt sein Gewehr.

Und der Hauptmann, schon
gerüstet,
tritt nun mitten unter sie:
»Guten Morgen, Kameraden!
sagt, was gibts denn schon so früh?«

»Unsre Feinde sind gerüstet,
ziehen gegen uns heran.« –
»Nun wohlan! Sie sollen sehen,
daß der Waldsohn fechten kann!

Laß uns fallen oder siegen!«
Alle rufen: »Wohl, es sei!«
Und es tönen Berg und Wälder
ringsumher vom Feldgeschrei.

Seht sie fechten, seht sie streiten!
Jetzt verdoppelt sich ihr Mut;
Aber ach! Sie müssen weichen,
nur vergebens strömt ihr Blut.

Rinaldini, eingeschlossen,
haut sich, mutig kämpfend, durch
und erreicht im finstren Walde
eine alte Felsenburg.

Zwischen hohen düstren Mauern
lächelt ihm der Liebe Glück.
Es erheitert seine Seele
Seiner Rosa Zauberblick.

Rinaldini, lieber Räuber!
Raubst der Rosa Herz und Ruh;
Ach, wie schrecklich in dem Kampfe,
wie verliebt im Schloß bist du!

*Aus dem Räuberroman »Rinaldo Rinaldini«*
*von Goethes Schwager Christian August Vulpius*
*(1762–1827). Gehörte später zu den beliebtesten*
*Bänkelliedern, die auf Jahrmärkten vorgetragen*
*wurden, allerdings nur unter der amtlichen*
*Bedingung, daß der frivole Text durch zwei*
*»moralische Strophen« ergänzt wurde:*

Lispelnd sprach das holde Mädchen:
»Höre an, Rinaldo mein,
werde tugendhaft, mein Lieber,
laß das Räuberhandwerk sein!«

»Ja, das will ich, liebste Rosa!
Will ein braver Bürger sein, –
und ein ehrlich Handwerk treiben,
stets gedenken dabei dein.«

# Die Moritat von Mackie Messer

Und der Haifisch, der hat Zähne
Und die trägt er im Gesicht
Und Macheath, der hat ein Messer
Doch das Messer sieht man nicht.

Ach, es sind des Haifischs Flossen
Rot, wenn dieser Blut vergießt!
Mackie Messer trägt 'nen Handschuh
Drauf man keine Untat liest.

An der Themse grünem Wasser
Fallen plötzlich Leute um!
Es ist weder Pest noch Cholera
Doch es heißt: Macheath geht um.

An 'nem schönen blauen Sonntag
Liegt ein toter Mann am Strand
Und ein Mensch geht um die Ecke
Den man Mackie Messer nennt.

Und Schmul Meier bleibt verschwunden
Und so mancher reiche Mann
Und sein Geld hat Mackie Messer
Dem man nichts beweisen kann.

Jenny Towler ward gefunden
Mit 'nem Messer in der Brust
Und am Kai geht Mackie Messer
Der von allem nichts gewußt.

Wo ist Alfons Glite, der Fuhrherr?
Kommt das je ans Sonnenlicht?
Wer es immer wissen könnte –
Mackie Messer weiß es nicht.

Und das große Feuer in Soho
Sieben Kinder und ein Greis –
In der Menge Mackie Messer,
Den man fragt und der nichts weiß.

Und die minderjährige Witwe
Deren Namen jeder weiß
Wachte auf und war geschändet –
Mackie, welches war dein Preis?

*Von Bertolt Brecht*

# Ein Weib

Sie hatten sich beide so herzlich lieb,
Spitzbübin war sie, er war ein Dieb.
Wenn er Schelmenstreiche machte,
sie warf sich aufs Bett und lachte.

Der Tag verging in Freud' und Lust,
des Nachts lag sie an seiner Brust.
Als man ins Gefängnis ihn brachte,
sie stand am Fenster und lachte.

Er ließ ihr sagen: »O komm zu mir,
ich sehne mich so sehr nach dir,
ich rufe nach dir, ich schmachte« –
sie schüttelt das Haupt und lachte.

Um sechse des Morgens ward er gehenkt,
um sieben ward er ins Grab gesenkt;
sie aber schon um achte
trank roten Wein und lachte.

*Von Heinrich Heine*

# Mahne-Friedrichs Abschied

Seit dem ersten Märzen ist bekannt
der Hemsbacher Mord im Badenland,
der uns in großes Leid gestürzt
und unser Leben hat verkürzt.

Die Armut freilich war dran schuld,
weil man sie nicht mehr hat geduld't.
Die hohen Herrn sind schuld daran,
daß man tut, was man sonst nicht getan.

Drum sind wir jetzt, wir armen Leut,
in diesem Fall, der uns gereut.
Wir sind selb fünfe arretiert,
nach Heidelberg in Arrest geführt.

Valentin Krämer der erste war,
der macht's den Richtern offenbar,
wer diesen Raub und Mord verricht't
und sagt's uns andern ins Gesicht.

Im Oktober wards Verhör geschlossen.
Viel Tränen haben wir vergossen.
Gott ist's, der aller Herzen sicht,
und dieser, der verläßt uns nicht.

Unsern armen Weibern und Kinderlein
mag er hinfort Beschützer sein;
da du doch selbst, Herr Jesu Christ,
der armen Waisen Vater bist.

Jetzt wollen wir das Lied beschließen;
auch laß sich niemand drob verdrießen,
vielleicht ist wohl ein Fehler drein,
dieweil wir nicht studiert sein.

*Knapp vor seiner Hinrichtung am 31. Juli
1812 schrieb der Räuberhauptmann Friedrich
Schulz – »Mahne-Friedrich« – diesen später
populär gewordenen Text an seine Zellenwand
im Gefängnis vom Hemsbach, nahe von Weinheim
an der Bergstrasse.*

# Die Ballade vom blutigen Bomme

Hochverehrtes publikum
werft uns nicht die bude um
wenn wir albernes berichten
denn die albernsten geschichten
macht der liebe gott persönlich
ich verbleibe ganz gewöhnlich
wenn ich auf den tod von Bomme
meinem freund zu sprechen komme

möge Ihnen nie geschehn
was Sie hier in bildern sehn

Zur beweisaufnahme hatte
man die blutige krawatte
keine spur mehr von der beute
auf dem flur sogar die leute
horchen was nach außen dringt
denn der angeklagte bringt
das gericht zum männchenmachen
und das publikum zum lachen

seht die herren vom gericht
schätzt man offensichtlich nicht

Eisentür und eisenbett
dicht daneben das klosett
und der wärter freut sich sehr
kennt den mann von früher her
Bomme fühlt sich gleich zu haus
ruht von seiner arbeit aus
auch ein reicher mann hat ruh
hält den sarg von innen zu

jetzt geht Bomme dieser mann
und sein reichtum nichts mehr an

Sagt der wärter: grüß dich mann
laß dirs gut gehn – denk daran
wärter sieht auch mal vorbei
mach mir keine scherereien
essen kriegst du nicht zu knapp
Bomme denn dein kopf muß ab
Bomme ist schon sehr gespannt
und malt männchen an die wand

nein hier hilft kein daumenfalten
Bomme muß den kopf hinhalten

Bomme ist noch nicht bereit
für abendmahl und ewigkeit
kommt der pastor und erzählt
wie sich ein verdammter quält
wie er große tränen weint
und sich wälzet – Bomme meint:
das ist alles intressant
und mir irgendwie bekannt

denn das weiß ein frommer christ
wie dem mann zumute ist

Auf dem hof wird holz gehauen
Bomme hilft das fallbeil bauen
und er läßt sich dabei zeit
schließlich ist es doch soweit
daß es hoch und heilig ragt
Bomme sieht es an und sagt:
das ist schärfer als faschismus
und probiert den mechanismus

wenn die schwere klinge fällt
spürt er daß sie recht behält

*Von Christa Reinig, geboren 1926*

Aufstehn kurz vor morgengrauen
das schlägt Bomme ins verdauen
und da friert er – reibt die hände
konzentriert sich auf das ende
möchte gar nicht so sehr beten
lieber schnell aufs klo austreten
doch dann denkt er: einerlei
das geht sowieso vorbei

von zwei peinlichen verfahren
kann er eins am andern sparen

Wäre mutter noch am leben
würde es auch tränen geben
aber so bleibt alles sachlich
Bomme wird ganz amtlich-fachlich
ausgestrichen aus der liste
und gelegt in eine Kiste
nur ein sträfling seufzt dazwischen
denn er muß das blut aufwischen

bitte herrschaften verzeiht
solche unanständigkeit

Doch wer meint das stück war gut
legt ein groschen in den hut

# Moritat vom Vatermörder Christopher Mahon

Vor dir der schwarze Galgen von Killmainham,
Die Springflut unter dir und oben Sturm
Und hinten England oder ein Subjekt von jenem:
So zeigt sich die Natur dem Menschenwurm.
Drum soll sich keiner wider sie erheben
Und wider Zuchthaus, England, Sturm und Flut,
Und seis ein Mensch von höchst gerechtem Streben,
Und seis ein Mensch von kühnem Mut.

Ein Sohn von fast noch ungetanen Taten,
Mit seinem greisen Vater einst allein,
Ergriff, Christy Mahon, so hieß er, einen Spaten
Und schlug ihn ins verwandte Haupt hinein
Des Vaters Leichnam und das weite Leben
Lagen vor ihm. Er griff nach seinem Hut.
Und war ein Mensch von höchst gerechtem Streben.
Und war ein Mensch von kühnem Mut.

Wehe den Mördern, die kein Bargeld haben.
Sie müssen doch der Strafe auch entgehn.
Christy Mahon schlief elf Tage im Straßengraben
Und irrte elf Nächte auf den Chausseen.
Und sah an den Kartoffeläckern kleben
Im Mondenschein den Tau wie Vaterblut.
Und war ein Mensch von höchst gerechtem Streben.
Und war ein Mensch von kühnem Mut.

Kurz war die Laufbahn nur von diesem Helden.
Beim ersten Vatermord schon sank sein Arm.
Und nur sein Bild auf Francis X. O'Rourkes Gemälden
Hält in dem Publikum den Vorfall warm.
Das blutige Mordgerät steht still daneben,
Denn ohne Herrn ist es für nichts mehr gut.
So starb ein Mensch von höchst gerechtem Streben.
So starb ein Mensch von kühnem Mut.

*Von Peter Hacks*

# Der Mörder

Jasmin und Rosen schicken mit Macht
Weihrauchwolken durch die Sommernacht.
Plötzlich auf dem Hügel im Gebüsch ein Lärm,
ein einziger Schrei gellt: Hermann...Herm...
und heraus stürzt vom kahlen Hügel zum Tann
mit ausgebreiteten Armen ein Mann.
Wie still liegt das Land.

In der Rechten ein Messer, das perlt noch rot,
damit stach er dort oben sein Mädchen tot.
Die Augen groß offen, von Lachen gepackt,
Die Brust im zerrissenen Hemde nackt,
so läuft er, erreicht er den Wald, den Weg
und verschwindet über den Brückensteg.
Wie still liegt das Land.

Jasmin und Rosen schicken mit Macht
Weihrauchwolken durch die Sommernacht.
Der Vollmond glitzert auf Turm und Teich,
zieht ruhig weiter durchs Himmelreich.
Der Halm steht auf, wo der Mörder lief,
und das Blut oben schreibt einen Liebesbrief.
Wie still liegt das Land.

*Von Detlev Freiherr von Liliencron*

# Der Tantenmörder

Ich hab meine Tante geschlachtet,
Meine Tante war alt und schwach;
Ich hatte bei ihr übernachtet
Und grub in den Kisten-Kasten nach.

Was nutzt es, daß sie sich noch härme –
Nacht war es rings um mich her –
Ich stieß ihr den Dolch in die Därme,
Die Tante schnaufte nicht mehr.

Da fand ich goldene Haufen,
Fand auch an Papieren gar viel
Und hörte die alte Tante schnaufen
Ohn Mitleid und Zartgefühl.

Das Geld war schwer zu tragen,
Viel schwerer die Tante noch.
Ich faßte sie bebend am Kragen
Und stieß sie ins tiefe Kellerloch. –

Ich habe meine Tante geschlachtet,
Meine Tante war alt und schwach;
Ihr aber, o Richter, ihr trachtet
Meiner blühenden Jugend-Jugend nach.

*Von Frank Wedekind (1864–1918)*

# Der unschuldig verurteilte Knabe

Es liegt ein Schloß in Österreich,
das ist gar wohl erbauet
von Silber und von rotem Gold,
mit Marmorstein gemauert.

Darinnen lag ein junger Knab
auf seinen Hals gefangen wohl
vierzig Klaftern unter der Erd
bei Ottern und bei Schlangen.

Sein Vater kam von Rosenberg
wohl vor den Turm gegangen.
»Ach Sohn, herzallerliebster Sohn,
wie hart liegst du gefangen!«

»Ach Vater, liebster Vater mein,
so hart lieg ich gefangen
wohl vierzig Klaftern unter der Erd
bei Ottern und bei Schlangen.«

Der Vater vor die Herren ging,
bat um des Sohnes Leben:
»Dreihundert Taler geb ich euch,
schenkt meinem Sohn das Leben!«

»Dreihundert Taler helfen nicht,
ob Ihr sie schon wollt geben;
Euer Sohn trägt eine güldne Kett,
die bringt ihn um sein Leben.«

»Und trägt er eine güldne Kett,
ist sie doch nicht gestohlen.
Ein Jungfräulein hat's ihm verehrt
und teuer anbefohlen.«

Man brachte den Knaben aus dem Turm,
gab ihm die Sakramente.
»Hilf reicher Christ vom Himmel hoch!
es geht mit mir zu Ende.«

Man brachte den Knaben vors Gericht
in gar geschwinder Eile:
»Ach Meister, lieber Meister mein,
laßt mir eine kleine Weile!«

»Eine kleine Weile laß ich dir nicht,
du möchtest mir entrinnen.
Reicht mir ein seiden Tüchlein her,
daß ich ihm die Augen verbinde.«

»Verbindet mir die Augen nicht!
Ich muß die Welt noch schauen.
Ich sehe sie heut und nimmermehr
mit meinen traurigen Augen.«

Sein Vater beim Gerichte stund.
Sein Herze wollt' ihm brechen:
»Ach Sohn, herzallerliebster Sohn,
den Tod will ich schon rächen.«

»Ach Vater, liebster Vater mein,
sagt nicht, ihr wollt es rächen,
auf daß sie nicht noch über mich
ein härter Urteil sprechen.

Mich dauert ja mein Leben nicht
und auch nicht meine Ehre.
Meine Mutter dauert mich daheim,
die wird weinen also sehre.«

Es stund kaum an den dritten Tag,
die Engel Gottes winken:
So grabt dem Knaben doch ein Grab,
sonst muß die Stadt versinken.

Es stund kaum an ein halbes Jahr,
so ward die Tat gerochen:
Es wurden wohl dreihundert Mann
um's Knaben willen erstochen.

Wer hat uns denn dies Lied gemacht
und auch gesungen zugleiche?
Drei schöne Jungfräulein zu Wien,
einer Stadt in Österreiche.

*Von Hoffmann von Fallersleben. In Schlesien
gehört, aufgeschrieben und in seiner Sammlung
»Schlesische Volkslieder« veröffentlicht. Verbreitete
europäische Volksballade, die einen internationalen
Novellenstoff zum Inhalt hat.*

# Der Henker

Er hat den kragen freigemacht
und stellt sich selbst auf das gerüst
sein wächter hat ihm schnaps gebracht
weil er sonst nichts zu wünschen wüßt

und der gehilfe legt den strick
dem meister sorgsam um den hals
und knotet ihn mit viel geschick
der meister sagt ihm allenfalls:

sieh zu daß du mich gut vertrittst
und achte eh du dich entfernt hast
daß mir der knoten richtig sitzt
und zeig was du gelernt hast

*Von Christa Reinig*

# Der Gehenkte

Auf öder Heide ragt das Hochgericht
gespenstig in die Nacht hinein,
erhellt vom zweifelhaften Mondenlicht,
dreibeinig auf einem Kranz von Stein.

Und klappernd an dem hölzernen Gestell,
vom Winde hin und her geschwenkt,
ist hoch hinauf ein schlotternder Gesell,
an hanfgedrehtem Strick gehenkt.

Kein Auge ward bei seinem letzten Gang
von einer stillen Trän' betaut,
Bevor er von der Leitersprosse sprang,
hat flehend noch sein Aug geschaut.

Es stand ringsum ein dichtes Menschenheer,
soweit, soweit er traurig sah;
da ward dem armen Burschen das Herz so schwer,
kein einz'ger Freund war fern noch nah.

Nicht Vater und Mutter, nicht Schwesterlein,
kein Bruder und kein treues Lieb,
kein einz'ger Freund in all den dichten Reihn,
der treu im Unglück ihm verblieb.

Da hat er, statt zu beten, wild geflucht,
dem Vater geflucht, der ihn gezeugt,
da hat er, statt zu beten, wild geflucht,
der Mutter geflucht, die ihn gesäugt.

Geflucht des Tages goldnem Sonnenstrahl,
des blauen Himmels frischer Luft,
geflucht dem Waldgrün und dem Wiesental,
dem Vogelsang und Blumenduft.

Der Pfaffe sprach zu ihm vom güt'gen Gott
und seiner Allbarmherzigkeit;
das dünkte dem jungen Blute Hohn und Spott:
»Barmherzigkeit, wie bist du weit!«

Die Zeit ist um, noch einen einz'gen Blick
auf alles Leben um ihn her,
ein Stoß hinab, vollbracht ist sein Geschick,
und ringsum war es still und leer.

So hing er droben schon ein ganzes Jahr,
vom Regen und vom Tau gebleicht;
um ihn herum die finstre Rabenschar
mit heisrem Krächzen kreisend streicht.

So hing er heute bis zur Mitternacht,
als über die Heide die Windsbraut sprang,
daß im Gefuge das Gerüste kracht
und schrill zerriß der morsche Strang.

Zu Boden stürzte das Gerippe zerschellt,
der Schädel rollte von Stein zu Stein,
und durch den Sturm ein wilder Wehruf gellt,
als fluchte wieder das Klapperbein.

*Von Heinrich von Reder*

# Parodie und Satire

Vom Ringkampf, Wintersport
und lodenfreiem Gletscherfexlertum.
Vom wilden Kurd,
der jüngst im Wald erschossen wurd'

# Der Raubschütz

Der alte Müller Jakob sitzt
allein beim Glase Wein.
Schwarzmitternacht, nur manchmal blitzt
ein Wetterstrahl herein.
Das Mühlrad saust, es braust der Wind;
doch schlafen ruhig Weib und Kind.

Der Alte tut manch raschen Zug;
er denkt an Zeit und Tod.
Wie draußen jagt des Sturmes Flug,
so jagen Lust und Not,
die längst vergrabnen, neuerwacht,
ihm durch die Brust in dieser Nacht.

Die Tür geht auf, er fährt empor:
Wer kommt zu solcher Stund'?
Ein Waidmann mit dem Feuerrohr,
mit seinem Stöberhund,
Hahnfeder, Gemsbart auf dem Hut,
das grüne Wams befleckt mit Blut.

Der Müller starrt, zurückgebeugt,
dem Jäger ins Gesicht,
sein Haar entsetzt zu Berge fleugt,
sein Blut zum Herzen kriecht:
Der Raubschütz ists, der wilde Kurd,
der jüngst im Wald erschossen wurd.

Der finstre Jäger an die Wand
auf Jakobs Büchse winkt;
der preßt sein Glas in zager Hand,
daß es zu Scherben springt;
gehorchend nimmt er sein Gewehr
und schleicht dem Grausen hinterher.

Sie streifen in den Wald hinaus,
nach süßem Wildesraub;
stets lauter wird der Winde Braus,
der Pfade dürres Laub.
Der Jäger ruft voll heißer Gier:
»Komm, Bruder, jagen, jagen wir!«

Sie ziehen fort im finstern Wald
durch Strupp und Strom gar frisch;
das Wild schrickt auf, die Büchse knallt,
der Stöbrer im Gebüsch
rauscht mit arbeitendem Geruch,
der Jäger ruft: such, Hundel such!

Doch an des Walds geheimstem Ort
auf seinem liebsten Stand,
wo jüngst die Kugel ihn durchbohrt
aus meuchlerischer Hand,
da bleibt er stehn und donnert: »Schau!
hier schoß er mich wie eine Sau!«

Es ächzt der Wald im Sturm verzagt,
vom Monde jetzt erhellt;
der kühn gewordne Müller fragt:
Was ist's in jener Welt?
Da murmelt trüben Angesichts
der Jägersmann: »Es ist halt nichts!«

*Von Nikolaus Lenau. Parodie auf die Räuber-
und Schauerliteratur in der ersten Hälfte des
19. Jahrhunderts.*

# Der Raubgraf

Es liegt nicht weit von hier ein Land,
da reist ich einst hindurch;
am Weg auf hohem Felsen stand
vor alters eine Burg;
die alten Rudera davon
wies mir der Schwager Postillon.

»Mein Herr«, begann der Schwager Matz
mit heimlichem Gesicht,
»wär mir beschert dort jener Schatz,
führ ich den Herrn wohl nicht.
Mein Seel! den König fragt ich gleich:
wie teuer, Herr, Sein Königreich?

Wohl manchem wässerte der Mund,
doch mancher ward geprellt;
denn, Herr, Gott sei bei uns! ein Hund
bewacht das schöne Geld,
ein schwarzer Hund, die Zähne bloß,
mit Feueraugen, tellergroß!

Nur immer alle sieben Jahr
läßt sich ein Flämmchen sehn.
Dann mag ein Bock, kohlschwarz von Haar,
die Hebung wohl bestehn;
um zwölf Uhr in Walpurgisnacht
wird der dem Unhold dargebracht.

Doch merk' eins nur des Bösen List!
Wo noch zum Ungelück
am Bock ein weißes Härchen ist,
alsdann: ade, Genick!
Den Kniff hat mancher nicht bedacht
und sich um Leib und Seel gebracht.

Für meinen Part, mit großen Herrn
und Meister Urian
äß ich wohl keine Kirschen gern,
man läuft verdammt oft an;
sie werfen einem, wie man spricht,
gern Stiel und Stein ins Angesicht.

Drum rat ich immer: Lieber Christ,
laß dich mit keinem ein!
Wann der Kontrakt geschlossen ist,
bricht man dir Hals und Bein.
Trotz allen Klauseln, glaube du,
macht jeder dir ein X für U.

Goldmacherei und Lotterie,
nach reichen Weibern frein
und Schätze graben, segnet nie,
wird manchen noch gereun.
Mein Sprüchlein heißt: Auf Gott vertrau,
arbeite brav und leb genau! -

»Ein alter Graf«, fuhr Schwager Matz
nach seiner Weise fort,
»vergrub zu Olims Zeit den Schatz
in seinem Keller dort.
Der Graf, mein Herr, hieß Graf von Rips,
ein Kraut, wie Käsebier und Lips.

Der streifte durch das ganze Land
mit Wagen, Roß und Mann,
und wo er was zu kapern fand,
da macht er frisch sich dran.
Wipps! hatt' er's weg, wipps! ging er durch,
und schleppt es heim auf seine Burg.

Und wenn er erst zu Loche saß,
so schlug mein Graf von Rips —
denn hier tat ihm kein Teufel was —
gar höhnisch seinen Schnips.
Sein allverfluchtes Felsennest
war wie der Königstein so fest.

So übt er nun gar lang und oft
viel Bubenstückchen aus
und fiel den Nachbarn unverhofft
in Hof und Stall und Haus.
Allein der Krug geht, wie man spricht,
so lang zu Wasser, bis er bricht.

Das Ding verdroß den Magistrat
im nächsten Städtchen sehr,
drum riet der längst auf klugen Rat
bedächtlich hin und her
und riet und riet, – doch weiß man wohl! –
die Herren rieten sich halb toll.

Da nun begab sich's, daß einstmals
ob vielem Teufelsspaß
ein Lumpenhexchen auf den Hals
in Kett' und Banden saß.
Schon wetzte Meister Urian
auf diesen Braten seinen Zahn.

Dies Hexchen sprach: ›Hört! laßt mich frei,
so schaff ich ihn herein.‹ –
›Wohl!‹ sprach ein edler Rat, ›es sei!‹
Und gab ihr obendrein
ein eisern Privilegium,
zu hexen frank und frei herum.

Ein närr'scher Handel! Unsereins
tät nichts auf solchen Kauf.
Doch Satans Reich ist selten eins
und reibt sich selber auf!
Für diesmal spielt die Lügenbrut
ihr Stückchen ehrlich und auch gut.

Sie kroch als Kröt' aufs Räuberschloß
mit losem, leisem Tritt,
verwandelte sich in das Roß,
das Rips gewöhnlich ritt,
und als der Schloßhahn krähte früh,
bestieg der Graf gesattelt sie.

Sie aber trug trotz Gert und Sporn,
so sehr er hieb und trat,
ihn über Stock und Stein und Dorn
geradewegs zur Stadt.
Früh, als das Tor ward aufgetan,
sieh da! kam unser Hexlein an.

Mit Kratzfuß und mit Reverenz
naht höhnisch alle Welt:
»Willkommen hier, Ihr Exzellenz!
Quartier ist schon bestellt!
Du hast uns lange satt geknufft;
man wird dich wiederknuffen, Schuft«

Dem Schnapphahn ward, wie sich's gebührt,
bald der Prozeß gemacht,
und drauf, als man ihn kondemniert,
ein Käfig ausgedacht.
Da ward mein Rips hineingesperrt
und wie ein Murmeltier genärrt.

Und als ihn hungern tät, da schnitt
der Knips mit Höllenqual
vom eignen Leib ihm Glied für Glied
und briet es ihm zum Mahl.
Als jeglich Glied verzehret war,
briet er ihm seinen Magen gar.

So schmaust er sich denn selber auf
bis auf den letzten Stumpf
und endigte den Lebenslauf,
den Nachbarn zum Triumph.
Das Eisenbau'r, worin er lag,
wird aufbewahrt bis diesen Tag. –

Mein Herr, fällt mir der Käfig ein,
so denk ich oft bei mir:
er dürfte noch zu brauchen sein,
und weiß der Herr, wofür –?
Für die französchen Raubmarquis,
die man zur Ferme kommen ließ.« –

Als Matz kaum ausgeperoriert,
sieh da! kam querfeldan
ein Sansfacon daher trottiert
und hielt den Wagen an
und visitierte Pack für Pack
nach ungestempeltem Tabak.

*1773. Von Gottfried August Bürger. Parodie
auf die Ritterballaden seiner Zeit.*

# Der Gnom und die Eidechse

Im Gestrüpp, wo dichtgeschart
Eriken und Farrenkräuter,
liegt der Gnom und streicht den Bart,
als ein Fürst der Bärenhäuter;
mausefallen ist sein Rock,
Weidenbast die Pluderhose,
ein Wacholderreis sein Stock,
und sein Dolch ein Dorn der Rose.

Horch, da rauscht es in dem Gras,
und es schwanken Halm und Farren,
leise schlüpft's und gleißt wie Glas,
daß des Gnomen Glieder starren;
unter ziegelrotem Dach
eines möcht'gen Fliegenschwammes
äugelt grün und zornig ach!
Eidechslein, das Kind des Schlammes.

Kaum nun springt der Gnom hervor,
schlängelt sich das Tier im Ringe,
schäumt und züngelt, daß empor
furchtsam fliehen die Schmetterlinge.
Hurtig zückt der Gnom den Speer
heißen Ingrimms auf den Drachen,
zischend springt das Blut empor
aus dem Salamanderrachen.

Jener trennt den Kopf vom Rumpfe,
steckt ihn auf die Brombeerlanze
und im seligsten Triumphe
flicht er Eichlaub sich zum Kranze,
siegreich zieht er dann einher,
zeigt sich Vettern, Basen, Ohmen,
widerhallt im Land die Mär
stolz vom Ritter Görg der Gnomen.

*Von Adolf Böttger (1815–1870)*

# Blaubart

Blaubart war ein reicher Mann,
hatte Haus und Hof und Garten,
schmauste, zechte, spielte Karten,
lebte wie ein Tartarchan.

Stark war seines Körpers Bau,
feurig waren seine Blicke,
aber ach! ein Mißgeschicke!
aber ach! sein Bart war blau.

Doch durch seines Goldes Kraft
trieb er jedes Herz zu Paaren,
und schon zwanzig Weiber waren
durch den Tod ihm weggerafft.

Er läßt immerfort zu frein,
sich die Mühe nicht verdrießen,
setzt, den Antrag zu versüßen,
stets die Frau zur Erbin ein.

Und zwei Schwestern der Galan
wird er jetzo; Schmausereien,
Schauspiel, Ball und Mummereien
stellt er ihretwegen an.

Bietet ihnen Gold wie Heu. -
Einstens, als sie Kaffee trinket,
spricht die Jüngste: »Hm! mich dünket,
daß sein Bart so blau nicht sei.«

Frisch gewagt ist halb getan,
hurtig muß ihn Trulle freien;
Schauspiel, Ball und Schmausereien
gehen nun von neuem an.

Drauf führt er sein Weibchen fort;
ein Cabriolet mit Sechsen (Sechsergespann)
bringt, als könnte Blaubart hexen,
sie an den bestimmten Ort.

Gleich der Feenkönigin
lebt hier Trulle, sonder Sorgen;
vor dem Spiegel geht der Morgen
und beim Spiel der Abend hin.

An Tapeten, Kanapeen,
Schilderein, Trumeaux und Vasen
können Tanten sich und Basen
stundenlang nicht müde sehn.

Dann kömmt der Bewundrung Reih
an den Schatz von Küch und Keller;
ungekostet bleibt kein Teller,
und kein Glas geht voll vorbei.

Ja man packt, beim Lebewohl,
um noch unterwegs zu naschen,
mit Konfekt und Wein die Taschen
und die Mantelsäcke voll.

Unter manchem tiefen Knicks
wird die ältre Schwester Ännchen,
fromm und sittsam wie ein Nönnchen,
täglich Zeugin ihres Glücks.

Da sah man kein bös Gesicht;
Täubchen! hieß es nur und Püppchen!
Dann und wann schlug Trull ein
Schnippchen,
doch er tat, als säh er's nicht.

Es bewegt ihr Ehestand
Hagestolze selbst zum Neide;
aber Leid folgt oft der Freude,
großes Glück hat nicht Bestand!

»Ich verreise, sprach er einst,
nimm die Schlüssel, liebe Trulle!
Zimmer, Kisten und Schatulle
stehn dir offen, wenn du meinst.

Nimm dir einen Cicisbee,
um dich zu desennüyieren!
Spiel im Schachbrett, geh spazieren,
schaukle dich und trinke Tee!

Flieh die schwarze Kammer nur,
sonst ist dir der Tod geschworen!« –
Noch schallt er in ihren Ohren,
so vergißt sie auch den Schwur.

Bricht vor Eile bald das Bein;
knack! so springen alle Riegel,
und der schwarzen Kammer Flügel
öffnen sich; sie wischt hinein.

O, der Greuel, die sie sah!
Blut in Strömen! tote Leiber!
Blaubarts alle zwanzig Weiber
hingen wie Gewehre da.

Fliehn will sie, zurückgeschreckt;
Angst entstellt Blick und Gebärde;
als ein Schlüsselchen zur Erde
fällt und sich mit Blut befleckt.

Was sie sich für Mühe gab!
zehnmal wischte sie und rieb es;
blutig war es, blutig blieb es,
und das Blut ging nimmer ab.

Noch vor Nacht kommt ihr Barbar,
fragt mit aufgeworfnem Rüssel:
»Weib, wo hast du meine Schlüssel?«
Zitternd reicht sie sie ihm dar.

»Sind es alle? – Laß doch sehn!
Einer fehlet, schaff ihn wieder!« –
Weinend stürzt sie vor ihm nieder
und bekennet ihr Vergehn.

»Gut! so weißt du dein Geschick!
Jene dort sind dein gewärtig.
Mache dich zur Reise fertig!
Dein ist noch ein Augenblick!« –

Schleppt sie drauf mit eigner Hand
in des Hofes innre Mauer,
wo, in feierlicher Trauer,
ein verfallner Wachtturm stand.

Trulle sträubt sich, zappelt, schreit:
»Aufschub! Aufschub! ich will sterben;
doch die Seele vom Verderben
zu erretten, laß mir Zeit!« –

Ännchen läuft auf ihr Geschrei
atemlos zum nahen Turme;
schauet, ob dem armen Wurme
Hilfe noch zu schaffen sei.

Er, der auf und nieder geht
und den Hut ins Auge drücket,
spricht, da er den Säbel zücket:
»Bet ein kurzes Stoßgebet!« –

Trullen stockt des Blutes Lauf
beim gezückten, scharfen Säbel;
schon umringt vom Todesnebel,
seufzet sie zum Turm hinauf:

»Schwester Ännchen, siehst du nichts?« –
»Stäubchen in der Sonne drehen
und des Grases Spitzen wehen,
Schwesterchen, sonst seh ich nichts!« –

»Schwester Ännchen, siehst du nichts?« –
»Stäubchen fliegen, Gräschen wehen.« –
»Ännchen, läßt sich sonst nichts sehen?« –
»Schwesterchen, sonst seh ich nichts.« –

Trulle fragt ohn Unterlaß.
Ännchen ruft: »Sei guter Laune!
Dort, beim Hagebuchenzaune,
reitet man im starken Paß.

Jetzo sprengt man – langt schon an!«
Trullens beide Herren Brüder
kamen von der Beitze wieder,
mit dem schönsten Auerhahn.

Blaubart kriegt den Tod zum Lohn,
wird gekocht in heißer Lauge;
Trulle kommt mit blauem Auge
dieses Mal noch so davon.

Weiber bleiben wie sie sind;
ihre Neugier auszurotten,
hilft nicht predigen, nicht spotten;
Weiber bleiben wie sie sind!

*Von Friedrich Wilhelm Gotter (1746–1797),*
*Parodie auf die Schauer- und Ritterballaden*
*seiner Zeit.*

# Die Krähwinkler Landwehr

Nur immer langsam voran, nur immer langsam voran,
daß die Krähwinkler Landwehr nachkommen kann!

Hätt der Feind unsre Stärke schon früher gekannt,
wär er sicher schon früher zum Kuckuck gerannt.

Jetzt marschiern wir grad nach Paris hinein,
dort, Kinder, soll das Rochen nicht verboten sein.

Kein Säbel hängt uns an der Seit,
weils g'fährlich wär für hitzige Leut.

Keinen Mantel habens uns mitgegeb'n,
weils gewußt haben, daß wir all nit lange leb'n.

Das Marschiern das nimmt auch gar kein End,
das macht, weil der Hauptmann die Landkart nicht
kennt.

Herr Hauptmann, mein Hintermann der läuft so im
Trab,
er tritt mir beinah die Hinterbacken ab.

Hat den keiner den Fähndrich mit der Fahne gesehn?
Man weiß ja gar nicht, wie der Wind tut wehn!

Unser Fähnlein das ist drei Ellen Taft,
so'n Ding ist bald wieder angeschafft.

Tambour! strapezier doch die Trommel nicht so sehr,
alleweil sind die Kalbfell so wohlfeil nicht mehr!

Unser Hauptmann ist'n gar braver Mann,
nur schad, daß er gar kein Pulver riechen kann.

Unser Leutnant ist ein g'waltiger Held,
wenns drauflos geht, hat er hinter die Front sich gestellt.

Der Herr General hat doch die mehrste Courage,
wenns schießt, versteckt er sich hinter die Bagage.

Bei Lützen da ist ne Bombe geplatzt,
potz Wetter! wie sind wir da ausgekratzt!

Denn wenn so'n Beest am Ende einen trifft,
hilft einem, weiß Gott, der ganze Feldzug nischt.

Da lob ich mir so nen bayerischen Kloß,
so'n Ding geht doch so leicht nicht los.

Bei Leipzig, in der großen Völkerschlacht,
da haben wir beinah en Gefangenen gemacht.

In der Festung wars doch gar zu schön:
da konnt man den Feind durch die Gucklöcher sehn.

Und schlich sich mal ein Feind herein,
so konnt man doch um Hilfe schrein.

Du, Barthel, gib mir mal die Kümmelbulle her!
im Kriege da durstet einen gar zu sehr.

Ach, wie wirds uns in Frankreich ergehn!
dort soll kein Mensch das Deutsch verstehn.

Und was da klug die Leute sind:
da spricht Französisch ein jedes Kind!

Am Ende gehn wir noch nach Spanien hinein,
da soll der Schnaps ganz bitter sein!

Was geht denn da im Busch herum?
das ist gewiß der Napoleum!

Herr Hauptmann, mit allergnädigstem Permiß,
was ich Sie bitt, erlauben sie gewiß.

Reißt aus, Kameraden, reißt alle alle aus!
dort steht ein französisches Schilderhaus.

Und kommt der Feind doch angeruckt,
dann alle flink ins Kartoffelfeld geduckt!

Jetzt, Bauern, kocht's Knödel und Hirsenbrei,
wenn die Landwehr kommt, wird sie hungrig sei!.

Immer lustig voran, nur immer lustig voran,
daß mer brav in die Knödel einhauen kann!

*Volksballade. Vermutlich aus Thüringen, etwa*
*um 1820.*

# Lied des Gefangenen

Als meine Großmutter die Liese behext,
da wollten die Leut sie verbrennen.
Schon hatte der Amtmann viel Tinte verkleckst,
doch wollte sie nicht bekennen.

Und als man sie in den Kessel schob,
da schrie sie Mord und Wehe;
und als sich der schwarze Qualm erhob,
da flog sie als Rab in die Höhe.

Mein schwarzes, gefiedertes Großmütterlein!
O komm mich im Turme besuchen!
Komm, fliege geschwind durchs Gitter herein,
und bringe mir Käse und Kuchen.

Mein schwarzes, gefiedertes Großmütterlein!
O möchtest du nur sorgen,
daß die Muhme nicht auspickt die Augen mein,
wenn ich luftig schwebe morgen.

*Von Heinrich Heine*

# Die Falschmünzer

»Alles fertig? Nichts vergessen?«
spricht der Alte zu dem Jungen.
Der kommt wie ein Luchs gesprungen:
»Nimm die Lupe: sieh die Scheine,
Zwillingsbrüder, echt, ich meine,
täuschend ähnlich und solid,
findest keinen Unterschied.«

Spricht er weiter dann zum Alten:
»Einen Blauen gib mir heute,
denn ich kenne dumme Leute,
die ihn ohne Ahnung wechseln,
weiß die Sache gut zu drechseln.
Hulda schmollt. Doch zeig ich Gold,
ist mir meine Hulda hold.«

Spricht der Alte zu dem Jungen:
»Dummer Bengel, wirst. du schweigen,
sonst will ich den Stock dir zeigen.
Du besäufst dich, Lausepeter,
Protz, dein Trinkgeld wird Verräter.
Warte auf den ›Kavalier‹;
eh es dämmert, ist er hier.

Der versteht es, Geld zu wechseln,
der versteht es wie die Grafen,
macht die Rothschilds selbst zu Schafen.
Der bringt gutes Geld in Haufen,
können dann die Welt uns kaufen.
Wechselt wie ein Herr Baron,
kennt das Leben, hat ihm schon.

Das, was mir die Teilung einträgt:
alles geb ich meinen Kindern,
kein Gericht kanns je verhindern,
denn ich trags ins Bankgebäude,
das ist meine einzige Freude,
werd ich mal gefaßt, nun gut,
hab gesorgt für meine Brut.«

Klingt ein Ministrantenglöckchen?
Klingling, das geheime Zeichen,
gleich wird sanft die Türe weichen:
Kommt geschniegelt und gebügelt,
tritt ein Herr, verstandgezügelt,
in die Werkstatt, hochgereckt.
He, »Monokle und Glas Sekt.«

Achtung! Grandseigneursallüren.
Tadellos sitzt Rock und Weste,
ein Minister jede Geste.
Handschuh »prima«. Der Zylinder
ist allein schon Goldsackfinder.
Und die »feinfein« Pantalons,
damals Mode: mit Galons.

Lachend spricht er zu den beiden:
»Hab viel Geld in meinen Taschen,
lauter echtes. Nur nicht paschen,
nur Geduld, und weg die Hände.
Aufgepaßt, jetzt kommt die Spende:
Ich: die Hälfte mit Verlaub.
Ihr: zwei Viertel, nehmt den Raub.

Kinder, waren das Kuriosa:
Einen Kellner in Monaco
fand ich mit sehr leerem Tschako:
war zwei Tage in den ›Laren‹,
vite, muß 8 Uhr 40 fahren,
Tausendfrankschein, changez, schnell,
und verließ drauf das Hotel.

Auf dem Zug nach Bordighera
traf ich Miß Honoria Birndl,
war ein gar nicht übles Dirndl,
machte Liebschaft mit der Lady,
säuselt bald sie: ›Dearest Edy‹
Can you change me thousand Mark?
›Oa, my love, here is die Quoark‹

Dann war ich in Deutschland wieder:
Sattelplatz im Trippelgarten,
wo die feinen Herren starten.
Abends Jeu. ›Graf Honiglöwe.‹
›Arthur von der Grünen Möwe.‹
Bank gehalten. Mitternacht:
braunen Lappen losgemacht.

Auf dem Ball beim Herzog Fla-Fla...«
Schst, es knistern Trepp und Dielen –
»Hands up!« Sechs Revolver zielen.
Und die drei sind rasch gebunden.
Aller Reichtum futsch, verschwunden,
rrrrrutsch, vorbei die Herrlichkeit,
eigentlich – es tut mir leid.

*Von Detlev Freiherr von Liliencron*

# Goliath und David

War einst ein Riese, Goliath,
gar ein gefährlich Mann!
Er hatte Tressen auf dem Hut
und eine Klunker dran,
mit einem Rock von Drap d'argent
und alles so nach advenant.

An seinem Schnurrbart sah man nur
mit Gräsen und mit Graus;
und dabei sah er von Natur
pur wie der – aus.
Sein Sarras war, man glaubt es kaum,
so groß schier als ein Weberbaum.

Er hatte Knochen wie ein Gaul
und eine freche Stirn
und ein entsetzlich großes Maul
und nur ein kleines Hirn;
gab jedem einen Rippenstoß
und flunkerte und prahlte groß.

So kam er alle Tage her
und sprach Israel Hohn.
»Wer ist der Mann? wer wagt's mit mir?
sei's Vater oder Sohn,
er komme her, der Lumpenhund,
ich bar'n nieder auf den Grund.«

Da kam in seinem Schäferrock
ein Jüngling, zart und fein;
er hatte nichts als seinen Stock,
als Schleuder und den Stein,
und sprach: »Du hast viel Stolz und Wehr,
ich komm im Namen Gottes her.«

Und damit schleudert er auf ihn
und traf die Stirne gar;
da fiel der große Esel hin,
so lang und dick er war.
Und David haut in guter Ruh
ihm nun den Kopf noch ab dazu.

Trau nicht auf deinen Tressenhut,
noch auf den Klunker dran!
Ein großes Maul es auch nicht tut:
das lern vom großen Mann;
und von dem kleinen lerne wohl,
wie man mit Ehren fechten soll.

*Von Matthias Claudius (1740–1815)*

# Untertanenliebe

Der Graf zu Schaumburg-Lippe, Herr Friedrich Christian,
in seiner Wehr zu Rosse kommt er die Straß' heran;
da tritt ein stiller Bürger aus seinem Haus hervor,
sieht den gestrengen Herren und birgt sich hinterm Tor.

Das hat der Graf gesehen, er hält und ruft: »Heraus!«
Nichts kommt; er ruft's noch einmal, – es regt sich nichts im Haus;
er ruft es laut zum dritten – und noch bleibt alles still.
»Nun möcht ich doch erfahren, wer hier mir trotzen will.«

Er zieht aus seinem Halfter das Schießgewehr und schießt,
daß man am Loch im Holze noch heut das Zeugnis liest.
Fast traf er den Versteckten; der birgt sich länger nicht,
er stürzt hervor und neigt sich mit bleichem Angesicht.

»Was birgt er sich?« ruft jener, die Stirn von Zorn gefurcht.
»Gestrenger Herr, ich sah Euch, da barg ich mich aus Furcht.«
Da setzt der Graf den Sporn ein und fährt ihn donnernd an:
»Ihr dürfet mich nicht fürchten! Ihr sollt mich lieben, Mann!«

*Von Victor von Strauß und Torney (1809–1899)*

# Ordenssehnsucht

Ach! was nützt, daß ich so viel geworden
und daß ich so vieles nenne mein?
Großer Gott, mir fehlet noch ein Orden,
könntest du mir solchen doch verleihn!

Ja, und wär's vielleicht auch nur ein kleiner,
den der kleinste Potentat ersann;
immer besser einer doch als keiner,
ziert der kleinste doch auch seinen Mann.

Schön' Erfindung, daß ein kleines Zeichen
so viel Ehre, Freud und Glück umhüllt!
Nichts auf Erden wüßt ich dem zu gleichen,
was so sinnig seinen Zweck erfüllt.

Wenn die Engel einst mit mir entschweben.
stehn die Sel'gen da erstaunt und stumm,
Sonn' und Mond und alle Sterne beben,
meine Seele hat den Orden um.

*Von Hoffman von Fallersleben, Pseudonym*
*von August Heinrich Hoffmann (1798-1874).*

# Ruf zum Sport

Auf, ihr steifen und verdorrten
Leute aus Büros,
Reißt euch mal zum Wintersporten
Von den Öfen los.

Bleiches Volk an Wirtshaustischen,
Stellt die Gläser fort.
Widme dich dem freien, frischen
Frohen Wintersport.

Denn er führt ins lodenfreie
Gletscherfexlertum
Und bedeckt uns nach der Reihe
All mit Schnee und Ruhm.

Doch nicht nur der Sport im Winter,
Jeder Sport ist plus,
Und mit etwas Geist dahinter
Wird er zum Genuß.

Sport macht Schwache selbstbewußter,
Dicke dünn, und macht
Dünne hinterher robuster,
Gleichsam über Nacht.

Sport stärkt Arme, Rumpf und Beine,
Kürzt die öde Zeit,
Und er schützt uns durch Vereine
Vor der Einsamkeit,

Nimmt den Lungen die verbrauchte
Luft, gibt Appetit;
Was uns wieder ins verrauchte
Treue Wirtshaus zieht.

Wo man dann die sporttrainierten
Muskeln trotzig hebt
Und fortan in Illustrierten
Blättern weiterlebt.

*Von Joachim Ringelnatz*

# Fußball

Der Fußballwahn ist eine Krank-
Heit, aber selten, Gott sei Dank.
Ich kenne wen, der litt akut
An Fußballwahn und Fußballwut.
Sowie er einen Gegenstand
In Kugelform und ähnlich fand,
So trat er zu und stieß mit Kraft
Ihn in die bunte Nachbarschaft.
Ob es ein Schwalbennest, ein Tiegel,
Ein Käse, Globus oder Igel,
Ein Krug, ein Schmuckwerk am Altar,
Ein Kegelball, ein Kissen war,
Und wem der Gegenstand gehörte,
Das war etwas, was ihn nicht störte.
Bald trieb er eine Schweineblase,
Bald steife Hüte durch die Straße.
Dann wieder mit geübtem Schwung
Stieß er den Fuß in Pferdedung.
Mit Schwamm und Seife trieb er Sport.
Die Lampenkuppel brach sofort.
Das Nachtgeschirr flog zielbewußt
Der Tante Berta an die Brust.
Kein Abwehrmittel wollte nützen,
Nicht Stacheldraht in Stiefelspitzen,
Noch Puffer außen angebracht.
Er siegte immer, 0 zu 8.
Und übte weiter frisch, fromm, frei
Mit Totenkopf und Straußenei.
Erschreckt durch seine wilden Stöße,
Gab man ihm nie Kartoffelklöße.
Selbst vor dem Podex und den Brüsten

Der Frau ergriff ihn ein Gelüsten,
Was er jedoch als Mann von Stand
Aus Höflichkeit meist überwand.
Dagegen gab ein Schwartenmagen
Dem Fleischer Anlaß zum Verklagen.
Was beim Gemüsemarkt geschah,
Kommt einer Schlacht bei Leipzig nah.
Da schwirrten Äpfel, Apfelsinen
Durch Publikum wie wilde Bienen.
Da sah man Blutorangen, Zwetschen
An blassen Wangen sich zerquetschen.
Das Eigelb überzog die Leiber,
Ein Fischkorb platzte zwischen Weiber.
Kartoffeln spritzten und Zitronen.
Man duckte sich vor den Melonen.
Dem Krautkopf folgten Kürbisschüsse.
Dann donnerten die Kokosnüsse.
Genug! Als alles dies getan,
Griff unser Held zum Größenwahn.
Schon schäkernd mit der U-Bootsmine
Besann er sich auf die Lawine.
Doch als pompöser Fußballstößer
Fand er die Erde noch viel größer.
Er rang mit mancherlei Problemen.
Zunächst: Wie soll man Anlauf nehmen?
Dann schiffte er von dem Balkon
Sich ein in einem Luftballon.
Und blieb von da an in der Luft.
Verschollen. Hat sich selbst verpufft. –
Ich warne euch, ihr Brüder Jahns,
Vor dem Gebrauch des Fußballwahns!

*Von Joachim Ringelnatz*

# Boxkampf

Bums! – Kock, Canada: – Bums!  
Käsow aus Moskau: Puff! puff!  
Kock der Canadier: – Plumps!  
Richtet sich abermals uff.  
Ob dann der Kösow den Kock haut,  
Oder ob er das vollzieht,  
Ob es im Bauchstoß, im Knock-out  
Oder von seitwärts geschieht –  
Kurz: Es verlaufen die heit'ren  
Stunden wie Kinderpipi.  
Sparen wir daher die weit'ren  
Termini technici.  
Und es endet zuletzt  
Reizvoll, wie es beginnt:

Kock wird tödlich verletzt.  
Käsow aber gewinnt.  
Leiche von Kock wird bedeckt.  
Saal wird langsam geräumt.  
Käsow bespült sich mit Sekt.  
Leiche aus Canada träumt:  
Boxkampf –  
Boxer –  
Boxen –  
Boxel –  
Boxkalf –  
Boxrott –  
Boxtail –  
Boxbeutel.

*Von Joachim Ringelnatz*

# Ringkampf

Gibson (sehr nervig), Australien,  
Schulze, Berlin (ziemlich groß).  
Beißen und Genitalien  
Kratzen verboten. – Nun los!

Ob sie wohl seelisch sehr leiden?  
Gibson ist blaß und auch Schulz.  
Warum fühlen die beiden  
Wechselnd einander den Puls?

Ängstlich hustet jetzt Gibson.  
Darauf schluckt Schulze Cachou.  
Gibson will Schulzen jetzt stipsen.  
Ha! Nun greifen sie zu.  
Packen sich an, auf, hinter, neben, in,  
Über, unter, vor und zwischen,  
Statt, auch längs, zufolge, trotz  
Stehen auf die Frage wessen.  
Doch ist hier nicht zu vergessen,  
Daß bei diesen letzten drei  
Auch der Dativ richtig sei.

(Pfeife des Schiedsrichters.)

Wo sind die Beine von Schulze?  
Wem gehört denn das Knie?  
Wirr wie lebendige Sulze  
Mengt sich die Anatomie.

Ist das ein Kopf aus Australien?  
Oder Gesäß aus Berlin?  
Jeder versucht Repressalien,  
Jeder läßt keinen entfliehn.

Hat sich der Schiedsmann bemeistert,  
Lange parteilos zu sein;  
Aber nun brüllt er begeistert:  
»Schulze, stell ihm ein Bein!

Zwinge den Mann mit den Nerven  
Nieder nach Sitte und Jus.  
Kannst du dich über ihn werfen  
Just wie im Koi, dann tu's!«

*Von Joachim Ringelnatz*

# Der Athlet

Mein Name ist Murxis, der Kraftmensch genannt
Meine Nahrung ist Goulasch vom Elefant
In einer Sauce des Stärkemehles.
Meine Heimat ist das Zentrum Südwales,
Upsala!

Ich wurde durch einen Kaiserschnitt
Geboren, mit Hilfe von Dynamit.
Daß ich noch lebte, war reines Glück.
Von meiner Mutter blieb wenig zurück.
20 kg mit dem kleinen Finger.

Man baute um mich eine Art von Dock.
Mit Strebestützen im 16. Stock
Eines Wolkenkratzers von Rockefeller.
Das Stockwerk brach, man fand mich im Keller
mit verschränkten Armen.

Ich war in allen Städten der Welt
Als Muster von Herkules ausgestellt.
Wer das bezweifelt – 5 Groschen –, der fordre
An der Kasse die Wachskabinettsordre.
Ich nenne mich selbst den Venus von Milo.
Bruttogewicht: 200 Kilo!

Es haben mich Königinnen betastet.
Ich habe einmal drei Wochen gefastet
Und unternehme auch heute noch Schritte
Zu meiner Entlastung. Und deshalb bitte
Ich die Herrschaften um ein kleines Douceur.

*Von Joachim Ringelnatz*

# Mißglücktes Liebesabenteuer

Das Herz sitzt über dem Popo. –
Das Hirn überragt beides.
Leider! Denn daraus entspringen so
Viele Quellen des Leides.

Doch ginge uns plötzlich das Hirn ins Gesäß
Und die Afterpracht in die Köpfe,
Wir wären noch minder als hohles Gefäß,
Nur gestürzte, unfertige Töpfe.

Herz, Arsch und Hirn. – Ich ziehe retur
Meine kleinliche Überlegung. –
Denn dieses ganze Gedicht kommt nur
Aus einer enttäuschten Erregung.

*Von Joachim Ringelnatz*

# Balladette

Das war die sonst noch ziemlich fesche
Marie, die ihrem Prinzipal
In der Fabrik für Sterbewäsche
Drei schwarze Unterhosen stahl.

Und sandte, als er ruchbar wurde,
Dann das Gestohlene zurück.
Und diese mindestens absurde
Idee gereichte ihr zum Glück.

Der Prinzipal für Sterbewäsche,
Der nicht Karrieren gern verdarb,
Gab ihr so viel verdiente Dresche,
Daß sie ein Kind gebar und starb.

*Von Joachim Ringelnatz*

# Ballade vom Defraudanten

Es folgt das Lied von einem Defraudanten.
Er war ein guter Mensch. Denn das kommt vor.
Ich hörte es von Leuten, die ihn kannten.
Sperrt eure Ohren auf! Er hieß Franz Moor.

Es hat bekanntlich alles seine Grenzen.
Franz Moor war mittelblond und ohne Arg,
dazu Kassierer, zog die Konsequenzen
und flüchtete mit 100 000 Mark.

Bis Brüssel blieb er im Klosett des Zugs.
Dann war er des Französischen nicht mächtig.
Sie war von schlechtem Ruf und gutem Wuchs.
Und liebten sich. Er fand sie nur zu schmächtig.

Das gibt sich alles.–Dann war sie verblüht.
Mit ihr das Geld, das ihm gar nicht gehörte.
Er weinte fast. Denn er war ein Gemüt.
Das war etwas, was ihn direkt empörte.

Als ihm ein Steckbrief in die Augen stach,
mit seinem Bild–von damals als Gefreiter–
da blieb er stehn und dachte lange nach.
Dann kam ein Polizist. Und Moor ging weiter.

Er sprang ins Wasser, das bei Brüssel floß.
Jedoch vergeblich. Denn er ging nicht unter.
Er trank Lysol, das er in Kognak goß.
Er sprang von einem Aussichtsturm herunter.

Er trieb sich öfters Messer in die Schläfen.
Sechs Kugeln schoß er in den offnen Mund.
Und war verwirrt, daß sie ihn gar nicht träfen!
So tat er manches. Doch er blieb gesund.

Ihm war das peinlich. Und er rang die Hände.
Und er erkannte klar: Er stürbe nicht,
nur weil er das Französisch nicht verstände.
Anschließend stellte er sich dem Gericht.

Moral:
Da sitzt er nun und deutet damit an,
Daß Bildungsmangel gräßlich schaden kann.
Es ist der Tiefsinn dieses Sinngedichts:
Lernt fremde Sprachen!–
Weiter will es nichts.

*Von Erich Kästner*

# Der Saal

Eugen, der Juwelendieb,
stahl auch Stiefel oder Hemden,
ohne daß ihm ein Befremden
über sich zurücke blieb.

Eines Tages aber stahl
er (man wirds nicht glauben wollen)
einen ganzen wundervollen
grade nicht benutzten Saal.

Mitten in dem Häuserblock
einer sehr belebten Gegend,
drin kein Mensch war Argwohn hegend,
lag der Saal im ersten Stock.

Durch den Boden einer Stube,
die darüber lag, ersann
einen Zugang er, und dann
stieg er einfach ein, der Bube.

Auf der Spree, da lag ein Kahn,
drein der Saal zunächst verbannt ward.
Freundlich lächelte der Strandwart,
sah er Eugens Karre nahn.

Eines Tags im Juli fuhr
er gen Hamburg ganz vergnüglich,
und von da gings unverzüglich
übers Meer nach Baltimur.

Dort lief Eugen nach Attesten
für den lustigen Skandal–
und bereist seitdem den Westen
mit dem hier gestohlnen Saal.

Wer jedoch beschreibt den tristen
Reiz der Sache hier zu Haus!
Selbst die ältsten Polizisten
wissen nicht mehr ein noch aus.

Nichts mehr ist zurück vom Saale.
Das nur, was dahinter war,
beut, wie eine wüste Schale,
sich dem Bürgerauge dar.

*Von Christian Morgenstern (1871–1914)*

# Ballade von der Zivilisation

Früh sechs Uhr dreißig sollte die Hinrichtung sein,
Nachts um elf fing der Delinquent an zu schrein.
Der Arzt kam. Das sei ein Abszeß, das wisse er schon,
Und er befürchte nun sehr eine Perforation.

Dann kam der Professor, sehr ernst und Kapazität.
Der sagte, hoffentlich sei es noch nicht zu spät.
Der Kranke schrie. Der Professor lächelte breit:
»Nur nicht den Kopf verlieren! Das hat ja noch Zeit.«

Der Herr Professor legte die Därme bloß.
Er meinte, der Fall wäre ziemlich hoffnungslos.
Doch würde es ihm mit seinem Verfahren gelingen,
Den Delinquenten wieder auf die Beine zu bringen.

Nach einigen Tagen fragte der Staatsanwalt an,
Wann er den Mann nun endlich bekommen kann.
Der Professor schrieb, er gäbe nicht eher zum Klotze
Den Mann, bevor er nicht vor Gesundheit strotze.

Der Patient blühte auf, gedieh und bildete Fett.
Der Professor kam mehrere Male täglich ans Bett,
Freute sich über des Mannes gesunde Farbe,
Über sein Werk und die prächtig verheilte Narbe.

Da sagte der Mann: »Ich bin nur ein armer Tropf.
Doch will es mir nicht – ich hab' ihn ja noch – in den
Kopf:
Sie haben mit Kunst hier etwas zusammengebaut,
Damit es die andere Fakultät mit dem Hackbeil zer-
haut.«

Da sprach der Professor mit ziemlich entrüstetem Ton:
»Wir leben in einer zivilisierten Nation!
Wie hätte sich das mit der Humanität vertragen,
Ihnen so kurz vor dem Tode den Kopf abzuschlagen!«

Drei Tage später dachte der Kopf nicht mehr;
Denn ein abgehackter Kopf ist gedankenleer.
Der Professor bekam den Kadaver zur weiteren Zertei-
lung
Und demonstrierte den Hörern das Wunder der Hei-
lung.

»Wahrscheinlich«, dozierte er, »war bei dieser Person
Der Mordtrieb nur Folge verdorbener Sekretion.
Denn nach dem Eingriff und meiner Spezialbehandlung
Erwies sich auch eine totale psychische Wandlung.«

Einer der Hörer bemerkte so nebenbei,
Daß man eben zu spät an die Heilung gegangen sei.
Wäre er ein paar Jahre früher behandelt worden,
Dann hätte er und der Staat nicht brauchen zu morden.

Der Professor meinte, es wäre natürlich bequem,
Mit einem materialistischen Theorem
An das Mystisch-Schicksalhafte heranzugehen;
Übrigens kenne er den Ursprung solcher Ideen.

Er fragte lächelnd, der Herr Studiosus sei
Wohl auch ein Prophet der Humanitätsduselei.
Da lachte der ganze Hörsaal; es dröhnten die Wände.
Und hiermit wäre wohl auch die Ballade zu Ende!

*Von Erich Weinert*

# Scherz, Rätsel, Schabernack

Vom Wannenbad und Lattenzaun,
von Gingganz, Golch und Flubis,
Vom Siebenschwein und Löwenreh,
vom Ritter Kauz von Rabensee

# Der sehnsüchtige Schreiber

Nun wolln wirs aber heben an
von einem Schreiber wohlgetan
– Henrice Kunrade, der Schreiber im Korbe.

Es ging ein Schreiber spazieren aus
wohl an dem Markt, da stat ein Haus.

He sprach: »Gott grüß Euch, Jungfrau fein!
nun wollt Ihr heint mein Schlafbuhl sein?«

Sie sprach: »Kummt schier herwiedere,
wenn sich mein Herr legt niedere.«

Wohlhin, wohlhin gen Mitternacht
der Schreiber kam gegangen dar.

Sie sprach: »Mein Schlafbuhl solltu nit sein,
du setzest dich dann in das Körbelein.«

Dem Schreiber gefiel der Korb nit wohl,
er dorft ihm nit getrauen wohl.

Der Schreiber wollt gen Himmel fahren,
do hätt er weder Roß noch Wagen.

Sie zog ihn auf bis an das Dach,
des Teufels Nam fiel er wieder 'rab.

Er fiel so hart auf seine Lend,
er sprach: »Daß dich der Teufel schänd!

Pfui dich, pfui dich, du böse Haut!
Ich hätt dir des nit zugetraut.«

Der Schreiber gäb ein Gulden drum,
daß man das Liedle nimmer sung.

Ein Schreiber soll zur Schulen gan,
sie solln ihr Buhln unterwegen lan.

Der uns das Liedlein neus gesang,
ein gut Gesell ist ers genannt.
Henrice Kunrade, der Schreiber im Korbe.

*Volksballade*


# Wie man frißt

An Schlosser hat an G'sellen g'hot,
der hat gar langsam g'feilt,
doch wenn's zum Fresse gange ischt,
do hot er grausam g'eilt.
Der erschte in der Schüssel drin,
der letschte wieder draus,
do ischt ka Mensch so fleißig g'west,
als er im ganze Haus.

»G'sell«, hot emal der Meister g'sogt,
»hör, dos begreif i nöt,
es ischt doch all mei Lebtag g'west,
so lang i denk, die Red':
so wie man frißt, so schafft man a,
bei dir ischt's nöt a su,
so langsam hot noch kaner g'feilt,
und g'fresse so wie du.«

»Ho«, sogt der G'sell, »dos b'greif i scho,
'sch hot alls sei gute Grund,
dos Fresse währt holt gor nit lang
und d'Arbeit vierzeh Stund:
wenn aner sullt den ganze Tag
in an Stück fresse fort,
's würd a gar bald so langsam gahn,
als wie beim Feile dort.«

*Volksballade aus Schwaben*

# Das Tragemundslied

»Willkommen, fahrender Mann!
Wo lagst du letzte Nacht?
Womit warst du bedacht?
Oder in welcherlei Weise
erwirbst du Kleider und Speise?«

»Das hast du gefraget einen Mann,
der dir's in ganzer Treue sagen kann:
Mit dem Himmel war ich bedacht
und mit Rosen war ich umsteckt,
in eines stolzen Knappen Weise
erwerb ich Kleider und Speise.«

»Nun sag mir, Meister Tragemund,
zweiundsiebenzig Land die sind dir kund:
Welcher Baum gebiert ohne Blüt?
Welcher Vogel ist ohne Zunge?
Welcher Vogel säugt seine Jungen?
Welcher Vogel ist ohne Magen?
Kannst du mir das jetzund sagen,
so will ich dich für einen weidlichen Knappen halten.«

»Des hast du gefraget einen Mann,
der dir's in ganzer Treue wohl sagen kann:
Der Wacholder gebiert ohne Blüt,
die Fledermaus säugt ihre Jungen,
der Storch ist ohne Zunge,
die Schwarbe ist ohne Magen, –
ich will dir's in ganzer Treue sagen
und fragest du mich jetzund mehre,
ich sag dir's fürbaß an dein Ehre.«

»Nun sag mir, Meister Tragemund,
zweiundsiebenzig Land, die sind dir kund:
Was ist weißer denn der Schnee?
Was ist schneller denn das Reh?
Was ist höher denn der Berg?
Was ist finstrer denn die Nacht?
Kannst du mir jetzund das wohl sagen,
so will ich dich für einen weidlichen Knappen halten.«

»Des hast du gefraget einen Mann,
der dir's von Grunde wohl sagen kann:
Die Sonn ist weißer denn der Schnee,
der Wind ist schneller denn das Reh,
der Baum ist höher denn der Berg,
die Ram ist schwärzer denn die Nacht.
Doch will ich dir in ganzer Treue sagen,
fragst du mich jetzund mehre,
ich sag dir's fürbaß auf dein Ehre.«

»Nun sag mir, Meister Tragemund,
zweiundsiebenzig Land die sind dir kund:

Durch was ist der Rhein so tief?
Warum sind Frauen also lieb?
Durch was sind die Matten so grün?
Durch was sind die Ritter so kühn?
Kannst du mir das jetzt sagen,
so will ich dich für einen stolzen Knappen halten.«

»Des hast du gefraget einen Mann,
der dir es wohl gesagen kann:
Von manchem Ursprung ist der Rhein so tief,
von hoher Minne sind die Frauen so lieb,
von manchen Würzen sind die Matten grün,
von manchen starken Wunden sind die Ritter kühn.«

»Nun sag mir, Meister Tragemund,
zweiundsiebenzig Land die sind dir kund:
Durch was ist der Wald so greise?
Durch was ist der Wolf so weise?
Durch was ist der Schild verblichen?
Durch was ist manch gut Geselle vom anderen gewichen?
Kannst du mir das jetzt sagen,
so will ich dich für einen weidlichen Knappen halten.«

»Des hast du gefraget einen Mann,
der dir's von Grunde wohl sagen kann:
Von manchem Alter ist der Wald so greise,
von unnützen Gängen der Wolf so weise,
von mancher Heerfahrt ist der Schild verblichen,
unnützen Sibichen ist manch gut Gesell entwichen.«

»Nun sag mir, Meister Tragemund,
zweiundsiebenzig Land die sind dir kund:
Was ist grüner als der Klee?
Was ist weißer als der Schnee?
Was ist schwärzer als die Kohl'?
Was zeltet rechter als der Fohl?«

»Das hab ich bald gesaget dir:
Die Agelster ist grüner als der Klee,
und ist weiß so wie der Schnee,
und ist schwärzer denn die Kohl',
und zeltet rechter als der Fohl.
Und fragest du mich jetzt noch mehre,
ich sag dir's fürbaß auf dein Ehre.«

*Rätsel aus dem 12. Jahrhundert, ins Deutsch
unserer Zeit übertragen von Franz Magnus
Böhme (1827–1898). Tragemund = weitgereister,
sprachenkundiger Mann. Schwarbe = Habicht.
Ram = Rabe. Sibichen = Verrat.*

# Elfen-Rätsel

Die Elfen sitzen im Felsenschacht,
vertreiben mit Reden die lange Nacht.

Sie legen sich lustig Rätsel vor,
die, wenn sie nicht Gold sind, doch klingen im Ohr.

Und wie ein Windzug dazwischen geht,
so sind samt den Elfen die Rätsel verweht. –

Welch Gold entstammt dem Erdschacht nicht?
Ich hörte von goldenem Sonnenlicht.

Wer borgt sein Silber von fremdem Gold?
Der Mond, der ob unsern Häuptern rollt.

Wo quillt die Trän' aus härtester Brust?
Der Quell im Fels ist mir wohl bewußt.

Wo strömt ein Strom, da kein Strombett ist?
Der Regenstrom, der in Lüften fließt.

Wo ist auf dem Fluß die breiteste Brück'?
Das Eis ist gebaut aus einem Stück.

Die Flut, die im stetesten Takt sich bewegt?
Das Blut, daß im Herzen des Menschen schlägt.

Wer trauert in seinem buntesten Kleid?
Das ist der Baum zu des Herbstes Zeit.

Wer hat tausend Augen und sieht sie nicht?
Der Strauch, der sie treibt und weiß es nicht.

Wer sah nie von innen sein eignes Haus?
Die Schnecke, und kommt doch niemals heraus.

Wo hat man den kleinsten zum König gemacht?
Der Zaunkönig wird ausgelacht.

Wo tritt der Schwache den Starken nieder?
Den Erdboden des Menschen Glieder.

Was ist stärker als der Erdengrund?
Das Eisen, denn es macht ihn wund.

Was ist stärker als Eisen und Stahl?
Das Feuer schmelzt sie allzumal.

Was ist stärker als Feuersglut?
Die feuerlöschende Wasserflut.

Was ist stärker als Flut im Meer?
Der Wind, der sie treibt hin und her.

Und was ist stärker als Wind und Luft?
Der Donner; sie zittern, wenn er ruft.

Wer ist mächtiger als der Tod?
Wer da kann lachen, wenn er droht.

Und wer, wenn die Erde bebt, kann stehn?
Wer nicht fürchtet unterzugehn.

Warum fließt das Wasser den Berg nicht hinauf?
Weils bergunter hat leichteren Lauf.

Warum trägt Kürbse der Eichbaum nicht?
Daß sie dir nicht fallen aufs Angesicht.

Wozu hat der Gaul vier Füße empfahn?
Damit er mit vieren stolpern kann.

Und warum sind die Fische stumm?
Weil sie sonst würden reden dumm.

Wer löset alle Rätsel auf?
Wer immer was weiß, was sich reimet drauf.

Und warum schweig' ich jetzo still?
Weil ich nichts weiter hören will.

*Von Friedrich Rückert*

# Veit Ehrenwort

Veit Ehrenwort ging an den Beeten
in seinem Garten, Hand an Kinn,
betrachtend her, betrachtend hin.
Auf einmal rief er ganz betreten:
»Potz sapperment! wo kommen von den Beeten
die Schoten mir und Wurzeln hin?
Das geht nicht zu mit rechten Dingen.
Dieb über Dieb! ei, wenn wir dich doch fingen!«

Den nächsten Abend stellt er sich
ins Lambertsnußgebüsch zur Lauer.
Und sieh! bald naht mit leisem Schlich
durch einen Spalt der Gartenmauer
die Nachbarin Rosette sich,
ein Weib, so jung, so schön und säuberlich,
daß selbst der leckerste der Prasser
es schmausen möcht aus Salz und Wasser.

»Ei, ei!« rief Meister Ehrenwort,
als er beim Fittich sie erwischte
und innen wurde, was er fischte,
wobei ein Tröpfchen Huld sofort
sich unter seine Galle mischte,
»ei, ei! woher an diesem Ort?
Wie? schämt Sie sich denn nicht, Rosette? –
Wenn ich nicht Mitleid mit Ihr hätte,
so – hätt' ich wohl ein Zuchthaus dort
und drin zur Züchtigung ein Bette,
worauf ich Sie – mit einem Wort –
worauf ich so dich wurzeln wollte,
daß dir das Äuglein brechen sollte.
Für diesmal laß ich noch dich fort.
Doch hüte dich, vernaschtes Mäuschen!

Sonst – siehst du dort das Gartenhäuschen?...
Ein Wort, ein Mann! Ein Mann, ein Wort.«

Ob vor der Tat, ob vor dem Häuschen,
das weiß ich nicht, kurz, sehr verschämt,
an Zung und Lippe halb gelähmt,
enttrippelt das ertappte Mäuschen.
Veit Ehrenwort bleibt da und grämt
sich hinterdrein, daß er sich so bezähmt
und nicht schon heut den Strafakt unternommen;
denn morgen wird sie schwerlich wiederkommen.

»Ei, nimmermehr wird das geschehn!« –
»So? meint Ihr das? wir wollen sehn!« –
Veit Ehrenwort, den nächsten Abend
mehr an Erinnerung als Hoffnung sich erlabend,

denkt: wozu hilft das Wachestehn?
Und will schon aus dem Garten gehn;
sieh, da kommt wieder, wie gepfiffen,
das Mäuschen an und – wird ergriffen.

»Ein Wort, ein Mann! Ein Mann, ein Wort!«
Ruft Veit mit fest entschloßner Stimme,
und trotz Gewinde, trotz Gekrümme
geht's marsch! ins kleine Zuchthaus fort.
Hier wird ihr Veit, das könnt ihr denken,
den Zuchtwillkommen nicht mehr schenken.

Wer hätt' es nicht wie Veit gemacht?
Allein wer hätt' auch wohl gedacht,
Rosette würde gehn und klagen:
»Veit Ehrenwort hat jene Nacht
mich – mit Gewalt... in Schimpf gebracht.« –
»Wie kam denn das?« hör ich hier fragen;
»hm! erst sich liefern, dann doch klagen!«
Ei nun! man hatte nicht bedacht,
Veit würde jetzt in wenig Tagen,
wie er auch tat, den Spaß der Nacht
vor aller Welt zu Markte tragen.

»Das hat auch Veit nicht gut gemacht!«
hör ich die Rechtsgelahrten sagen.
»Wenn's nach der Carolina geht
und nicht Stuprata für ihn fleht,
so kostet's Veiten Kopf und Kragen.« –

Wir wollen sehen! – Bei gutem Mut
weiß Veit den ganzen Fall so gut
den Herren Richtern aufzuklären,
weiß bündig stets durch Schluß auf Schluß
so seine Unschuld zu bewähren,
daß Frau Rosette schweigen muß.
»Und Veit?« Kommt los mit allen Ehren.

Hilf Himmel, welch ein Gaudium! –
Allein die Nachbarinnen alle
ereiferten sich ob dem Falle
und stahlen – weiß nicht recht, warum?
ob angereizt von böser Galle?
ob von dem Speck der Mausefalle? –
kurz, stahlen Nacht für Nacht den ganzen Garten leer,
und Veit behielt kein Hälmchen mehr.

*1791, Von Gottfried August Bürger*

# Der furchtlose Barbier

Und soll ich nach Philisterart
mir Kinn und Wange putzen,
so will ich meinen langen Bart
den letzten Tag noch nutzen;
ja! ärgerlich, wie ich nun bin,
vor meinem Groll, vor meinem Kinn
soll mancher noch erzittern.

Holla! Herr Wirt, mein Pferd! macht fort!
ihm wird der Hafer frommen.
Habt Ihr Barbiere hier im Ort?
Laßt gleich den rechten kommen.
Waldaus, waldein, verfluchtes Land!
ich ritt die Kreuz und Quer und fand
doch nirgends noch den rechten.

Tritt her, Bartputzer, aufgeschaut!
du sollst den Bart mir kratzen;
doch kitzlich sehr ist meine Haut,
ich biete hundert Batzen;
nur, machst du nicht die Sache gut,
und fließt ein einz'ges Tröpflein Blut, –
fährt dir mein Dolch ins Herze.

Das spitze kalte Eisen sah
man auf dem Tische blitzen
und dem verwünschten Ding gar nah
auf seinem Schemel sitzen
den grimm'gen schwarzbehaarten Mann
im schwarzen, kurzen Wams, woran
noch schwärzre Troddeln hingen.

Dem Meister wird's zu grausig fast,
er will die Messer wetzen,
er sieht den Dolch, er sieht den Gast,
es packt ihn das Entsetzen;
er zittert wie das Espenlaub,
er macht sich plötzlich aus dem Staub
und sendet den Gesellen.

Einhundert Batzen mein Gebot,
falls du die Kunst besitzest;
doch merk es dir, ich stech dich tot,
so du die Haut mir ritzest.
Und der Gesell: Den Teufel auch!
Das ist des Landes nicht der Brauch.
Er läuft und schickt den Jungen.

Bist du der rechte, kleiner Molch?
frisch auf! fang an zu schaben;
hier ist das Geld, hier ist der Dolch,
das beides ist zu haben!
Und schneidest, ritzest du mich bloß,
so geb ich dir den Gnadenstoß;
du wärest nicht der erste.

Der Junge denkt der Batzen, druckst
nicht lang und ruft verwegen:
Nur still gesessen, nicht gemuckst!
Gott geb auch seinen Segen!
Er seift ihn ein ganz unverdutzt,
er wetzt, er stutzt, er kratzt, er putzt:
Gottlob! nun seid Ihr fertig.

Nimm, kleiner Knirps, dein Geld nur hin;
du bist ein wahrer Teufel!
kein andrer mochte den Gewinn,
du hegtest keinen Zweifel,
es kam das Zittern dich nicht an,
und wenn ein Tröpflein Blutes rann,
so stach ich dich doch nieder.

Ei! guter Herr, so stand es nicht,
ich hielt Euch an der Kehle,
verzucktet Ihr nur das Gesicht
und ging der Schnitt mir fehle,
so ließ ich Euch dazu nicht Zeit,
entschlossen war ich und bereit,
die Kehl' Euch abzuschneiden. –

So so! ein ganz verwünschter Spaß!
Dem Herrn ward's unbehäglich,
er wurd auf einmal leichenblaß
und zitterte nachträglich:
So so! das hatt' ich nicht bedacht,
doch hat es Gott noch gut gemacht;
ich will's mir aber merken.

*Von Adelbert von Chamisso. »Nach Philisterart«*
*bedeutet hier: »nach Spießbürgerart« (Studentensprache).*

# Botenart

Der Graf kehrt heim vom Festturnei,
da wallt an ihm sein Knecht vorbei.
Hallo, woher des Wegs, sag an!
wohin, mein Knecht, geht deine Bahn?
»Ich wandle, daß der Leib gedeih,
ein Wohnhaus such ich mir nebenbei.«
Ein Wohnhaus? Nun, sprich grad heraus,
was ist geschehn bei uns zu Haus?
»Nichts Sonderliches! Nur todeswund
liegt Euer kleiner weißer Hund.«
Mein treues Hündchen todeswund!
Sprich, wie begab sich's mit dem Hund?
»Im Schreck Eur Leibroß auf ihn sprang,
drauf lief's in den Strom, der es verschlang.«
Mein schönes Roß, des Stalles Zier!
Wovon erschrak das arme Tier?

»Besinn ich recht mich, erschrak's davon,
als von dem Fenster stürzt Eur Sohn!«
Mein Sohn! Doch blieb er unverletzt?
wohl pflegt mein süßes Weib ihn jetzt?
»Die Gräfin rührte stracks der Schlag,
als vor ihr des Herrleins Leichnam lag!«
Warum bei solchem Jammer und Graus,
du Schlingel, hütest du nicht das Haus?
»Das Haus? ei, welches meint Ihr wohl?
das Eure liegt in Asch' und Kohl'!
Die Leichenfrau schlief ein an der Bahr,
und Feuer fing ihr Kleid und Haar.
Und Schloß und Stall verlodert im Wind,
dazu das ganze Hausgesind!
Nur mich hat das Schicksal aufgespart,
Euch's vorzubringen auf gute Art.«

*Von Anastasius Grün*

# Die Lederhosen-Saga

Es war ein alter schwarzbrauner Hirsch,
Großvater schoß ihn auf der Pirsch,
Und weil seine Decke so derb und dick,
Stiftete er ein Familienstück.
Nachdem er lange nachgedacht,
Ward eine Hose draus gemacht –
Denn Geschlechter kommen, Geschlechter vergehen,
Hirschlederne Reithosen bleiben bestehen.

Er trug sie dreiundzwanzig Jahr',
Eine wundervolle Hose es war!
Und als mein Vater sie kriegte zu Lehen,
Da hatte die Hose gelernt zu stehen,
Steif und mit durchgebeulten Knien
Stand sie abends vor dem Kamin –
Schweiß, Regen, Schnee – ja, mein Bester:
Eine lederne Hose wird immer fester!

Und als mein Vater an die Sechzig kam,
Einen Umbau der Hose er vor sich nahm.
Das Leder freilich war unerschöpft,
Doch die Büffelhornknöpfe war'n dünngeknöpft
Wie alte Groschen, wie Scheibchen nur –
Er erwarb eine neue Garnitur.

Und dann allmählich machte das Reiten
Ihm nicht mehr den Spaß wie in früheren Zeiten.
Besonders der Trab in den hohen Kadenzen
Ist kein Vergnügen für Exzellenzen,
So fiel die Hose durch Dotation
An mich in der dritten Generation.

Ein Reiterleben in Niedersachsen –
Die Gaben der Hose war'n wieder gewachsen!
Sie saß jetzt zu Pferde, wie aus Guß,
Und hatte wunderbaren Schluß,
Und abends stand sie mit krummen Knien
Wie immer zum Trocknen am Kamin.

Aus Großvaters Tagen herüber klingt
Eine ferne Sage, die sagt und singt,
Die Hose hätte in jungen Tagen
Eine prachtvolle grüne Farbe getragen,
Mein Vater dagegen – ich weiß es genau –
Nannte die Hose immer grau.

Seit Neunzehnhundert ist sie zu schaun
Etwa wie guter Tabak: braun!
So entwickelte sie, fern jedem engen Geize,
Immer neue ästhetische Reize,
Und wenn mein Ältester einst sie trägt,
Wer weiß, ob sie nicht ins Blaue schlägt!

Denn fern im Nebel der Zukunft schon
Seh' ich die Hose an meinem Sohn.
Er wohnt in ihr, wie wir drin gewohnt,
Und es ist nicht nötig, daß er sie schont,
Ihr Leder ist ganz unerschöpft –
Die Knöpfe nur sind wieder durchgeknöpft,
Und er stiftet, folgend der Väter Spur,
Eine neue Steingußgarnitur.
Ja – Geschlechter kommen, Geschlechter gehen,
Hirschlederne Reithosen bleiben bestehen.

*Von Börries Freiherr von Münchhausen*

# Ein Fuchs von flüchtiger Moral

Ein Fuchs von flüchtiger Moral
und unbedenklich, wenn er stahl,
schlich sich bei Nacht zum Hühnerstalle
von einem namens Jochen Dralle,
der, weil die Mühe ihn verdroß,
die Tür mal wieder nicht verschloß.
Er hat sich, wie er immer pflegt,
so, wie er war, zu Bett gelegt.
Er schlief und schnarchte auch bereits.
Frau Dralle, welche ihrerseits
noch wachte, denn sie hat die Grippe,
stieß Jochen an die kurze Rippe.
»Du,« rief sie flüsternd, »hör doch bloß!
Im Hühnerstall, da ist was los.
Das ist der Fuchs, der alte Racker!«
Und schon ergriff sie kühn und wacker,
obgleich sie nur im Nachtgewand,
den Besen, der am Ofen stand;
indes der Jochen leise flucht
und erst mal Licht zu machen sucht.
Sie ging voran, er hinterdrein.
Es pfeift der Wind, die Hühner schrein.

»Nur zu,« mahnt Jochen, »sei nur dreist
und sag Bescheid, wenn er dich beißt!«
Umsonst sucht sich der Dieb zu drücken
vor Madam Dralles Geierblicken.
Sie schlägt ihm unaussprechlich schnelle
zwei-, dreimal an derselben Stelle
mit ihres Besen hartem Stiel
aufs Nasenbein. Das war zuviel.
Ein jeder kriegt, ein jeder nimmt
in dieser Welt, was ihm bestimmt.
Der Fuchs, nachdem der Balg herab,
bekommt ein Armensündergrab.
Frau Dralle, weil sie leichtgesinnt
sich ausgesetzt dem Winterwind
zum Trotz der Selbsterhaltungspflicht,
kriegt zu der Grippe noch die Gicht.
Doch Jochen kriegte hocherfreut
infolge der Gelegenheit
von Pelzwerk eine warme Kappe
mit Vorder- und mit Hinterklappe.
Stets hieß es dann, wenn er sie trug:
»Der ist es, der den Fuchs erschlug!«

*Von Wilhelm Busch (1832–1908)*

# Wolf und Gans

Im Winter ist eine kalte Zeit,
daß man nicht viel zu Felde leit.
Ich sah ein Wolf sehr traben
für eines reichen Bauern Hof,
ein Gans trug er beim Kragen.

Er setzt sich nieder in den Schnee,
der bittre Hunger tät ihm weh,
die Gans wollt er verzehren;
do dacht die Gans in ihrem Mut:
möcht ich michs Wolfs erwehren!

Die Gans die bat den Wolf gar sehr,
ob ihres Lebens nimmer wär,
daß er's ein Lied ließ singen,
das fröhlich nach ihrem Tode jäh
von Tanzen und von Springen.

Die Gans die rauft die Federn aus
und macht dem Wolf ein Kränzchen draus,
der besten Federn eine,
so sie in ihrem Flügel trug;
war besser denn sunst keine.

Und do der Kranz gemachet war,
dem Wolf setzet sie's auf sein Haar,
des tät sich der Wolf freuen;
er sprach: »Wir wöllen tanzen tun
ein kleinen kurzen Reihen.«

Sie tanzten hin und tanzten her,
gleich ob es vor der Fastnacht wär,
der Tanz was mancherleie;
ich stund dabei und sah ihn zu,
der Wolf der führt den Reihen.

Und do der Tanz am besten was,
das Gänslein da sein nit vergaß,
stund auf und flog von dannen:
»G'segen dich, Wolf, du scheußlich Tier,
nach mir hab kein Verlangen.«

Der Wolf der stund und sah ihr nach:
»Der Teufel mir das riet und sprach,
daß ich tät nüchtern tanzen;
bescheißt mich kein Gans nimmermehr,
seis Gänsin oder Ganser.«

Der Wolf der schwur bei seinem Eid:
»Es soll viel Gänsen werden leid,
ich wills ihn's nicht vertragen;
den Winter und den Sommer will
ich erst viel Gänsen zwagen.«

»Ja Wolf, du bist ein listigs Tier,
betrogen bist worden von mir
wohl durch ein Kränzeleine;
Sant Mert errettet mich von dir,
der treu Nothelfer meine.«

Der mir von dir, Wolf, helf aus der Not
und mir auch gab den treuen Rat,
deß bin ich nicht vergessen;
der heilig sant Merten hat
mein Leib auch helfen essen.

Der riet, daß ich ein Geschäft sollt ton;
ich folget' dem heiligen Mann
und was in des Gewähren;
allweg wohl an sant Martestag
ißt man uns Gänslein geren.

Wohl zu dem trüben neuen Wein,
den beschert Gott und sant Martein,
ist die Gans dazu geben,
denselben ißt man uns zu Ehr,
Gott im ewigen Leben.

*Volksballade aus dem 16. Jahrhundert, der eine Tierfabel zugrundeliegt*

# Männlein in der Gans

Das Männlein ging spazieren einmal
auf dem Dach, ei seht doch!
Das Männlein ist hurtig, das Dach ist schmal,
gib acht, es fällt noch.
Eh sich's versieht, fällt's vom Dach herunter
und bricht den Hals nicht, das ist ein Wunder.

Unter dem Dach steht ein Wasserzuber,
hinein fällt's nicht schlecht;
da wird es naß über und über,
ei, das geschieht ihm recht.
Da kommt die Gans gelaufen,
die wird's Männlein saufen.

Die Gans hat's Männlein 'nuntergeschluckt,
sie hat einen guten Magen;
aber das Männlein hat sie doch gedruckt,
das wollt ich sagen.
Da schreit die Gans ganz jämmerlich;
das ist der Köchin ärgerlich.

Die Köchin wetzt das Messer,
sonst schneid'ts ja nicht:
die Gans schreit so, es ist nicht besser,
als daß man sie sticht;
wir wollen sie nehmen und schlachten
zum Braten auf Weihnachten.

Sie rupft die Gans und nimmt sie aus
und brät sie,
aber das Männlein darf nicht 'raus,
versteht sich.
Die Gans wird eben gebraten;
was kann's dem Männlein schaden?

Weihnachten kommt die Gans auf den Tisch
im Pfännlein;
der Vater tut sie 'raus und zerschneid't sie frisch.
Und das Männlein?
Wie die Gans ist zerschnitten,
kriechts Männlein aus der Mitten.

Da springt der Vater vom Tisch auf,
da wird der Stuhl leer;
da setzt das Männlein sich drauf
und macht sich über die Gans her.
Es sagt: du hast mich gefressen,
jetzt will ich dafür dich essen.

Da ißt das Männlein gewaltig drauf los,
als wären's seiner sieben;
da essen wir alle dem Männlein zum Trotz,
da ist nichts übergeblieben
von der ganzen Gans als ein Tätzlein,
das kriegen dort hinten die Kätzlein.

Nichts kriegt die Maus,
das Märlein ist aus.
Was ist denn das?
ein Weihnachtsspaß;
aufs Neujahr lernst
du, – was?
Den Ernst.

*Von Friedrich Rückert*

# Entenballade

Es schwammen sechs Enten auf einem Teich.

Drei sind arm und drei sind reich.
Drei sind hager, drei beleibt.
Drei bemannt und drei beweibt.
Drei sind schwarz und drei sind weiß.
Drei sind kühl und drei sind heiß.
Drei sind warm und drei sind kalt.

Drei sind jung und drei sind alt.
Drei sind stark und drei sind schwach.
Drei wollen Frieden und drei wollen Krach.
Drei wollen Schlaf, drei wollen Tanz.
Drei haben 'nen Sterz und drei 'nen Schwanz.

Eins rottete das andre aus.
So wurden dreiunddreißig draus.

Dreiunddreißig Enten auf einem Teich.
Sechzehn sind arm und sechzehn sind reich.
Nur eines hatte die Fresse voll,
Verlor den Verstand und wurde toll.

*Von Christa Reinig*

# Der Nachtschelm und das Siebenschwein oder eine glückliche Ehe

Der Nachtschelm und das Siebenschwein,
die gingen eine Ehe ein,
o wehe!
Sie hatten dreizehn Kinder, und
davon war eins der Schluchtenhund,
zwei andre waren Rehe.

Das vierte war die Rabenmaus,
das fünfte war ein Schneck samt Haus,
o Wunder!
Das sechste war ein Käuzelein,
das siebte war ein Siebenschwein
und lebte in Burgunder.

Acht war ein Gürteltier nebst Gurt,
neun starb sofort nach der Geburt,
o wehe!
Von zehn bis dreizehn ist nicht klar; –
doch wie dem auch gewesen war,
es war eine glückliche Ehe!

*Von Christian Morgenstern*

# Das Löwenreh

Das Löwenreh durcheilt den Wald
und sucht den Förster Theobald.

Der Förster Theobald desgleichen
sucht es durch Pirschen zu erreichen,

und zwar mit Kugeln, deren Gift
zu Rauch verwandelt, wen es trifft.

Als sie sich endlich haben, schießt
er es, worauf es ihn genießt.

Allein die Kugel wirkt alsbald:
Zu Rauch wird Reh nebst Theobald...

Seitdem sind beide ohne Frage
ein dankbares Objekt der Sage.

*Von Christian Morgenstern*

# Der Gingganz

Ein Stiefel wandern und sein Knecht
von Knickebühl gen Entenbrecht.

Urplötzlich auf dem Felde drauß
begehrt der Stiefel: »Zieh mich aus!«

Der Knecht drauf: »Es ist nicht an dem;
doch sagt mir, lieber Herre, –!: wem?«

Dem Stiefel gibt es einen Ruck:
»Fürwahr, beim heiligen Nepomuk,

ich GING GANZ in Gedanken hin…
Du weißt, daß ich ein andrer bin,

seitdem ich meinen Herrn verlor…«
Der Knecht wirft beide Arm empor,

als wollt er sagen: »Laß doch, laß!«
Und weiter zieht das Paar fürbaß.

*Von Christian Morgenstern*

# Golch und Flubis

Golch und Flubis, das sind zwei
Gaukler aus der Titanei,

die mir einst in einer Nacht
Zri, die große Zra, vermacht.

Mangelt irgend mir ein Ding,
ein Beweis, ein Baum, ein Ring –

ruf ich Golch, und er verwandelt
sich in das, worum sichs handelt.

Während Flubis umgekehrt
das wird, was man gern entbehrt.

Bei z. B. Halsbeschwerden
wird das Halsweh Flubis werden.

Fällte dich z. B. Mord,
ging der Tod als Flubis fort.

Lieblich lebt es sich mit solchen
wackern Flubissen und Golchen.

Darum suche jeder ja
dito Zri, die große Zra.

*Von Christian Morgenstern*

# Der Lattenzaun

Es war einmal ein Lattenzaun,
mit Zwischenraum, hindurchzuschaun.

Ein Architekt, der dieses sah,
stand eines Abends plötzlich da –

und nahm den Zwischenraum heraus
und baute draus ein großes Haus.

Der Zaun indessen stand ganz dumm,
mit Latten ohne was herum.

Ein Anblick gräßlich und gemein.
Drum zog ihn der Senat auch ein.

Der Architekt jedoch entfloh
nach Afri- od- Ameriko.

*Von Christian Morgenstern*

# Das Fest des Wüstlings

Was stört so schrill die stille Nacht?
Was sprüht der Lichter Lüsterpracht?
Das ist das Fest des Wüstlings!

Was huscht und hascht und weint und lacht?
Was cymbelt gell? Was flüstert sacht?
Das ist das Fest des Wüstlings!

Die Pracht der Nacht ist jach entfacht!
Die Tugend stirbt, das Laster lacht!
Das ist das Fest des Wüstlings!

*Von Christian Morgenstern*

# Ballade vom schweren Leben des Ritters Kauz vom Rabensee

Es war ein alter Ritter,
Herr Kauz vom Rabensee.
Wenn er nicht schlief, dann stritt er.
Er hieß: der Eiserne.

Sein Mantel war aus Eisen,
Aus Eisen sein Habit.
Sein Schuh war auch aus Eisen.
Sein Schneider war der Schmied.

Ging er auf einer Brücke
Über den Rhein – pardauz!
Sie brach in tausend Stücke.
So schwer war der Herr Kauz.

Lehnt er an einer Brüstung,
Es macht sofort: pardauz!
So schwer war seine Rüstung.
So schwer war der Herr Kauz.

Und ging nach solchem Drama
Zu Bett er, müd wie Blei:
Sein eiserner Pyjama
Brach auch das Bett entzwei.

Der Winter kam mit Schnaufen,
Mit Kälte und mit Schnee.
Herr Kauz ging Schlittschuh laufen
Wohl auf dem Rabensee.

Er glitt noch eine Strecke
Aufs stille Eis hinaus.
Da brach er durch die Decke
Und in die Worte aus:

Potz Bomben und Gewitter,
Ich glaube, ich ersauf!
Dann gab der alte Ritter
Sein schweres Leben auf.

*Von Peter Hacks*

# Mein Wannenbad

Es muß wieder mal sein.
Also: Ich steige hinein
In zirka zwei Kubikmeter See.
Bis übern Bauch tut es weh.
Das Hähnchen plätschert in schamlosem Ton,
Ich atme und schnupfe den Fichtenozon,
Beobachte, wie die Strömung läuft.
Wie dann clam, langsam mein Schwamm sich besäuft,
Und ich ersäufe, um allen Dürsten
Gerecht zu werden, verschiedene Bürsten.
Ich seife, schrubbe, ich spüle froh.

Ich suche auf Ausguck
Vergebens nach einem ertrinkenden Floh,
Doch fort ist der Hautjuck.
Ich lehne mich weit und tief zurück,
Genieße schaukelndes Möwenglück.
Da taucht aus der blinkenden Fläche, wie
Eine Robinsoninsel, plötzlich ein Knie;
Dann – massig – mein Bauch – eines Walfisches Speck.
Und nun auf Wellen (nach meinem Belieben
Herangezogen, davongetrieben),

Als Wogenschaum spielt mein eigenster Dreck
Und da auf dem Gipfel neptunischer Lust,
Klebt sich der Waschlappen mir an die Brust.

Brust, Wanne und Wände möchten zerspringen,
Denn ich beginne nun, dröhnend zu singen
Die allerschwersten Opernkaliber.
Das Thermometer steigt über Fieber,
Das Feuer braust, und der Ofen glüht,
Aber ich bin schon so abgebrüht,
Daß mich gelegentlich Explosionen –
– Wenn's an mir vorbeigeht – –
Erfreun, weil manchmal dabei was entzweigeht,
Was Leute betrifft, die unter mir wohnen.
Ich lasse an verschiedenen Stellen
Nach meinem Wunsch flinke Bläschen entquellen,
Erhebe mich mannhaft ins Duschengebraus.
Ich bück mich. Der Stöpsel rülpst sich hinaus,
Und während die Fluten sich gurgelnd verschlürfen,
Spannt mich das Bewußtsein wie himmlischer Zauber,
Mich überall heute zeigen zu dürfen,
Denn ich bin sauber. –

*Von Joachim Ringelnatz*

# Das Familienbad

Jeden Samstag geht der nette fette Vater
einen Eimer Kohlen holen
aus dem Keller für das Bad
daß er sau
         daß er sau
daß er saubre Kinder hat.

In die weißlackierte Eisen-
badewanne mit den Flecken
tut der Vater jeden Sonna'mt
seine Kinder stecken.
Nach den Kindern seine Frau
und er selbst ist für Sau-
berkeit, setzt sich auch mit rein
fein fein rein.

Jeden Samstag geht der nette fette Vater
einen Eimer Kohlen holen
aus dem Keller für das Bad
daß er sau
         daß er sau
daß er saubre Kinder hat.

Und er spielt mit seiner Frau,
blaues blaues Mittelmeer.
Er war in den vierzigeer
Jahren ein paar Wochen da
als Major von Adolf Hitleeer
und jetzt spielt er Militär
mit der Frau im Mittelmeer
Mittel- Mittel- Meer.

Jeden Samstag geht der nette fette Vater
einen Eimer Kohlen holen
aus dem Keller für das Bad
daß er sau
         daß er sau
daß er saubre Kinder hat.

Plötzlich kommt ein Hai daher,
plötzlich ist die Frau nicht mehr.
Und das Badewasser rötet
sich, wenn Vater tötet.
Und am nächsten Morgen wachen
seine Kinder auf und machen
leis die Tür zum Bade auf:
*Da liegt ein satter Hai*
*Mutter ist nicht mehr dabei.*
ist nicht mehr
nicht

*Von Wolf Biermann*

# Hans Waldmanns Erlebnisse
# im Dampfbad

wasser rauscht gebogen in die wannen,
bürsten kratzen, aus den kohlenpfannen

steigt der dampf hinauf bis an die decke.
duschen sprühen, heiß, zur körperpflege.

waldmann, in der wirklich schweren schwüle,
fragt den nassen graf, wie er sich fühle.

und den reichen scheich der beduinen
fragt hans waldmann: na, wie geht es ihnen?

dann fragt waldmann, kalt, im paletot,
den direktor, na, wie gehts denn so?

den baron fragt er im duschraumdunst:
guten abend, na, was macht die kunst?

lappen klatschen, von den kacheln fließen
große tropfen ab. man hört es schießen.

noch ein schuß. hans waldmann winkte ab.
von den kacheln läuft das blut herab.

waldmann schweigt. es wurde still im raum.
der baron sitzt bleich im seifenschaum.

der direktor blaß, der nasse graf
fährt heraus aus einem harten schlaf.

und im nebel, kurz, erscheint der scheich.
waldmann ruft ihm zu: ich mach das gleich.

gurgelnd in der wanne der baron.
waldmann sagt: moment, ich mach das schon.

im bassin hat sich der graf verborgen.
waldmann ruhig: bitte keine sorgen.

der direktor spricht von schwierigkeiten.
waldmann sagt: die kläre ich beizeiten.

er hat längst am badewannenrand
schwarz im handschuh eine hand erkannt.

die person des fremden, sehr gepflegt,
hat die hand im handschuh hingelegt.

waldmann, lächelnd, knickt an einem hebel,
und der fremde kippt hinab im nebel.

waldmann sieht man dann den stecker stecken.
und der fremde treibt verschmort im becken.

damit, wie man bald darauf erfährt,
ist der ganze fall schon aufgeklärt.

waldmann weiß dem dank sich zu entziehn,
denn es wartet noch ein fall auf ihn.

*Von Ror Wolf, geboren 1932*

# Liebesfreud und Liebesleid

Von Sultan's Tochter
und der schönen Müllerin,
vom reichen Grafen und
der armen Bauerndirn

# Sie saßen und tranken

Sie saßen und tranken am Teetisch,
und sprachen von Liebe viel.
Die Herren, die waren ästhetisch,
die Damen von zartem Gefühl.

Die Liebe muß sein platonisch,
der dürre Hofrat sprach.
Die Hofrätin lächelt ironisch,
und dennoch seufzet sie: Ach!

Der Domherr öffnet den Mund weit:
Die Liebe sei nicht zu roh,
sie schadet sonst der Gesundheit.
Das Fräulein lispelt: Wieso?

Die Gräfin spricht wehmütig:
Die Liebe ist eine Passion!
Und präsentieret gütig
die Tasse dem Herren Baron.

Am Tische war noch ein Plätzchen;
mein Liebchen, da hast du gefehlt.
Du hättest so hübsch, mein Schätzchen,
von deiner Liebe erzählt.

*Von Heinrich Heine*

# In der Frühe

Auf dem Faubourg Saint-Marceau
lag der Nebel heute morgen,
Spätherbstnebel, dicht und schwer,
einer weißen Nacht vergleichbar.

Wandelnd durch die weiße Nacht,
schaut ich mir vorübergleiten
eine weibliche Gestalt,
die dem Mondenlicht vergleichbar.

Ja, sie war wie Mondenlicht
leichthinschwebend, zart und zierlich;
solchen schlanken Gliederbau
sah ich hier in Frankreich niemals.

War es Luna selbst vielleicht,
die sich heut bei einem schönen,
zärtlichen Endymion
des Quartier Latin verspätet?

Auf dem Heimweg dacht ich nach:
Warum floh sie meinen Anblick?
Hielt die Göttin mich vielleicht
für den Sonnenlenker Phöbus?

*Von Heinrich Heine*

# Waldfrevel

Seht den Schuft am Waldessaum
mit gewandten Sprüngen fliegend,
einen jungen Eschenbaum
auf den breiten Schultern wiegend!
Hat die Axt, die er gestohlen,
vornen in den Stamm geschwungen,
weit noch hinter seinen Sohlen
kommt der Wipfel nachgesprungen.
Wie er heimlich lacht und singt,
daß das Herz im Leibe springt!

Und die Dirne kommt daher
mit geschnittnen Weidenruten;
von der Last, die drückend schwer,
stehn die Wangen ihr in Gluten.
Und der Bursche wirft die schwere
Bürde beider in den Graben,
beide springen nach, als wäre
dort ein Nest voll Glück zu haben.

Wo ein kleiner Freudenquell
tief im Erlengrunde fließet
und die Silberadern hell
durch das samtne Moos ergießet,
wirft der schlanke Dieb sich nieder
mit der Dirn im braunen Arm,
löst ihr hastig Tuch und Mieder,
und er flüstert liebewarm,
daß sein brennend Herz erklingt,
wie die Nuß im Feuer singt:

»Schätzchen, o du kommst mir just,
daß ich meine Schätze grabe,
wieder einmal meine Lust
am verborgnen Reichtum habe!
Zeig mir der Korallen Schein
an dem frischen roten Munde,
gib mir schnell mein Elfenbein,
all das fein gedrehte runde!
Wie der Has im Kohle springt
ihm das Herz und singt und klingt!

Laß mich wägen all mein Gold,
deines Haares schwere Güsse!
Laß mich zählen meinen Sold,
zähle mir einhundert Küsse
blank und bar auf meine Lippen,
weil uns kein Verräter lauschet!
Laß mich von dem Weine nippen,
der mich armen Schelm berauschet!

Nun verhüll die Herrlichkeit
mit den Lumpen, mit den Fetzen,
daß kein Auge ungeweiht
spähen kann nach meinen Schätzen!
Dieses Tuch um deine Haare
dreimal, viermal sorglich winde,
daß die goldne Schimmerware
ja kein Strahl der Sonne finde!«

Gleich ist drauf die Dirn davon
durch den dunkeln Wald gesprungen,
wieder hat der Bursche schon
seinen Eschenbaum geschwungen;
wie die Beine rasch ihn tragen
mit dem langen schwanken Raube!
Einen grünen Siegeswagen,
schleift die Kron' er nach im Staube.
Wie die Grill' im Grase springt
ihm das Herz und singt und klingt!

*Von Gottfried Keller*

# Die Winzerin

Am sonnig weißen Gartenhaus,
da reifet Traub' an Traube,
die sanfte Schöne tritt heraus
und prüft die schwere Laube;
dem blauen Blick des Weibes gleicht
der Beeren dunkle Menge,
wohin ihr freundlich Auge reicht,
lacht freundliches Gedränge.

Rings lockt das noch gefangne Blut
zu Häupten und zu Füßen,
und sie beginnt mit stillem Mut
zu schneiden all die süßen.
Und wie sie mit der lieben Hand
die grünen Blätter teilet,
hin schweifet über See und Land
im Flug der Blick und weilet.

Gleich einer reifen Beere glänzt
ihr feuchtes Aug' hinüber,
wo's blaut und leuchtet unbegrenzt,
so fern, so fern herüber.
Sie lässet still und ahnungsvoll
die vollen Trauben sinken,
bis es in Körben reizend schwoll
mit tausendfachem Blinken.

Und auf der Laube Marmeltisch
zu keltern sie beginnet,
daß aus der Kelter duftig frisch
das Blut der Traube rinnet.
Wie muß der weißen Arme Zier
mit holder Kraft sich mühen!
Sie keltert, bis die Wangen ihr
gleich jungen Rosen blühen.

Sie keltert, daß der Busen fliegt
und woget ungemessen;
umsonst, was ihr im Sinne liegt,
das kann sie nicht vergessen!
Umsonst – wie oft die Krüge sie
mit starkem Moste füllet,
sie selber hat den Durst noch nie,
das Sehnen nie gestillet.

Sie läßt den heißen Rebensaft
mit treuer Sorge gären,
in kühler Nacht zu milder Kraft,
zum seltnen Wein sich klären.
Den trägt sie zu den Hütten hin
auf Höhen und im Tale;
sie reicht der armen Wöchnerin,
dem kranken Greis die Schale.

So keltert sie den Edelwein
im Herbste schon seit Jahren.
Ein Segel kommt im goldnen Schein
des Abends fern gefahren;
im Hafen legt das Schiff sich an,
sie hört die Schiffer singen,
und einen hochgemuten Mann
sieht sie ans Ufer springen.

Sie kennt ihn und sie kennt ihn nicht,
sie starrt hinaus ins Weite,
als es mit trauter Stimme spricht
und grüßt schon ihr zur Seite.
Die frohen Klänge mischen sich,
das Wort hier, dort die Lieder:
»Ratlos verließ der Knabe dich,
nun kehrt ein Mann dir wieder!

O schau, wie leuchtets weit und breit,
wie klar der Tag, die Stunde!
Und reif die schönste Lebenszeit
küßt mich von deinem Munde!«
Da ist in seine Arme hin
sie wonnevoll gesunken,
und weinend hat die Winzerin
zum erstenmal getrunken.

*Von Gottfried Keller*

# Der Müllerin Verrat

Woher der Freund so früh und schnelle,
Da kaum der Tag im Osten graut?
Hat er sich in der Waldkapelle,
So kalt und frisch es ist, erbaut?
Es starret ihm der Bach entgegen;
Mag er mit Willen barfuß gehn?
Was flucht er seinen Morgensegen
Durch die beschneiten wilden Höhn?

Ach wohl! Er kommt vom warmen Bette,
Wo er sich andern Spaß versprach;
Und wenn er nicht den Mantel hätte,
Wie schrecklich wäre seine Schmach!
Es hat ihn jener Schalk betrogen
Und ihm den Bündel abgepackt:
Der arme Freund ist ausgezogen
Und fast, wie Adam, bloß und nackt.

Warum auch schlich er diese Wege
Nach einem solchen Äpfelpaar,
Das freilich schön im Mühlgehege,
So wie im Paradiese war?
Er wird den Scherz nicht leicht erneuen,
Er drückte schnell sich aus dem Haus,
Und bricht auf einmal nun im Freien
In bittre laute Klagen aus:

»Ich las in ihren Feuerblicken
Nicht eine Silbe von Verrat:
Sie schien mit mir sich zu entzücken,
Und sann auf solche schwarze Tat!
Konnt ich in ihren Armen träumen,
Wie meuchlerisch der Busen schlug?
Sie hieß den holden Amor säumen,
Und günstig war er uns genug.

Sich meiner Liebe zu erfreuen!
Der Nacht, die nie ein Ende nahm!
Und erst die Mutter anzuschreien,
Nun eben als der Morgen kam!
Da drang ein Dutzend Anverwandten
Herein, ein wahrer Menschenstrom,
Da kamen Vettern, guckten Tanten,
Es kam ein Bruder und ein Ohm.

Das war ein Toben, war ein Wüten!
Ein jeder schien ein andres Tier.
Sie forderten des Mädchens Blüten
Mit schrecklichem Geschrei von mir. –
Was dringt ihr alle wie von Sinnen
Auf den unschuldgen Jüngling ein?
Denn solche Schätze zu gewinnen,
Da muß man viel behender sein.

Weiß Amor seinem schönen Spiele
Doch immer zeitig nachzugehn:
Er läßt fürwahr nicht in der Mühle
Die Blumen sechzehn Jahre stehn. –
Sie raubten nun das Kleiderbündel
Und wollten auch den Mantel noch,
Wie nur so viel verflucht Gesindel
Im engen Hause sich verkroch!

Nun sprang ich auf und tobt und fluchte,
Gewiß, durch alle durchzugehn.
Ich sah noch einmal die Verruchte,
Und ach! sie war noch immer schön.
Sie alle wichen meinem Grimme,
Es flog noch manches wilde Wort;
Da macht ich mich, mit Donnerstimme,
Noch endlich aus der Höhle fort.

Man soll euch Mädchen auf dem Lande,
Wie Mädchen aus den Städten, fliehn.
So lasset doch den Fraun vom Stande
Die Lust, die Diener auszuziehn!
Doch seid ihr auch von den Geübten
Und kennt ihr keine zarte Pflicht,
So ändert immer die Geliebten,
Doch sie verraten müßt ihr nicht.«

So singt er in der Winterstunde,
Wo nicht ein armes Hälmchen grünt.
Ich lache seiner tiefen Wunde,
Denn wirklich ist sie wohlverdient.
So geh es jedem, der am Tage
Sein edles Liebchen frech betrügt
Und nachts, mit allzukühner Wage,
Zu Amors falscher Mühle kriecht.

*Von Johann Wolfgang von Goethe*

# Die verkleidete Müllerin

### Jüngling.

Nur fort, du braune Hexe! fort
Aus meinem gereinigten Hause,
Daß ich dich, nach dem ernsten Wort,
Nicht zause!
Was singst du hier für Heuchelei
Von Lieb und stiller Mädchentreu?
Wer mag das Märchen hören!

### Zigeunerin.

Ich singe von des Mädchens Reu
Und langem, heißem Sehnen:
Denn Leichtsinn wandelte sich in Treu
Und Tränen.
Sie fürchtet der Mutter Drohen nicht mehr,
Sie fürchtet des Bruders Faust nicht so sehr,
Als den Haß des herzlich Geliebten.

### Jüngling.

Von Eigennutz sing und von Verrat,
Von Mord und diebischem Rauben;
Man wird dir jede falsche Tat
Wohl glauben.
Wenn sie Beute verteilt, Gewand und Glut,
Schlimmer als je ihr Zigeuner tut,
Das sind gewohnte Geschichten.

### Zigeunerin.

Ach weh! ach weh! was hab ich getan!
Was hilft mir nun das Lauschen!
Ich hör an meine Kammer heran
Ihn rauschen.
Da klopfte mir hoch das Herz, ich dacht:
O, hättest du doch die Liebesnacht
Der Mutter nicht verraten!

### Jüngling.

Ach leider trat ich auch einst hinein
Und ging verführt im stillen:.
Ach Süßchen! laß mich zu dir ein
Mit Willen!
Doch gleich entstand ein Lärm und Geschrei;
Es rannten die tollen Verwandten herbei.
Noch siedet das Blut mir im Leibe.

### Zigeunerin.

Kommt nun dieselbige Stunde zurück,
Wie still michs kränket und schmerzet!
Ich habe das nahe, das einzige Glück
Verscherzet.
Ich armes Mädchen, ich war zu jung!
Es war mein Bruder verrucht genug,
So schlecht an dem Liebsten zu handeln.

### Der Dichter.

So ging das schwarze Weib in das Haus,
In den Hof zur springenden Quelle;
Sie wusch sich heftig die Augen aus,
Und helle
Ward Aug und Gesicht, und weiß und klar
Stellt sich die schöne Müllerin dar
Dem erstaunt erzürnten Knaben.

### Müllerin.

Ich fürchte fürwahr dein erzürnt Gesicht,
Du Süßer, Schöner und Trauter,
Und Schläg und Messerstiche nicht!
Nur lauter
Sag ich von Schmerz und Liebe dir
Und will zu deinen Füßen hier
Nun leben oder auch sterben.

### Jüngling.

O Neigung, sage, wie hast du so tief
Im Herzen dich verstecket?
Wer hat dich, die verborgen schlief,
Gewecket?
Ach, Liebe, du wohl unsterblich bist!
Nicht kann Verrat und hämische List
Dein göttlich Leben töten.

### Müllerin.

Liebst du mich noch so hoch und sehr,
Wie du mir sonst geschworen,
So ist uns beiden auch nichts mehr
Verloren.
Nimm hin das vielgeliebte Weib,
Den jungen unberührten Leib!
Es ist nun alles dein eigen!

### Beide.

Nun, Sonne, gehe hinab und hinauf!
Ihr Sterne, leuchtet und dunkelt!
Es geht ein Liebesgestirn mir auf
Und funkelt.
So lange die Quelle springt und rinnt,
So lange bleiben wir gleichgesinnt,
Eins an des andern Herzen.

*Von Johann Wolfgang von Goethe*

# Des Goldschmieds Töchterlein

Ein Goldschmied in der Bude stand
bei Perl und Edelstein:
»Das beste Kleinod, das ich fand,
das bist doch du, Helene,
mein teures Töchterlein!«

Ein schmucker Ritter trat herein:
»Willkommen, Mägdlein traut!
Willkommen, lieber Goldschmied mein!
Mach mir ein köstlich Kränzchen
für meine süße Braut!«

Und als das Kränzlein war bereit
und spielt in reichem Glanz,
da hängt Helen' in Traurigkeit,
wohl als sie war alleine,
an ihren Arm den Kranz:

»Ach, wunderselig ist die Braut,
die 's Krönlein tragen soll.
Ach, schenkte mir der Ritter traut
ein Kränzlein nur von Rosen,
wie wär ich freudenvoll!«

Nicht lang, der Ritter trat herein,
das Kränzlein wohl beschaut:
»O fasse, lieber Goldschmied mein,
ein Ringlein mit Demanten
für meine süße Braut!«

Und als das Ringlein war bereit
mit teurem Demantstein,
da steckt Helen' in Traurigkeit,
wohl als sie war alleine,
es halb ans Fingerlein:

»Ach, wunderselig ist die Braut,
die 's Ringlein tragen soll.
Ach, schenkte mir der Ritter traut
nur seines Haars ein Löcklein,
wie wär ich freudenvoll!«

Nicht lang, der Ritter trat herein,
das Ringlein wohl beschaut:
»Du hast, o lieber Goldschmied mein,
gar fein gemacht die Gaben
für meine süße Braut!

Doch, daß ich wisse, wie ihrs steh,
tritt, schöne Maid, herzu,
daß ich an dir die Probe seh
den Brautschmuck meiner Liebsten!
Sie ist so schön wie du.«

Es war an einem Sonntag früh!
drum hatt' die feine Maid
heut angetan mit sondrer Müh,
zur Kirche hinzugehen,
ihr allerbestes Kleid.

Von holder Scham erglühend ganz
sie vor dem Ritter stand;
er setzt ihr auf den goldnen Kranz,
er steckt ihr an das Ringlein,
dann faßt er ihre Hand:

»Helene süß, Helene traut!
der Scherz ein Ende nimmt.
Du bist die allerschönste Braut,
für die ich 's goldne Kränzlein,
für die den Ring bestimmt.

Bei Gold und Perl und Edelstein
bist du erwachsen hier;
das sollte dir ein Zeichen sein,
daß du zu hohen Ehren
eingehen wirst mit mir.«

*Von Ludwig Uhland*

# Die Spinnerin

Als ich still und ruhig spann,
Ohne nur zu stocken,
Trat ein schöner junger Mann
Nahe mir zum Rocken.

Lobte, was zu loben war, –
Sollte das was schaden? –
Mein dem Flachse gleiches Haar,
Und den gleichen Faden.

Ruhig war er nicht dabei,
Ließ es nicht beim alten;
Und der Faden riß entzwei,
Den ich lang erhalten.

Und des Flachses Stein-Gewicht
Gab noch viele Zahlen;
Aber, ach! ich konnte nicht
Mehr mit ihnen prahlen.

Als ich sie zum Weber trug,
Fühlt' ich was sich regen,
Und mein armes Herze schlug
Mit geschwindern Schlägen.

Nun, beim heißen Sonnenstich,
Bring' ich's auf die Bleiche,
Und mit Mühe bück' ich mich
Nach dem nächsten Teiche.

Was ich in dem Kämmerlein
Still und fein gesponnen,
Kommt – wie kann es anders sein? –
Endlich an die Sonnen.

*Von Johann Wolfgang von Goethe*

# Walpurga

Sprengt ein Knappe durch den Heidenwald,
stieß den Schild an jeden harten Felsen,
schlug das Schwert an jeden roten Baumstamm,
rief und jauchzte: »Stellet euch zum Strauße!
Hab geschworen einen mächtigen Eidschwur,
meine Arme schlinge um Walpurga,
eures Königs blondgelockte Tochter,
mir zum Scherz und minniglicher Kurzweil.«

Zischend aus dem Busche fuhr Walpurga,
sprang zum Angriff, schwang sich in den Bügel,
packt ihm an der Stirn die Scheitellocke,
biß ihn kreischend in die roten Lippen.
Weh und Siechtum sehrte da den Knaben,
und sein Zelter floh mit Schreck und Grausen.
Als nach sieben Monden er genesen,
war ihm weiß entfärbt die Scheitellocke,
gähnten seine Augen hohl wie Sünde,
bebten seine Lippen schwach und klanglos.

Aber als die Herzogin im Maimond
sammelte die Knappen von Burgundien,
sich zu küren einen eignen Pagen:
»Keinen andern«, rief sie, »keinen andern,
einen einzigen will ich um mich leiden:
Jenen mit der kühnen Hünenlocke,
jenen mit dem wilden Wodansblicke,
jenen mit dem süßen Büßermunde.«

*Von Carl Spitteler (1845–1924)*

# Lady Lindsays Page

Zu Edinburg scheint weit und spät
vom Schloß der Fenster Glanz,
des Stuartkönigs Majestät
hält Tafel heut und Tanz.

Im tiefen Turm, aus tiefem Traum
fährt Graf Argyle empor, –
im Lichtschein steht im Kerkerraum
ein fremder Knecht am Tor:

»Der Stuarts Zorn ist racheschwer,
und rasch des Henkers Beil, –
die Wache schläft, der Gang ist leer,
was säumt Ihr, Graf Argyle?

Die Rettung, Herr, die Freiheit beut
Euch edler Dame Hand,
tragt Ihr durchs Tor als Page heut
ihr nur der Schleppe Rand!«

Reckt sich der Graf zur Decke schier
und lacht sich in den Bart:
»Ho, Schleppendienst und Hofmanier
war niemals meine Art!

Doch gilt's um Henkerschwert und Block,
um Freiheit, Ehr und Heil,
dann bückt vor einem Weiberrock
sich auch wohl ein Argyle!«

Im grauen Schloß das Fest verhallt,
es lischt der Kerzen Schein,
von Schritten, Lärm und Lachen schallt
des Torgewölbes Stein.

So blaß der Lady Lindsays Mund,
ihr Herz schlug schwer wie nie,
ihr Fackelträger wartend stund,
ihr Page beugt das Knie.

Des Pagen Tritt ist schwer und fest,
sein stolzes Auge flammt,
in harten Männerfäusten preßt
er rauh der Schleppe Samt.

Die Lady Lindsay schreitet stumm
in dichtem Schleiers Flor,
sie schaut nicht auf, sie schaut nicht um,
sie steigt hinab zum Tor.

Da strauchelt's hinter ihr mit Wucht
an steiler Stufen Rand –
»Der Teufel hol's!« der Page flucht,
die Schleppe fegt den Sand.

Im Dunkel blitzt es waffenblank,
ein Posten steht am Tor:
»Ho, kenn ich nicht der Stimme Klang?«
Er beugt sich spähend vor.

Doch da, – der Lady Antlitz flammt,
sie schlägt im Fackellicht
vom Staub empor den Schleppensamt
dem Pagen ins Gesicht:

»Du plumper Bär!« Der Posten sieht
und lacht und tritt zurück.
Aus staubgeschwärztem Antlitz sprüht
ein heißer Mannesblick. –

Der Rappe scharrt, gezäumt zum Ritt
vor Lady Lindsays Tor,
der Lady Lindsay Page tritt
im Reiterwams hervor.

Der Eisenkappe Schirm umdacht
die narbig breite Brau,
sein Blick umfaßt mit Herrenmacht
die schöne blasse Frau:

»Rot brennt mir auf der Stirn die Glut
von Eurem raschen Schlag,
noch keinen litt mein adlig Blut
bis heut auf diesen Tag!

Bei Tod und Teufel, Lady, wißt,
der Graf Argyle rächt schwer,
ich schwör's, mit Leib und Leben büßt
der Schänder meiner Ehr!«

Das Feuer ihr ins Antlitz schoß:
»Ich büß ihn gern den Schlag!«
Da riß er jäh sie mit aufs Roß,
sein Mund auf ihrem lag.

Der Rappe stob zum Tor hinaus,
die Nacht war stumm und warm,
das schönste Weib landein, landaus,
hielt Graf Argyle im Arm.

»Was schert der Stuarts Zorn mich heut,
und was des Henkers Beil?«
Der reichste Mann vom Tweed zum Clyde,
das ist der Graf Argyle!«

*Von Lulu von Strauß und Torney (1873–1956)*

# Graf Walter

Graf Walter rief am Marstallstor:
»Knapp, schwemm und kämm mein Roß!«
Da trat ihn an die schönste Maid,
die je ein Graf genoß.

»Gott grüße dich, Graf Walter, schön!
Sieh her, sieh meinen Schurz!
Mein goldner Gurt war sonst so lang,
nun ist er mir zu kurz.

Mein Leib trägt deiner Liebe Frucht.
Sie pocht, sie will nicht ruhn,
mein seidnes Röckchen, sonst so weit,
zu eng ist mir es nun.«

»O Maid, gehört mir, wie du sagst,
gehört das Kindlein mein,
so soll all, all mein rotes Gold
dafür dein eigen sein.

O Maid, gehört mir, wie du schwörst,
gehört das Kindlein mein,
so soll mein Land und Leut und Burg
dein und des Kindleins sein.«

»O Graf, was ist für Lieb und Treu
all, all dein rotes Gold?
All, all dein Land und Leut und Burg
ist mir ein schnöder Sold.

Ein Liebesblick aus deinem Aug,
so himmelblau und hold,
gilt mir, und wär es noch so viel,
für all dein rotes Gold.

Ein Liebeskuß von deinem Mund,
so purpurrot und süß,
gilt mir für Land und Leut und Burg,
und wär's ein Paradies.«

»O Maid, früh morgen trab ich weit
zu Gast nach Weißenstein,
und mit mir muß die schönste Maid,
wohl auf, wohl ab am Rhein.«

»Trabst du zu Gast nach Weißenstein,
so weit schon morgen früh,
so laß, o Graf, mich mit dir gehn,
es ist mir kleine Müh.

Bin ich schon nicht die schönste Maid,
wohl auf, wohl ab am Rhein:
so kleid ich mich in Bubentracht,
dein Leibbursch dort zu sein.«

»O Maid, willst du mein Leibbursch sein
und heißen Er statt Sie,
so kürz dein seidnes Röcklein dir
halb zollbreit überm Knie.

So kürz dein goldnes Härlein dir
halb zollbreit überm Aug!
Dann magst du wohl mein Leibbursch sein;
denn also ist es Brauch.«

Beiher lief sie den ganzen Tag,
beiher im Sonnenstrahl;
doch sprach er nie so hold ein Wort:
nun, Liebchen, reit einmal!

Sie lief durch Heid- und Pfriemenkraut,
lief barfuß nebenan;
doch sprach er nie so hold ein Wort:
o Liebchen, schuh dich an!

»Gemach, gemach, du trauter Graf!
was jagst du so geschwind?
Ach, meinen armen, armen Leib
zersprengt mir sonst dein Kind.«

»Ho, Maid, siehst du das Wasser dort,
dem Brück und Steg gebricht?«
»O Gott, Graf Walter, schone mein!
denn schwimmen kann ich nicht.«

Er kam zum Strand, er setzt hinein,
hinein bis an das Kinn.
»Nun steh mir Gott im Himmel bei!
sonst ist dein Kind dahin.«

Sie rudert wohl mit Arm und Bein,
hält hoch empor ihr Kinn.
Graf Waltern pochte hoch das Herz;
doch folgt er seinem Sinn.

Und als er überm Wasser war,
rief er sie an sein Knie:
»Komm her, o Maid, und sieh, was dort,
was fern dort funkelt, sieh!

Siehst du wohl funkeln dort ein Schloß,
im Abendstrahl wie Gold?
Zwölf schöne Jungfraun spielen dort,
die schönste ist mir hold.

Siehst du wohl funkeln dort das Schloß,
aus weißem Stein erbaut?
Zwölf schöne Jungfraun tanzen dort,
die schönst' ist meine Braut.«

»Wohl funkeln seh ich dort ein Schloß,
im Abendstrahl wie Gold.
Gott segne, Gott behüte dich,
samt deinem Liebchen hold!

Wohl funkeln seh ich dort das Schloß,
aus weißem Stein erbaut.
Gott segne, Gott behüte dich,
samt deiner schönen Braut!« –

Sie kamen wohl zum blanken Schloß,
wie Gold im Abendstrahl,
zum Schloß, erbaut aus weißem Stein,
mit stattlichem Portal.

Sie sahn wohl die zwölf Jungfraun schön;
sie spielten lustig Ball.
Die zwölfmal schöner war als sie,
zog still ihr Roß zu Stall.

Sie sahn wohl die zwölf Jungfraun schön;
sie tanzten froh ums Schloß.
Die zwölfmal schöner war als sie,
zog still zur Weid ihr Roß.

Des Grafen Schwester, wundervoll,
gar wundervoll sprach sie:
»Ha, welch ein Leibbursch! nein, so schön
war nie ein Leibbursch! nie!

Ha, schöner als ein Leibbursch je
des höchsten Herrn gepflegt!
Nur, daß sein Leib, zu voll und rund,
so hoch den Gürtel trägt!

Mir deucht, wie meiner Mutter Kind,
lieb ich ihn zart und rein.
Dürft ich, so räumt ich wohl zu Nacht
Gemach und Bett ihm ein.«

»Dem Bürschchen, rief Herr Walter stolz,
das lief durch Kot und Moor,
ziemt nicht der Herrin Schlafgemach,
ihr Bett nicht von Drap'dor.

Ein Bürschchen, das den ganzen Tag
durch Kot lief und durch Moor,
speist wohl sein Nachtbrot von der Faust
und sinkt am Herd aufs Ohr.«

Nach Vespermahl und Gratias,
ging jedermann zur Ruh.
Da rief Graf Walter: »Hier, mein Bursch!
was ich dir sag, das tu!

Hinab! geh flugs hinab zur Stadt,
geh alle Gassen durch!
Die schönste Maid, die du ersiehst,
bescheide flugs zur Burg!

Die schönste Maid, die du ersiehst,
all säuberlich und nett,
von Fuß zu Haupt, von Haupt zu Fuß,
die wirb mir für mein Bett!« –

Und flugs ging sie hinab zur Stadt,
ging alle Gassen durch.
Die schönste Maid, die sie ersah,
beschied sie flugs zur Burg.

Die schönste Maid, die sie ersah,
all säuberlich und nett,
von Fuß zu Haupt, von Haupt zu Fuß,
die warb sie ihm fürs Bett. –

»Nun laß, o Graf, am Bettfuß nur
mich ruhn bis an den Tag!
Im ganzen Schloß ist sonst kein Platz,
woselbst ich rasten mag.«

Auf seinen Wink am Bettfuß sank
die schönste Maid dahin
und ruhte bis zum Morgengrau
mit stillem frommen Sinn. –

»Hallo! Hallo! es tönet bald
des Hirten Dorfschalmei.
Auf, fauler Leibbursch! gib dem Roß,
gib Haber ihm und Heu!

Bursch, goldnen Haber gib dem Roß
und frisches, grünes Heu!
damit es rasch und wohlgemut
mich heimzutragen sei.« –

Sie sank wohl an die Kripp' im Stall;
ihr Leib war ihr so schwer.
Sie krümmte sich auf rauhem Stroh
und wimmert, o wie sehr!

Da fuhr die alte Gräfin auf,
erweckt vom Klageschall:
»Auf, auf, Sohn Walter, auf und sieh!
Was ächzt in deinem Stall?

In deinem Stalle haust ein Geist
und stöhnt in Nacht und Wind,
es stöhnet, als gebäre dort
ein Weiblein jetzt ihr Kind.« –

Hui sprang Graf Walter auf und griff
zum Haken an der Wand
und warf um seinen weißen Leib
das seidne Nachtgewand.

Und als er vor die Stalltür trat,
lauscht er gar still davor.
Das Ach und Weh der schönsten Maid
schlug kläglich an sein Ohr.

Sie sang: »Susu, lullull mein Kind!
mich jammert deine Not.
Susu, lullull, susu, lieb Lieb!
o weine dich nicht tot!

Samt deinem Vater schreibe Gott
dich in sein Segensbuch!
Werd ihm und dir ein Purpurkleid
und mir ein Leichentuch!«

»O nun, o nun, süß süße Maid,
süß süße Maid, halt ein!
Mein Busen ist ja nicht von Eis
und nicht von Marmelstein.

O nun, o nun, süß süße Maid,
süß süße Maid, halt ein!
Es soll ja Tauf und Hochzeit nun
in einer Stunde sein.«

*1789. Von Gottfried August Bürger in Anlehnung*
*an eine englische Ballade gedichtet.*

# Willst schlafen beim Ritter?

Es ritt ein Reiter voll Übermut,
er hat 'nen Busch Federn auf sei'm Hut.

Busch Federn war mit Silber beschla'n,
es konnt'n ein König und Kaiser tra'n

»Ach Reiter, wie reit't ihr so nah herzu,
ich fürcht, euer Roß wird mir was tun.«

»Ach nein, mein Rößlein wird dir nichts tun,
will lieber dich selber von hinnen tra'n.«

»Wenn alle die Weiden voll Kirschen stan,
wird mich euer Rößle von hinnen tra'n.

Wenn all das Wasser sich kehret in Wein,
wird eur Mutter mein Schwiegermutter sein.«

»Zart Jungfrau, willt nehmen 'ne halbe Tonne Gold,
willst schlafen beim Ritter ein halbe Stund?«

»'ne halbe Tonne Gold ist hübsch und fein:
doch soll mir mein Ehre noch lieber sein?«

»Zart Jungfrau, willst nehmen 'ne ganze Tonne Gold,
willst schlafen beim Ritter ein ganze Stund?«

»'ne ganze Tonne Gold ist hübsch und fein,
doch soll mir mein Ehre noch lieber sein!«

»Zart Jungfrau, willst nehmen 'ne halbe Stadt,
willst schlafen beim Ritter 'ne halbe Nacht?«

»'ne halbe Stadt ist hübsch und fein,
doch soll mir mein Ehre noch lieber sein!«

»Zart Jungfrau, willst nehmen 'ne ganze Stadt,
willst schlafen beim Ritter 'ne ganze Nacht?«

»Ein ganze Stadt ist hübsch und fein,
doch soll mir mein Ehre noch lieber sein!«

»Zart Jungfrau, willst schneiden dein Brautgewand,
willst schlafen beim Ritter dein lebelang?«

»Ja, gern schneid ich mein Brautgewand:
will schlafen beim Ritter mein lebelang!«

*Volksballade aus Mähren, dem Hochdeutsch*
*angeglichen*

# Die Botschaft

Mein Knecht! steh auf und sattle schnell,
und wirf dich auf dein Roß,
und jage rasch durch Wald und Feld
nach König Duncans Schloß.

Dort schleiche in den Stall, und wart,
bis dich der Stallbub schaut.
Den forsch mir aus: »Sprich, welche ist
von Duncans Töchtern Braut?«

Und spricht der Bub: »Die Braune ists«,
so bring mir schnell die Mär.
Doch spricht der Bub: »Die Blonde ists«,
so eilt das nicht so sehr.

Dann geh zum Meister Seiler hin,
und kauf mir einen Strick,
und reite langsam, sprich kein Wort,
und bring mir den zurück.

*Von Heinrich Heine*

# »Herr Graf, Sie haben mich entehrt«

Es schlief ein Graf bei seiner Magd
bis an den frühen Morgen.
Er liebte sie nur eine Nacht,
das machte ihr viel Sorgen.

»Und trag ichs Kind unter meiner Brust,
auch unter meinem Herzen,
dann habe ich viel Schmerzen,
dann habe ich viel Schmerzen.«

»O, höre zu, mein liebes Kind,
deine Mutter wird dich pflegen!
Hier hast du Geld und geh nach Haus,
das andere wird sich geben.

Ich rufe dich dann wieder her,
denn mein Herz hat nach dir Begehr,
nun hör schon auf zu weinen,
ach, hör schon auf zu weinen.«

»Herr Graf, nun lassen Sie mich gehn,
ich schäm mich sehr vor Ihnen.
Ich geh zu meinem Mütterlein,
Herr Graf, mir wird ganz übel.«

Sie rannte schnell vor ihm hinaus.
Doch Mütterlein war nicht zu Haus.
Wo ist sie nur geblieben?
Wo ist sie nur geblieben?

»Sie suchte dich die ganze Nacht,
früh fand man sie im Teiche,
ihr Herz zerbrach vor Ärgernis.
Nun ist sie eine Leiche.

Sie ruht im Frieden dort im Grab,
weil du sie nachts verlassen hast.
Was hast du nachts getrieben?
Wo warst du nur geblieben?«

»Der Graf, der Graf rief mich zu sich,
und hört, was der mir bot:
Ins Bett mußt ich zu ihm allein,
ich trag die Schuld an ihrem Tod.

Ach Mütterlein, ich muß zu dir,
ins kalte Wasser spring ich hier.
Ade, ihr lieben Leute!
Ich war des Grafen Beute.«

Wo mag nur dieses Mädchen sein?
Irrt nun der Graf umher allein.
Nach Wochen fand man sie im Teich.
Hier wurde ihm das Herze weich.

Das Schicksal faßte seine Händ,
die Kugel brachte ihm das End.
Für immer schloß das Aug sich zu,
das Grab, es brachte ihm die Ruh.

*Diese Volksballade ist in ganz Deutschland*
*mit geringfügigen Text-Änderungen verbreitet.*

# Das Grabkreuz der Bauerndirn

Eine Bauerndirn wollt einen Grafen han,
– das ging nicht an –
sie ist drob närrisch worden.
Auf ihrem Grabkreuz sieht man stahn
eine Schrift in diesen Worten:

»Ein Grasblum und eine wilde Ros,
– das geht wohl an –
die stehen oft beisammen.
Die Menschen scheiden und trennen bloß,
ob sie hoch, ob niedrig stammen.

Engel tragen keine Grafenkron',
– das geht nicht an –
daß ich bei denen wohne,
brachte mich ein junger Grafensohn
unter die Rauschgoldkrone.«

*Von Martin Greif (1839–1911)*

# Die Mähderin

»Guten Morgen, Marie! so frühe schon rüstig und rege?
Dich, treuste der Mägde, dich machet die Liebe nicht
träge.
Ja, mähst du die Wiese mir ab von jetzt in drei Tagen,
nicht dürft ich den Sohn dir, den einzigen, länger versagen.«

Der Pächter, der stattlich begüterte, hat es gesprochen.
Marie, wie fühlt sie den liebenden Busen sich pochen!
Ein neues, ein kräftiges Leben durchdringt ihr die Glieder:
wie schwingt sie die Sense, wie streckt sie die Mahden
danieder!

Der Mittag glühet, die Mähder des Feldes ermatten,
sie suchen zur Labe den Quell und zum Schlummer den
Schatten;
noch schaffen im heißen Gefilde die summenden Bienen;
Marie, sie ruht nicht, sie schafft um die Wette mit ihnen.

Die Sonne versinkt, es ertönet das Abendgeläute.
Wohl rufen die Nachbarn: »Marie, genug ists für heute.«
Wohl ziehen die Mähder, der Hirt und die Herde von
hinnen;
Marie, sie dengelt die Sense zu neuem Beginnen.

Schon sinket der Tau, schon erglänzen der Mond und die
Sterne,
es duften die Mahden, die Nachtigall schlägt aus der
Ferne:

Marie verlangt nicht zu rasten, verlangt nicht zu lauschen,
stets läßt sie die Sense, die kräftig geschwungene, rauschen.

So fürder von Abend zu Morgen, von Morgen zu Abend,
mit Liebe sich nährend, mit seliger Hoffnung sich la-
bend.
Zum drittenmal hebt sich die Sonne, da ist es geschehen;
dort seht ihr Marien, die wonniglich weinende, stehen.

»Guten Morgen, Marie; was seh ich? o fleißige Hände!
gemäht ist die Wiese, das lohn ich mit reichlicher Spende;
allein mit der Heirat... du nahmest im Ernste mein
Scherzen.
Leichtgläubig, man sieht es, und töricht sind liebende
Herzen.«

Er spricht es und gehet des Wegs; doch der armen Marie
erstarret das Herz, ihr brechen die bebenden Kniee.
Die Sprache verloren, Gefühl und Besinnung geschwun-
den,
so wird sie, die Mähderin, dort in den Mahden gefunden.

So lebt sie noch Jahre, so stummer, erstorbener Weise,
und Honig ein Tropfen, das ist ihr die einzige Speise.
O haltet ein Grab ihr bereit auf der blühenden Wiese!
So liebende Mähderin gab es doch nimmer wie diese.

*Von Ludwig Uhland*

# Es war ein alter König

Es war ein alter König,
sein Herz war schwer, sein Haupt war grau;
der arme alte König,
er nahm eine junge Frau.

Es war ein schöner Page,
blond war sein Haupt, leicht war sein Sinn;
er trug die seidne Schleppe
der jungen Königin.

Kennst du das alte Liedchen?
Es klingt so süß, es klingt so trüb!
Sie mußten beide sterben,
sie hatten sich viel zu lieb.

*Von Heinrich Heine*

# Das bittere Trünklein

Ein betrogen Mägdlein irrt im Walde,
flieht den harten Tag und sucht das Dunkel,
wirft auf eine Felsenbank sich nieder
und beginnt zu weinen unersättlich.

In den wettermürben Stein des Felsens
ist gegraben eine kleine Schale –
da das Mägdlein sich erhebt zu wandern,
bleibt die Schale voller bittrer Zähren.

Abends kommt ein Vöglein hergeflattert,
aus gewohntem Becherlein zu trinken,
wo sich ihm das Himmelswasser sammelt,
schluckt und schüttelt sich und fliegt von hinnen.

*Von Conrad Ferdinand Meyer*

# Das Vöglein

Ich hatt' ein Vöglein, ach, wie fein!
kein schöners mag wohl nimmer sein:

hätt' auf der Brust ein Herzlein rot
und sung und sung sich schier zutot.

Herzvogel mein, du Vogel schön,
nun sollt du mit zu Markte gehn! –

Und als ich in das Städtlein kam,
er saß auf meiner Achsel zahm.

Und als ich ging am Haus vorbei
des Knaben, dem ich brach die Treu,

der Knab just aus dem Fenster sah,
mit seinem Finger schnalzt er da:

Wie horchet gleich mein Vogel auf!
zum Knaben fliegt er husch! hinauf.

Der koset ihn so lieb und hold;
ich wußt nicht, was ich machen sollt,

und stund, im Herzen so erschreckt,
mit Händen mein Gesichte deckt,

und schlich davon und weinet' sehr,
ich hört ihn rufen hinterher:

»Du falsche Maid, behüt dich Gott!
Ich hab doch wieder mein Herzlein rot.«

*Von Eduard Mörike*

# Ein Jüngling liebt ein Mädchen

Ein Jüngling liebt ein Mädchen,
die hat einen andern erwählt;
der andre liebt eine andre,
und hat sich mit dieser vermählt.

Das Mädchen heiratet aus Ärger
den ersten besten Mann,
der ihr in den Weg gelaufen;
der Jüngling ist übel dran.

Es ist eine alte Geschichte,
doch bleibt sie immer neu;
und wem sie just passieret,
dem bricht das Herz entzwei.

*Von Heinrich Heine*


# Der Asra

Täglich ging die wunderschöne
Sultanstochter auf und nieder
um die Abendzeit am Springbrunn,
wo die weißen Wasser plätschern.

Eines Abends trat die Fürstin
auf ihn zu mit raschen Worten:
»Deinen Namen will ich wissen,
deine Heimat, deine Sippschaft!«

Täglich stand der junge Sklave
um die Abendzeit am Springbrunn,
wo die weißen Wasser plätschern;
täglich ward er bleich und bleicher.

Und der Sklave sprach: »Ich heiße
Mohammed, ich bin aus Yemen,
und mein Stamm sind jene Asra,
welche sterben, wenn sie lieben.«

*Von Heinrich Heine*


# Die Odaliske

Es harrt auf weichem Purpursamt
die jüngste Sklavin ihres Herrn,
und unter dunkler Braue flammt
ihr Auge, wie ein irrer Stern.

Sie hat von dem Johannisstrauch
die karge Beere nie gepflückt,
die, ohne Kraft und ohne Hauch,
zur Abwehr gar den Dorn noch zückt.

Sie stammt aus jenem Lande nicht,
wo ehrbar-blond der Weizen reift
und stachlich-keusch die Gerste sticht,
wenn man sie noch so leise streift.

Doch ward sie oft vom Wein bespritzt,
weil himmelan die Rebe drang
und dann, vom Sonnenstrahl zerschlitzt,
die Traube in der Luft zersprang.

Sie ist der Feuerzone Kind,
wo jede Frucht von selber fällt,
weil sie der Baum, der zu geschwind
die zweite zeitigt, gar nicht hält.

Drum sitzt sie auch nicht seufzend da,
nun ihre eigne Stunde naht,
sie denkt der Rosen, fern und nah,
die sie schon selbst gebrochen hat.

Und sieh, der Pascha tritt herein,
zwar ernst und düster, doch nicht alt,
und vor ihm her den Becher Wein
trägt eines Mohren Nachtgestalt.

Er sieht das Mägdlein lange an,
mißt Zug für Zug und nickt nur still,
zum goldnen Becher greift er dann
und fragt, ob sie nicht trinken will.

Ihr aber schwillt schon jetzt das Blut
bis an der Adern letzten Rand,
drum fürchtet sie des Weines Glut
und stößt ihn weg mit ihrer Hand.

Nun weist er stumm den Mohren fort,
dem wild das Auge glüht vor Lust,
und setzt sich an den weichsten Ort
und küßt ihr langsam Mund und Brust.

Doch plötzlich dringt ein jäher Schrei
von außen ihr ins bange Ohr;
sie ruft verstört, was das denn sei, –
und er versetzt: »Es starb der Mohr!

Er trank den Wein, den ich dir bot,
und wird der Sünde nimmer froh,
denn beigemischt war ihm der Tod! –
Ich prüfe jede Sklavin so!«

*Von Friedrich Hebbel. Odaliske – weiße Harems-Sklavin.*

# Ihr Lieber, der ging dahin

Auf dem Berge dort oben, da wehet der Wind,
da sitzet Mariechen und wieget ihr Kind;
sie wiegt es mit ihrer schneeweißen Hand,
den Blick in die Ferne hinausgewandt.

In die Ferne hinaus schweift all ihr Sinn,
ihr Lieber, ihr Treuer, der ging dahin.
Sie hielt ihn nur wenige Stunden im Arm,
nun ist ihr Geliebter der weinende Harm.

In den Busen ihr fallen die Tränen hinein,
da trinket ihr Kind sie säugend mit ein.
Es schmeichelt der Mutter die kleine Hand.
Ihr Blick ist hinaus in die Ferne gewandt.

Ha! sausend wehet der Wind und kalt!
Mariechen, dein Treuer ging aus in den Wald,
die tanzenden Elfen empfingen ihn dort
und rissen auf immer, auf immer ihn fort.

Auf dem Berge dort oben, da wehet der Wind,
da sitzet Mariechen und wieget ihr Kind;
sie wieget es mit ihrer schneeweißen Hand,
den Blick in die Ferne hinausgewandt.

*Von Christoph August Tiedge*

# Die Braut von Korinth

Nach Korinthus von Athen gezogen
Kam ein Jüngling, dort noch unbekannt.
Einen Bürger hofft er sich gewogen:
Beide Väter waren gastverwandt,
Hatten frühe schon
Töchterchen und Sohn
Braut und Bräutigam voraus genannt.

Aber wird er auch willkommen scheinen,
Wenn er teuer nicht die Gunst erkauft?
Er ist noch ein Heide mit den Seinen,
Und sie sind schon Christen und getauft.
Keimt ein Glaube neu,
Wird oft Lieb und Treu
Wie ein böses Unkraut ausgerauft.

Und schon lag das ganze Haus im stillen,
Vater, Töchter, nur die Mutter wacht;
Sie empfängt den Gast mit bestem Willen,
Gleich ins Prunkgemach wird er gebracht.
Wein und Essen prangt,
Eh er es verlangt:
So versorgend wünscht sie gute Nacht.

Aber bei dem wohlbestellten Essen
Wird die Lust der Speise nicht erregt:
Müdigkeit läßt Speis und Trank vergessen,
Daß er angekleidet sich aufs Bette legt;
Und er schlummert fast,
Als ein seltner Gast
Sich zur offnen Tür herein bewegt.

Denn er sieht, bei seiner Lampe Schimmer
Tritt, mit weißem Schleier und Gewand,
Sittsam still ein Mädchen in das Zimmer,
Um die Stirn ein schwarz und goldnes Band.
Wie sie ihn erblickt,
Hebt sie, die erschrickt,
Mit Erstaunen eine weiße Hand.

Bin ich, rief sie aus, so fremd im Hause,
Daß ich von dem Gaste nichts vernahm?
Ach, so hält man mich in meiner Klause!
Und nun überfällt mich hier die Scham.
Ruhe nur so fort
Auf dem Lager dort,
Und ich gehe schnell, so wie ich kam.

Bleibe, schönes Mädchen! ruft der Knabe,
Rafft von seinem Lager sich geschwind:
Hier ist Ceres', hier ist Bacchus' Gabe,
Und du bringst den Amor, liebes Kind!
Bist vor Schrecken blaß!
Liebe, komm und laß,
Laß uns sehn, wie froh die Götter sind!

Ferne bleib, o Jüngling! bleibe stehen!
Ich gehöre nicht den Freuden an.
Schon der letzte Schritt ist, ach! geschehen
Durch der guten Mutter kranken Wahn,
Die genesend schwur,
Jugend und Natur
Sei dem Himmel künftig untertan.

Und der alten Götter bunt Gewimmel
Hat sogleich das stille Haus geleert:
Unsichtbar wird Einer nur im Himmel,
Und ein Heiland wird am Kreuz verehrt;
Opfer fallen hier,
Weder Lamm noch Stier,
Aber Menschenopfer unerhört.

Und er fragt und wäget alle Worte,
Deren keines seinem Geist entgeht:
Ist es möglich, daß am stillen Orte
Die geliebte Braut hier vor mir steht?
Sei die meine nur!
Unsrer Väter Schwur
Hat vom Himmel Segen uns erfleht.

Mich erhältst du nicht, du gute Seele!
Meiner zweiten Schwester gönnt man dich.
Wenn ich mich in stiller Klause quäle,
Ach! in ihren Armen denk an mich,
Die an dich nur denkt,
Die sich liebend kränkt;
In die Erde bald verbirgt sie sich.

Nein! bei dieser Flamme seis geschworen,
Gütig zeigt sie Hymen uns voraus:
Bist der Freude nicht und mir verloren,
Kommst mit mir in meines Vaters Haus.
Liebchen, bleibe hier!
Feire gleich mit mir
Unerwartet unsern Hochzeitschmaus!

Und schon wechseln sie der Treue Zeichen:
Golden reicht sie ihm die Kette dar,
Und er will ihr eine Schale reichen,
Silbern, künstlich, wie nicht eine war.
Die ist nicht für mich,
Doch, ich bitte dich,
Eine Locke gib von deinem Haar.

Eben schlug die dumpfe Geisterstunde,
Und nun schien es ihr erst wohl zu sein.
Gierig schlürfte sie mit blassem Munde
Nun den dunkel blutgefärbten Wein;
Doch vom Weizenbrot,
Das er freundlich bot,
Nahm sie nicht den kleinsten Bissen ein.

Und dem Jüngling reichte sie die Schale,
Der, wie sie, nun hastig lüstern trank.
Liebe fordert er beim stillen Mahle:
Ach, sein armes Herz war liebekrank.
Doch sie widersteht,
Wie er immer fleht,
Bis er weinend auf das Bette sank.

Und sie kommt und wirft sich zu ihm nieder:
Ach, wie ungern seh ich dich gequält!
Aber, ach! berührst du meine Glieder,
Fühlst du schaudernd, was ich dir verhehlt.
Wie der Schnee so weiß,
Aber kalt wie Eis
Ist das Liebchen, das du dir erwählt.

Heftig faßt er sie mit starken Armen,
Von der Liebe Jugendkraft durchmannt:
Hoffe doch bei mir noch zu erwarmen,
Wärst du selbst mir aus dem Grab gesandt!
Wechselhauch und Kuß!
Liebesüberfluß!
Brennst du nicht und fühlest mich entbrannt?

Liebe schließet fester sie zusammen,
Tränen mischen sich in ihre Lust;
Gierig saugt sie seines Mundes Flammen,
Eins ist nur im andern sich bewußt.
Seine Liebeswut
Wärmt ihr starres Blut,
Doch es schlägt kein Herz in ihrer Brust.

Unterdessen schleichet auf dem Gange
Häuslich spät die Mutter noch vorbei,
Horchet an der Tür und horchet lange,
Welch ein sonderbarer Ton es sei:
Klag- und Wonnelaut
Bräutigams und Braut
Und des Liebestammelns Raserei.

Unbeweglich bleibt sie an der Türe,
Weil sie erst sich überzeugen muß,
Und sie hört die höchsten Liebesschwüre,
Lieb und Schmeichelworte mit Verdruß:
Still! der Hahn erwacht! –
Aber morgen Nacht
Bist du wieder da? – und Kuß auf Kuß.

Länger hält die Mutter nicht das Zürnen,
Öffnet das bekannte Schloß geschwind:
Gibt es hier im Hause solche Dirnen,
Die dem Fremden gleich zu Willen sind?
So zur Tür hinein.
Bei der Lampe Schein
Sieht sie – Gott! sie sieht ihr eigen Kind.

Und der Jüngling will im ersten Schrecken
Mit des Mädchens eignem Schleierflor,
Mit dem Teppich die Geliebte decken,
Doch sie windet gleich sich selbst hervor.
Wie mit Geists Gewalt
Hebet die Gestalt
Lang und langsam sich im Bett empor.

Mutter! Mutter! spricht sie hohle Worte,
So mißgönnt Ihr mir die schöne Nacht?
Ihr vertreibt mich von dem warmen Orte!
Bin ich zur Verzweiflung nur erwacht?
Ists Euch nicht genug,
Daß ins Leichentuch,
Daß Ihr früh mich in das Grab gebracht?

Aber aus der schwerbedeckten Enge
Treibet mich ein eigenes Gericht.
Eurer Priester summende Gesänge
Und ihr Segen haben kein Gewicht:
Salz und Wasser kühlt
Nicht, wo Jugend fühlt,
Ach! die Erde kühlt die Liebe nicht.

Dieser Jüngling war mir erst versprochen,
Als noch Venus' heitrer Tempel stand.
Mutter, habt Ihr doch das Wort gebrochen,
Weil ein fremd, ein falsch Gelübd Euch band!
Doch kein Gott erhört,
Wenn die Mutter schwört,
Zu versagen ihrer Tochter Hand.

Aus dem Grabe werd ich ausgetrieben,
Noch zu suchen das vermißte Gut,
Noch den schon verlornen Mann zu lieben
Und zu saugen seines Herzens Blut.
Ists um den geschehn,
Muß nach andern gehn,
Und das junge Volk erliegt der Wut.

Schöner Jüngling, kannst nicht länger leben!
Du versiechest nun an diesem Ort.
Meine Kette hab ich dir gegeben,
Deine Locke nehm ich mit mir fort.
Sieh sie an genau,
Morgen bist du grau,
Und nur braun erscheinst du wieder dort.

Höre, Mutter, nun die letzte Bitte:
Einen Scheiterhaufen schichte du;
Öffne meine bange kleine Hütte,
Bring in Flammen Liebende zur Ruh!
Wenn der Funke sprüht,
Wenn die Asche glüht,
Eilen wir den alten Göttern zu.

*1797. Von Johann Wolfgang von Goethe*

# Die geraubte Geliebte

Geraubet war ihm das Fräulein sein
er sucht es in Morgen und Abend,
er sucht es in Sonn- und Mondenschein
auf glänzendem Rosse trabend:

»Wohin, wohin, mein wildes Herz?«
so ruft er, es sausen die Wälder von Schmerz.

Er suchet in seinen Gedanken auf
die Blicke voll Lust und voll Liebe
und drücket die Augen fest zu im Lauf,
taucht Sonne ins Wasser so trübe;

wie weit, wie weit bringt Frühlingstag
das weite Land, wie's keiner vermag.

Er lernet der Sprachen Mannigfalt,
zu fragen nach ihr in allen,
er lernet auch eine, die keinem schallt,
der stummen Blumen Gefallen:

Woher, woher der deutende Strauß?
Er fiel zum Fenster des Turmes hinaus!

»O Schicksal, du spielest mit Blumen bunt,
sie will in die Arme mich fassen!«
Da drückt er die Blumen an seinen Mund
und kann sich selber kaum fassen:

Wozu, wozu nun alle der Schmerz,
sie sinket im Mondenschein an sein Herz!

Und als der Mond den Bogen hell
spannt über dem Turme und zielet
und schießet die silbernen Pfeile schnell
in Augen, die brennend gefühlet:

Wie weit, wie weit bringt Liebesmacht
zwei liebende Herzen in einer Nacht.

Er spannet die Arme zum Turme aus:
»O fülle die Arme, du Liebe,
wie du mir versprochen im bunten Strauß.«
Sie hört es und folget dem Triebe:

Woher, woher? Vom Turme herab
sie stürzt in die Arme ihm – beider Grab!

Am Morgen, da fliegen zwei Lerchen auf,
die überfliegen einander,
wohin, wohin der schnelle Lauf?
Sie singen es jubelnd einander:

Warum, warum viel liebe Not?
Aus Armen der Nacht steigt Morgenrot.

*Von Achim von Arnim*

# ...brach ihm sein Herz entzwei

»Ich stand auf hohem Berge
und schaut ins tiefe Tal,
ein Schifflein sah ich schwimmen,
worin drei Grafen warn.

Der jüngste von den dreien,
der in dem Schifflein saß,
gab mir einmal zu trinken
kühlen Wein aus seinem Glas.

Was zog er von dem Finger?
ein goldnes Ringelein:
»Sieh da, du Hübsche, du Feine,
das soll dein Denkmal sein.«

»Was soll ich mit dem Ringe?
bin gar ein junges Blut,
dazu ein armes Mädchen,
hab weder Geld noch Gut.«

»Bist du ein armes Mädchen,
hast weder Geld noch Gut,
so gedenk an unsre Liebe,
die zwischen uns beiden ruht.«

»Ich gedenk an keine Liebe,
ich gedenk an keinen Mann:
ins Kloster will ich ziehen,
will werden eine Nonn.«

»Willst du ins Kloster ziehen,
willst werden eine Nonn:
so will ich die Welt durchreiten,
bis daß ich zu dir komm.« –

Es stund wohl an ein Vierteljahr,
dem Grafen träumts gar schwer,
wie daß sein herzallerliebster Schatz
ins Kloster gangen wär.

Der Herr sprach zu dem Knechte:
»Sattle mir und dir zwei Pferd!
Wir wollen allbeide reiten,
der Weg ist Reitens wert.«

Und als er kam vors Kloster,
ganz leise klopft er an:
»Wo ist die jüngste Nonne,
die letzt ist kommen an?«

»Es ist ja keine kommen,
es kommt auch keine raus.«
»So will ich das Kloster anzünden,
das schöne Nonnenhaus.«

Da kam sie hergeschritten,
schneeweiß war sie gekleidt,
ihr Haar war abgeschnitten,
zur Nonn war sie bereit.

Sie hieß den Herrn willkommen,
willkommen im fremden Land:
»Wer hat euch heißen kommen,
wer hat euch hergesandt?«

Der Graf wandt sich voll Sehnen
die Red ihn sehr verdroß,
daß ihm die heiße Träne,
von seiner Wange floß.

Sie bot dem Herrn zu trinken
aus ihrem Becherlein;
in zwei, drei Viertelstunden
brach ihm sein Herz entzwei.

Mit seinem blanken Degen
grub sie dem Grafen ein Grab,
aus ihren schwarzbraunen Augen
sie ihm das Weihwasser gab.

Mit ihren zarten Händen
zog sie den Glockenstrang,
mit ihrem roten Munde
sang sie den Grabgesang.

»So liege nun und ruhe
bis an den jüngsten Tag!
Und ich will um dich trauern,
so lang ichs Leben hab.

Ein Kirchlein will ich bauen
auf meines Liebsten Grab,
darin will ich verbleiben
bis Gott mich rufet ab.«


*Ähnliche Texte zu diesem Thema in
Deutschland weit verbreitet.*


# Des Kaufherrn Töchterlein

Nun laßt uns singen mit rechter Art
von einer edlen Jungfrau zart;
die Jungfrau war wie Engel hold,
sie trug ein Herz von lautrem Gold.

Es liegt eine Stadt im Braunschweiger Land,
Hannover an der Leine wohlbekannt;
da geschah es, wie ich euch bericht,
im Siebenjähr'gen Krieg, es ist kein Gedicht.

Das Reichsheer lag in selber Stadt;
ein Kaufherr gar ein schön Töchterlein hat;
da herbergt ein Hauptmann schön und klug,
der ein stilles Neigen zur Jungfrau trug.

Die Jungfrau gab ihm kein Gehör,
des wird er traurig mehr und mehr,
bis er verfällt in stillen Wahn,
daß man zu den Irren ihn hat getan.

Die Reichsmacht ward geschlagen schwer,
zur Stadt kommt König Friedrichs Heer;
beim Kaufherrn mit dem schön Töchterlein
kehrt wieder ein junger Hauptmann ein.

Und wie es dem ersten ergangen war,
geschieht's dem andern auf ein Haar,
sie bringen ihn in dasselbe Gemach,
darin sein Unglücksbruder lag.

Und wie sich auf die Türe tut,
springt dieser auf in frohem Mut:
»Sie bringen meinen Bruder dort!«
Es war seit Monden sein erstes Wort.

Und wie sie gegeneinander gehn,
als leibliche Brüder sie beide sehn;
hervor aus beider Angesicht
ein' Ähnlichkeit gar eigen bricht.

Sie liegen einander schon im Arm,
sie herzen, drücken stark und warm;
wie alte Freunde gebärden sie
und sahen sich vordem doch nie.

Von Stund' an scheidet sie nichts mehr:
kaum lieben Brüder sich so sehr,
als eine Seele in beider Leib,
das tut das wundersüße Weib.

Gegeneinander am Tische sitzen sie
und schreiben spat und schreiben früh
Lieb'sbriefe dem allerschönsten Kind
in Zeichen, die niemand kenntlich sind.

Sie leben viele Jahre so
in stiller Liebe fromm und froh,
sie sterben beide zu einer Stund,
ruhn wohl beisammen im kühlen Grund.

*Von Karl Friedrich Wetzel*

# Die Antwort tönet nimmermehr

Als ich einst bei Salamanka
früh in einem Garten saß
und beim Schlag der Nachtigallen
emsig im Homerus las:

wie in glänzenden Gewanden
Helena zur Zinne trat
und so herrlich sich erzeigte
dem trojanischen Senat,

daß vernehmlich der und jener
brummt in seinen grauen Bart:
»Solch ein Weib ward nie gesehen,
traun, sie ist von Götterart.«

Als ich so mich ganz vertiefet,
wußt ich nicht, wie mir geschah,
in die Blätter fuhr ein Wehen,
daß ich staunend um mich sah.

Auf benachbartem Balkone,
welch ein Wunder schaut ich da!
Dort in glänzenden Gewanden
stand ein Weib wie Helena,

und ein Graubart ihr zur Seite,
der so seltsam freundlich tat,
daß ich schwören mocht, er wäre
von der Troer hohem Rat.

Doch ich selbst ward ein Achäer,
der ich nun seit jenem Tag
vor dem festen Gartenhause,
einer neuen Troja, lag.

Um es unverblümt zu sagen:
manche Sommerwoch' entlang
kam ich dorthin jeden Abend
mit der Laut' und mit Gesang,

klagt in mannigfachen Weisen
meiner Liebe Qual und Drang,
bis zuletzt vom hohen Gitter
süße Antwort niederklang.

Solches Spiel mit Wort und Tönen
trieben wir ein halbes Jahr,
und auch dies war nur vergönnet,
weil halb taub der Vormund war.

Hub er gleich sich oft vom Lager
schlaflos, eifersüchtig bang,
blieben doch ihm unsre Stimmen
ungehört wie Sphärenklang.

Aber einst (die Nacht war schaurig,
sternlos, finster wie das Grab)
klang auf das gewohnte Zeichen
keine Antwort mir herab;

nur ein alt zahnloses Fräulein
ward von meiner Stimme wach,
nur das alte Fräulein Echo
stöhnte meine Klagen nach.

Meine Schöne war verschwunden,
leer die Zimmer, leer der Saal,
leer der blumenreiche Garten,
rings verödet Berg und Tal.

Ach, und nie hatt' ich erfahren
ihre Heimat, ihren Stand,
weil sie, beides zu verschweigen,
angelobt mit Mund und Hand.

Da beschloß ich, sie zu suchen
nah und fern, auf irrer Fahrt:
den Homerus ließ ich liegen,
nun ich selbst Ulysses ward;

nahm die Laute zur Gefährtin,
und vor jeglichem Altan,
unter jedem Gitterfenster
frag ich leis mit Tönen an,

sing in Stadt und Feld das Liedchen,
das im Salamanker Tal
jeden Abend ich gesungen
meiner Liebsten zum Signal.

Doch die Antwort, die ersehnte,
tönet nimmermehr, und, ach!
nur das alte Fräulein Echo
reist zur Qual mir ewig nach.

*Von Ludwig Uhland*

# Im Turm gefangen

Augsburg ist ein kaiserlich Stadt,
darin da leit mein Lieb gefangen
in einem Turm, den ich wohl weiß,
darnach steht mein Verlangen.

Ich lehnt mein Leiterlein an die Maur
und hört mein Lied darinnen,
da erfreut sich alles des darinnen was,
ich hört ein Vöglein singen.

»So sing, so sing, Frau Nachtigall!
die andern Waldvöglein schweigen,
so will ich dir dein Gefiedere
mit rotem Gold beschneiden.«

»Mein Gfieder beschneidst mir freilich nit,
ich will dir nimme singen;
ich bin ein kleins Waldvögelein,
ich trau dir wohl z'entrinnen.«

»Bist du ein kleins Waldvögelein,
so schwing dich von der Erden!
daß dich der kühle Maientau nit netz,
der kalte Reif dich nit erfröre.«

»Und netzt mich der kühle Maientau,
so trocknet mich Frau Sunne.
Und wo zwei Herzlieb beisammen sein,
die zwei sollen sich das besinnen.«

Zwischen Berg und tiefem Tal,
da leit ein freie Straße:
wer seinen Buhlen nit haben wöll,
der mag ihn (wohl) fahren lassen.

*Volksballade aus der Augsburger Gegend. Vermutlich*
*17. Jahrhundert*

# Das Mägdelein weinet sehre

Es waren drei Soldaten,
sie waren junges Blut;
sie hatten sich ein wenig vergangen;
der Marschalk nahm sie gefangen,
gefangen bis zu dem Tod.

Einen Wagen tät man rüsten,
ein Wagen den rüst man zu.
Darauf tät man sie führen
von Ringelrod bis gen Düren,
gen Düren wohl in den Thurn (Turm).

Man legte sie hart gefangen,
verschlossen mit Riegel und Tür.
Die Knaben stunden in Trauren,
sie ruften aus den Mauren,
daß Gott ihr Helfer wär.

Das erhört ein wackres Mägetlein,
hätt einen Gefangenen lieb;
sie ging mit Schreien und Weinen
gen Düren wohl über die Steine
hin zu dem tiefen Thurn.

»Knabe, wenn ich dich los bäte,
was würdest du darnach tun?
so zögest du aus dem Lande,
ließest mich brauns Mädlein in Schande,
in großen Trauren stehn.«

»Ach nein, du wackres Mägetlein,
das wollt ich ja nicht tun;
ich wollte dich nehmen und trauen
zu einer ehelichen Hausfrauen,
mein eigen solltest du sein.«

Das Mägdelein wand sich umme
und ging mit Weinen davon,
sie ging mit Schreien und Weinen
zu Düren über die Steine
vor des Oberamtmanns Haus.

»Ach Amtmann, lieber Herr Amtmann,
ich hab eine Bitt an Euch:
Ihr wollt meiner in Gnade gedenken,
ein gefangnen Soldaten mir schenken,
der soll mein eigen sein!«

»O nein, du wackres Mägetlein,
das kann doch nicht gesein;
der junge Soldat muß sterben,
kann er Gottes Gnad erwerben,
das wär seiner Seelen Speis.«

Das Mägdlein weinet sehre,
bat mit traurigem Mut:
»O Amtmann, lieber Herre,
wollt mir die Bitt gewähren,
schenkt mir den Soldaten gut.«

»Maidelein, du hast vernommen,
es kann und mag nit sein:
der jung Soldat in Banden
hat gestift viel Jammer und Schande,
drum muß er des Todes sein!«

Das Mägetlein wandte sich umme
und weinet gar bitterlich;
sie ging mit Weinen und Kummer
zum tiefen Thurn besunder;
hört, was sie trug mit sich!

Sie trug an ihrem Ärmelein
ein Hemmetlein das war weiß,
das schenkt sie mit Äuglein netzen
dem jungen Soldaten zur Letze,
zu seines Todes Schweiß.

Was zog er von seiner Hande?
von Gold ein Fingerlein:
»Das nimm hin, meine Allerliebste,
von mir jetzt zu der Letze,
darmit gedenke mein!«

»Ja, wann das Ringlein wird brechen,
wo soll ich die Stücklein hin tun?«
»Schleuß du sie dann in dein Kisten,
auf das niemand mehr wisse,
wo es hinkommen sei.«

Wer ist, der uns das Liedlein sang,
so frei gesungen hat?
Das tät ein ehrlicher Ritter,
sah des jungen Soldaten Tod bitter
und half auch ihm zu Grab.

Hiermit will ich beschließen
das Liedlein auf dieses Mal.
Gott wöll seine Gnad tun senden
und helfen zum seligen Ende
uns Christen allzumal. Amen.

*Volksballade. Die mittelalterliche Rechtsprechung
gab einem Richter die Möglichkeit, den zu
Tode verurteilten Gefangenen auf Bitte einer
Jungfrau freizulassen. Balladen und Lieder
über dieses Thema sind im ganzen deutschsprachigen
Gebiet verbreitet.*

# Die Braut des Deserteurs

Und als der Husar gefangen war
Und bleich am Richtplatz stand,
Und der Fall war klar und die Hoffnung rar,
Da kam das Mädchen mit feuchtem Haar
Zu dem Herrn Leutenant.

Weil ich den Soldaten lieb,
Wurd der Soldat so schlecht.
Ihr müßtet ja mich töten,
Eh ihr ihn schuldig sprecht.

Der Leutnant voll Hohn tritt zur Schwadron:
Ergreifet das Gewehr!
Der um süßen Lohn aus dem Heer entflohn,
Hat nach der Mortifikation
Keinen Kopf zum Küssen mehr.

Das tat deine große Lieb
Und daß dein Herz nicht schwieg.
Das Glück ist für den Frieden.
Der Tod ist für den Krieg.

*Von Peter Hacks*

# Die Beiden

Sie trug den Becher in der Hand,
ihr Kinn und Mund glich seinem Rand.
So leicht und sicher war ihr Gang,
kein Tropfen aus dem Becher sprang.

So leicht und fest war seine Hand:
er saß auf einem jungen Pferde,
und mit nachlässiger Gebärde
erzwang er, daß es zitternd stand.

Jedoch, wenn er aus ihrer Hand
den leichten Becher nehmen sollte,
so war es beiden allzu schwer:
denn beide bebten sie so sehr,
daß keine Hand die andre fand,
und dunkler Wein am Boden rollte.

*Von Hugo von Hofmannsthal (1874–1929)*

# Brigitte B.

Ein junges Mädchen kam nach Baden,
Brigitte B. war sie genannt,
fand Stellung dort in einem Laden,
wo sie gut angeschrieben stand.

Die Dame, schon ein wenig älter,
war dem Geschäfte zugetan,
der Herr ein höherer Angestellter
der königlichen Eisenbahn.

Die Dame sagt nun eines Tages,
wie man zu Nacht gegessen hat:
Nimm dies Paket, mein Kind, und trag es
zu der Baronin vor der Stadt.

Auf diesem Wege traf Brigitte
jedoch ein Individium,
das hat an sie nur eine Bitte,
wenn nicht, dann bringe er sie um.

Brigitte, völlig unerfahren,
gab sich ihm mehr aus Mitleid hin,
Drauf ging er fort mit ihren Waren
und ließ sie in der Lage drin.

Sie konnt es anfangs gar nicht fassen,
dann lief sie heulend und gestand,
daß sie sich hat verführen lassen,
was die Madam begreiflich fand.

Daß aber dabei die Turnüre
für die Baronin vor der Stadt
gestohlen worden sei, das schnüre
das Herz ihr ab, sie hab sie satt.

Brigitte warf sich vor ihr nieder,
sei sei gewiß nicht mehr so dumm;
den Abend aber schlief sie wieder
bei ihrem Individium.

Und als die Herrschaft dann um Pfingsten
ausflog mit dem Gesangverein,
lud sie ihn ohne die geringsten
Bedenken abends zu sich ein.

Sofort ließ er sich alles zeigen,
den Schreibtisch und den Kassenschrank.
macht die Papiere sich zu eigen,
und zollt ihr nicht mal mehr den Dank.

Brigitte, als sie nun gesehen,
was ihr Geliebter angericht,
entwich auf unhörbaren Zehen
dem Ehepaar aus dem Gesicht.

Vorgestern hat man sie gefangen,
es läßt sich nicht erzählen wo;
dem Jüngling, der die Tat begangen,
dem ging es gestern ebenso.

*Von Frank Wedekind (1864–1918)*

# Dornröschen

In einem rosa Höschen,
Die Knie bis an dem Kinn,
So fand ich mein Dornröschen,
Die holde Schläferin.

Ich setzte auf dem Linnen
Mich nieder, wo sie lag,
Und bot, um zu beginnen,
Ihr einen schönen Tag.

Und ist es schon am Tage?
Es wispert als ein Hauch,
Was auch die Glocke schlage,
Ich schlaf tagüber auch.

Da mußt ich mich erdreisten,
Da küßt ich sie geschwind,
Und dorthin, wo die meisten
Küsse von Wirkung sind.

Da glitt ein müder Schimmer
Ihr übers Angesicht:
Mon Prince, ich schlafe immer,
Ob man mich küßt, ob nicht.

*Von Peter Hacks*

# Sachliche Romanze

Als sie einander acht Jahre kannten
(und man darf sagen: sie kannten sich gut),
kam ihre Liebe plötzlich abhanden.
Wie andern Leuten ein Stock oder Hut.

Sie waren traurig, betrugen sich heiter,
versuchten Küsse, als ob nichts sei,
und sahen sich an und wußten nicht weiter.
Da weinte sie schließlich. Und er stand dabei.

Vom Fenster aus konnte man Schiffen winken.
Er sagte, es wäre schon Viertel nach Vier
und Zeit, irgendwo Kaffee zu trinken.
Nebenan übte ein Mensch Klavier.

Sie gingen ins kleinste Café am Ort
und rührten in ihren Tassen.
Am Abend saßen sie immer noch dort.
Sie saßen allein, und sie sprachen kein Wort
und konnten es einfach nicht fassen.

*Von Erich Kästner*

# Meine Mietskasernenbraut

Meine Mietskasernenbraut
wohnt im sechsten Stock.
Wenn's unten in der Stadt noch graut,
steht oben schon die Sonne.

Meine Mietskasernenbraut
schläft bei offenem Fenster.
Tauben fressen auf dem Sims
mein Brot von gestern abend.

Meine Mietskasernenbraut
hat ein großes Herz.
Bin ich einsam, macht sie gern
mit mir einen Scherz.

Zu der Mietskasernenbraut
führen hundert Stiegen.
Wenn Dich das nicht müde macht,
darfst Du bei ihr liegen.

Meine Mietskasernenbraut
braucht ein' Ehemann.
Doch kommt wieder nur ein Mann,
dann kommt's ihr nicht
dann kommt's ihr nicht
dann kommt's ihr nicht darauf an.

*Von Wolf Biermann*

# Von mir und meiner Dicken in den Fichten

Bloß paar schnelle Sprünge weg vom Wege
Legte ich ihr weißes Fleisch ins Gras
Mittagssonne brannte durch die Fichten
Als ich sie mit meinem Maße maß
Käfer krochen unter uns, es brachen
Heere Ameisen froh in uns ein
Etwa zwischen Bauch und Bauch zu baden
Oder irren zwischen Bein und Bein

Horden Mücken soffen sich von Sinnen
Stachen mich, weil ich ja oben schwamm
Bis ein Wolkenbruch, ein schneller greller
Uns in seine guten Arme nahm
Traubenschwere Wassertropfen fielen
Faul herab auf unsre heiße Haut
Und der wundermilde Guß von oben
Hat den großen Tod uns nicht versaut

Als ich endlich flach lag auf dem Rücken
Kippten meine Augen müde hoch
Einen Düsenjäger sah ich schweben
Durch ein aufgebauschtes Wolkenloch
Schwebte hin, schrieb einen sanften Bogen
Bis hinunter in das hohe Blau
Wieder brach die Sonne durch die Fichten
Und wir dampften im Nachmittagstau

*Von Wolf Biermann*

# Kleine Freundin vorm Spiegel

Das Kind, das meinem Bett entsteigt
Mit rabenschwarzem Haar,
Wie unbefangen sie mir zeigt,
Woran doch nichts zu loben war.

Jetzt hat sie einen rosa Slip,
Sie ist fett für ihr Alter,
Und jetzt, daß ihre Brust nicht wipp,
Einen schwarzen Büstenhalter.

Dann hat sie noch ein kurzes Hemd,
Sie sagt, es ist ein Kleid.
Die Jugend ist mir ziemlich fremd,
So ungeniert und so verklemmt,
Ich seh ihr zu, wie sie sich kämmt,
Und tu mir leid.

*Von Peter Hacks*

# Die Ehe

Von Zweien,
die sich gesucht und gefunden.
Vom Eh'weib,
das mit dem Grafen verschwunden

# Marianne

Die Eh ist für uns arme Sünder
ein Marterstand;
drum Eltern, zwingt doch keine Kinder
ins Eheband.
Es hilft zum höchsten Glück der Liebe
kein Rittergut;
es helfen zarte, keusche Triebe,
und frisches Blut.

Dies wußte Fräulein Marianne
so gut als ich!
Dem schönsten, jüngsten, treusten Manne
ergab sie sich.
Mama! sprach sie, ich bin zum Freien
nicht mehr zu jung,
und einem Manne mich zu weihen,
schon klug genug.

Ich kann es länger nicht verhehlen
in meinem Sinn,
Mama! daß ich von Grund der Seelen
verliebet bin.
Verliebt? in wen? – Ich will ihn nennen,
ich will, allein,
Sie müssen ihn nicht hassen können
und gnädig sein.

Versprechen Sie mir das Mamachen!
seien Sie so gut,
dann weiß ich ja, daß mein Papachen
es auch gleich tut!
Leander – ach, Sie wollen schelten,
ich seh es schon!
Leander? Kind? – O nein! Herr Velten
sei Schwiegersohn!

Ja, ja, Herrn Velten sollst du nehmen,
denn der hat Geld,
und du mußt dich zu dem bequemen,
was mir gefällt.
Wie können junge Mädchen wissen,
was nützlich ist?
Die meisten sind verpicht aufs Küssen,
wie du auch bist.

Herr Velten soll ich? ach! ich Arme,
was soll mir der?
Ach, daß der Himmel sich erbarme!
was soll mir der?
Es schwillt von Millionen Tränen
ihr Angesicht.
Und tausendmal sagt sie mit Stöhnen:
ich will ihn nicht.

Einst aber geht mit schwarzer Lüge
Mama zu ihr;
mein Kind! sagt sie, kennst du die Züge
des Schreibens hier?
Der ew'ge Treue dir geschworen,
hat sie verfehlt.
Leander ist für dich verloren,
er ist vermählt.

Schnell rollt in einem goldnen Wagen
Herr Velten her;
auch kommt ein Mann mit weißen Kragen
von ohngefähr!
Gequälet wird von Jung und Alten
das arme Kind,
und die Verlöbnis wird gehalten,
ach, wie geschwind!

Nun freut ein Haufen Anverwandten
sich auf den Tanz,
nun binden Mutter, Nichten, Tanten
am Jungfernkranz;
nun schickt sich zu drei wilden Tagen
das ganze Haus,
und Priester gehn mit leeren Magen
zum Hochzeitsschmaus!

Nur für die Braut ist keine Freude
und keine Lust.
Sie quält sich mit geheimem Leide
tief in der Brust,
mit Zittern höret sie den Segen
vorm Altar an;
und seufzt, bei lauten Herzensschlägen:
ach, welch ein Mann!

Am Abend mehret sich ihr Jammer
und ihre Pein;
denn ach! sie soll nun in die Kammer
mit ihm hinein!
Wie man ein Lamm zur Schlachtbank führet,
so führt man sie;
seht, spricht Mama, wie sie sich zieret,
die Närrin die!

Jedoch, sie war am frühen Morgen
nun eine Frau.
Sie teilte nun des Mannes Sorgen,
war nun genau,
ihm seine Wirtschaft recht zu führen,
so Tag als Nacht,
und keinen Heller zu verlieren,
war sie bedacht.

Ach, aber ach! geheime Schmerzen
verzehren sie!
Leander herrscht in ihrem Herzen
so spät als früh.
Ach wie mag er um mich sich kränken?
Lebt er wohl noch?
Sie will nicht mehr an ihn gedenken
und tut es doch.

Oft sitzt sie neben einer Linde
und spricht mit sich:
Ach! an ihn denken, das ist Sünde!
und die tu ich!
Könnt ich sie meiden, nicht mehr wissen
im fünften Jahr,
daß, ach! Leander meinen Küssen
einst lieber war!

Von so schwermütigen Gedanken
wird sie geplagt,
sie schränkt in heilge Eheschranken
sich ein und klagt.
Einst, als sie sich dem Gram ergibet
und einsam sitzt
und ihrem Ehemann, den sie liebet,
mit Spinnen nützt,

da tritt er in das stille Zimmer
vergnügt herein
und bittet sie, doch nur nicht immer
betrübt zu sein.
Ihm folgt ein Kaufmann, der Juwelen
und Perlen trägt
und der im Innersten der Seelen
Betrübnis hegt.

Kind, spricht er, kauf dir von den Waren,
was dir gefällt!
Wir dürfen ja nicht immer sparen,
sieh, hier ist Geld!
Er gibt zwölf Taler ungezählet
und pfeift und lacht
und geht, weil ihm ein Braten fehlet,
hin auf die Jagd.

Nun steht, mit zitternden Gebärden,
der Kaufmann da,
voll Furcht, von der gehaßt zu werden,
die ihn itzt sah;
weil von den Rosen seiner Wangen
ein langer Bart
herab hing und, wie sie vergangen,
gesehen ward.

Die Augen niederwärts geschlagen,
sieht sie ihn an;
was habt Ihr, fängt sie an zu fragen,
mein lieber Mann?
Er zeigt ihr seine Waren, schweiget
und spricht kein Wort,
doch geht, so oft er ihr was zeiget,
ein Seufzer fort.

Ach, denkt sie, warum so betrübet?
er jammert mich!
sein Gram ist groß, gewiß er liebet
und seufzt, wie ich.
Sie fragt ihn: Was für stille Schmerzen
erduldet Ihr?
Ist Liebesgram in Eurem Herzen?
so sagt es mir.

Der Gram, mit welchem ich mich quäle,
verzehret mich!
Madam, er bleibt in meiner Seele
wohl ewiglich.
Ein einz'ges Kleinod war auf Erden,
das wünscht ich mir!
Dadurch der Glücklichste zu werden,
das wünscht ich mir!

Ich bat zu Gott, es mir zu geben
zum Eigentum.
Mein Hab und Gut und selbst mein Leben
bot ich darum!
Mein einz'ger Wunsch und meine Freude
war, es zu sehn.
Wie war es meiner Augen Weide!
wie war's so schön!

Ach aber, ach in tausend Stücken
zerriß der Schmerz,
der nicht mit Worten auszudrücken,
mein armes Herz!
Verzweiflung, Treue, Glück und Ehre
bestritt mein Haupt,
als ich vernahm, mein Kleinod wäre
mir weggeraubt!

Was war es, sagt's, ich möcht es wissen:
welch Kleinod kann
Euch so betrüben? darf ich's wissen?
mein lieber Mann!
Ich dächt, Euch wär das Leben lieber
als Stein und Gold,
mich wundert's, daß Ihr Euch darüber
tot grämen wollt.

Madam, was von entfernten Mohren
der Geiz sich holt,
ist Kleinigkeit! Was ich verloren,
ersetzt kein Gold!
Es war mir teurer als mein Leben,
als alles Geld,
ach alles Geld,
ach, was hätt ich darum gegeben?
die ganze Welt.

Einst malt ich mir aus dem Gedächtnis
das werte Bild,
des Himmels einziges Vermächtnis,
das Kummer stillt,
Ein Bild ist es, darum Ihr klaget?
ach zeigt es mir!
Er zieht es aus dem Busen, saget:
hier ist es, hier!

Sie nimmt es hin. Er sieht's mit Freuden
in ihrer Hand.
Es war gehüllt in Gold und Seiden,
auswendig stand:
Von meinen zärtlich treuen Tränen
entsteht ein Bach;
und dieses ist das Bild der Schönen,
ach, Himmel, ach!

Sie macht es auf – allein erblasset,
von Schreck erfüllt,
fällt sie in Ohnmacht, denn sie fasset
ihr eignes Bild.
Ach Marianne, Marianne!
ach stirb doch nicht!
ach sieh mich, Engel! ach ermanne
dein schön Gesicht!

Erweckt vom Schalle dieser Worte
kommt sie zu sich.
Freund, spricht sie, flieh von diesem Orte,
Freund, meide mich!
Ein andrer, saget die Getreue,
hat meine Hand!
Entferne dich, denn meine Treue
hält ihm Bestand.

Er eilt, gehorsam dem Befehle,
urplötzlich fort.
Ach, seufzt er, ach, geliebte Seele
nur noch ein Wort.
Ich sterb um dich. Er faßt im Gehen
die Hand ihr an;
zum letztenmal will er sie sehen, –
da kommt der Mann.

Stirb, sagt er, Räuber meiner Ehre,
mit tausend Schmerz!
Er tobt und stößt mit Mordgewehre
durch beider Herz.
Leander stirbt! Und Marianne
spricht: Gott Lob, ich
verdient es nicht. Sie spricht zum Manne:
Du jammerst mich!

Nun hat er keine frohe Stunde,
des Nachts erscheint
die treue Gattin, zeigt die Wunde
dem Mann und weint.
Ein klägliches Gewinsel irret
um ihn herum,
ihn reut die Tat, er wird verwirret, –
er bringt sich um.

Beim Hören dieser Mordgeschichte
sieht jedermann
mit liebreich freundlichem Gesichte
sein Weibchen an
und denkt: wenn ich es einst so fände,
so dächt ich dies:
sie geben sich ja nur die Hände,
das ist gewiß!

*Von Johann Wilhelm Ludwig Gleim (1719–1803)*
*Der Dichter schreibt zu seiner Ballade: »Traurige*
*und betrübte Folgen der schändlichen Eifersucht*
*wie auch heilsamer Unterricht, daß Eltern,*
*die ihre Kinder lieben, sie zu keiner Heirat*
*zwingen, sondern ihnen ihren freien Willen*
*lassen sollen, enthalten in der Geschichte Isaak*
*Veltens, der sich am 11. April 1756 zu Berlin*
*eigenhändig umbrachte, nachdem er seine getreue*
*Ehegattin Marianne und derselben unschuldigen*
*Liebhaber jämmerlich ermordet.«*

# Hochzeitslied

Haben auf diesen Tag
Lange warten müssen
Wie zwei Tropfsteine,
Ehe sie sich küssen.

Haben uns gesucht,
Haben uns gefunden.
Wollen uns suchen
Bis zur letzten Stunde.

Unsre Liebe, die soll sein
Fest wie Glas.
Ein Glas, das hält fünfhundert Jahr,
Wenn ichs nicht fallen laß.

*Von Peter Hacks*

# Der Mann in's Heu

Es hätt' ein Biedermann ein Weib,
Ihr Tück wollt sie nit lan.
Das macht ihr grader stolzer Leib,
daß sie bat ihren Mann,
und daß er führ ins Heu,
nach Grummet in das Gäu.

Der Mann der wollt erfülln
der Frau ihren Willen.
Er stieg heimlich zum Laden ein
wohl auf die Dillen;
Sie meint, er wär ins Heu,
nach Grummet in das Gäu.

Indem so kam ein junger Knab
ins Haus gegangen.
Er ward von selben Fräuwelin
gar schön empfangen:
»Mein Mann der ist ins Heu
nach Grummet in das Gäu«.

Er nahm sie bei der Mitte,
er tat, ich weiß nicht wie; –
Der Herr Mann uf der Dillen sprach:
»Fahr schön, ich bin noch hie,
ich bin nicht in das Heu,
nach Grummet in das Gäu«.

»Ach trauter lieber Herr Mann,
Nun verzeih mir das!
Ich will dir all mein lebenlang
kochen dester baß:
Ich meint, du wärst ins Heu,
nach Grummet in das Gäu«.

»…Und wenn ich schon nach Haberstroh
wär ausgegangen,
solltest du dich darum legen
zu andern Mannen?
So fahr der Teufel ins Heu,
nach Grummet in das Gäu!«

*Dieser Text aus dem Anfang des 16. Jahrhunderts
wurde später in Liedern und Balladen mehrfach
umgedichtet oder dem Deutsch der jeweiligen
Zeit angepaßt. Die folgende Ballade ist ein
Beispiel dafür, wie ein Dichter den Stoff verarbeitet
hat:*

# Die Fahrt ins Heu

Ein niedliches Mädel, ein junges Blut
erkor sich ein Landmann zur Frau,
doch war sie einem Soldaten gut
und bat ihren Alten einst schlau,
er sollte doch fahren ins Heu.

Ei, dachte der Bauer, was fällt ihr denn ein?
Sie hat mir etwas auf dem Rohr!
Wart, wart! ich schirre die Rappen zum Schein
und stelle mich hinter das Tor;

Bald kam ein Reiter im Dörfchen herab,
so nett wie ein Hofkavalier.
Das Weiblein am Fenster ein Zeichen ihm gab
und öffnete leise die Tür:
Mein Mann ist gefahren ins Heu,

Sie drückte den blühenden Buben ans Herz
und gab ihm manch feurigen Kuß.
Dem Bauer am Guckloch ward schwül bei dem Scherz,
er sprengte die Tür mit dem Fuß:
Ich bin nicht gefahren ins Heu!

Der Reiter machte sich wie ein Dieb
durch Fenster geschwind auf die Flucht;
doch sie sprach bittend: Lieb Männchen vergib!
Er hat mich in Ehren besucht,
ich dachte, du führest ins Heu.

Potz Hagel! und wär ich auch meilenweit
gefahren ins Heu oder Gras,
verbät' ich, zum Henker! doch während der Zeit
mir solchen verwetterten Spaß!
Da fahre der Teufel ins Heu!

*Von August Friedrich Langbein (1757–1835)*

# Die Rache

Es hätt' ein Edelmann ein Weib,
ein wunderschöne Frauen.
Es war ein junger Graf im Land,
der wollt sie gern beschauen,

Er legt sich weiße Kleider an
Sam er ein Pilgram wäre.
Er kam fürs Schloß und klopfet an:
Ob Jemand drinnen wäre?

Die Dirn wohl zu der Frauen sprach:
»Es ist ein Pilgram außen,
Weder soll man ihn lassen einher gän,
oder soll man ihn lassen draußen?«

Die Frau wohl zu der Dirne sprach:
»Man sollt ihn einher lassen.
Man sollt ihm Essen und Trinken geb'n.
Man ihn lassen rasten.«

Alsbald er in die Stuben einkam,
da bot man ihm zu trinken
aus einem silbernen Becherlein.
Sein' Äugelein ließ er sinken.

Als er 'gessen und trunken hätt',
der Herr hub an zu fragen:
Aus welchem Land er kommen wär,
aus Franken oder aus Schwaben?

»In Franken bin ich wohl bekannt.
in Schwaben bin ich erzogen.
Und was ich drinnen verloren hab,
das darf ich wieder holen.«

Die Frau wohl zu dem Herren sprach:
»Man soll die Leut nit fragen.
Alsbald sie gessen und trunken hab'n
Sollt man ihn' leuchten schlafen.«

Der Herr der ist ein zornig Mann,
er schlug die Frau ins Auge:
»Ja, wenn der Herr zu reden hat,
Soll stille schweigen die Fraue!«

Die Frau wohl zu dem Herren sprach:
»Der Streich wird euch gereuen!
Eh denn das Glöcklein None schlägt
Wohl zwischen zwei und dreien.«

Und da das Glöcklein zwölfe schlug,
der Herr ging zu der Mette.
Da schwang sich das wunderschöne Weib
wohl zu dem Pilgram ins Bette.

Wohl anhin gegen dem Tage
hört man die Vöglein singen.
Da schwang sich das wunderschöne Weib
wohl mit dem Pilger von hinnen.

Und da der Herr von der Metten heimkam,
Kam ihm viel neuer Märe:
Wie es sein wunderschöne Frau
wohl mit dem Pilger hin wäre.

Der Herr wohl zu dem Knechte sprach:
»Sattel unser beider Gäule!
Wir wollen reiten Berg und Tal!
Wir wöllens' wohl ereilen!«

Und da sie auf die Heiden aus kamen,
hören sie's Jägerlein blasen.
»O Jäger, liebster Jäger mein,
wer wohnt auf diesem Schlosse?«

»Und wer auf diesem Schlosse wohnt,
das darf ich euch wohl sagen:
Es ist ein wunderschöne Frau
wohl mit dem Pilger her zogen.«

Der Herr wohl zu dem Knechte sprach:
»Wohl auf! Wir wöllen von dannen:
Wenn es mein Frau kein Ehr will haben,
so hab sie Spott und Schande!«

Wer ist der uns dies Liedlein sang?
Frisch, frei hat ers gesungen,
Das hat getan ein Pilgram gut,
dem's mit der Frauen ist gelungen.

*Volksballade*

# Der betrogene Spieler

Herr Valentin ging abends aus
zum Kartentisch im roten Drachen.
Schnell huscht ein guter Freund ins Haus,
um mit der jungen Frau ein andres Spiel zu machen;

sie selbst, voll heißer Spielbegier,
ließ ihn nicht lange müßig warten;
doch Amor mischte kaum die Karten,
da klopft es an des Vorsaals Tür.

»Blitz!« rief Frau Valentin mit Schrecken:
jetzt kommt der Herr Baron Amint!
Sie müssen sich vor ihm verstecken;
denn säh er, daß Sie bei mir sind,
er machte drob ein heidnisches Getümmel!
Drum rasch auf dieses Bettes Himmel;
geschwind, mein Herzensfreund, geschwind!«

Mit einem Angstgesicht, wie Molken,
erstieg sein Himmelreich der arme Seladon,
verbarg sich hinter Leinwandwolken,
und nun erschien der Herr Baron.
Die Dame bat, in Gnaden zu verzeihen,
daß nicht der Schlüssel gleich zur Hand gewesen sei,
und spielte dann, ganz ohne Scheu
des Lauschers im Gewölk, das alte Spiel von neuem.

Allein auch diese Spielpartie
ward durch ein ungestümes Pochen
nach zehn Minuten unterbrochen.
»Ach Gott! das ist mein Mann!« rief sie:
»Fort, Herr Baron, fort von der Stelle,
und hinter in die Ofenhölle!« –

Der Freiherr kroch
husch! in sein Loch,
und in das Zimmer trat Herr Velten,
rot, wie ein türkscher Hahn, auf einem Ohr den Stutz,
und hob gewaltig an, das Spielerglück zu schelten,
daß dieser ungetreue Mutz
sich heute wider ihn verschworen
und er sein Hab und Gut, sechs Louidor verloren.

Sein Weib, das solchenfalls sonst leicht in Feuer kam,
war jetzt, man weiß warum, ein Lämmchen, fromm und
zahm,
und tröstete den tiefbetrübten Gatten:
»Der Freund im Himmel wird's erstatten.« –

»Pah!« rief der pinselhafte Freund
im Bett-Olymp, voll Wahn, er sei gemeint:
»Der in der Hölle muß die Hälfte dazu geben!« –
Ei, wie erschrak das junge Weib!
Auch Valentin fing an zu beben;
bald aber wittert er, was hier für Zeitvertreib
gewesen war, und wollte Lärm erheben.
Da trat hervor das kecke Buhlerpaar
und bot mit guter Art ihm volle Börsen dar.

Das stillte plötzlich sein Getümmel;
die Faltenstirn ward wieder glatt,
und lachend rief er aus: »Wie gut, wenn man im Himmel
und in der Hölle Freunde hat!« –

*Von August Friedrich Langbein*
*Seladon = Schmachtender Liebhaber.*

# Gutmann und Gutweib

Und morgen fällt St. Martins Fest,
Gutweib liebt ihren Mann;
Da knetet sie ihm Puddings ein
Und bäckt sie in der Pfann.

Im Bette liegen beide nun,
Da saust ein wilder West;
Und Gutmann spricht zur guten Frau:
»Du, riegle die Türe fest.« –

»Bin kaum erholt und bald erwarmt,
Wie käm ich da zu Ruh;
Und klapperte sie einhundert Jahr,
Ich riegelte sie nicht zu.«

Drauf eine Wette schlossen sie
Ganz leise sich ins Ohr:
So wer das erste Wörtlein spräch,
Der schöbe den Riegel vor.

Zwei Wanderer kommen um Mitternacht
Und wissen nicht, wo sie stehn,
Die Lampe losch, der Herd verglomm,
Zu hören ist nichts, zu sehn.

»Was ist das für ein Hexenort?
Da bricht uns die Geduld!«
Doch hörten sie kein Sterbenswort,
Des war die Türe schuld.

Den weißen Pudding speisten sie,
Den schwarzen ganz vertraut;
Und Gutweib sagte sich selber viel,
Doch keine Silbe laut.

Zum andern sprach der eine dann:
»Wie trocken ist mir der Hals!
Der Schrank, der klafft, und geistig riechts,
Da findet sichs allenfalls.

Ein Fläschchen Schnaps ergreif ich da,
Das trifft sich doch geschickt!
Ich bring es dir, du bringst es mir,
Und bald sind wir erquickt.«

Doch Gutmann sprang so heftig auf
Und fuhr sie drohend an:
»Bezahlen soll mit teurem Geld,
Wer mir den Schnaps vertan!«

Und Gutweib sprang euch froh heran,
Drei Sprünge, als wär sie reich:
»Du Gutmann sprachst das erste Wort,
Nun riegle die Türe gleich!«

*1827. Von Johann Wolfgang von Goethe.*

# Die Wut der Frauen

Ach! hört mit Furcht und Grauen
ihr guten Männer an,
wozu die Wut der Frauen
euch alle reizen kann.

Glaubt nicht, daß ihr auf Erden
stets euren Himmel habt,
wenn euch bei viel Beschwerden
der Kuß der Schönen labt.

Quält in dem Weltgetümmel
den Mann des Ehstands Pflicht:
so glaubt, der gute Himmel
schloß seine Ehe nicht.

So glaubt, er kaufte teuer
den kurzen Zeitvertreib;
so glaubt, ein Fegefeuer
ward ihm sein liebes Weib.

Dann kennt er ohne Zweifel
die Hölle ganz genau:
denn mehr als sieben Teufel
quält eine böse Frau.

In Eheprüfungsstunden
hat mancher Hahnrei oft
beim Trost, den er empfunden,
auf Rache mit gehofft.

Er dacht an seine Brüder
und an der Ehe Lauf
und setzte manchem wieder
zwölfend'ge Hörner auf.

Drum nehmt, geplagte Männer,
Geduld und Tröstung wahr:
zankt eure Frau im Jenner,
zankt ihr im Februar.

Hat sie im März von Ränken
das starre Köpfchen voll,
greift im April zu Schwänken
und macht im Mai sie toll.

So standhaft wechselt immer;
merkt diesen treuen Rat:
tut nie, was einstens schlimmer
ein armer Ehmann tat.

Er, der bei grauen Haaren
ein rasches Mädchen nahm
und nunmehr schnell erfahren,
wie man zu Hörnern kam, –

er glaubte, da zur Rache
sein Alter ihn gelähmt,
es sei sein schöner Drache
durch Schmeicheln leicht gezähmt.

Allein, wie grimmig flogen
nicht oft dem armen Tropf,
der schrecklich sich betrogen,
die Schlüssel nach dem Kopf.

Sie droht, er mußte fliegen
und kommen, wenn sie rief,
und unterm Stuhle kriechen,
saß ihr das Kopfzeug schief.

Zehn scharfe Nägel fuhren
ihm öfters durch den Bart
und hinterließen Spuren
von ihrer Gegenwart.

Einst, schrecklich ist's zu sagen!
wollt er das erstemal
zu widersprechen wagen,
da seh er seine Qual.

Mir, rief sie, mir zu wehren!
und ich, ich schweige still?
Dein Wunder sollst du hören,
ein Wort ist gnug: ich will!

Schon flammten ihre Blicke;
ein Wörtchen sprach er nur,
als schnell in die Perücke
Glas und Pantoffel fuhr.

Er schwieg und lief verzaget
fünf Treppen unters Dach;
da hat er viel geklaget –
du Muse, klag ihm nach.

»Ach! ist ein Mann auf Erden
wohl so geplagt als du?
Erst muß ich Hahnrei werden,
dann Prügel noch dazu?«

Er dachte drauf mit Schmerzen
an alle seine Not
und fühlte Wut im Herzen
und knirscht und rief den Tod.

Der Tod, der ungebeten
oft kömmt mit Ungestüm,
kroch doch in diesen Nöten
nicht unters Dach zu ihm.

Und weil er nicht gekommen,
so hat er wehmutsvoll
gar den Entschluß genommen,
den keiner nehmen soll.

»Der, welcher sich erhenket,
schloß er, fühlt kurze Pein.
Mein Weib, wenn man's bedenket,
wird stets mein Henker sein.

Was acht ich denn der Qualen
von einem Augenblick?
da schon zu tausend Malen –
komm her, geliebter Strick!«

Es war der letzte Jenner,
als sich der Geck erhing
und für geplagte Männer
die Märterkron empfing.

*Von Johann Friedrich Löwen (1729–1771).*
*Bänkelballade über eine wahre Begebenheit,*
*die sich im Januar 1759 in Hamburg ereignete.*

# Inventar oder die Ballade
# von der zerbrochenen Vase

Wir wollen uns wieder vertragen,
das Bett zum Abschied zerschlagen;
du hast zwar die Vase zerbrochen,
doch ich hab zuerst dran gerochen –
so kommt unser Glück in die Wochen.

Vom Fenstersims rollen die Augen,
ein Buch zerfällt im Spagat;
von Seite zu Seite böser
verlangen die Brillengläser
Andacht und sündige Leser.

Der Schrank springt auf und erbricht
die Hüte, erwürgte Krawatten,
die Hemden, wechselnde Haut,
auch Hosen mit brauchbarem Schlitz;
ein Bein ist des anderen Witz.

Das Bild will zurück in die Heide,
die Ansichtspostkarte nach Rom,
der Koks möchte schwarz sein nicht rot;
im Ofenrohr krümmt sich der Tod,
weil ihm der Erstickungstod droht.

Wer Zähne putzt, kann nicht beichten,
wer beichtet, riecht aus dem Mund
und hält die Hand vor, spricht leise:
Das Streichholz war meine Idee,
auch nehme ich Zucker zum Tee.

Der Tisch, nun zur Ruhe gekommen,
vier Stühle treten sich tot,
die Flasche schnappt nach dem Korken,
der Korken hält dicht und hält still;
ein Korken macht was er will.

Der Montag kommt wie die Regel:
des Sonntags peinlicher Rest
in alte Zeitung gewickelt;
wir trugen das Päckchen nach Hause,
ein jeder des anderen Pause.

Jetzt wollen wir alles verkaufen,
das Haus mit Inventar,
den Schall der süßen Nachtigall
aus gelben Tapeten befreien,
dem Schrank seinen Inhalt verzeihen.

Wir haben uns wieder vertragen,
das Bett zum Abschied zerschlagen;
du hast zwar die Vase zerbrochen,
doch ich hab zuerst dran gerochen –
so kam unser Glück in die Wochen.

*Von Günter Grass, geboren 1927.*

# Ehe

Wir haben Kinder, das zählt bis zwei.
Meistens gehen wir in verschiedene Filme.
Vom Auseinanderleben sprechen die Freunde.
Doch meine und Deine Interessen
berühren sich immer noch
an immer den gleichen Stellen.
Nicht nur die Frage nach den Manschettenknöpfen.
Auch Dienstleistungen:
Halt mal den Spiegel.
Glühbirnen auswechseln.
Etwas abholen.
Oder Gespräche, bis alles besprochen ist.
Zwei Sender, die manchmal gleichzeitig
auf Empfang gestellt sind.
Soll ich abschalten?
Erschöpfung lügt Harmonie.
Was sind wir uns schuldig? Das.
Ich mag das nicht: Deine Haare im Klo.
Aber nach elf Jahren noch Spaß an der Sache.
Ein Fleisch sein bei schwankenden Preisen.
Wir denken sparsam in Kleingeld.
Im Dunkeln glaubst Du mir alles.
Aufribbeln und Neustricken.
Gedehnte Vorsicht.
Dankeschönsagen.
Nimm Dich zusammen.
Dein Rasen vor unserem Haus.
Jetzt bist Du wieder ironisch.
Lach doch darüber.
Hau doch ab, wenn Du kannst.
Unser Haß ist witterungsbeständig.
Doch manchmal, zerstreut, sind wir zärtlich.
Die Zeugnisse der Kinder
müssen unterschrieben werden.
Wir setzen uns von der Steuer ab.
Erst übermorgen ist Schluß.
Du. Ja Du. Rauch nicht so viel.

*Von Günter Grass*

# Apfelböck und anderes

Vom äußeren Leben
und vom Kleinstadtsonntag,
vom Panther
und vom Panzersoldaten

# Drehorgel kurz vor Ostern

Eines Tages,
die letzten Schreckschüsse hatten sich losgelassen,
flüchteten aus den Gärten.
Nun drehen sich die Kinder geduldig in ihrem ernsten Kleid
und bewohnen den Nachmittag.
Drehorgeln,
immer zu früh grünende Herzen,
frieren hinter den Zäunen.
Ein Strumpf, der wieder zum Knäuel wird,
zurückläuft, eine Melodie mit viel zu großen Schuhen,
Spuren tritt sie den weißen Resten im Hof.
Was vom Himmel fällt

oder aus dem Küchenfenster,
jeden dankbaren Pfennig zählen die Fliesen
oder eine Mütze, ein Grab
und in drei Tagen Auferstehung.

Eines Tages,
als der Verkäufer sich kalt waschen wollte,
fand er das Wasser lau.
Die Brüste auf dem Foto neben dem Spiegel
tauten, flossen ihm über die Finger.
Noch lange danach, als er schon seine Seide verkaufte,
übte er zärtliche Hände.

*Von Günter Grass*

# Racine läßt sein Wappen ändern

Ein heraldischer Schwan
und eine heraldische Ratte
bilden – oben der Schwan,
darunter die Ratte –
das Wappen des Herrn Racine.

Oft sinnt Racine
über dem Wappen und lächelt,
als wüßte er Antwort,
wenn Freunde nach seinem Schwan fragen
aber die Ratte meinen.

Es steht Racine
einem Teich daneben
und ist auf Verse aus,
die er kühl und gemessen
Mondlicht und Wasserspiegel verfertigen kann.

Schwäne schlafen
dort wo es seicht ist,
und Racine begreift jenen Teil seines Wappens,
welcher weiß ist
und der Schönheit als Kopfkissen dient.

Es schläft aber die Ratte nicht,
ist eine Wasserratte
und nagt, wie Wasserratten es tun,
von unten mit Zähnen
den schlafenden Schwan an.

Auf schreit der Schwan,
das Wasser reißt,
Mondlicht verarmt und Racine beschließt,
nach Hause zu gehen,
sein Wappen zu ändern.

Fort streicht er die heraldische Ratte.
Die aber hört nicht auf, seinem Wappen zu fehlen.
Weiß stumm und rattenlos
wird der Schwan seinen Einsatz verschlafen –
Racine entsagt dem Theater.

*Von Günter Grass*

# Die Ballade von der schwarzen Wolke

Im Sand,
den die Maurer gelassen hatten,
brütete eine Henne.

Von links,
von dort kam auch immer die Eisenbahn,
zog auf eine schwarze Wolke.

Makellos war die Henne
und hatte fleißig vom Kalk gegessen,
den gleichfalls die Maurer gelassen hatten.

Die Wolke aber nährte sich selber,
ging von sich aus
und blieb dennoch geballt.

Ernst und behutsam
ist das Verhältnis
zwischen der Henne und ihren Eiern.

Als die schwarze Wolke
über der makellosen Henne stand,
verhielt sie, wie Wolken verhalten.

Doch es verhielt auch die Henne,
wie Hennen verhalten,
wenn über ihnen Wolken verhalten.

Dieses Verhältnis aber
bemerkte ich,
der ich hinter dem Schuppen der Maurer stand.

Nein, fuhr kein Blitz
aus der Wolke
und reichte der Henne die Hand.

Kein Habicht nicht;
der aus der Wolke
in makellos Federn fiel.

Von links nach rechts,
wie es die Eisenbahn tat,
zog hin die Wolke, verkleinerte sich.

Und niemand wird jemals gewiß sein,
was jenen vier Eiern
unter der Henne, unter der Wolke,
im Sand der Maurer geschah.

*Von Günter Grass*

# Bauarbeiten

Vor einer Woche kamen die Maurer
und brachten mit, was verlangt.
Sie haben ihn eingemauert,
den Hahn, den wir vermeiden wollen. –
Durch welchen Zufall kriecht dieser Ton?
Heute, noch immer erkalten die Suppen.
Fröstelnd stehen wir abseits und sehen den Hennen zu
wenn sie den Mörtel vermindern.
Verlangen sie etwa nach Kalk?

*Von Günter Grass*

# Diana oder die Gegenstände

Wenn sie mit rechter Hand
über die rechte Schulter in ihren Köcher greift,
stellt sie das linke Bein vor.

Als sie mich traf,
traf ihr Gegenstand meine Seele,
die ihr wie ein Gegenstand ist.

Zumeist sind es ruhende Gegenstände,
an denen sich montags
mein Knie aufschlägt.

Sie aber, mit ihrem Jagdschein,
läßt sich nur laufend
und zwischen Hunden fotografieren.

Wenn sie ja sagt und trifft,
trifft sie die Gegenstände der Natur
aber auch ausgestopfte.

Immer lehnte ich ab,
von einer schattenlosen Idee
meinen schattenwerfenden Körper verletzen zu lassen.

Doch du, Diana,
mit deinem Bogen
bist mir gegenständlich und haftbar.

*Von Günter Grass*


# Stapellauf

Wenn es die Möwe verlangt,
werde ich ein Schiff bauen,
werde beim Stapellauf
glücklich sein,
ein blendendes Hemd tragen,
vielleicht auch Sekt weinen
oder Schmierseife absondern,
ohne die es nicht geht.

Wer wird die Rede halten?
Wer kann vom Blatt lesen
ohne zu erblinden?
Der Präsident?
Auf welchen Namen soll ich dich taufen?
Soll ich deinen Untergang ANNA nennen
oder COLUMBUS?

*Von Günter Grass*

# Die Wildgänse

Kehrten im Frühjahr die Wildgänse wieder
Mit dem Südost und dem schmelzenden Schnee,
Hielten sie inne und fieln sie nicht nieder,
Zogen sie Kreise hoch über dem See.

Ist das unser Dorf? Ist das unsre Gegend?
Anders floß ja im Herbste der Bach.
Fort sind die Äcker, ein einziger Acker.
Fort sind die Hütten mit Binsendach.

Kehrten im Frühjahr die Wildgänse wieder,
Fanden sie sich nicht ein und nicht aus.
Gänse, ihr Guten, laßt ruhn das Gefieder,
Gänse, es stimmt schon, ihr seid hier zu Haus.

*Von Peter Hacks*

# Duett des Herakles

Alles wollte ich vollbringen.
Wenig habe ich vollbracht.
Fuhr zum Licht mit Adlers
Schwingen.
Sank hinab in Hades' Nacht.
Sehnsuchtsvoll in Sternenmatten,
Sehnsuchtsvoll im Pflichtentrott,
Such ich Herakles, den Schatten,
Such ich Herakles, den Gott.

An dem Gifte meiner Siege
Starb ich, meinen Zwecken fremd,
Ach, sie legens in die Wiege
Uns schon an, das Nessoshemd.
Lang bevor ich auf den Latten
Meines Scheiterhaufens sott:
Herakles, ein armer Schatten,
Herakles, ein armer Gott.

Wer bewegt des Weltalls Angel,
Wer bewirkt, daß es nicht bleibt,
Als die Unrast, die den Mangel
Zum ergänzenden Mangel treibt.
Jener Nu, da wir uns hatten,
Macht der Trennung Qual
zum Spott.
Geh denn, Herakles, mein
Schatten.
Geh denn, Herakles, mein Gott.

*Von Peter Hacks*

# Volksmoritat

Es ist viel Blut geronnen
An einem fernen Ort.
Kommst du dorthin zum Bronnen,
Da klingts wie: Vatermord.

Und geh an deine Arbeit,
Zum Sohn der Vater spricht.
Der Sohn zeigte Gehorsam
Und seine Pläne nicht.

Was willst du mit dem Spaten,
Der Vater ängstlich fragt.
Es sind noch Kartoffeln im Acker,
Der Frost steht vor der Tür.

Der Spaten war für Kartoffen.
Das war dem Spaten sein Zweck.
Dem Vater schlug Christoffel
Damit die Rübe weg.

*Von Peter Hacks*

# Ophelia

**I**

Im Haar ein Nest von jungen Wasserratten,
Und die beringten Hände auf der Flut
Wie Flossen, also treibt sie durch den Schatten
Des großen Urwalds, der im Wasser ruht.

Die letzte Sonne, die im Dunkel irrt,
Versenkt sich tief in ihres Hirnes Schrein.
Warum sie starb? Warum sie so allein
Im Wasser treibt, das Farn und Kraut verwirrt?

Im dichten Röhricht steht der Wind. Er scheucht
Wie eine Hand die Fledermäuse auf.
Mit dunklem Fittich, von dem Wasser feucht
Stehn sie wie Rauch im dunklen Wasserlauf,

Wie Nachtgewölk. Ein langer, weißer Aal
Schlüpft über ihre Brust. Ein Glühwurm scheint
Auf ihrer Stirn. Und eine Weide weint
Das Laub auf sie und ihre stumme Qual.

**II**

Korn. Saaten. Und des Mittags roter Schweiß.
Der Felder gelbe Winde schlafen still.
Sie kommt, ein Vogel, der entschlafen will.
Der Schwäne Fittich überdacht sie weiß.

Die blauen Lider schatten sanft herab.
Und bei der Sensen blanken Melodien
Träumt sie von eines Kusses Karmoisin
Den ewigen Traum in ihrem ewigen Grab.

Vorbei, vorbei. Wo an das Ufer dröhnt
Der Schall der Städte. Wo durch Dämme zwingt
Der weiße Strom. Der Widerhall erklingt
Mit weitem Echo. Wo herunter tönt

Hall voller Straßen. Glocken und Geläut.
Maschinenkreischen. Kampf. Wo westlich droht
In blinde Scheiben dumpfes Abendrot,
In dem ein Kran mit Riesenarmen dräut,

Mit schwarzer Stirn, ein mächtiger Tyrann,
Ein Moloch, drum die schwarzen Knechte knien.
Last schwerer Brücken, die darüber ziehn
Wie Ketten auf dem Strom, und harter Bann.

Unsichtbar schwimmt sie in der Flut Geleit.
Doch wo sie treibt, jagt weit den Menschenschwarm
Mit großem Fittich auf ein dunkler Harm,
Der schattet über beide Ufer breit.

Vorbei, vorbei. Da sich dem Dunkel weiht
Der westlich hohe Tag des Sommers spät,
Wo in dem Dunkelgrün der Wiesen steht
Des fernen Abends zarte Müdigkeit.

Der Strom trägt weit sie fort, die untertaucht,
Durch manchen Winters trauervollen Port.
Die Zeit hinab. Durch Ewigkeiten fort,
Davon der Horizont wie Feuer raucht.

*Von Georg Heym*

# Ballade von den Abenteurern

**1**

Von Sonne krank und ganz von Regen zerfressen
Geraubten Lorbeer im zerrauften Haar
Hat er seine ganze Jugend, nur nicht ihre Träume vergessen
Lange das Dach, nie den Himmel, der drüber war.

**2**

O ihr, die ihr aus Himmel und Hölle vertrieben
Ihr Mörder, denen viel Leides geschah
Warum seid ihr nicht im Schoß eurer Mütter geblieben
Wo es stille war und man schlief und war da?

**3**

Er aber sucht noch in absinthenen Meeren
Wenn ihn schon seine Mutter vergißt
Grinsend und fluchend und zuweilen nicht ohne Zähren
Immer das Land, wo es besser zu leben ist.

**4**

Schlendernd durch Höllen und gepeitscht durch Paradiese
Still und grinsend, vergehenden Gesichts
Träumt er gelegentlich von einer kleinen Wiese
Mit blauem Himmel drüber und sonst nichts.

*Von Bertolt Brecht*

# Apfelböck oder Die Lilie auf dem Felde

**1**

In mildem Lichte Jakob Apfelböck.
Erschlug den Vater und die Mutter sein
Und schloß sie beide in den Wäscheschrank
Und blieb im Hause übrig, er allein.

**2**

Es schwammen Wolken unterm Himmel hin.
Und um sein Haus ging mild der Sommerwind
Und in dem Hause saß er selber drin
Vor sieben Tagen war es noch ein Kind.

**3**

Die Tage gingen und die Nacht ging auch
Und nichts war anders außer mancherlei
Bei seinen Eltern Jakob Apfelböck
Wartete einfach, komme was es sei.

**4**

Es bringt die Milchfrau noch die Milch ins Haus
Gerahmte Buttermilch, süß, fett und kühl.
Was er nicht trinkt, das schüttet Jakob aus
Denn Jakob Apfelböck trinkt nicht mehr viel.

**5**

Es bringt der Zeitungsmann die Zeitung noch
Mit schwerem Tritt ins Haus beim Abendlicht
Und wirft sie schleppend in das Kastenloch
Doch Jakob Apfelböck, der liest sie nicht.

**6**

Und als die Leichen rochen durch das Haus
Da weinte Jakob und war krank davon.
Und Jakob Apfelböck zog weinend aus
Und schlief von nun an nur auf dem Balkon.

**7**

Es sprach der Zeitungsmann, der täglich kam:
Was riecht hier so? Ich rieche doch Gestank.
In mildem Licht sprach Jakob Apfelböck:
Es ist die Wäsche in dem Wäscheschrank.

**8**

Es sprach die Milchfrau einst, die täglich kam:
Was riecht hier so? Es riecht, als wenn man stirbt!
In mildem Licht sprach Jakob Apfelböck:
Es ist das Kalbfleisch, das im Schrank verdirbt.

**9**

Und als sie einstens in den Schrank ihm sahn
Stand Jakob Apfelböck in mildem Licht
Und als sie fragten, warum er's getan
Sprach Jakob Apfelböck: Ich weiß es nicht.

**10**

Die Milchfrau aber sprach am Tag danach:
Ob wohl das Kind einmal, früh oder spät
Ob Jakob Apfelböck wohl einmal noch
Zum Grabe seiner armen Eltern geht?

*Von Bertolt Brecht*

# Was hat, Achill...

Unbehelmt,
voran der Hundemeute,
über das kahle Vorgebirge her
auf ihrem Rappen eine,
den Köcher an der bleichen Mädchenhüfte.

Ein Falke kreist im blauen, großen,
unermeßlich blauen,
großen Himmel.

Er wird niederstoßen,
die harten Krallen und den krummen Schnabel
im Blut zu tränken, dem purpurnen Saft,
an dem das Falkenvolk sich wild berauscht.

Die nackte Brust der Reiterin.
Ihr glühend Aug.
Die Tigerhunde.
Der Rappe, goldgezügelt.
Sie hält ihn an.

Mit allem Licht
tritt aus den Wäldern vor
der Mann der Männer.
Die Tonnenbrust.
Auf starkem Hals das apfelkleine Haupt.

Er sieht die Reiterin.
Und sie sieht ihn.
So stehn sich zwei Gewitter still
am Morgen- und am Abendhimmel gegenüber.

Der Falke schwankt betrunken auf der Beute.
Was hat, Achill,
dein Herz?
Was auch sein Schlag bedeute:
Heb auf den Schild aus Erz!

*Von Georg Britting (1891–1964)*


# Panther-Ballade

Als die greise Uhr die letzten Schläge keuchte,
fühlt' ich nah von mir ein heimliches Geleuchte.

Auf zwei Stühlen, hingestreckt vor meinem Lager,
lag ein Panther, atmend, flankenstark und hager.

Blaue Flamme Schrecks sprang kurz aus meinem Munde,
doch kein Blitz fuhr auf in seinem Spiegelgrunde.

Nur die Haare bebten leicht an seinen Ohren,
daß ich wisse: Rührst du dich, bist du verloren.

Um das Tier zu beugen meinem Willen
warf ich hart den Blick ihm wider die Pupillen.

Aber seinen Blick vermocht' ich nicht zu fassen,
nur das eigne Aug begann blau schon zu blassen.

Auf des Tieres Iris hellumzirkten Zonen
funkten und erloschen träge Elektronen.

Leicht im Atem-Takt ein Schwinden und ein Schwellen
kam und ging von grünorangenen Ätherwellen.

Und aus Flut und Ebbe dieser klaren Feuer
trat der Kosmen Gleichmut, kalt und ungeheuer.

Letzter Kampf! Mein Mensch-Sein wurde kleiner,
und sein Tier-Sein mächtiger und reiner,

bis der angestarrte Mann, der regungslose,
unterging in großer Tier-Hypnose.

Doch die Katze harrte nur, zu siegen.
Nun ich Aas war, ließ sie links mich liegen,

sprang hinab und mit gestreckten Lenden
strich sie lang und lautlos an den Zimmerwänden.

Ich anheimgegeben tief dem Tiere,
sprang ihm federnd nach auf alle Viere,

folgte seinem schwingenden gelaßnen Wallen,
leicht und listig setzend meine eignen Ballen.

Meine Pranken prüften, Augen wuchsen schiefer,
Leib war Weiche, Sohle nur und Kiefer.

So wie wir im Sternlicht um die Stube fuhren
stiegen auf die untersten Naturen,

und der vor mir schweift, der Feind, der Panther
war mir Meister nun und Anverwandter.

Da, wie ohne Last, seitab von unserm Hasten,
setzt er langen Schwungs auf einen Kleiderkasten.

Ich auch throne schon, ein düstrer Tier-Gedanke,
Panthers Spiegelbild auf einem Gegenschranke.

Und wir starren, schön und urgestaltig
Aug in Aug uns, herrliche Heraldik.

Zwischen unsern Felsen aus dem Dschungelmoore
schießen Riesenfarren und die Bambusrohre.

*Von Franz Werfel (1890–1945)*

# Der ewige Wandervogel

Die Mähne entfesselt, die Gurgel so nackt,
So schnob er einst über die Heide,
Sein Schicksalsweib um die Hüften gepackt;
Sie schwangen die Laute im tänzelnden Takt
Und sangen von Lieb und Leide
Sie beide.

Wie mundeten ihnen die Früchte des Felds,
Wie dampfte das dörre Gemüse!
Und mangelten sie des Guts und des Gelds,
Sie saßen am Rande des plätschernden Quells
Kein Seliger umhüpfte die Wiese
Wie diese.

Und wenn man eng beieinander saß,
In sonnigem Seelenbeschaue,
Und er im dämmernden Heidegras
Ein Lied von Stefan George las,
Dann glommen die Augen der Fraue
Ins Blaue.

Heut tändelt er nicht mehr sein Tandaradei;
Er front in einem Kontore,
In einer Heimstundenbücherei.
Doch ist die Werkeltagsarbeit vorbei,
Dann harret seiner die Lore
Am Tore.

Dann steht sie am Herd im gebatikten Kleid
Mit schlichten Jungmädchenlocken.
Und er singt wieder aus alter Zeit
Aus dem Zupfgeigenhansl von Liebe und Leid,
Und fischt aus den Haferflocken
Die Brocken.

Und montags werkelt er wieder froh,
Der seelisch Verhimmelblaute.
Die Seele geht nicht mit ins Büro;
Die Seele schlägt draußen, weit irgendwo,
Im dämmernden Heidekraute
Die Laute.

*Von Erich Weinert*

# Nein

Pfeift der Sturm?
Keift ein Wurm?
Heulen
Eulen
hoch vom Turm?

Nein!

Es ist des Galgenstrickes
dickes
Ende, welches ächzte,
gleich als ob
im Galopp
eine müdgehetzte Mähre
nach dem nächsten Brunnen lechzte
(der vielleicht noch ferne wäre).

*Von Christian Morgenstern*

# Der Auszug des verlorenen Sohnes

Nun fortzugehn von alledem Verworrnen,
Das unser ist und uns doch nicht gehört,
Das, wie das Wasser in den alten Bornen,
Uns zitternd spiegelt und das Bild zerstört;
Von allem diesen, das sich wie mit Dornen
Noch einmal an uns hängt – fortzugehn
Und Das und Den,
Die man schon nicht mehr sah
(So täglich waren sie und so gewöhnlich),
Auf einmal anzuschauen: sanft, versöhnlich
Und wie an einem Anfang und von nah
Und ahnend einzusehn, wie unpersönlich,
Wie über alle hin das Leid geschah,
Von dem die Kindheit voll war bis zum Rand –

Und dann doch fortzugehen, Hand aus Hand,
Als ob man ein Geheiltes neu zerrisse,
Und fortzugehn: wohin? Ins Ungewisse,
Weit in ein unverwandtes warmes Land,
Das hinter allem Handeln wie Kulisse
Gleichgültig sein wird: Garten oder Wand;
Und fortzugehn: warum? Aus Drang, aus Artung,
Aus Ungeduld, aus dunkeler Erwartung,
Aus Unverständlichkeit und Unverstand:
Dies alles auf sich nehmen und vergebens
Vielleicht Gehaltnes fallen lassen, um
Allein zu sterben, wissend nicht warum –

Ist das der Eingang eines neuen Lebens?

*Von Rainer Maria Rilke (1875–1926)*

# Der letzte Graf von Brederode

Sie folgten furchtbar; ihren bunten Tod
von ferne nach ihm werfend, während er
verloren floh, nichts weiter als: bedroht.
Die Ferne seiner Väter schien nicht mehr
für ihn zu gelten; denn um so zu fliehn,
genügt ein Tier vor Jägern. Bis der Fluß
aufrauschte nah und blitzend. Ein Entschluß
hob ihn samt seiner Not und machte ihn
wieder zum Knaben fürstlichen Geblütes.
Ein Lächeln adeliger Frauen goß
noch einmal Süßigkeit in sein verfrühtes
vollendetes Gesicht. Er zwang sein Roß,
groß wie sein Herz zu gehn, sein blutdurchglühtes:
es trug ihn in den Strom wie in sein Schloß.

*Von Rainer Maria Rilke*

# Ballade des äußeren Lebens

Und Kinder wachsen auf mit tiefen Augen,
die von nichts wissen, wachsen auf und sterben,
und alle Menschen gehen ihre Wege.

Und süße Früchte werden aus den herben
und fallen nachts wie tote Vögel nieder
und liegen wenig Tage und verderben.

Und immer weht der Wind, und immer wieder
vernehmen wir und reden viele Worte
und spüren Lust und Müdigkeit der Glieder.

Und Straßen laufen durch das Gras, und Orte
sind da und dort, voll Fackeln, Bäumen, Teichen,
und drohende, und totenhaft verdorrte…

Wozu sind diese aufgebaut? und gleichen
einander nie? und sind unzählig viele?
Was wechselt Lachen, Weinen und Erbleichen?

Was frommt das alles uns und diese Spiele,
die wir doch groß und ewig einsam sind
und wandernd nimmer suchen irgend Ziele?

Was frommts, dergleichen viel gesehen haben?
Und dennoch sagt der viel, der ›Abend‹ sagt,
ein Wort, daraus Tiefsinn und Trauer rinnt
wie schwerer Honig aus den hohlen Waben.

*Von Hugo von Hofmannsthal*

# Ballade vom Panzersoldaten und vom Mädchen

1
Da war einmal ein Panzersoldat
Der ging mal auf den Weihnachtsmarkt
Auf Urlaub in Berlin
Und der Soldat
der kam ja grad
Der kam grad vom Manöver

2
Da stand im hellen Lichterglanz
Die Schießbude von Schießbuden-Franz
Da kam man gar nicht ran
Wer schießt hier!
Wer trifft hier!
Wer ist ein Held und Mann!

3
O Tannebaum und Christ ist geborn
Da keilte der Panzersoldat sich nach vorn
Mit einem großen Schein
Hier, ich! – schrie er
Ich kauf! – schrie er
Ich kauf alle Bleikugeln ein!

4
Der Schießbuden-Franz erstaunte sehr
Gab alle seine Bleikugeln her
Für dem Soldat sein Geld
Na bitte sehr
mein Herr, sprach er
Wenn's Ihnen so gefällt

5
Dann schmiß der gute Panzersoldat
Die ganze blöde Bleikugelsaat
Den Tannen ins Geäst
Da nehmt – sprach er
den Dreck – sprach er
Da nehmt das Blei und freßt!

6
Da kam ein junges Mädchen gerannt
Gab ihm Papierblumen in die Hand
Und küßte ihn ganz offen
Du hast – sprach sie
du hast – sprach sie
Du hast am besten getroffen

*Von Wolf Biermann*

# Moritat auf Biermann sein Oma Meume in Hamburg

Als meine Oma ein Baby war.
Vor achtundachtzig Jahrn
Da ist ihre Mutter im Wochenbett
Mit Schwindsucht zum Himmel gefahrn
Als meine Oma ein Baby war
Ihr Vater war Maschinist
Bis gleich darauf die rechte Hand
Ihm abgerissen ist

Das war an einem Montag früh
Da riß die Hand ihm ab
Er war noch froh, daß die Fabrik
Den Wochenlohn ihm gab
Als meine Oma ein Baby war
Mit ihrem Vater allein
Da fing der Vater Saufen an
Und ließ das Baby schrein

Dann ging er in die Küche rein
Und auf den Küchenschrank
Da stellte er ganz oben rauf
Die kleine Küchenbank
Und auf die Bank zwei Koffer noch
Und auf den schiefen Turm
Ganz oben rauf aufs Federbett
Das kleine Unglückswurm

Dann ging er mit dem letzten Geld
In MEYERS FREUDENHAUS
Und spülte mit Pfefferminz-Absinth
Sich das Gewissen raus
Und kam zurück im Morgengraun
Besoffen und beschissen
Und stellte fest: »Verflucht, das Wurm
Hat sich nicht totgeschmissen!«

Das Kind lag friedlich da und schlief
Hoch oben auf dem Turm
Da packte er mit seiner Hand
Das kleine Unglückswurm
Nahm es behutsam in den Arm
Und weinte Rotz und Wasser
Und lallte ihm ein Wiegenlied
Vor Glück und Liebe fraß er

Der Oma fast ein Öhrchen ab
Und schwor, nie mehr zu trinken
Und weil er Maschinist gewesen war
Schwor er das mit der Linken
Das ist ein Menschenalter her
Hätt sie sich totgeschmissen
Dann würde ich von alledem
Wahrscheinlich garnix wissen

Die Alte lebt heut immer noch
Und kommst du mal nach Westen
Besuch sie mal und grüß sie schön
Vom Enkel, ihrem besten
Und wenn sie nach mir fragt und weint
Und auf die Mauer flucht
Dann sage ihr: Bevor sie stirbt
Wird sie noch mal besucht

Und während du von mir erzählst
Schmiert sie dir, erster Klasse
Ein Schmalzbrot, dazu Muckefuck
In einer blauen Tasse
Vielleicht hat sie auch Lust, und sie
Erzählt dir paar Geschichten
Und wenn die schön sind, komm zurück
Die mußt du mir berichten.

*Von Wolf Biermann*

# Brigitte

Ich ging zu dir
dein Bett war leer.
Ich wollte lesen.
und dachte an nichts.
Ich wollte ins Kino
und kannte den Film.
Ich ging in die Kneipe
und war allein.
Ich hatte Hunger
und trank zwei Spezi.
Ich wollte allein sein
und war zwischen Menschen.
Ich wollte atmen
und sah nicht den Ausgang.
Ich sah eine Frau

die ist öfters hier.
Ich sah einen Mann
der stierte ins Bier.
Ich sah zwei Hunde
die waren so frei.
Ich sah auch die Menschen
die lachten dabei.
Ich sah einen Mann
der fiel in den Schnee
er war besoffen
es tat ihm nicht weh.
Ich rannte vor Kälte
über das Eis
der Straßen zu dir
die all das nicht weiß.

*Von Wolf Biermann*

# Kleinstadtsonntag

Gehn wir mal hin?
Ja, wir gehn mal hin.
Ist hier was los?
Nein, es ist nichts los.
Herr Ober, ein Bier!
Leer ist es hier.
Der Sommer ist kalt.
Man wird auch alt.
Bei Rose gabs Kalb.
Jetzt isses schon halb.
Jetzt gehn wir mal hin.
Ja, wir gehn mal hin.
Ist er schon drin?
Er ist schon drin.
Gehn wir mal rein?
Na gehn wir mal rein.
Siehst du heut fern?
Ja, ich sehe heut fern.
Spielen sie was?
Ja, sie spielen was.
Hast du noch Geld?
Ja, ich hab noch Geld.
Trinken wir ein'?
Ja, einen klein'.
Gehn wir mal hin?
Ja, gehn wir mal hin.
Siehst du heut fern?

Ja ich sehe heut fern.

*Von Wolf Biermann*

# Armut und Elend

Vom Hexenkind
im Waisenhaus.
Von Hunger, Not
und Kohlenruß

# Die Dämonen der Städte

Sie wandern durch die Nacht der Städte hin,
die schwarz sich ducken unter ihrem Fuß.
Wie Schifferbärte stehen um ihr Kinn
die Wolken schwarz vom Rauch und Kohlenruß.

Ihr langer Schatten schwankt im Häusermeer
und löscht der Straßen Lichterreihen aus.
Er kriecht wie Nebel auf dem Pflaster schwer
und tastet langsam vorwärts Haus für Haus.

Den einen Fuß auf einen Platz gestellt,
den anderen gekniet auf einen Turm,
ragen sie auf, wo schwarz der Regen fällt,
Panspfeifen blasend in den Wolkensturm.

Um ihre Füße kreist das Ritornell
des Städtemeers mit trauriger Musik,
ein großes Sterbelied. Bald dumpf, bald grell
wechselt der Ton, der in das Dunkel stieg.

Sie wandern an dem Strom, der schwarz und breit
wie ein Reptil, den Rücken gelb gefleckt
von den Laternen, in die Dunkelheit
sich traurig wälzt, die schwarz den Himmel deckt.

Sie lehnen schwer auf einer Brückenwand
und stecken ihre Hände in den Schwarm
der Menschen aus, wie Faune, die am Rand
der Sümpfe bohren in den Schlamm den Arm.

Einer steht auf. Dem weißen Monde hängt
er eine schwarze Larve vor. Die Nacht,
die sich wie Blei vom finstern Himmel senkt,
drückt tief die Häuser in des Dunkels Schacht.

Der Städte Schultern knacken. Und es birst
ein Dach, daraus ein rotes Feuer schwemmt.
Breitbeinig sitzen sie auf seinem First
und schrein wie Katzen auf zum Firmament.

In einer Stube voll von Finsternissen
schreit eine Wöchnerin in ihren Wehn.
Ihr starker Leib ragt riesig aus den Kissen,
um den herum die großen Teufel stehn.

Sie hält sich zitternd an der Wehebank.
Das Zimmer schwankt um sie von ihrem Schrei,
da kommt die Frucht. Ihr Schoß klafft rot und lang
und blutend reißt er von der Frucht entzwei.

Der Teufel Hälse wachsen wie Giraffen.
Das Kind hat keinen Kopf. Die Mutter hält
es vor sich hin. In ihrem Rücken klaffen
des Schrecks Froschfinger, wenn sie rückwärts fällt.

Doch die Dämonen wachsen riesengroß.
Ihr Schläfenhorn zerreißt den Himmel rot.
Erdbeben donnert durch der Städte Schoß
um ihren Huf, den Feuer überloht.

*Von Georg Heym*

# Die großen Städte

Die großen Städte schleppen
durchs Meer und über Steppen
sich fort und ihren Fluch,
sie haben ihre Narren
und hinter sich Erstarren
und Schutt und Leichentuch.

Vom Euphrat an die Tiber
schlich ein verzehrend Fieber,
dein Dämon, Babylon!
Anstatt der Belsazare
erhoben sich Cäsare,
Wahnsinnige zum Thron.

In Schlangenträgheit sonnte
am Nil, am Hellesponte
ein Volk sich, nein, ein Schwarm
verdorrter Eintagsfliegen
und ward nur bei den Siegen
der Wagenrennen warm.

Die großen Städte raffen
die Welt an sich und schaffen
sich Raum von Land zu Land,
sie sind die Völkerzwinger
und sind die Fackelschwinger,
des Aufruhrs erster Brand.

Sie schaun die letzte Blöße,
das Grab von jeder Größe,
das Elend und die Pracht.
Sie sind die Totenstille
in Tower und Bastille
und sind die Straßenschlacht.

Sie wären Höllen, wären
nicht Tage, die verklären,
und Werke, die bestehn,
in ihnen sehn Befreier
und Denker ihre Feier
von Jahr zu Jahr begehn.

Inmitten des Getöses
sind Kreise, denen Böses
und Lüge nimmer naht.
Hart an der Stürme Toren,
vom Geist der Zeit beschworen,
erwächst die große Tat.

*Von Hermann Lingg*

# Stimmen der Hinterhöfe

Wenn im Frühling nachts die Fenster offen stehen,
Flattern aus dem Dunkel Stimmen viel herein,
Was sie sagen, kann man kaum verstehen,
Mag auch meistens von den Katzen sein.

Häufig wird am stillen Herd gezankt,
Häufig hört man fremde Türen schlagen,
Manch Betrunkner, der zu Bette wankt,
Sucht ein Lied und kann es nicht erjagen.

Manchmal klingt's gefährlich und beklemmend
Wie der Mord im Kriminalroman,
Wenn ein Weib, die Fäuste hüftlings stemmend,
Leise keift, weil zu viel Gas vertan.

Liebende, die große Vorsicht brauchen,
Daß ihr Herzschlag nicht die Wirtin weckt,
Werden plötzlich laut und seufzen, fauchen,
Ranzen, jaulern, jubeln, untertauchen
Taub im Glück, verstummen, tief erschreckt,
Wenn der Mond aus dünnem Nebelrauchen
Taktlos seine gelben Zähne bleckt.

Furchtbar schnaubt es durch erstorbne Zimmer,
wenn ein Weib in letzten Wehn sich bäumt,
Bis im rieselgoldnen Morgenschimmer
Säuglings Schrei und hungriges Gewimmer
Als ein warmer Quell zu Tage schäumt.

Oft jedoch ist alle das versunken
Und es hört, wer still im Dunkel wacht:
Wie der Frühling donnernd, säftetrunken,
Aus den Knospen magrer Bäume kracht.

*Von Carl Zuckmayer*

# Jammertal

Der Nachtwind durch die Luken pfeift,
und auf dem Dachstublager
zwei arme Seelen gebettet sind;
sie schauen so blaß und so mager.

Die eine arme Seele spricht:
»Umschling mich mit deinen Armen,
an meinen Mund drück fest deinen Mund,
ich will an dir erwarmen.«

Die andre arme Seele spricht:
»Wenn ich dein Auge sehe,
verschwindet mein Elend, der Hunger, der Frost
und all mein Erdenwehe.«

Sie küßten sich viel, sie weinten noch mehr,
sie drückten sich seufzend die Hände,
sie lachten manchmal und sangen sogar,
und sie verstummten am Ende.

Am Morgen kam der Kommissar,
und mit ihm kam ein braver
Chirurgus, welcher konstatiert
den Tod der beiden Kadaver.

»Die strenge Wittrung,« erklärte er,
»mit Magenleere vereinigt,
hat beider Ableben verursacht, sie hat
zum mindesten solches beschleunigt.«

Wenn Fröste eintreten, setzt er hinzu,
sei höchst notwendig Verwahrung
durch wollene Decken; er empfahl
gleichfalls gesunde Nahrung.

*Von Heinrich Heine*

# Das Fieberspital

## I.

Die bleiche Leinwand in den vielen Betten
verschwimmt in fahler Wand im Krankensaal.
Die Krankheiten alle, dünne Marionetten,
spazieren in den Gängen. Eine Zahl

hat jeder kranke. Und mit weißer Kreide
sind seine Qualen sauber aufnotiert.
Das Fieber donnert. Ihre Eingeweide
brennen wie Berge. Und ihr Auge stiert

zur Decke auf, wo ein paar große Spinnen
aus ihrem Bauche lange Fäden ziehn.
Sie sitzen auf in ihrem kalten Linnen
und ihrem Schweiß mit hochgezognen Knien.

Sie beißen auf die Nägel ihrer Hand.
Die Falten ihrer Stirn, die rötlich glüht,
sind wie ein graugefurchtes Ackerland,
auf dem des Todes großes Frührot blüht.

Sie strecken ihre weißen Arme vor,
vor Kälte zitternd und vor Grauen stumm.
Schon wälzt ihr Hirn sich schwarz von Ohr zu Ohr
in ungeheurem Wirbel schnell herum.

Dann gähnt in ihrem Rücken schwarz ein Spalt,
und aus der weißgetünchten Mauerwand
streckt sich ein Arm. Um ihre Kehle ballt
sich langsam eine harte Knochenhand.

## II.

Des Abends Trauer sinkt. Sie hocken stumpf
in ihrer Kissen Schatten. Und herein
kriecht Wassernebel kalt. Sie hören dumpf
durch ihren Saal der Qualen Litanein.

Das Fieber kriecht in ihren Lagern um,
langsam, ein großer, gelblicher Polyp.
Sie schaun ihm zu, von dem Entsetzen stumm.
Und ihre Augen werden weiß und trüb.

Die Sonne quält sich auf dem Rand der Nacht.
Sie blähn die Nasen. Es wird furchtbar heiß.
Ein großes Feuer hat sie angefacht,
wie eine Blase schwankt ihr roter Kreis.

Auf ihrem Dache sitzt ein Mann im Stuhl
und droht den Kranken mit dem Eisenstab.
Darunter schaufeln in dem heißen Pfuhl
die Nigger schon ihr tiefes, weißes Grab.

Die Leichenträger gehen durch die Reihen
und reißen schnell die Toten aus dem Bett.
Die andern drehn sich nach der Wand mit Schreien
der Angst, der Toten gräßlichem Valet.

Moskitos summen. Und die Luft beginnt
vor Glut zu schmelzen. Wie ein roter Kropf
schwillt auf ihr Hals, darinnen Lava rinnt.
Und wie ein Ball von Feuer dröhnt ihr Kopf.

Sie machen sich von ihren Hemden los
und ihren Decken, die sie naß umziehn.
Ihr magrer Leib, bis auf den Nabel bloß,
wiegt hin und her im Takt der Phantasien.

Das Floß des Todes steuert durch die Nacht
heran durch Meere Schlamms und dunkles Moor.
Sie hören bang, wie seine Stange kracht
lauthallend unten am Barackentor.

Zu einem Bette kommt das Sakrament.
Der Priester salbt dem Kranken Stirn und Mund.
Der Gaumen, der wie rotes Feuer brennt,
würgt mühsam die Oblate in den Schlund.

Die Kranken horchen auf der Lagerstatt
wie Kröten, von dem Lichte rot gefleckt.
Die Betten sind wie eine große Stadt,
die eines schwarzen Himmels Rätsel deckt.

Der Priester singt. In grauser Parodie
krähn sie die Worte nach in dem Gebet.
Sie lachen laut, die Freude schüttelt sie.
Sie halten sich den Bauch, den Lachen bläht.

Der Priester kniet sich an der Bettstatt Rand.
In das Brevier taucht er die Schultern ein.
Der Kranke setzt sich auf. In seiner Hand
dreht er im Kreise einen spitzen Stein.

Er schwingt ihn hoch, haut zu. Ein breiter Riß
klafft auf des Priesters Kopf, der rückwärts fällt.
Und es erfriert sein Schrei auf dem Gebiß,
das er im Tode weit noch offen hält.

*Von Georg Heym*

# Der Geiger

Bei Jena auf der Leuchtenburg,
als ich das Irrenhaus ging durch,
ein'n schlichten, stillen Mann ich sah,
der stund mit einer Geige da.

Urplötzlich kommt der Geist auf ihn,
er hebt zu spielen stark und kühn,
ein jeder Strich wie Blitz und Licht;
solch Spiel hört ich mein Tage nicht.

Halt ein! halt ein! bald rief es aus,
kein Menschenherz den Klang hält aus,
solch übermenschliche Gewalt!
Das ist nicht Ton! das ist Gestalt!

Gestalt? Ha! ruft der Mann verstört,
hast lauten auch davon gehört?
Ja! ja! mir ist es wohl geschehn,
die Töne in Gestalt zu sehn.

Im Fieber lag ich bang und schwül,
schier taub und blind und ohn' Gefühl,
vielmehr Aug, Ohr und aller Sinn
gewendet ganz nach innen hin.

Am dritten Tag zur Abendzeit
mir ist, die Ohren würden weit,
und eine Luft, so kühl und klar,
zieht durchs Gehör mir wunderbar.

Des andern Tags zur selben Stund
ich ganz dasselbe Ding empfund;
am dritten aber es geschach –
es war kein Traum, ich war ganz wach –:

Beginnt ein Tönen über mir,
als käm es aus dem Himmel schier;
viel zarter als Harmonika,
kommt es je mehr und mehr mir nah.

Ich schaut empor und ward gewahr,
was unaussprechlich ganz und gar,
die Töne selber mannigfalt
in geistig-leiblicher Gestalt.

Und sah, wie Ton aus Ton entsprang,
ihr Tanz sich ineinander schlang
in überirdisch süßen Schall,
als wie Gestirne von Kristall.

Und höher immer über mich
die Tongebilde schwangen sich,
zuletzt in eine Höh empor,
die meinem Auge sich verlor.

Und immer leiser wird der Hall,
bis es zuletzt verklungen all;
wie lang gewährt das Wunderspiel,
ich weiß nicht, denn die Zeit stund still.

Auch wie die Töne von Gestalt,
ist mir entfallen alsobald;
nur tief im Ohre blieb noch lang
ein Nachhall von dem Himmelsklang.

Und lang, auch wie ich schon gesund,
mir all' Musik gar widerstund;
mir war, ich hört nur Holz und Stahl,
doch nicht den Ton, den reinen Strahl? –

So spricht der Mann, wird plötzlich stumm;
auf einmal wendet er sich um, –
zurück! zurück! – da fängt der Mann
flugs fürchterlich zu wüten an.

Der Wärter stracks ergreift die Geig':
Es hilft, spricht er, nichts weiter euch;
ich halt ihm nur die Geige vor,
gleich wird er still als wie zuvor.

Der Wärter tuts, und sieh, im Nu
kommt wie bezaubert er zur Ruh,
er faßt die Geig und hebt sodann
ein schmelzend Stück zu spielen an.

Ein Ton, der durch die Seele dringt
und wilde Bären wohl bezwingt.
Noch immer steht der Mann mir vor,
noch klingt der Ton in meinem Ohr!

*Von Karl Friedrich Wetzel (1779–1819)*

# Im Spelunkenrevier

Da gab's Branntwein und Bier,
im Spelunkenrevier,
und ein Lied scholl rührend durch die Tür;
und das sangen und spielten die traurigen Vier,
ein Vater mit seinen drei Töchtern.
Er stand am Ofen, die Geige am Kinn,
schief neben ihm hockte die Harfnerin,
und die Jüngste knixte und schloß ihr Lied,
die Geige machte ti-flieti-fliet:
»War Eine, die nur Einen lieben kunnt.«

Die dritte ging stumm
mit dem Teller herum,
ums polternde Biljard, blaß und krumm;
und nun drehte der Alte die Fiedel um
und klappte darauf mit dem Bogen.
Und auf einmal schwieg der Keller ganz,
die Jüngste hob die Röcke zum Tanz;
die Harfe machte ti-plinki-plunk,
und die Jüngste war so kinderjung
und sang zum Tanz ein wüstes Hurenlied.

Sie sang's mit Glut,
das zarte Blut;
und der schwarze zerknitterte Roßhaarhut
stand zu der plumpen Harfe gut,
mit den weißen papiernen Rosen.
Laut schrillten die Saiten ti-flieti-plunk,
und alle beklatschten den letzten Sprung,
und vor mir stand die Tellermarie.
»Spielt mir noch einmal,« bat ich sie,
»War Eine, die nur Einen lieben kunnt!«

*Von Richard Dehmel (1863–1920)*

# Das Hexenkind

Das junge Ding hieß Ilse Watt.
Sie ward im Waisenhaus erzogen.
Dort galt sie für verstockt, verlogen,
Weil sie kein Wort gesprochen hat
Und weil man ihr es sehr verdachte,
Daß sie schon früh, wenn sie erwachte,
Ganz leise vor sich hinlachte.

Man nannte sie, weil ihr Betragen
So seltsam war, das Hexenkind.
Allüberall ward sie gescholten.
Doch wagte niemand sie zu schlagen.
Denn sie war von Geburt her blind.
Die Ilse hat für frech gegolten,
Weil sie, wenn man zu Bett sie brachte,
Noch leise vor sich hinlachte.

In ihrem Bettchen blaß und matt
Lag sterbend eines Tags die kranke
Und stille, blinde Ilse Watt,
Lächelte wie aus andern Welten
Und sprach zu einer Angestellten,
Die ihr das Haar gestreichelt hat,
Ganz laut und glücklich noch: »Ich danke.«

*Von Joachim Ringelnatz*

# Das verhungerte Kind

»Mutter, ach Mutter! es hungert mich,
gib mir Brot, sonst sterbe ich.«
»Warte nur, mein liebes Kind!
morgen wollen wir säen geschwind.«

Und als das Korn gesäet war,
rief das Kind noch immerdar:
»Mutter, ach Mutter! es hungert mich,
gib mir Brot, sonst sterbe ich!«
»Warte nur, mein liebes Kind!
morgen wollen wir schneiden geschwind.«

Und als das Korn geschnitten war,
rief das Kind noch immerdar:
»Mutter, ach Mutter! es hungert mich,
gib mir Brot, sonst sterbe ich.«
»Warte nur, mein liebes Kind!
morgen wollen wir dreschen geschwind.«

Und als das Korn gedroschen war,
rief das Kind noch immerdar:
»Mutter, ach Mutter! es hungert mich,
gib mir Brot, sonst sterbe ich.«
»Warte nur, mein liebes Kind,
morgen wollen wir mahlen geschwind.«

Und als das Korn gemahlen war,
rief das Kind noch immerdar:
»Mutter, ach Mutter! es hungert mich,
gib mir Brot, sonst sterbe ich!«
»Warte nur, mein liebes Kind,
morgen wollen wir backen geschwind.«

Und als das Brot gebacken war,
lag das Kind auf der Totenbahr.

*Volksballade*

# Erntelied

Es steht ein goldnes Garbenfeld,
das geht bis an den Rand der Welt.
Mahle, Mühle, mahle!

Es stockt der Wind im weiten Land,
viel Mühlen stehn am Himmelsrand.
Mahle, Mühle, mahle!

Es kommt ein dunkles Abendrot,
viel arme Leute schrein nach Brot.
Mahle, Mühle, mahle!

Es hält die Nacht den Sturm im Schoß,
und morgen geht die Arbeit los.
Mahle, Mühle, mahle!

Es fegt der Sturm die Felder rein,
es wird kein Mensch mehr Hunger schrein.
Mahle, Mühle, mahle!

*Von Richard Dehmel*

# Mägde am Sonnabend

Sie hängen sie an die Leiste,
die Teppiche klein und groß,
sie hauen, sie hauen im Geiste
auf ihre Herrschaft los.

Mit einem wilden Behagen,
mit wahrer Berserkerwut,
für eine Woche voll Plagen
kühlen sie sich den Mut.

Sie hauen mit splitternden Rohren
im infernalischen Takt.
Die vorderhäuslichen Ohren
nehmen davon nicht Akt.

Doch hinten jammern, zerrissen
im Tiefsten, von Hieb und Stoß,
die Läufer, die Perserkissen
und die dicken deutschen Plumeaus.

*Von Christian Morgenstern*

# Der Traum der Magd

Am Morgen spricht die Magd ganz wild:
»Ich hab heut nacht ein Kind gestillt –

ein Kind mit einem Käs als Kopf –
und einem Horn am Hinterschopf!

Das Horn, o denkt euch, war aus Salz
und ging zu essen, und dann –«

»Halt's –
halt's Maul«, so spricht die Frau, »und geh
an deinen Dienst, Zä-zi-li-è!«

*Von Christian Morgenstern*

# Weltlauf

Hat man viel, so wird man bald
noch viel mehr dazu bekommen.
Wer nur wenig hat, dem wird
auch das wenige genommen.

Wenn du aber gar nichts hast,
ach, so lasse dich begraben –
denn ein Recht zum Leben, Lump,
haben nur die etwas haben.

*Von Heinrich Heine*

# Hinterm Hotel

Hinter dem schwarzen Hotelbau lag
ein Gärtchen, düster bei Nacht wie bei Tag.
Blumenlos waren die Beete,
Weil keine Sonne sie je beschien,
Und grün, aber auch schmutzig grün,
Waren nur die Stakete.

Ein Hausdiener mit Knochenfraß
Und ein Küchenmädchen aus dem Elsaß
Haben dort die Natur besiegt
Und ein Kind gekriegt.

Hinter der Laube, in blattlosen Zweigen
Lebt dort ein gutes Gespenst.
Ich will es dir zeigen,
Ohne daß du's erkennst.

*Von Joachim Ringelnatz*

# Der Bettler

Ich will in dieser Rinne sterben,
bin alt und sich genug dazu;
sie mögen mich »betrunken« schelten,
mir recht! sie lassen mich in Ruh.
Die werfen mir noch ein'ge Groschen,
die wenden ab ihr Angesicht;
ja, eilt nur, eilt zu euren Festen,
zum Sterben brauch ich euch doch nicht.

Vor Alter muß ich also sterben,
man stirbt vor Hunger nicht zumal;
ich hofft in meinen alten Tagen
zuletzt noch auf ein Hospital;
so viel des Elends gibt's im Volke,
man kommt auch nirgends mehr hinein;
die Straße war ja meine Wiege, .
sie mag mein Sterbebett auch sein.

Lehrt mich ein Handwerk, gebt mir Arbeit,
mein Brot verdienen will ich ja; –
geh betteln! hieß es, Arbeit? Arbeit?
die ist für alle Welt nicht da.
Arbeite! schrien mich an, die schmausten,
und warfen mir die Knochen zu;
ich will den Reichen doch nicht fluchen,
ich fand in ihren Scheunen Ruh.

Ich hätte freilich stehlen können,
mir schien zu betteln minder hart;
ich habe höchstens mir am Wege
ein paar Kartoffeln ausgescharrt;
und immer allerorten steckte
die Polizei mich dennoch ein,
mir raubend meine einz'ge Habe –
du Gottes Sonne bist ja mein!

Was kümmern mich Gesetz und Ordnung,
Gewerb' und bürgerliches Band?
was euer König, eure Kammern?
sagt, hab ich denn ein Vaterland?
Und dennoch, als in euern Mauern
der Fremde, Herr zu sein, gemeint,
der Fremde, der mich reichlich speiste,
ich Narr, wie hab ich da geweint!

Ihr hättet mich erdrücken sollen,
wie ich das Licht der Welt erblickt;
ihr hättet mich erziehen sollen,
wie sich's für einen Menschen schickt;
ich wäre nicht der Wurm geworden,
den ihr euch abzuwehren sucht;
ich hätt' euch brüderlich geholfen
und euch im Tode nicht geflucht.

*Von Adelbert von Chamisso in Anlehnung*
*an eine Ballade des französischen Dichters Pierre Jean de Béranger (1780–1875).*

# Der Bettler und sein Hund

Drei Taler erlegen für meinen Hund!
so schlage das Wetter mich gleich in den Grund!
Was denken die Herrn von der Polizei?
was soll nun wieder die Schinderei?

Ich bin ein alter, ein kranker Mann,
der keinen Groschen verdienen kann;
ich habe nicht Geld, ich habe nicht Brot,
ich lebe ja nur von Hunger und Not.

Und wann ich erkrankt, und wann ich verarmt,
wer hat sich da noch meiner erbarmt?
Wer hat, wann ich auf Gottes Welt
allein mich fand, zu mir sich gesellt?

Wer hat mich geliebt, wann ich mich gehärmt?
Wer, wann ich fror, hat mich gewärmt?
Wer hat mit mir, wann ich hungrig gemurrt,
getrost gehungert und nicht geknurrt?

Es geht zur Neige mit uns zwein,
es muß, mein Tier, geschieden sein;
du bist, wie ich, nun alt und krank,
ich soll dich ersäufen, das ist der Dank!

Das ist der Dank, das ist der Lohn!
dir geht's wie manchem Erdensohn.
Zum Teufel! ich war bei mancher Schlacht,
den Henker hab ich noch nicht gemacht.

Das ist der Strick, das ist der Stein,
das ist das Wasser, – es muß ja sein.
Komm her, du Köter, und sieh mich nicht an,
noch nur ein Fußstoß, so ist es getan.

Wie er in die Schlinge den Hals ihm gesteckt,
hat wedelnd der Hund die Hand ihm geleckt,
da zog er die Schlinge sogleich zurück
und warf sie schnell um sein eigen Genick.

Und tat einen Fluch, gar schauderhaft,
und raffte zusammen die letzte Kraft
und stürzt in die Flut sich, die tönend stieg,
im Kreise sich zog und über ihm schwieg.

Wohl sprang der Hund zur Rettung hinzu,
wohl heult er die Schiffer aus ihrer Ruh,
wohl zog er sie winselnd und zerrend her,
wie sie ihn fanden, da war er nicht mehr.

Er war verscharret in stiller Stund',
es folgt ihm winselnd nur der Hund,
der hat, wo den Leib die Erde deckt,
sich hingestreckt und ist da verreckt.

*Von Adelbert von Chamisso*

# Die treue Haut

Sie hatten einen Vetter da,
dem Gutheit aus den Augen sah.
Ich fragte sie, was tut der hier?
Antworten sie: »Den nähren wir
aus Christenpflicht, um Gotteslohn,
er wohnt bei uns seit lange schon,«
und preisen insgesamt ihn laut,
er sei so eine treue Haut.

Sie luden Gäst' in großer Zahl,
sie sagten ihm: besorg das Mahl!
Da ist er hin und her gerannt,
bis alles auf der Tafel stand.
Sie saßen freudig rings umher,
am Katzentischchen selber er;
doch priesen sie zum Schluß ihn laut,
er sei so eine treue Haut.

Und als sie nun gefahren aus,
sie sagten ihm: bewach das Haus,
die Kinder hüt, verpfleg das Vieh
und halte gute Ordnung hie!
Er hat es fleißig so vollbracht.
Sie kehrten heim in später Nacht,
sein Licht sie nahmen, priesen's laut,
er sei so eine treue Haut.

Und wenn das Seil am Brunnen brach,
der Eimer in der Tiefe lag,
und wenn die Birne und die Pflaum'
reif waren auf dem steilsten Baum —
was sich begab in Ernst und Spaß,
sie sagten ihm: tu dies und das!
und priesen, wenn's geschehn, ihn laut,
er sei so eine treue Haut.

Sie legten, als er krank und schwach,
ihn in die Kammer unters Dach.
Sie sagten ihm: »Bist du gesund,
so tu es uns nur eben kund.«
Doch hat er's nicht mehr kund gemacht,
denn er verschied in selber Nacht.
Da klagten sie's den Nachbarn laut:
»Schad, daß er starb, die treue Haut!«

*Von Nicolaus Becker (1809–1845)*

# Tante Th'rese

Deine Schwestern, Tante Th'rese,
waren sämtlich hübsch und grad.
Du warst dafür der Tribut, an
die Dämonenwelt gezahlt.
Dich mit deinen Flammenhaaren,
deinem Feuermal am Kinn,
den unendlich großen Füßen,
nahmen sie als Fügung hin.

Hocktest meistens in der Küche,
hast die Mahlzeiten gemacht.
Und du spültest ihre Schüsseln
während ihrer Hochzeitsnacht.
Du saß't stundenlang an Wiegen,
summtest, horchtest auf den Wind
und warst selig, wenn sie sagten,
diesmal wäre es dein Kind.

Man ertrug dich, ließ dich leben,
durftest auch vor Türe gehn.
Selbst den Tick an Fronleichnam
haben sie dir fast verziehn. –
War das ehrlich oder Rache,
wenn du die Gardine nahmst,
sie um Kopf und Schultern legtest,
so zur Prozession rauskamst?

Ob man dich auch schlug und einschloß,
spätestens an der Station
in Doktor Stratmanns Blumengarten
knietest du, wenn wir kamen, schon.
Sangst voll Inbrunst Litaneien
oder auch ein Weihnachtslied.
Alle lachten. Doch der Pfarrer
kam zu dir und sang laut mit.

Ja, Tant' Th'rese, deine Schwestern
sind nicht mehr auf dieser Welt.
Ihre Kinder, kühl und freundlich,
zahlen jetzt ein Pflegegeld.
Deren Kinder nämlich – heißt es –
hätten vor dir große Angst,
vor dir, die du allen Kindern,
nachts die Angst nahmst, wenn du sangst.

Auch der Pfarrer ist nicht weise,
so, wie es der alte war.
An Fronleichnam treten leise
dicke Männer zum Altar
in Doktor Stratmanns Blumengarten,
drehen dich ganz sanft herum
und bringen dich in der Gardine
zurück ins Sanatorium.

Ja, Tant' Th'rese, ist schon richtig:
Früher, das ist lange her.
Wie du aussiehst – die Gardine –,
das darf heute keiner mehr.
Ja, ja, auch der Schnee ist anders,
nicht so weiß wie früher mal.
Herr, erlöse dich und andre
hier aus diesem Jammertal.

*Von Franz Josef Degenhardt, geboren 1932.*

# Besinnung

Von guter Tat
und wahrem Wert.
Vom Gott,
der Eisen wachsen ließ

# Has von Überlingen

Es war der Has von Überlingen,
der scheut' den Märzen wie den Tod;
denn in die Glieder fühlt' er bringen
mit ihm des Alters leise Not.

Wann nun die Morgenlüfte wehten
nach letzten Hornungs Mitternacht,
sah man ihn vor die Türe treten
wie einen Krieger auf die Wacht.

Den Krebs geschnallt um Brust und Rücken,
auf grauem Haupt den Eisenhut,
umschient die Glieder ohne Lücken:
das schien ihm für den Märzen gut!

Den langen Degen an der Seite,
die Halmbart' in beschuhter Hand,
erwartet er den Feind zum Streite,
bis sich erhellten See und Land.

»Hei, falscher Mars! willst du es wagen?
Dir sag ich ab und biete dir,
auf Hieb und Stoß gerecht zu schlagen
ums teure Leben, jetzt und hier!

Willst du an Herz und Mark mir greifen,
du Tückebold, so komm heran!
Ich lehre dich ein Liedlein pfeifen,
du findest einen Martismann!«

Fuhr dann dem Alten rauh entgegen
ein Staubgewölk im Sonnenschein,
ein Schauer auch von Schnee und Regen,
so hieb und stach er mächtig drein.

Denn in dem Dufte sah er drohen
den Gegner mit gezücktem Speer;
drum schlug er, bis der Spuk entflohen,
und blickte siegreich um sich her.

Ein Trunk von goldnem Rebenblute
erquickt ihn nach bestandnem Streit,
und er genoß mit frohem Mute
des Frühlings neue Herrlichkeit.

So ging es denn nach seinem Willen;
er schlug den Märzen Jahr um Jahr,
bis einst am ersten Tag Aprillen
sein tapfres Herz gebrochen war.

*Von Gottfried Keller*

# Das Siegesfest

Priams Feste war gesunken,
Troja lag in Schutt und Staub,
Und die Griechen, siegestrunken,
Reich beladen mit dem Raub,
Saßen auf den hohen Schiffen
Längs des Hellespontos Strand,
Auf der frohen Fahrt begriffen
Nach dem schönen Griechenland.
Stimmet an die frohen Lieder!
Denn dem väterlichen Herd
Sind die Schiffe zugekehrt,
Und zur Heimat geht es wieder.

Und in langen Reihen, klagend,
Saß der Trojerinnen Schar,
Schmerzvoll an die Brüste schlagend,
Bleich mit aufgelöstem Haar.
In das wilde Fest der Freuden
Mischten sie den Wehgesang,
Weinend um das eigne Leiden
In des Reiches Untergang.
Lebe wohl, geliebter Boden!
Von der süßen Heimat fern
Folgen wir den fremden Herrn.
Ach wie glücklich sind die Toten!

Und den hohen Göttern zündet
Kalchas jetzt das Opfer an.
Pallas, die die Städte gründet
Und zertrümmert, ruft er an,
Und Neptun, der um die Länder
Seinen Wogengürtel schlingt,
Und den Zeus, den Schreckensender,
Der die Ägis grausend schwingt.
Ausgestritten, ausgerungen
Ist der lange schwere Streit,
Ausgefüllt der Kreis der Zeit,
Und die große Stadt bezwungen.

Atreus' Sohn, der Fürst der
Scharen,
Übersah der Völker Zahl,
Die mit ihm gezogen waren
Einst in des Skamanders Tal.
Und des Kummers finstre Wolke
Zog sich um des Königs Blick:
Von dem hergeführten Volke
Bracht er wen'ge nur zurück.
Drum erhebe frohe Lieder,
Wer die Heimat wieder sieht,
Wem noch frisch das Leben blüht!
Denn nicht alle kehren wieder.

Alle nicht, die wiederkehren,
Mögen sich des Heimzugs freun,
An den häuslichen Altären
Kann der Mord bereitet sein.
Mancher fiel durch Freundesstücke,
Den die blut'ge Schlacht verfehlt!
Sprach's Ulyß mit Warnungsblicke,
Von Athenens Geist beseelt.
Glücklich, wenn der Gattin Treue
Rein und keusch das Haus
bewahrt!
Denn das Weib ist falscher Art,
Und die Arge liebt das Neue.

Und des frisch erkämpften Weibes
Freut sich der Atrid' und strickt
Um den Reiz des schönen Leibes
Seine Arme hochbeglückt.
Böses Werk muß untergehen,
Rache folgt der Freveltat,
Denn gerecht in Himmelshöhen
Waltet des Kroniden Rat.
Böses muß mit Bösem enden,
An dem frevelnden Geschlecht
Rächet Zeus das Gastesrecht,
Wägend mit gerechten Händen.

Wohl dem Glücklichen mag's
ziemen,
Ruft Oileus' tapfrer Sohn,
Die Regierenden zu rühmen
Auf dem hohen Himmelsthron!
Ohne Wahl verteilt die Gaben,
Ohne Billigkeit das Glück,
Denn Patroklus liegt begraben,
Und Thersites kommt zurück!
Weil das Glück aus seiner Tonnen
Die Geschicke blind verstreut,
Freue sich und jauchze heut,
Wer das Lebenslos gewonnen!

Ja, der Krieg verschlingt die
Besten!
Ewig werde dein gedacht,
Bruder, bei der Griechen Festen,
Der ein Turm war in der Schlacht.
Da der Griechen Schiffe brannten,
War in deinem Arm das Heil;
Doch dem Schlauen,
Vielgewandten
Ward der schöne Preis zuteil.
Friede deinen heil'gen Resten!
Nicht der Feind hat dich entrafft:
Ajax fiel durch Ajax' Kraft.
Ach, der Zorn verderbt die Besten!

Dem Erzeuger jetzt, dem großen,
Gießt Neoptolem des Weins:
Unter allen ird'schen Losen,
Hoher Vater, preis' ich deins!
Von des Lebens Gütern allen
Ist der Ruhm das höchste doch;
Wenn der Leib in Staub zerfallen,
Lebt der große Name noch.
Tapfrer, deines Ruhmes Schimmer
Wird unsterblich sein im Lied;
Denn das ird'sche Leben flieht,
Und die Toten dauern immer.

Wenn des Liedes Stimmen
schweigen
Von dem überwundnen Mann,
So will ich für Hektorn zeugen —
Hub der Sohn des Tydeus an —
Der für seine Hausaltäre
Kämpfend, ein Beschirmer, fiel —
krönt den Sieger größre Ehre,
Ehret ihn das schönre Ziel!
Der für seine Hausaltäre
Kämpfend sank, ein Schirm
und Hort,
Auch in Feindes Munde fort
Lebt ihm seines Namens Ehre.

Nestor jetzt, der alte Zecher,
Der drei Menschenalter sah,
Reicht den laubumkränzten
Becher
Der betränten Hekuba:
Trink ihn aus, den Trank
der Labe,
Und vergiß den herben Schmerz!
Wundervoll ist Bacchus' Gabe,
Balsam fürs zerrißne Herz!
Trink ihn aus, den Trank
der Labe,
Und vergiß den großen Schmerz!
Balsam fürs zerrißne Herz,
Wundervoll ist Bacchus' Gabe.

Denn auch Niobe, dem schweren
Zorn der Himmlischen ein Ziel,
Kostete die Frucht der Ähren
Und bezwang das Schmerzgefühl.
Denn solang die Lebensquelle
Schäumet an der Lippen Rand,
Ist der Schmerz in Lethes Welle
Tief versenkt und festgebannt!
Denn solang die Lebensquelle
An der Lippen Rande schäumt,
Ist der Jammer weggeträumt,
Fortgespült in Lethes Welle.

Und von ihrem Gott ergriffen,
Hub sich jetzt die Seherin,
Blickte von den hohen Schiffen
Nach dem Rauch der Heimat hin:
Rauch ist alles ird'sche Wesen;
Wie des Dampfes Säule weht,
Schwinden alle Erdengrößen,
Nur die Götter bleiben stet.
Um das Roß des Reiters schweben,
Um das Schiff die Sorgen her!
Morgen können wir's nicht mehr,
Darum laßt uns heute leben!

*1803. Von Friedrich von Schiller.*

# Die drei Zigeuner

Drei Zigeuner fand ich einmal
liegen an einer Weide,
als mein Fuhrwerk mit müder Qual
schlich durch sandige Heide.

Hielt der eine für sich allein
in den Händen die Fiedel,
spielte, umglüht vom Abendschein,
sich ein feuriges Liedel.

Hielt der zweite die Pfeif im Mund,
blickte nach seinem Rauche,
froh als ob er vom Erdenrund
nichts zum Glücke mehr brauche.

Und der dritte behaglich schlief,
und sein Zimbal am Baum hing,
über die Saiten der Windhauch lief,
über sein Herz ein Traum ging.

An den Kleidern trugen die drei
Löcher und bunte Flicken,
aber sie boten trotzig frei
Spott den Erdengeschicken.

Dreifach haben sie mir gezeigt,
wenn das Leben uns nachtet,
wie man's verraucht, verschläft, vergeigt
und es dreimal verachtet.

Nach den Zigeunern lang noch schaun
mußt ich im Weiterfahren,
nach den Gesichtern dunkelbraun,
den schwarzlockigen Haaren.

*Von Nikolaus Lenau*

# Doktrin

Schlage die Trommel und fürchte dich nicht,
und küsse die Marketenderin!
Das ist die ganze Wissenschaft,
das ist der Bücher tiefster Sinn.

Trommle die Leute aus dem Schlaf,
trommle Reveille mit Jugendkraft,
marschiere trommelnd immer voran,
das ist die ganze Wissenschaft.

Das ist die Hegelsche Philosophie,
das ist der Bücher tiefster Sinn!
Ich hab sie begriffen, weil ich gescheit,
und weil ich ein guter Tambour bin.

*Von Heinrich Heine*

# Der Rat einer Alten

Bin jung gewesen,
kann auch mit reden,
und alt geworden,
drum gilt mein Wort.

Schön reife Beeren
am Bäumchen hangen;
Nachbar, da hilft kein
Zaun um den Garten:
lustige Vögel
wissen den Weg.

Aber, mein Dirnchen,
du laß dir raten:
halte dein Schätzchen
wohl in der Liebe,
wohl im Respekt!

Mit den zwei Fädlein,
in eins gedrehet,
ziehst du am kleinen
Finger ihn nach.

Aufrichtig Herze,
doch schweigen können,
früh mit der Sonne
mutig zur Arbeit,
gesunde Glieder,
saubere Linnen –
das machet Mädchen
und Weibchen wert.

Bin jung gewesen,
kann auch mit reden,
und alt geworden,
drum gilt mein Wort.

*Von Eduard Mörike*

# Die Bürgschaft

Zu Dionys, dem Tyrannen, schlich
Möros, den Dolch im Gewande;
Ihn schlugen die Häscher in Bande.
Was wolltest du mit dem Dolche, sprich!
Entgegnet ihm finster der Wüterich.
»Die Stadt vom Tyrannen befreien!«
Das sollst du am Kreuze bereuen.

»Ich bin, spricht jener, zum Sterben bereit,
Und bitte nicht um mein Leben:
Doch willst du Gnade mir geben,
Ich flehe dich um drei Tage Zeit,
Bis ich die Schwester dem Gatten gefreit;
Ich lasse den Freund dir als Bürgen,
Ihn magst du, entrinn’ ich, erwürgen.«

Da lächelt der König mit arger List,
Und spricht nach kurzem Bedenken:
Drei Tage will ich dir schenken;
Doch wisse: wenn sie verstrichen die Frist,
Eh’ du zurück mir gegeben bist,
So muß er statt deiner erblassen,
Doch dir ist die Strafe erlassen.

Und er kommt zum Freunde: »Der König gebeut,
Daß ich am Kreuz mit dem Leben
Bezahle das frevelnde Streben,
Doch will er mir gönnen drei Tage Zeit,
Bis ich die Schwester dem Gatten gefreit;
So bleib’ du dem König zum Pfande,
Bis ich komme, zu lösen die Bande.«

Und schweigend umarmt ihn der treue Freund,
Und liefert sich aus dem Tyrannen,
Der andere ziehet von dannen.
Und ehe das dritte Morgenrot scheint,
hat er schnell mit dem Gatten die Schwester vereint,
Eilt heim mit sorgender Seele,
Damit er die Frist nicht verfehle.

Da gießt unendlicher Regen herab,
Von den Bergen stürzen die Quellen,
Und die Bäche, die Ströme schwellen,
Und er kommt an’s Ufer mit wanderndem Stab;
Da reißet die Brücke der Strudel hinab,
Und donnernd sprengen die Wogen
Des Gewölbes krachenden Bogen.

Und trostlos irrt er an Ufers Rand;
Wie weit er auch spähet und blicket
Und die Stimme, die rufende, schicket,
Da stößet kein Nachen vom sichern Strand,
Der ihn setze an das gewünschte Land,
Kein Schiffer lenket die Fähre
Und der wilde Strom wird zum Meere.

Da sinkt er an’s Ufer und weint und fleht,
die Hände zum Zeus erhoben:
»Oh hemme des Stromes Toben!
Es eilen die Stunden, im Mittag steht
Die Sonne, und wenn sie niedergeht,
Und ich kann die Stadt nicht erreichen,
So muß der Freund mir erbleichen.«

Doch wachsend erneut sich des Stromes Wut,
Und Welle auf Welle zerrinnet,
Und Stunde an Stunde entrinnet,
Da treibt ihn die Angst, da faßt er sich Mut
Und wirft sich hinein in die brausende Flut,
Und teilt mit gewaltigen Armen
Den Strom, und ein Gott hat Erbarmen.

Und gewinnt das Ufer und eilet fort,
Und danket dem rettenden Gotte,
Da stürzet die raubende Rotte
hervor aus des Waldes nächtlichem Ort,
Den Pfad ihm sperrend, und schnaubet Mord,
Und hemmet des Wanderers Eile
Mit drohend geschwungener Keule.

»Was wollt ihr?« ruft er vor Schrecken bleich,
»Ich habe nichts als mein Leben,
Das muß ich dem Könige geben!«
Und entreißt die Keule dem nächsten gleich:
»Um des Freundes willen, erbarmet euch!«
Und drei, mit gewaltigen Streichen,
Erlegt er, die andern entweichen.

Und die Sonne versendet glühenden Brand,
Und von der unendlichen Mühe
Ermattet, sinken die Kniee;
»O hast du mich gnädig aus Räubershand,
Aus dem Strom mich gerettet an's heilige Land,
Und soll hier verschmachtend verderben,
Und der Freund mir, der liebende, sterben!«

Und horch! da sprudelt es silberhell,
Ganz nahe, wie rieselndes Rauschen,
Und stille hält er zu lauschen,
Und sieh', aus dem Felsen, geschwätzig, schnell,
Springt murmelnd hervor ein lebendiger Quell,
Und freudig bückt er sich nieder,
Und erfrischet die brennenden Glieder.

Und die Sonne blickt durch der Zweige Grün,
Und malt auf den glänzenden Matten
Der Bäume gigantische Schatten;
Und zwei Wanderer sieht er die Straße ziehn,
Will eilenden Laufes vorüber fliehn,
Da hört er die Worte sie sagen:
Jetzt wird er an's Kreuz geschlagen.

Und die Angst beflügelt den eilenden Fuß,
Ihn jagen der Sorge Qualen,
Da schimmern in Abendrots Strahlen
Von ferne die Zinnen von Syrakus,
Und entgegen kommt ihm Philostratus,
Des Hauses redlicher Hüter,
Der erkennet entsetzt den Gebieter:

»Zurück! du rettest den Freund nicht mehr,
So rette das eigene Leben!
Den Tod erleidet er eben.
Von Stunde zu Stunde gewartet' er
Mit hoffender Seele der Wiederkehr,
Ihm konnte den mutigen Glauben
Der Hohn des Tyrannen nicht rauben.«

»Und ist es zu spät, und kann ich ihm nicht
Ein Retter willkommen erscheinen,
So soll mich der Tod ihm vereinen.
Des rühme der blut'ge Tyrann sich nicht,
Daß der Freund dem Freunde gebrochen die Pflicht,
Er schlachte der Opfer zweie
Und glaube an Liebe und Treue!«

»Und die Sonne geht unter, da steht er am Tor
Und sieht das Kreuz schon erhöhet,
Das die Menge gaffend umstehet,
An dem Seile schon zieht man den Freund empor;
Da zertrennt er gewaltig den dichten Chor:
»Mich, Henker! ruft er, erwürget!
Da bin ich, für den er gebürget!«

Und Erstaunen ergreift das Volk umher,
In den Armen liegen sich beide,
Und weinen vor Schmerzen und Freude.
Da sieht man kein Auge tränenleer,
Und zum Könige bringt man die Wundermär';
Der fühlt ein menschliches Rühren,
Läßt schnell vor den Thron sie führen.

Und blicket sie lange verwundert an,
Drauf spricht er: »Es ist euch gelungen,
Ihr habt das Herz mir bezwungen,
Und die Treue, sie ist doch kein leerer Wahn,
So nehmet auch mich zum Genossen an,
Ich sei, gewährt mir die Bitte,
In eurem Bunde der dritte.«

*Von Friedrich von Schiller*

# Freiheit

Der Gott, der Eisen wachsen ließ, der wollte keine Knechte,
Drum gab er Säbel, Schwert und Spieß dem Mann in seine Rechte,
Drum gab er ihm den kühnen Mut, den Zorn der freien Rede,
Daß er bestände bis aufs Blut, bis in den Tod die Fehde.

So wollen wir, was Gott gewollt, mit rechten Treuen halten
Und nimmer im Tyrannensold die Menschenschädel spalten
Doch wer für Tand und Schande ficht, den hauen wir zu Scherben.
Der soll im deutschen Lande nicht mit deutschen Männern erben.

O Deutschland, heil'ges Vaterland. O deutsche Lieb und Treue!
Du hohes Land, du schönes Land: dir schwören wir aufs neue:
Dem Buben und dem Knecht die Acht! Der speise Krähn und Raben!
So ziehn wir aus zur Hermannsschlacht und wollen Rache haben.

Laßt brausen, was nur brausen kann, in hellen, lichten Flammen!
Ihr Deutsche alle, Mann für Mann, zum heil'gen Krieg zusammen!
Und hebt die Herzen himmelan, und himmelan die Hände,
Und rufet alle, Mann für Mann: »Die Knechtschaft hat ein Ende!«

Laßt wehen, was nur wehen kann, Standarten wehn und Fahnen!
Wir wollen heut uns, Mann für Mann, zum Heldentode mahnen.
Auf, fliege, stolzes Siegspanier, voran den kühnen Reihen!
Wir siegen oder sterben hier den süßen Tod der Freien.

*Von Ernst Moritz Arndt im Jahre 1813 gedichtet.*
*Mit der Hermanns-Schlacht soll an den Sieg*
*des Cheruskerfürsten Arminius über die Römer*
*(9 nach Christus) im Teutoburger Wald erinnert*
*werden.*

# Die Gastfreundschaft des Huronen

Ein Kanadier, der noch Europens
übertünchte Höflichkeit nicht kannte
und ein Herz, wie Gott es ihm gegeben,
von Kultur noch frei, im Busen fühlte,
brachte, was er mit des Bogens Sehne
fern in Quebeks übereisten Wäldern
auf der Jagd erbeutet, zum Verkaufe.
Als er ohne schlaue Rednerkünste,
so wie man ihm bot, die Felsenvögel
um ein Kleines hingegeben hatte,
eilt er froh mit dem geringen Lohne
heim zu seinen tiefbedeckten Horden,
in die Arme seiner braunen Gattin.

Aber ferne noch von seiner Hütte
überfiel ihn unter freiem Himmel
schnell der schrecklichste der Donnerstürme.
Aus dem langen rabenschwarzen Haare
troff der Guß herab auf seinen Gürtel,
und das grobe Haartuch seines Kleides
klebte rund an seinem hagern 'Leibe.
Schaurig zitternd unter kaltem Regen
eilt der gute wackre Wilde
in ein Haus, das er von fern erblickte.
»Herr, ach laßt mich, bis der Sturm sich legt,«
bat er mit der herzlichsten Gebärde
den gesittet seinen Eigentümer,
»Obdach hier in Eurem Hause finden!« –
»Willst du mißgestaltes Ungeheuer,«
schrie ergrimmt der Pflanzer ihm entgegen,
»willst du Diebsgesicht mir aus dem Hause!«
und ergriff den schweren Stock im Winkel.

Traurig schritt der ehrliche Hurone
fort von dieser unwirtbaren Schwelle,
bis durch Sturm und Guß der späte Abend
ihn in seine friedliche Behausung
und zu seiner braunen Gattin brachte.
Naß und müde setzt er bei dem Feuer
sich zu seinen nackten Kleinen nieder
und erzählte von den bunten Städtern
und den Kriegern, die den Donner tragen,
und dem Regensturm, der ihn ereilte,
und der Grausamkeit des weißen Mannes.
Schmeichelnd hingen sie an seinen Knien,
schlossen schmeichelnd sich um seinen Nacken,
trockneten die langen schwarzen Haare
und durchsuchten seine Weidmannstasche,
bis sie die versprochnen Schätze fanden.

Kurze Zeit darauf hatt' unser Pflanzer
auf der Jagd im Walde sich verirret.
Über Stock und Stein, durch Tal und Bäche
stieg er schwer auf manchen jähen Felsen,
um sich umzusehen nach dem Pfade,
der ihn tief in diese Wildnis brachte.
Doch sein Spähn und Rufen war vergebens;
nichts vernahm er als das hohle Echo
längs den hohen schwarzen Felsenwänden.
Ängstlich ging er bis zur zwölften Stunde,
wo er an dem Fuß des nächsten Berges
noch ein kleines, schwaches Licht erblickte;
Furcht und Freude schlug in seinem Herzen,
und er faßte Mut und nahte leise.
»Wer ist draußen?« brach mit Schreckenstone
eine Stimme tief her aus der Höhle,
und ein Mann trat aus der kleinen Wohnung.
»Freund, im Walde hab' ich mich verirret,«
sprach der Europäer furchtsam schmeichelnd,
»gönnet mir, die Nacht hier zuzubringen,
und zeigt nach der Stadt, ich werd' Euch danken,
morgen früh mir die gewissen Wege.«

»Kommt herein,« versetzt der Unbekannte,
»wärmt Euch; noch ist Feuer in der Hütte!«
Und er führt ihn auf das Binsenlager,
schreitet finster trotzig in den Winkel,
holt den Rest von seinem Abendmahle,
Hummer, Lachs und frischen Bärenschinken,
um den späten Fremdling zu bewirten.
Mit dem Hunger eines Weidmanns speiste,
festlich wie bei einem Klosterschmause,
neben seinem Wirt der Europäer.
Fest und ernsthaft schaute der Hurone
seinem Gaste spähend auf die Stirne,
der mit tiefem Schnitt den Schinken trennte
und mit Wollust trank vom Honigtranke,
den in einer großen Muschelschale
er ihm freundlich zu dem Mahle reichte.
Eine Bärenhaut auf weichem Moose
war des Pflanzers gute Lagerstätte,
und er schlief bis in die hohe Sonne.

Wie der wilden Zone wildster Krieger
schrecklich stand mit Köcher, Pfeil und Bogen
der Hurone jetzt vor seinem Gaste
und erweckt ihn, und der Europäer
griff bestürzt nach seinem Jagdgewehre;
und der Wilde gab ihm eine Schale,
angefüllt mit süßem Morgentranke.

Als er lächelnd seinen Gast gelabet,
bracht er ihn durch manche lange Windung,
über Stock und Stein, durch Tal und Bäche,
durch das Dickicht auf die rechte Straße.

Höflich dankte fein der Europäer.
Finsterblickend blieb der Wilde stehn,
sahe starr dem Pflanzer in die Augen,
sprach mit voller, fester, ernster Stimme:
»Haben wir vielleicht uns schon gesehen?«

Wie vom Blitz getroffen stand der Jäger
und erkannte nun in seinem Wirte
jenen Mann, den er vor wenig Wochen
in dem Sturmwind aus dem Hause jagte,
stammelte verwirrt Entschuldigungen.
Ruhig lächelnd sagte der Hurone:
»Seht, ihr fremden, klugen, weißen Leute,
seht, wir Wilden sind doch beßre Menschen!«
und er schlug sich seitwärts in die Büsche.

*Von Johann Gottfried Seume (1763–1810)*

# Die edle Tat

An einem Fluß, der rauschend schoß,
ein armes Mädchen saß;
aus ihren blauen Äuglein floß
manch Tränchen in das Gras.

Sie wand aus Blümchen einen Strauß
und warf ihn in den Strom.
Ach guter Vater, rief sie aus,
ach lieber Bruder, komm!

Ein reicher Herr gegangen kam
und sah des Mädchens Schmerz,
sah ihre Tränen, ihren Gram,
und dies brach ihm das Herz.

Was fehlet, liebes Mädchen, dir,
was weinest du so früh?
Sag deiner Tränen Ursach' mir,
kann ich, so heb ich sie.

Ach, lieber Herr, sprach sie und sah
mit trüben Aug' ihn an:
Sie sehn ein armes Mädchen da,
dem Gott nur helfen kann.

Denn sehn Sie, jene Rasenbank
ist meiner Mutter Grab,
und ach, vor wenig Tagen sank
mein Vater hier hinab.

Der wilde Strom riß ihn dahin,
mein Bruder sah's und sprang
ihm nach; da faßt der Strom auch ihn,
und ach! auch er ertrank.

Nun ich im Waisenhause bin,
und wenn ich Rasttag hab,
schlüpf ich zu diesem Flusse hin
und weine mich recht ab.

Sollst nicht mehr weinen, liebes Kind!
Ich will dein Vater sein.
Du hast ein Herz, das es verdient,
du bist so fromm und fein.

Er tat's und nahm sie in sein Haus,
der gute reiche Mann,
zog ihr die Trauerkleider aus
und zog ihr schönre an.

Sie aß an seinem Tisch und trank
aus seinem Becher satt. –
Du guter Reicher habe Dank
für deine edle Tat.

*Von Kasper Friedrich Lossius (1753–1817)*

# Die treuen Hunde

Begleitet von zwei treuen Hunden,
ging Schnell, ein Fleischer, über Land.

Schon waren ihm nach wenig Stunden
die Türme seiner Stadt verschwunden,
als in dem Wald, durch den der Weg sich wand,
ein Mann mit Knotenstock – im Blicke
mehr tiefen Gram als Herzenstücke –
bescheiden flehend vor ihm stand:
Freund! nur ein kleines einem Armen,
Gott näher bringt dich das Erbarmen.

Schnell wendet sich und sucht hervor
ein Silberstück, als – mir zittert
die Feder, und mir singt das Ohr! –
als jener Unhold im Gewande
der Dürftigkeit durch einen Schlag
den Fleischer, der nichts Arges wittert,
zu Boden stürzt. Der Edle lag
betäubt und sinnenlos im Sande
und auf dem Punkt, beraubt zu sein.

Doch Vorsicht und Instinkt verkürzen
die Freveltat: wie Blitze stürzen
die Hunde wütend auf den Mörder ein,
zerfleischen schrecklich ihn und zerren
ihn endlich nach dem nahen Sumpf.
Dann fliegen sie zu ihrem Herren,
der noch an allen Sinnen stumpf
zu Boden lag, beriechen und belecken,
ihn in das Leben zu erwecken,
ihm freundlich Händ und Angesicht.

Schnell wachet auf, sieht seinen Mörder nicht,
doch findet er sein Geld und seine Hunde,
fühlt eine Beule, keine Wunde
und wandert seines Weges fort.

Urplötzlich dringt aus einem nahen Ort
ein kläglich Wimmern ihm zu Ohren.
Er geht dem Laute nach und sieht
den Räuber blutend und verloren,
wenn niemand rettet. Hochentglüht
von Menschlichkeit und Tugend, springet
er mutig in den Sumpf und zieht
selbst seinen Mörder an das Land und ringet
ihm Haar und Kleider aus und jagt
die Hunde fort. Worauf er endlich fragt:

Was tat ich dir, daß du mich schlugest
und friedlich nicht ein klein Geschenk von mir
zurück in deine Hütte trugest?

Mitleiden, sprach der Räuber hier,
Mitleiden lebt nur noch in Sittensprüchen;
doch das Bedürfnis wird nicht satt von Wohlgerüchen!
Ich tat es, Wanderer, weil höchster Grad der Not
mir nur die Wahl noch ließ von mein und deinem Tod!

Ich könnte, sprach der Fleischer mit der Miene
des inneren Bewußtseins, das
so schön belohnet, wenn auch gleich auf ihrer Bühne
die Welt, die, was sie soll, fast immer noch vergaß,
es kaum bemerkt, – ich könnt auf Tod und Leben
dich den Gerichten übergeben;
doch armer Mann, was hälf es mir?
Nimm diesen blanken Taler hier
und eile, daß kein Zeuge dort erzähle,
was hier geschehn!
Erhabne Seele!
rief über ihm ein Genius
und schwang das goldene Gefieder,
du lebst im schönsten aller Lieder
des Dichters, der dich singen muß.

*Von Joseph Friedrich Engelschall (1739–1797)*

# Jung gewohnt, alt getan

Die Schenke dröhnt, und an dem langen Tisch
ragt Kopf an Kopf verkommener Gesellen;
man pfeift, man lacht; Geschrei, Fluch und Gezisch
ertönte an des Trankes trüben Wellen.

In dieser Wüste glänzt ein weißes Brot,
sah man es an, so ward dem Herzen besser;
sie drehten eifrig draus ein schwarzes Schrot
und wischten dran die blinden Schenkemesser.

Doch einem, der da mit den andern schrie,
fiel untern Tisch des Brots ein kleiner Bissen;
schnell fuhr er nieder, wo sich Knie an Knie
gebogen drängte in den Finsternissen.

Dort sucht er selbstvergessen nach dem Brot;
doch da begann's rings um ihn zu rumoren,
sie brachten mit den Füßen ihn in Not
und schrien erbost: »Was, Kerl! hast du verloren?«

Errötend taucht' er aus dem dunklen Graus
und barg es in des Tuches grauen Falten.
Er sann und sah sein ehrlich Vaterhaus
und einer treuen Mutter häuslich Walten. –

Nach Jahren aber saß derselbe Mann
bei Herrn und Damen an der Tafelrunde,
wo Sonnenlicht das Silber überspann
und in gewählten Reden floh die Stunde.

Auch hier lag Brot, weiß wie der Wirtin Hand,
wohlschmeckend in dem Dufte guter Sitten;
er selber hielt's nun fest und mit Verstand;
doch einem Fräulein war ein Stück entglitten.

»O, lassen Sie es liegen!« sagt sie schnell;
zu spät, schon ist er untern Tisch gefahren
und späht und sucht, der närrische Gesell,
wo kleine seidne Füßchen stehn zu Paaren.

Die Herren lächeln und die Damen ziehn
die Sessel scheu zurück vor dem Beginnen;
er taucht empor und legt das Brötchen hin,
errötend hin auf das damastne Linnen.

»Zu artig, Herr!« dankt ihm das schöne Kind,
indem sie spöttisch lächelnd sich verneigte;
er aber sagte höflich und gelind,
indem er sich gar sittsam tief verbeugte:

»Wohl einer Frau galt meine Artigkeit,
doch Ihnen diesmal nicht, verehrte Dame!
Es galt der Mutter, die vor langer Zeit
entschlafen ist in Leid und bittrem Grame!«

*Von Gottfried Keller*

# Groß ist die Diana der Epheser

Zu Ephesus ein Goldschmied saß
In seiner Werkstatt, pochte,
So gut er konnt, ohn Unterlaß,
So zierlich ers vermochte.
Als Knab und Jüngling kniet er schon
Im Tempel vor der Göttin Thron
Und hatte den Gürtel unter den Brüsten,
Worin so manche Tiere nisten,
Zu Hause treulich nachgefeilt;
Wies ihm der Vater zugeteilt;
Und leitete sein kunstreich Streben
In frommer Wirkung durch das Leben.

Da hört er denn auf einmal laut
Eines Gassenvolkes Windesbraut,
Als gäbs einen Gott so im Gehirn,
Da hinter des Menschen alberner Stirn,
Der sei viel herrlicher als das Wesen,
An dem wir die Breite der Gottheit lesen.

Der alte Künstler horcht nur auf,
Läßt seinen Knaben auf den Markt den Lauf,
Feilt immer fort an Hirschen und Tieren,
Die seiner Gottheit Kniee zieren;
Und hofft, es könnte das Glück ihm walten,
Ihr Angesicht würdig zu gestalten.

*

Wills aber einer anders halten,
So mag er nach Belieben schalten;
Nur soll er nicht das Handwerk schänden;
Sonst wird er schlecht und schmählich enden.

*1812 von Johann Wolfgang von Goethe über
ein biblisches Thema: Apostelgeschichte, 19, 34–39.*


# Der Schatzgräber

Arm am Beutel, krank am Herzen,
Schleppt ich meine langen Tage.
Armut ist die größte Plage,
Reichtum ist das höchste Gut!
Und, zu enden meine Schmerzen,
Ging ich, einen Schatz zu graben.
Meine Seele sollst du haben!
Schrieb ich hin mit eignem Blut.

Und so zog ich Kreis' um Kreise,
Stellte wunderbare Flammen,
Kraut und Knochenwerk zusammen:
Die Beschwörung war vollbracht.
Und auf die gelernte Weise
Grub ich nach dem alten Schatze
Auf dem angezeigten Platze;
Schwarz und stürmisch war die Nacht.

Und ich sah ein Licht von weiten,
Und es kam gleich einem Sterne
Hinten aus der fernsten Ferne,
Eben als es zwölfe schlug.
Und da galt kein Vorbereiten:
Heller ward's mit einem Male
Von dem Glanz der vollen Schale,
Die ein schöner Knabe trug.

Holde Augen sah ich blinken
Unter dichtem Blumenkranze;
In des Trankes Himmelsglanze
Trat er in den Kreis herein.
Und er hieß mich freundlich
trinken,
Und ich dacht: es kann der Knabe
Mit der schönen lichten Gabe
Wahrlich nicht der Böse sein.

Trinke Mut des reinen Lebens!
Dann verstehst du die Belehrung,
Kommst mit ängstlicher
Beschwörung
Nicht zurück an diesen Ort.
Grabe hier nicht mehr vergebens!
Tages Arbeit, abends Gäste!
Saure Wochen, frohe Feste!
Sei dein künftig Zauberwort.

*1797. Von Johann Wolfgang von Goethe.*

# Die Schatzgräber

Ein Winzer, der am Tode lag,
rief seine Kinder an und sprach:
»In unserm Weinberg liegt ein Schatz,
grabt nur danach!« – »An welchem Platz?«
schrie alles laut den Vater an.
»Grabt nur!«… O weh! da starb der Mann.

Kaum war der Alte beigeschafft,
so grub man nach aus Leibeskraft.
Mit Hacke, Karst und Spaten ward
der Weinberg um und um gescharrt.
Da war kein Kloß, der ruhig blieb;

man warf die Erde gar durchs Sieb
und zog die Harken kreuz und quer
nach jedem Steinchen hin und her.
Allein da ward kein Schatz verspürt,
und jeder hielt sich angeführt.

Doch kaum erschien das nächste Jahr,
so nahm man mit Erstaunen wahr,
daß jede Rebe dreifach trug.
Da wurden erst die Söhne klug
und gruben nun jahrein jahraus
des Schatzes immer mehr heraus.

*1787. Von Gottfried August Bürger.*

# Die Spieler

Ein Mann, der in der Welt sich trefflich umgesehn,
kam endlich heim von seiner Reise.
Die Freunde liefen scharenweise
und grüßten ihren Freund, so pflegt es zu geschehn.
Da hieß es allemal: »Uns freut von ganzer Seele,
dich hier zu sehn, und nun: erzähle!«
Was ward da nicht erzählt! »Hört,« sprach er einst, »ihr wißt,
wie weit von unsrer Stadt zu den Huronen ist.
Elfhundert Meilen hinter ihnen
sind Menschen, die mir seltsam schienen:
sie sitzen oft bis in die Nacht
beisammen fest auf einer Stelle
und denken nicht an Gott noch Hölle.
Da wird kein Tisch gedeckt, kein Mund wird naß gemacht,
es könnten um sie her die Donnerkeile blitzen,
zwei Heer im Kampfe stehn; sollt auch der Himmel schon
mit Krachen seinen Einfall drohn,
sie blieben ungestöret sitzen.
Denn sie sind taub und stumm, doch läßt sich dann und wann
ein halb gebrochener Laut aus ihrem Munde hören,
der nicht zusammenhängt und wenig sagen kann,
ob sie die Augen schon darüber oft verkehren.
Man sah mich oft erstaunt zu ihrer Seite stehen;
denn wenn dergleichen Ding geschieht,
so pflegt man öfters hinzugehen,
daß man die Leute sitzen sieht.
Glaubt, Brüder, daß mir nie die gräßlichen Gebärden
aus dem Gemüte kommen werden,
die ich an ihnen sah: Verzweiflung, Raserei,
boshafte Freud und Angst dabei,
die wechselten in den Gesichtern.
Sie schienen mir, das schwör ich euch,
an Wut den Furien, an Ernst den Höllenrichtern,
an Angst den Missetätern gleich.«
»Allein was ist ihr Zweck?« so fragten hier die Freunde,
»vielleicht besorgen sie die Wohlfahrt der Gemeinde?«
»Ach nein!« – »So suchen sie der Weisen Stein?« – »Ihr irrt.«
»So wollen sie vielleicht des Zirkels Viereck finden?«
»Nein!« – »So bereun sie alte Sünden?«
»Das ist es alles nicht.« – »So sind sie gar verwirrt;
wenn sie nicht hören, reden, fühlen,
noch sehn, was tun sie denn?« – »Sie spielen.«

*Von Magnus Gottfried Lichtwer (1719–1783)*

# Winteraustreiben

So treiben wir den Winter aus,
durch unsre Stadt zum Tor hinaus,
mit sein Betrug und Listen
den rechten Antichristen.

Wir stürzen ihn von Berg zu Tal,
damit er sich zu Tode fall
und uns nicht mehr belüge
durch falsche Lehr und Lüge.

Nun hab'n den Winter wir ausgetrieben,
so bringen wir den Sommer herwieder,
den Sommer und den Maien,
die Blümlein mancherleien.

Die Blümlein sind das göttlich Wort,
das blüht itzunder an manchem Ort,
das wird uns rein gelehret,
Gott ist's, der's hat gelehret.

Das danken Gott von Herzen wir,
bitten, daß er wollt senden schier
Christum, uns zu erlösen
vom Winter und allem Bösen.

*Volksballade aus dem 16. Jahrhundert.*

# Geistesgruß

Hoch auf dem alten Turme steht
Des Helden edler Geist,
Der, wie das Schiff vorübergeht,
Es wohl zu fahren heißt.

»Sieh, diese Sehne war so stark,
Dies Herz so fest und wild –
Die Knochen voll von Rittermark,
Der Becher angefüllt –

Mein halbes Leben stürmt ich fort,
Verdehnt' die Hälft in Ruh.
Und du, du Menschenschifflein dort,
Fahr immer, immerzu!«

*1774. Von Johann Wolfgang von Goethe.*


# Der Leiermann

Warum sie sich wohl ans Fenster stellen,
Wenn unten der Alte die Leier dreht?
Warum sie verstummen und mancher ergriffen
Mit glänzenden Augen vorübergeht?

Sie wissen es selbst nicht, warum sie lauschen,
Die Brust wird ihnen plötzlich so weit.
Sie lassen sich durch die Seele rauschen
Das alte Lied ihrer Jugendzeit.

*Von Joachim Ringelnatz*

# Heimweh

Ich komme vom Gebirge her,
es ruft das Tal, es rauscht das Meer;
ich wandle still und wenig froh,
und immer fragt der Seufzer: Wo?

Die Sonne dünkt mich hier so kalt,
die Blüte welk, das Leben alt,
und was sie reden, tauber Schall;
ich bin ein Fremdling überall.

Wo bist du mein gelobtes Land,
gesucht, geahnt und nie gekannt?
das Land, das Land, so hoffnungsgrün,
das Land, wo meine Rosen blühn?

Wo meine Träume wandeln gehn,
wo meine Toten auferstehn;
das Land, das meine Sprache spricht
und alles hat, was mir gebricht?

Ich wandle still und wenig froh,
und immer fragt der Seufzer: Wo?
Es bringt die Luft den Hauch zurück:
da, wo du nicht bist, blüht dein Glück!

*Von Georg P. Schmidt (1766–1849)*

# Der Mann bist du

Es ging ein Mann im Syrerland,
führt ein Kamel am Halfterband.
Das Tier mit grimmigen Gebärden
urplötzlich anfing scheu zu werden
und tat so ganz entsetzlich schnaufen,
der Führer vor ihm mußt entlaufen.
Er lief und einen Brunnen sah
von ungefähr am Wege da.
Das Tier hört er im Rücken schnauben,
das mußt ihm die Besinnung rauben.
Er in den Schacht des Brunnens kroch,
er stürzte nicht, er schwebte noch.
Gewachsen war ein Brombeerstrauch
aus des geborstnen Brunnens Bauch;
daran der Mann sich fest tat klammern
und seinen Zustand drauf bejammern.
Er blickte in die Höh und sah
dort das Kamelhaupt furchtbar nah,
das ihn wollt oben fassen wieder.
Dann blickt er in den Brunnen nieder;
da sah am Grund er einen Drachen
aufgähnen mit entsperrtem Rachen,
der drunten ihn verschlingen wollte,
wenn er hinunterfallen sollte.
So schwebend in der beiden Mitte,
da sah der Arme noch das dritte.
Wo in die Mauerspalte ging
des Sträuchleins Wurzel, dran er hing,
da sah er still ein Mäusepaar,

schwarz eine, weiß die andre war.
Er sah die schwarze mit der weißen
abwechselnd an der Wurzel beißen.
Sie nagten, zausten, gruben, wühlten,
die Erd ab von der Wurzel spülten;
und wie sie rieselnd niederrann,
der Drach' im Grund aufblickte dann,
zu sehn, wie bald mit seiner Bürde
der Strauch entwurzelt fallen würde.
Der Mann in Angst und Furcht und Not,
umstellt, umlagert und umdroht,
im Stand des jammerhaften Schwebens,
sah sich nach Rettung um vergebens.
Und da er also um sich blickte,
sah er ein Zweiglein, welches nickte
vom Brombeerstrauch mit reifen Beeren;
da konnt er doch der Lust nicht wehren.
Er sah nicht des Kameles Wut
und nicht den Drachen in der Flut
und nicht der Mäuse Tückespiel,
als ihm die Beer' ins Auge fiel.
Er ließ das Tier von oben rauschen
und unter sich den Drachen lauschen
und neben sich die Mäuse nagen,
griff nach den Beerlein mit Behagen,
sie deuchtem ihm zu essen gut,
aß Beer auf Beerlein wohlgemut,
und durch die Süßigkeit im Essen
war alle seine Furcht vergessen.

Du fragst: Wer ist der töricht Mann,
der so die Furcht vergessen kann?
So wiß, o Freund, der Mann bist du;
vernimm die Deutung auch dazu.
Es ist der Drach' im Brunnengrund
des Todes aufgesperrter Schlund;
und das Kamel, das oben droht,
es ist des Lebens Angst und Not.
Du bists, der zwischen Tod und Leben
am grünen Strauch der Welt muß schweben.
Die beiden, so die Wurzel nagen,
dich samt den Zweigen, die dich tragen,
zu liefern in des Todes Macht,

die Mäuse heißen Tag und Nacht.
Es nagt die schwarze wohl verborgen
vom Abend heimlich bis zum Morgen,
es nagt vom Morgen bis zum Abend
die weiße, wurzeluntergrabend.
Und zwischen diesem Graus und Wust
lockt dich die Beere Sinnenlust,
daß du Kamel, die Lebensnot,
daß du im Grund den Drachen Tod,
daß du die Mäuse Tag und Nacht
vergissest und auf nichts hast acht,
als daß du recht viel Beeren haschest,
aus Grabes Brunnenritzen naschest.

*Von Friedrich Rückert*

# Fragen

Am Meer, am wüsten, nächtlichen Meer
steht ein Jüngling-Mann,
die Brust voll Wehmut, das Haupt voll Zweifel,
und mit düstern Lippen fragt er die Wogen:

»O löst mir das Rätsel des Lebens,
das qualvoll uralte Rätsel,
worüber schon manche Häupter gegrübelt,
Häupter in Hieroglyphenmützen,
Häupter in Turban und schwarzem Barett,
Perückenhäupter und tausend andre
arme, schwitzende Menschenhäupter –
Sagt mir, was bedeutet der Mensch?
Woher ist er kommen? Wo geht er hin?
Wer wohnt dort oben auf goldenen Sternen?«

Es murmeln die Wogen ihr ew'ges Gemurmel,
es wehet der Wind, es fliehen die Wolken,
es blinken die Sterne, gleichgültig und kalt,
und ein Narr wartet auf Antwort.

*Von Heinrich Heine*

# Grenzen der Menschheit

Wenn der uralte
Heilige Vater
Mit gelassener Hand
Aus rollenden Wolken
Segnende Blitze
Über die Erde sät,
Küss' ich den letzten
Saum seines Kleides,
Kindliche Schauer
Treu in der Brust.

Denn mit Göttern
Soll sich nicht messen
Irgend ein Mensch.
Hebt er sich aufwärts
Und berührt
Mit dem Scheitel die Sterne,
Nirgends haften dann
Die unsichern Sohlen,
Und mit ihm spielen
Wolken und Winde.

Steht er mit festen,
Markigen Knochen
Auf der wohlgegründeten
Dauernden Erde:
Reicht er nicht auf,
Nur mit der Eiche
Oder der Rebe
Sich zu vergleichen.

Was unterscheidet
Götter von Menschen?
Daß viele Wellen
Vor jenen wandeln,
Ein ewiger Strom:
Uns hebt die Welle,
Verschlingt die Welle,
Und wir versinken.

Ein kleiner Ring
Begrenzt unser Leben,
Und viele Geschlechter
Reihen sich dauernd
An ihres Daseins
Unendliche Kette.

*1781. Von Johann Wolfgang von Goethe*

# Register

# Quellenverzeichnis

**Wolf Biermann**
Aus: »Mit Marx- und Engelszungen«, 1968, und »Die Drahtharfe«, Klaus Wagenbach Verlag, Berlin, 1965

**Bertolt Brecht**
Aus: »Gesammelte Gedichte«, Suhrkamp Verlag , Frankfurt, 1976

**Georg Britting**
Aus: »Das große Georg-Britting-Buch«, Nymphenburger Verlagshandlung, München

**Franz Josef Degenhardt**
Mit freundlicher Genehmigung der Verlagsgruppe Bertelsmann GmbH/Verlag Autoren Edition, München

**Richard Dehmel**
Aus: »Dichtungen, Briefe, Dokumente«, Hoffmann und Campe Verlag, Hamburg, 1963

**Otto Ernst**
Aus: »Siebzig Gedichte«, Leonore Schmidt, Hamburg

**Stefan George**
Aus: Werke, Band 9, »Das neue Reich«, Verlag Helmut Küpper, vorm. Georg Bondi, 1964

**Franz Karl Ginzkey**
Aus: »Balladenbuch«, Verlag L. Staackmann, München

**Günter Grass**
Aus: »Gesammelte Gedichte«, Luchterhand Verlag, Darmstadt und Neuwied, Sammlung Luchterhand Band 34, 1971

**Peter Hacks**
Aus: »Der Flohmarkt«, Kinderbuchverlag, Berlin
und aus: »Lieder zu Stücken«, Eulenspiegel Verlag, Berlin

**Hugo von Hofmannsthal**
Aus: »Gedichte und lyrische Dramen«, »Ballade vom kranken Kind«
© 1946 by Bermann-Fischer Verlag AB, Stockholm
und aus: »Gedichte und lyrische Dramen«, Insel Verlag, Frankfurt/M.

**Ricarda Huch**
Aus: »Gesammelte Werke«, Fünfter Band, Kiepenheuer & Witsch, Köln

**Marie Luise Kaschnitz**
Aus: »Gedichte«, Claassen-Verlag, Düsseldorf, 1957

**Erich Kästner**
Aus: »Herz auf Taille« und »Lärm im Spiegel«
© Atrium Verlag, Zürich
und aus: »Gesang zwischen den Stühlen«
© Atrium Verlag, Zürich

**Gertrud Kolmar**
Aus: »Das lyrische Werk«, Kösel-Verlag, München, 1960

**Agnes Miegel**
Aus: »Gesammelte Balladen«, Eugen Diederichs Verlag, Düsseldorf

**Börries Freiherr von Münchhausen**
Aus: »Das dichterische Werk in zwei Bänden« und »Die Balladen«, Deutsche Verlags-Anstalt, Stuttgart, 1963

**Christa Reinig**
Aus: »Gedichte«, 1975 und »Papantscha«, 1971

**Rainer Maria Rilke**
Aus: »Gesammelte Werke«, Insel Verlag, Frankfurt/M., 1951

**Roda Roda**
Aus: »Balladensammlung«

**Joachim Ringelnatz**
Aus: »Und auf einmal steht es neben dir«, Karl Henssel Verlag, Berlin, 1963

**Carl Spitteler**
Aus: »Gesammelte Werke«, Artemis Verlag, Zürich

**Lulu von Strauss und Torney**
Aus: »Tulipan«, Eugen-Diederichs-Verlag, Düsseldorf, 1966

**Karl Valentin**
Aus: »Sturzflüge im Zuschauerraum«, Piper-Verlag, München, 1969

**Franz Wedekind**
Aus: »Prosa – Dramen – Verse«, Langen-Müller, München, 1960

**Erich Weinert**
Aus: »Der Frühling braust, wie ziehn fürbass«, Henschelverlag, Berlin, 1975

**Franz Werfel**
Aus: »Das lyrische Werk«, S. Fischer, Frankfurt, 1967

**Ror Wolf**
Aus: »Mein Famili«, es 512, Suhrkamp Verlag, Frankfurt, 1971

**Carl Zuckmayer**
Aus: »Gedichte«, S. Fischer, Frankfurt, 1977

Wir danken Autoren,
Verlegern und Rechteinhabern
für die freundliche Erlaubnis
zum Abdruck der Texte.